ΣΕΙΡΑ ΠΟΛΙΤΙΚΗ ΚΑΙ ΙΣΤΟΡΙΑ 38

Η ΤΡΙΤΗ ΙΔΕΟΛΟΓΙΑ ΚΑΙ Η ΟΡΘΟΔΟΞΙΑ

ΣΤΗΝ ΙΔΙΑ ΣΕΙΡΑ

1. 24 Ἰουλίου 1974 *Ἡ ἐπιστροφή στή δημοκρατία καί τά προβλήματά της*
2. Μανούσου Πλουμίδη *Ἡ ἑλληνοτουρκική κρίση. Ἑλλάς καί Τουρκία, ἕνα πρόβλημα συμβιώσεως*
3. Ἀντρέι Ντ. Σαχάρωφ *Ἡ χώρα μου κι ὁ κόσμος*
4. Κώστα Σαρδελῆ *Μέρες τῆς Σιβηρίας*
5. Δημήτρη Κιτσίκη *Ἑλλάς καί Ξένοι, 1919-1967*
6. Δημήτρη Κιτσίκη *Συγκριτική ἱστορία Ἑλλάδος καί Τουρκίας στόν 20ό αἰώνα*
7. Κ. Μ. Γουντχάουζ *Ὁ πόλεμος τῆς ἑλληνικῆς ἀνεξαρτησίας*. Μετάφραση Ἄ. Βλάχου
8. Θεόδωρου Α. Κουλουμπῆ *Προβλήματα ἑλληνοαμερικανικῶν σχέσεων*
9. Ἀναστάση Π. Παπαληγούρα *Ἡ Εὐρώπη τῶν Δέκα*
10. Χρήστου Φιλιππίδη *Τομές*
11. Ἄγγελου Σ. Βλάχου *Δέκα χρόνια Κυπριακοῦ*
12. Ἄγγελου Σ. Βλάχου *Σαράντα χρόνια ἀργότερα*
13. Ἐμανουέλε Γκράτσι *Ἡ ἀρχή τοῦ τέλους*. Μετάφραση Χρ. Γκίκα
14. Ἀλέξανδρου Ζαούση *Ἀναμνήσεις ἑνός ἀντιήρωα (1933-1944)*
15. Δημήτρη Κιτσίκη *Ἱστορία τοῦ ἑλληνοτουρκικοῦ χώρου: Ἀπό τόν Ἐ. Βενιζέλο στόν Γ. Παπαδόπουλο*
16. Βίκτωρα Παπακοσμᾶ *Ὁ στρατός στήν πολιτική ζωή τῆς Ἑλλάδος*. Μετάφραση Ἀλεξάνδρας Φιάδα
17. Ἠλία Βενέζη *Ἀρχιεπίσκοπος Δαμασκηνός*
18. Νίκου Κρανιδιώτη *Δύσκολα Χρόνια: Κύπρος 1950-1960*
19. *Κύπρος: Ἱστορία, προβλήματα καί ἀγῶνες τοῦ λαοῦ της*. Ἐπιμέλεια Γ. Τενεκίδη-Γ. Κρανιδιώτη
20. Ἰ. Ἐ. Γκίκα *Ὁ Μουσσολίνι καί ἡ Ἑλλάδα*
21. Σάσας Κ. Σταθῆ *Γιουγκοσλαβία καί Τίτο, 1914-1953*
22. *Οἱ ἐκλογές τοῦ 1981*. Ἐπιμέλεια: Ν. Π. Διαμαντοῦρος, Π. Μ. Κιτρομηλίδης, Γ. Θ. Μαυρογορδᾶτος
23. Ἀλέξη Ἀδ. Κύρου *Ἑλληνική ἐξωτερική πολιτική*
24. Γιάννη Κολιόπουλου *Παλινόρθωση-Δικτατορία-Πόλεμος, 1935-1941*
25. Νίκου Κρανιδιώτη *Ἀνοχύρωτη Πολιτεία: Κύπρος 1960-1974* (Α΄)
26. Νίκου Κρανιδιώτη *Ἀνοχύρωτη Πολιτεία: Κύπρος 1960-1974* (Β΄)
27. Δημήτρη Σταμέλου *Ὁ θάνατος τοῦ Καραϊσκάκη*
28. Ἀλέξη Γ. Κ. Σαββίδη *Τό Οἰκουμενικό Βυζαντινό Κράτος καί ἡ ἐμφάνιση τοῦ Ἰσλάμ*
29. Δημήτρη Κιτσίκη *Ἱστορία τῆς Ὀθωμανικῆς Αὐτοκρατορίας, 1280-1924*
30. Τηλέμαχου Κ. Λουγγῆ *Ἡ βυζαντινή κυριαρχία στήν Ἰταλία*
31. Κωνστ. Σβολόπουλου *Ἡ ἑλληνική ἐξωτερική πολιτική, 1900-1945*
32. Ἰ.Π. Πικροῦ *Τουρκικός ἐπεκτατισμός: Ἀπό τό μύθο τῆς ἑλληνοτουρκικῆς φιλίας στήν πολιτική γιά τήν ἀστυνόμευση τῶν Βαλκανίων, 1930-1943*
33. Ν.Κ. Κυριαζῆ *Γιά μιά νέα ἰσορροπία δυνάμεων Ἑλλάδος-Τουρκίας*
34. Φυρέ-Ρισέ *Ἡ Γαλλική ἐπανάσταση*
35. Ἀλέξη Παπαχελᾶ *Ὁ βιασμός τῆς ἑλληνικῆς δημοκρατίας*
36. Παναγιώτη Κανελλόπουλου *Ἱστορικά δοκίμια*
37. Heinz Richter *Ἡ ἐπέμβαση τῶν Ἄγγλων στήν Ἑλλάδα*
38. Δημήτρη Κιτσίκη *Ἡ τρίτη ἰδεολογία καί ἡ ὀρθοδοξία*

ΔΗΜΗΤΡΗΣ ΚΙΤΣΙΚΗΣ

Η ΤΡΙΤΗ ΙΔΕΟΛΟΓΙΑ ΚΑΙ Η ΟΡΘΟΔΟΞΙΑ

ΔΕΥΤΕΡΗ ΕΚΔΟΣΗ

ΒΙΒΛΙΟΠΩΛΕΙΟΝ ΤΗΣ «ΕΣΤΙΑΣ»
Ι.Δ. ΚΟΛΛΑΡΟΥ & ΣΙΑΣ Α.Ε.

ΤΑ ΒΙΒΛΙΑ ΤΟΥ ΔΗΜΗΤΡΗ ΚΙΤΣΙΚΗ ΑΠΟ ΤΟ ΒΙΒΛΙΟΠΩΛΕΙΟΝ ΤΗΣ «ΕΣΤΙΑΣ»

- ΕΛΛΑΣ ΚΑΙ ΞΕΝΟΙ, 1919-1967. *Ἀπό τά ἀρχεῖα τοῦ Ἑλληνικοῦ Ὑπουργείου ἐξωτερικῶν.* Ἑστία, 1977.
- ΣΥΓΚΡΙΤΙΚΗ ΙΣΤΟΡΙΑ ΕΛΛΑΔΟΣ ΚΑΙ ΤΟΥΡΚΙΑΣ ΣΤΟΝ 20ο ΑΙΩΝΑ. Ἑστία, 1978, 1990, 1993.
- ΙΣΤΟΡΙΑ ΤΟΥ ΕΛΛΗΝΟΤΟΥΡΚΙΚΟΥ ΧΩΡΟΥ. *Ἀπό τόν Ἑ. Βενιζέλο στόν Γ. Παπαδόπουλο, 1928-1973.* Ἑστία, 1981, 1995.
- ΙΣΤΟΡΙΑ ΤΗΣ ΟΘΩΜΑΝΙΚΗΣ ΑΥΤΟΚΡΑΤΟΡΙΑΣ, 1280-1924. Ἑστία, 1988, 1989, 1996.
- Η ΤΡΙΤΗ ΙΔΕΟΛΟΓΙΑ ΚΑΙ Η ΟΡΘΟΔΟΞΙΑ. Ἀκρίτας, 1990, Ἑστία, 1998.
- Ο ΑΝΔΥΣ ΣΤΟΝ ΚΑΙΡΟ ΤΗΣ ΚΑΛΗΣ. *Ποίημα.* Ἑστία, 1989.

Πρώτη ἔκδοση: Ἀκρίτας, 1990
Δεύτερη ἔκδοση: Ἑστία 1998

Μακέτα ἐξωφύλλου: Κώστας Λεγάκης
Ἐκτύπωση: Γραφικές Τέχνες «Corfu»
Βιβλιοδεσία: Α. Πετρέλης & Υἱός

ΒΙΒΛΙΟΠΩΛΕΙΟΝ ΤΗΣ «ΕΣΤΙΑΣ», Ι. Δ. ΚΟΛΛΑΡΟΥ & ΣΙΑΣ Α.Ε.
Σόλωνος 60 - Ἀθήνα 106 72
Πεσμαζόγλου 5 (Στοά τοῦ Βιβλίου) - Ἀθήνα 105 64
Πλάτωνος 17 - Θεσσαλονίκη 561 23
Κ. Παλαιολόγου 14 - Λευκωσία

ISBN 960-05-0785-6

Γιά τήν Ἄντα

ΠΙΝΑΚΑΣ ΠΕΡΙΕΧΟΜΕΝΩΝ

Παρατήρηση γιά τήν γλῶσσα αὐτοῦ τοῦ βιβλίου

Ὁ ἀναγνώστης ἴσως παραξενευτεῖ μέ τήν "μικτή" γλῶσσα πού χρησιμοποιῶ, μέ ἐξάρσεις πότε "καθαρεύουσας" καί πότε "δημοτικῆς". Αὐτό δέν προέρχεται ἀπό ἀμέλεια. Παγία θέσις μου ὑπῆρξε πάντοτε ἡ ὑπεράσπιση τῆς ἑλληνικῆς ὡς μοναδικῆς γλώσσας τοῦ ἑλληνισμοῦ, στήν ἐξελικτική της πορεία, ἀπό τήν ἀρχαιότητα μέχρι σήμερα. Κοραῆς καί Ψυχάρης ὑπῆρξαν νεκροθάφτες τῆς γλώσσης γιατί μέ τό ρατσιοναλιστικό δυτικό τους ὁλοκληρωτικό πνεῦμα θέλησαν νά καλουπώσουν τόν Ἕλληνα καί νά τοῦ ἀφαιρέσουν τήν ἐλευθερία νά βιώνει τήν γλῶσσα του σέ ὅλα της τά μήκη καί τά πλάτη. Προτέρημα μιᾶς γλώσσας ὑπῆρξε πάντοτε ἡ δυνατότητα ποικιλίας στήν ἔκφραση καί οἱ Γάλλοι κάτι ξέρουν πού οἱ ρομαντικοί λογοτέχνες τοῦ 19ου αἰώνα, ἀντέδρασαν κατά τοῦ στενοῦ κορσέ πού εἶχε ἐπιβάλει στήν γλῶσσα τους ὁ κλασσικισμός ἑνός Racine στόν 17ο αἰῶνα, μέ ἀποτέλεσμα νά τήν καταντήσει σκελετό. Καί πρός Θεοῦ, μή κοπτώμεθα γιά τά παιδιά μας, πώς μιά τέτοια δῆθεν "ἀναρχία" τῆς γλώσσας θά τά ἀποπροσανατολίσει. Ἀρκετά σφάλαμε μέ τήν δικαιολογία ἁπλοποιήσεως τῶν πάντων καί τά καταντήσαμε ἀμόρφωτα.

Ἄς τό ποῦμε λοιπόν ξεκάθαρα: ὄχι στήν δικτατορία τῆς καθαρεύουσας ἤ τῆς δημοτικῆς· ναί, στήν ἐλεύθερη ζωντανή ἑλληνική γλῶσσα.

ΠΡΟΛΟΓΟΣ

Στίς 21 Ἀπριλίου 1967 οἱ Ἕλληνες ἀξιωματικοί, πού μέ πραξικόπημα ἀνέλαβαν τήν ἐξουσία, ἔρριξαν τό σύνθημα: "*Ἑλλάς Ἑλλήνων Χριστιανῶν*". Δέν πρωτοτύπησαν ὅμως. Στήν Δύση ὅπως καί στόν Τρίτο Κόσμο, φασισμός καί θρησκεία συχνά συνεργάσθηκαν, σέ σημεῖο πού μεγάλη σύγχυση νά ἐπικρατεῖ στό κοινό γιά τήν συγκεκριμένη σχέση φασισμοῦ-ὀρθοδοξίας.

Τό θέμα μέ προβλημάτισε ἐπί δεκάδες χρόνια καί σέ τοῦτο τό βιβλίο δίνω ἀπάντηση ὄχι μόνο στό ἐπιστημονικό αὐτό πρόβλημα, ἀλλά καί στά προσωπικά μου πολιτικά ἐρωτήματα καί σ' αὐτά πολλῶν Ἑλλήνων ὀρθοδόξων χριστιανῶν, οἱ ὁποῖοι κατά καιρούς ἔκαναν σύγχυση μεταξύ τῶν φασιστικῶν ἀρχῶν καί τῶν ἀρχῶν τῆς ὀρθοδοξίας.

Τά τελευταῖα εἴκοσι χρόνια ἐδίδαξα στό Πανεπιστήμιο τῆς Ὀττάβας, στόν Καναδᾶ, καί συνεχίζω νά διδάσκω τό μάθημα τῶν πολιτικῶν ἰδεολογιῶν καί εἰδικά τήν ἰδεολογία τοῦ φασισμοῦ. Μέ τόν καιρό ἐπινόησα ἕνα μοντέλο δεκατριῶν σημείων, πού ἐπιτρέπει σ' ὅποιον τό χρησιμοποιήσει ν' ἀποφανθεῖ ὡς πρός τήν οὐσία τῆς ἰδεολογίας ἑνός πολιτικοῦ καθεστῶτος, ὅσο καί ἄν αὐτή –συνειδητά ἤ ὄχι– κρύβεται πίσω ἀπό μιά παραπλανητική φρασεολογία. Διότι ἐλάχιστοι εἶναι αὐτοί πού εἶναι σέ θέση νά κάνουν μιά ἀντικειμενική ἀνάλυση τῆς ἰδεολογίας τοῦ φασισμοῦ καί ὑπάρχουν ὄχι μόνον ἄνθρωποι ἀλλά καί καθεστῶτα πού ἐν πλήρει εἰλικρινείᾳ ἀγνοοῦν ὅτι ἀκολουθοῦν τήν ἰδεολογία αὐτή.

Μόνον ἡ μαρξιστική σκέψη διεισέδυσε βαθειά στήν ἀνάλυση τῶν ἰδεολογιῶν καί ἡ σημερινή κρίση τοῦ κομμουνισμοῦ σ' ὅλον τόν κόσμο, ἔχει ὡς ἀποτέλεσμα νά δίδεται λιγότερη σημασία στίς μαρξιστικές ἀναλύσεις. Ἰδιαίτερα στήν Ἑλλάδα ἡ ἄγνοια τῆς φύσεως τῶν ἰδεολογιῶν εἶναι σχεδόν καθολική. Ἀκοῦμε καί διαβάζουμε καθημερινά ἀπίστευτες σέ πρωτογονισμό "ἀναλύσεις" τοῦ παρακάτω ἐπιπέδου. Γράφει λοιπόν μιά ἀθηναϊκή ἐφημερίδα οἰκολόγων, *Πράσινοι*, στό φύλλο τῆς 14ης Σεπτεμβρίου 1989: "Ὁ σοσιαλιστής εἶναι ἀληθινός, εἰλικρινής, ἁπλός. Ὅταν εἶναι τό ἀντίθετο, δηλαδή ψεύτης, ἀπατεώνας, κλέφτης καί ὕπουλος καί ψεύτικος, δέν εἶναι σοσιαλιστής ἀλλά φασίστας. Ἔτσι φανερώνεται ὅτι τό ΠΑΣΟΚ δέν εἶναι σοσιαλιστικό κόμμα... ἀλλά φασιστικό". Πράγματι ἡ ἰδεολογία τοῦ ΠΑΣΟΚ, ὅπως θά δοῦμε σ' αὐτό τό βιβλίο, ἐγγράφεται σέ μιά φασιστική τροχιά –συνεπῶς *καί* σοσιαλιστική– ἀλλά αὐτό δέν ἀποδεικνύεται μέ τέτοιου εἴδους "ἀναλύσεις".

Δυστυχῶς δέν εἶναι μόνον ὁ "πολύς κόσμος" πού δέν ἔχει ἰδέαν περί πολιτικῶν ἰδεολογιῶν, ἀλλά καί γνωστοί διανοούμενοι, ὅπως ὁ θεολόγος καθηγητής Χρῆστος Γιανναρᾶς, ὁ ὁποῖος χρησιμοποιεῖ συχνά τήν λέξη "φασισμός" γιά τίς πιό ἀπίθανες περιπτώσεις.

Πάντως τό παραπάνω κείμενο δείχνει πόσο διαδεδομένη εἶναι ἡ ἠθικολογική ἀξιολόγηση τῶν ἰδεολογιῶν, ἐνῶ μόνον ἀπό καθαρῶς θρησκευτικῆς πλευρᾶς μιά τέτοια ἀξιολόγηση εἶναι θεμιτή. Γιά τόν ἐπιστήμονα πρωτεύει ἡ ἀντικειμενική μελέτη τῶν ἰδεολογιῶν χωρίς καμμία ἀπολύτως ἠθική ἱεράρχιση. Γι' αὐτόν δέν ὑπάρχει καλή ἤ κακή ἰδεολογία καί ὁ φασισμός φυσικά δέν εἶναι οὔτε χειρότερος οὔτε καλύτερος ἀπό τόν φιλελευθερισμό ἤ τόν κομμουνισμό. Ἴσως ἡ μεγαλύτερη διαστρεύλωση ἐννοιῶν πού ἔχουν ἐπιφέρει οἱ πολιτικές προπαγάνδες –πραγματική πλύση ἐγκεφάλου ἀπό νηπιακῆς ἡλικίας ὅλων τῶν πολιτῶν τῶν καπιταλιστικῶν χωρῶν– εἶναι ὁ χαρακτηρισμός ἀορίστων ἐννοιῶν, ὅπως αὐτές τῆς ἐλευθερίας, τῆς ἰσότητος, τῆς δημοκρατίας, τῆς δικαιοσύνης, ὡς πανανθρώπινες αὐτονόητες ἀλήθειες, πού ἡ καθιέρωσή τους πρέπει νά εἶναι ὁ στόχος ὁποιασδήποτε ἀνθρώπινης κοινωνίας. Ἀλλά ὅταν οἱ ἔννοιες αὐτές χρησιμοποιοῦνται ἔξω ἀπό τόν θρησκευτικό χῶρο, δέν εἶναι δυνατόν παρά νά εἶναι σχετικές καί χρειάσθηκε ὁ Μάρξ γιά νά μᾶς ἐξηγήσει ὅτι δέν εἶναι διόλου πανανθρώπινες, ἀλλά ταξικές. Ἔτσι κάθε κοινωνία ἑρμηνεύει διαφορετικά, ἀκόμη καί διαμετρικά ἀντίθετα, αὐτές τίς ἔννοιες.

Παιδί, μεγάλωσα σέ πολύ ἔντονο ἰδεολογικό κομμουνιστικό περιβάλλον καί ἡ κατάρτισή μου ὑπῆρξε κυρίως μαρξιστική. Ἡ μετέπειτα ὅμως γνωριμία μου μέ τήν ὀρθοδοξία, μέ ἔβαλε στό κλασσικό δίλημμα: ἰδεολογία ἤ θρησκεία; Πόσοι καί πόσοι συγχέουν τίς δύο αὐτές ἔννοιες. Τελικά κατάλαβα πώς ἡ ἰδεολογία εἶναι περιττή γιά τόν πιστό, ἀφοῦ εἶναι ἕνα κακέκτυπο ὑποκατάστατο τῆς θρησκείας.

Στόν 19ο αἰῶνα ἐμφανίσθηκε μιά πολύ ἐπικίνδυνη ἐξέλιξη: ἡ θρησκεία χρησιμοποιήθηκε ὡς ἰδεολογία. Ἔτσι στήν δυτική Εὐρώπη γεννιέται ὁ κοινωνικός χριστιανισμός, στήν Ρωσία ὁ ὀρθόδοξος πανσλαβισμός καί στήν Ὀθωμανική Αὐτοκρατορία ὁ πανισλαμισμός. Ἡ θρησκεία συρρικνώνεται καί μετατρέπεται σέ ἁπλό ἰδεολογικό στήριγμα ἑνός πολιτικοῦ κόμματος. Κι ἔτσι στήν Ἑλλάδα φθάνουμε στό σύνθημα τοῦ "Ἑλλάς Ἑλλήνων Χριστιανῶν", πού χρησιμοποιεῖται ἀπό πραξικοπηματίες ἀξιωματικούς, τῶν ὁποίων κύριο μέλημα δέν φαίνεται νά ἦταν ὁ χριστανικός βίος.

Ἡ φιλοδοξία μου γράφοντας αὐτό τό βιβλίο, εἶναι νά χρησιμοποιήσω τήν ἐπιστημονική ἔρευνα τῶν δεκαετιῶν πού κατανάλωσα πάνω στό θέμα τῶν ἰδεολογιῶν, πρῶτα γιά νά δώσω σέ νέες βάσεις μιά σαφέστατη εἰκόνα τῆς ἰδεολογίας τοῦ φασισμοῦ –πού ὀνομάζω "τρίτη ἰδεολογία"– καί κατόπιν γιά νά διαχωρίσω σαφῶς τήν ὀρθοδοξία ἀπό ὁποιανδήποτε ἰδεολογία, ὥστε λιγότεροι πιστοί νά πέφτουν θύματα παραπλανητικῶν συνθημάτων.

Ἐπειδή ὅμως, ὅπως πάντα, φιλοδοξῶ καί σ' αὐτό μου τό βιβλίο νά παραμείνω ἀπόλυτα ἀντικειμενικός, πρέπει νά προσθέσω πώς μπορεῖ ἐπίσης νά βοηθήσει καί τούς ὀπαδούς τῆς τρίτης ἰδεολογίας νά διαχωρίσουν σαφῶς τήν θέση τους ἀπό ἐκείνην τῶν ὀρθοδόξων χριστιανῶν.

ΚΕΦΑΛΑΙΟ ΠΡΩΤΟ

Η ΓΕΝΕΣΗ ΤΩΝ ΙΔΕΟΛΟΓΙΩΝ

Ἡ Ἀνατολή, λίκνο τῶν θρησκειῶν, μᾶς μιλάει γιά ἕναν κῆπο, πού ὁ Θεός τοποθέτησε "κατά ἀνατολάς" (*Ἡ Παλαιά Διαθήκη*, Γένεσις, κεφ. β΄, 8) στήν περιοχή τῆς Ἐδέμ. Παρά τήν πτώση ἀπό τόν κῆπο τῆς Ἐδέμ, ἡ Ἀνατολή, ἀπό τήν Κίνα μέχρι τήν Ἑλλάδα, εἶχε καταλάβει πώς τό πνεῦμα καί τό σῶμα –δηλαδή ἡ ἀόρατη καί ἡ ὁρατή πλευρά μιᾶς καί μόνης πραγματικότητας– ἦταν ἕνα ἀναπόσπαστο σύνολο, ὅπου ἡ θέση (*γίν* στά κινέζικα) καί ἡ ἀντίθεση (*γιάνγκ* στά κινέζικα) δημιουργοῦσαν τήν σύνθεση, δηλαδή τήν ἁρμονία (*τάο* στά κινέζικα). Αὐτή ἡ πρώτη περίοδος τῆς ἀνθρωπότητος μπορεῖ νά ὀνομασθεῖ ἡ *ἁρμονική ἐποχή*. Αὐτό δέν σημαίνει ὅτι ὁ ἄνθρωπος εἶχε ἐγκαταστήσει ἕναν γήινο παράδεισο. Ἀντιθέτως, ἡ ἁρμονική ἐποχή ἀρχίζει μέ τήν δολοφονία τοῦ Ἄβελ ἀπ' τόν Κάϊν καί εἶναι γεμάτη μέ ἐγκλήματα, ὅπως καί οἱ ἑπόμενες ἐποχές. Φυσικό εἶναι ἄλλωστε, ἀφοῦ πρόκειται γιά ἐποχή πού ἔρχεται μετά τήν πτώση. Ἡ ἀνωτερότητα τῆς ἁρμονικῆς ἐποχῆς σχετικά μέ αὐτές πού ἀκολούθησαν, ἔγκειται στό γεγονός ὅτι ἡ βάση τῆς δραστηριότητος τοῦ ἀνθρώπου ἦταν ἡ ἐπιδίωξη τῆς ἁρμονίας: αὐτό δίδασκαν καί ἡ αἰγυπτιακή καί ἡ ἰνδική καί ἡ κινεζική καί ἡ ἑλληνική διαλεκτική. Καί τότε στόν πλανήτη ἐβασίλεψε ἡ ἁρμονική σκέψη (Βλ. Walter Schubart, *L' Europe et l' âme de l' Orient*, Paris, A. Michel, 1949. Δημοσιεύθηκε στά γερμανικά τό 1938). Ἀκόμη καί ἡ Δύση, ἀπό τήν Ρώμη μέχρι τήν Σκωτία, καί στήν διάρκεια ὅλου τοῦ Μεσαίωνα, ἀκολουθοῦσε τό δίδαγμα αὐτό τής Ἀνατολῆς. Ὁ Ἑλληνισμός γνώρισε πρῶτα τήν ἁρμονική σκέψη τοῦ Πυθαγόρα καί ἀργότερα τήν ἁρμονική σκέψη τῆς Ὀρθοδοξίας, πού ἦταν βασισμένη στήν διαλεκτική καί στήν ἀνωτερότητα τῆς ποιοτικῆς ἔννοιας ἐπί τῆς ποσοτικῆς, ἐφ' ὅσον ἡ σύνθεση εἶναι ποιοτικά καί ὄχι ποσοτικά ἀνώτερη ἀπό τά μέρη της. Στήν διαλεκτική αὐτή τῆς ἀνώτερης σύνθεσης, ἐπιτυγχάνεται ἡ ἁρμονία πέρα ἀπό κάθε σύγκρουση. Μόνον ἡ παραμόρφωση τῆς ἑλληνικῆς διαλεκτικῆς ἀπό τούς Δυτικούς στούς νεώτερους χρόνους καί ἡ γνώση αὐτῆς τῆς διαλεκτικῆς μέσω τῆς παραμορφωμένης δυτικῆς εἰκόνας, ὤθησε μερικούς Ὀρθόδοξους νά ἰσχυρισθοῦν, πώς ἡ Ὀρθοδοξία εἶναι ξένη πρός τήν διαλεκτική.

Ἡ καλύτερη ἀπόδειξη τῆς ὀρθόδοξης διαλεκτικῆς εἶναι τό 1=3 τοῦ Τριαδικοῦ Θεοῦ. Ἡ Ἁγία Τριάδα μόνον στήν ὀρθοδοξία συλλαμβάνεται πλήρως. Στήν Δύση, ἀκόμη καί στούς καθολικούς πού ἰσχυρίζονται πώς πιστεύουν στόν Τριαδικό Θεό, εἶναι πολύ δύσκολο σ' ἕνα δυτικό μυαλό νά συλλάβει αὐτήν τήν διαλεκτική ἀλήθεια. Ἄλλωστε τά κείμενα τῶν ὀρθοδόξων Πατέρων τῆς Ἐκκλησίας, βρίθουν μέ διαλεκτικές ἐκφράσεις. "Ἡ ἕνωση νοῦ καί Θεοῦ εἶναι στάση, ἀλλά συγχρόνως καί κίνηση, ἀφοῦ ἡ τελείωση εἶναι ἀτέλεστη. Ὁ ἅγιος Μάξιμος κάνει λόγο στά ἔργα του γιά τήν ἀεικίνητη στάση καί τήν στάσιμη κίνηση. Ὁ ἄνθρωπος, μένοντας ἐν τῷ Θεῷ, κινεῖται διαρκῶς. Τό ἴδιο γράφει ὁ ὅσιος Νικήτας γιά τόν νοῦ". (Ἀρχιμ. Ἱεροθέου Σ. Βλάχου, *Ὀρθόδοξη Ψυχοθεραπεία*, Ἔδεσσα, Ἱερά Μονή Τιμίου Σταυροῦ, 1987, σ. 119). Τήν ἴδια διαλεκτική βλέπουμε στήν ἑρμηνεία ὅτι ἡ πνευματική καρδιά εὑρίσκεται, σύμφωνα μέ τήν διδασκαλία τῶν ἁγίων Πατέρων, μέσα στήν σαρκική καρδιά. Κι ἐδῶ πνεῦμα καί σῶμα ἀποτελοῦν μία καί μόνη πραγματικότητα.

Γιά παράδειγμα ἄς συγκρίνουμε τήν κινεζική καί τήν ἑλληνική σκέψη, πού γιά χιλιάδες χρόνια βασίσθηκαν στήν ἑνότητα τῶν ἀντιθέτων. Ἡ κινεζική σκέψη εἶναι μία, ἄν καί ἐκφράσθηκε μέ πολλές παραλλαγές μέσω τοῦ ταοϊσμοῦ, τοῦ κονφουκιανισμοῦ, ἀκόμη καί τοῦ μαοϊσμοῦ. Κι ἐδῶ πρέπει νά ποῦμε ἀμέσως, πώς ἡ Δύση προσπάθησε συστηματικά νά ἀπομονώσει τήν ἑλληνική σκέψη ἀπό τό κοινό λίκνο τῆς Ἀνατολῆς, γιά φυλετικούς λόγους, ἐφ' ὅσον θεωροῦσε τόν ἑαυτό της παιδί τῆς Ἑλλάδος καί δέν ἐδέχετο ν' ἀναμιχθεῖ μέ τούς "Ἀσιάτες". Ἔτσι ἡ Δύση, ὄχι μόνον θεώρησε τήν κινεζική σκέψη ἀντίθετη πρός τήν ἑλληνική, ἀλλά ἀκόμη κατασκεύασε τόν μῦθο τῶν τριῶν ἀντιθετικῶν σκέψεων τῆς Εὐρασίας, τῆς ἑλληνικῆς, τῆς ἰνδικῆς καί τῆς κινεζικῆς. Πρόσφατα ἀκόμη, Ἕλληνες διπλωμάτες τοῦ ὑπουργείου τῶν Ἐξωτερικῶν, πού ὑπηρέτησαν στήν Ἰνδία καί τήν Κίνα, ἐμποτισμένοι ἀπό τήν δυτικοευρωπαϊκή σκέψη, ἔγραψαν βιβλία ὑποστηρίζοντας αὐτόν τόν μῦθο (π.χ. τά βιβλία τοῦ πρέσβεως Δημήτρη Βελισσαρόπουλου γιά τήν κινεζική, τήν ἰνδική καί τήν ἑλληνική φιλοσοφία). Ἐπί πλέον, δυτικοευρωπαῖοι μαρξιστές πάσχισαν νά μᾶς πείσουν, πώς ὁ μαοϊσμός ἦταν ὀρθόδοξη μαρξιστική λενινιστική σκέψη, ξένη πρός τήν κινεζική.

Ἄς δοῦμε τήν σχέση μεταξύ τοῦ ταοϊσμοῦ καί τῆς ἑλληνικῆς σκέψης ἑνός Πυθαγόρα καί ἑνός Ἡράκλειτου. Ἡ βάση τοῦ ταοϊσμοῦ εἶναι τό βιβλίο *Γί Τσίνγκ*, ὁ τίτλος τοῦ ὁποίου σημαίνει "τό βιβλίο τῶν μεταμορφώσεων". Περιλαμβάνει τήν φιλοσοφία τοῦ πιό ἀρχαίου μυθικοῦ αὐτοκράτορα τῆς Κίνας, πού μπορεῖ νά ἔζησε τρεῖς χιλιάδες χρόνια π.Χ., τοῦ Φού Σί (Fu Xi). Ὅπως καί γιά τά πολύ παλιά βιβλία, στήν Ἰνδία, τήν Αἴγυπτο, τήν Ἑλλάδα καί ἀλλοῦ, τό *Γί Τσίνγκ* (Yi Qing) γράφτηκε πολύ ἀργότερα μέ βάση τήν προφορική παράδοση πού εἶχε ἀφήσει ὁ Φού Σί. Ἡ σκέψη του εἶναι βασισμένη στήν ἀντίφαση θέσεως καί ἀντιθέσεως, πού τίς ὀνομάζει *γίν* καί *γιάνγκ*. Ὀνομάζει δέ τήν σύνθεση, ὡς ἀνώτερη καί ποιοτικά διαφορετική τῶν μερῶν της (καί πού ἀντιπροσωπεύει τήν λύση τῆς ἀντιφάσεως) *τάο* (dao). Ἀπό κεῖ προέρχεται καί ἡ λέξη ταοϊσμός. Τό τάο ἐκφράζεται ὡς φῶς. Ἔχει δέ τήν ἱκανότητα νά συμφιλιώσει τά ἀντίθετα σ' ἕνα ὑψηλότερο ἐπίπεδο συνειδήσεως. Ἡ ἔννοια τοῦ τάο, πού σημαίνει "δρόμος", εἶναι συνυφασμένη μέ τήν ἔννοια τῆς ἁρμονίας. Ἡ ἁρμονία ἤ, ἄς ποῦμε, ἡ ἰσορροπία, πραγματοποιεῖται μόνον μέ τήν λύση τῶν ἀντιφάσεων. Στήν σύγχρονη ψυχοθεραπεία ἐναρμονίζονται οἱ ἀντιθέσεις, μέ στόχο τήν πραγμάτωση ἰσορροπημένου τρόπου ζωῆς καί καλύτερης προσαρμογῆς τῆς προσωπικότητος. Ἔτσι ὁ περίφημος σύγχρονος Ἑλβετός ψυχολόγος Κάρλ Ἰούνγκ (Carl Jung, 1875-1961), ἀνεκάλυψε πώς ἡ μέθοδος πού εἶχε ἐφαρμόσει ἐπί τόσα χρόνια ὡς ψυχαναλυτής, συνέπιπτε μέ τήν ταοϊστική διδασκαλία. Ἐάν δέ ἐγνώριζε τήν Ὀρθοδοξία, θά εἶχε μέ ἔκπληξη κάνει τήν ἴδια διαπίστωση. "Διά τούς Πατέρας δέν διαχωρίζονται οἱ ἄνθρωποι εἰς ἠθικούς καί ἀνήθικους ἤ εἰς καλούς καί κακούς βάσει ἠθικῶν κανόνων. Ὁ διαχωρισμός αὐτός εἶναι ἐπιφανειακός. Εἰς τό βάθος διακρίνεται ἡ ἀνθρωπότης εἰς ψυχικά ἀρρώστους, εἰς θεραπευομένους καί εἰς θεραπευμένους. Ὅλοι ὅσοι δέν εἶναι εἰς τήν κατάστασιν τοῦ φωτισμοῦ, εἶναι ψυχικά ἄρρωστοι... Δέν εἶναι μόνον ἡ καλή θέλησις, ἡ καλή ἀπόφασις, ἡ ἠθική πράξις καί ἡ ἀφοσίωσις εἰς τήν Ὀρθόδοξον Παράδοσιν πού κάμει τόν Ὀρθόδοξον, ἀλλά ἡ κάθαρσις, ὁ φωτισμός καί ἡ θέωσις. Τά στάδια αὐτά θεραπείας εἶναι ὁ σκοπός τῆς μυστηριακῆς ζωῆς τῆς Ἐκκλησίας, ὅπως μαρτυροῦν τά λειττουργικά κείμενα" (Ἰωάννης Ρωμανίδης, *Ρωμαῖοι ἤ Ρωμηοί Πατέρες τῆς Ἐκκλησίας*, Θεσσαλονίκη, Πουρνάρα, 1984, τόμος Ι. σσ. 22-23).

Τό *Γί Τσίνγκ* παρουσιάζει τήν ἑνότητα τῶν ἀντιθέτων ὡς τόν βασικό νόμο καί τήν μόνη ἀρχή τοῦ σύμπαντος, ὅλη δέ ἡ ζωή τοῦ ἀνθρώπου, πρέπει νά περιστρέφεται γύρω ἀπό τήν ἀρχή αὐτή. Τά πάντα εἰς τό σύμπαν διαιροῦνται μεταξύ τοῦ *γίν* καί τοῦ *γιάνγκ*. Ἔτσι ἐνῶ *γίν* εἶναι ὁ ζυγός ἀριθμός, ἡ γυναίκα, τό ἀρνητικό, τό παθητικό, ὁ ἔχων μόνιμη κατοικία (sédentaire), ὁ ἀγρότης, ἡ φυγόκεντρος δύναμη, τό πνεῦμα, ἡ γῆ, ἡ σελήνη, ἡ νύχτα, τό σκοτάδι, τό κρύο, τό μαῦρο, τό μπλέ, τό μώβ, κάτι ὑγρό, τό νερό, τό ἐλαφρύ, τό ἐπάνω, τό βραδύ, τό μακρύ, διάφορα φαγητά *γίν*, κ.λπ., *γιάνγκ* εἶναι ὁ μονός ἀριθμός, ὁ ἄνδρας, τό θετικό, τό ἐνεργητικό, ὁ νομάδης, ὁ βοσκός, ἡ κεντρομόλος δύναμη, τό σῶμα, ὁ οὐρανός, ὁ ἥλιος, ἡ ἡμέρα, τό φῶς, τό ζεστό, τό ἄσπρο, τό κίτρινο, τό κόκκινο, τό στεγνό, ἡ φωτιά, τό βαρύ, τό κάτω, τό γρήγορο, τό κοντό, διάφορα φαγητά *γιάνγκ*, κ.λπ.

Ἡ πρώτη ἀπόδειξη πού συναντοῦμε στήν Ἱστορία τῆς ὀρθότητας αὐτοῦ τοῦ βασικοῦ νόμου, εἶναι πώς ὅλοι οἱ μεγάλοι πολιτισμοί ὑπῆρξαν τό ἀποτέλεσμα τῆς συγχώνευσης νομάδων ἐπιδρομέων καί ἐγκατεστημένων ἀγροτῶν (sédentaires), οἱ ὁποῖοι κατακτήθηκαν ἀπό τούς νομάδες. Δηλαδή, ὅπως ζωή δέν νοεῖται χωρίς τήν ἕνωση ἀνδρός καί γυναικός, ἔτσι πολιτισμός δέν νοεῖται χωρίς τήν ἕνωση νομαδικοῦ καί ἐγκατεστημένου πληθυσμοῦ. Αὐτό ἀποδεικνύεται καί ἀπό τό ἑλληνικό ἤ τό ἰνδικό πάνθεον. Ἔτσι ὁ Ἀπόλλων, εἶναι νομαδικός θεός τοῦ οὐρανοῦ, ἐνῶ ἡ Δήμητρα εἶναι θεά τῆς γῆς, sédentaire.

Στόν ἕκτο αἰῶνα π.Χ., γύρω στό 570, γεννήθηκε ὁ Λάο Τζέ (Lao Tzu ἤ Li Eul), ὁ ὁποῖος ἔδωσε πιό συγκεκριμένη μορφή στήν φιλοσοφία τοῦ ταοϊσμοῦ. Ἔγραψε τό βιβλίο, *Ὁ Δρόμος καί ἡ πνευματική του δύναμη* (Dao Te Ching). Ὁ Λάο Τζέ εἶχε μαθητή τόν Τσουάνγκ Τζέ (Chuang Tzu), ὁ ὁποῖος ἔγραψε ἐπίσης ἕνα βιβλίο, πού λέει: "Αὐτό εἶναι *καί* ἐκεῖνο. Ἐκεῖνο εἶναι *καί* αὐτό... Κατεδάφιση εἶναι οἰκοδόμηση. Οἰκοδόμηση εἶναι κατεδάφιση. Δέν ὑπάρχει ἁπλῶς κατεδάφιση ἤ οἰκοδόμηση: καί τά δύο συγχωνεύονται σέ μιά ἑνότητα." Τό ἴδιο γράφει καί ὁ Λάο Τζέ: "Τό ὄν καί τό μή ὄν ἀλληλοδημιουργοῦνται". Γιά τόν Λάο Τζέ τό ξεπέρασμα τῆς ἀντίφασης δημιουργεῖ τό *τάο*, τόν "δρόμο" πού εἶναι κίνηση. Διότι στήν ταοϊστική φιλοσοφία τά πάντα εἶναι κίνηση.

Καί τώρα ἄς ἔρθουμε στόν Ἡράκλειτο, πού ἔζησε τόν ἴδιο αἰῶνα μέ τόν Λάο Τζέ, κάπου τριάντα χρόνια νεώτερος, ἀφοῦ γεννήθηκε στήν Ἔφεσο γύρω στό 540. Ὁ Ἡράκλειτος λοιπόν, ὁ διαλεκτικός, ὁ ἐμπνευστής τοῦ Χέγγελ καί τοῦ Μάρξ, στό βιβλίο του *Περί φύσεως*, λέει τά ἴδια ἀκριβῶς πράγματα μέ τόν Λάο Τζέ. Ἐπιμένει στήν ἀέναη ἀλλαγή μέσω τῆς ἀντίφασης, στήν σύνθεση τῶν ἀντιθέσεων, στήν ἐπίτευξη τῆς ἁρμονίας ὡς ὕψιστη πραγματικότητα πού δημιουργεῖται ἀπό τήν ἕνωση τῶν ἀντιθέτων, ὅπως ἡ ζωή δημιουργεῖται ἀπό τήν ἕνωση τοῦ ἀνδρός καί τῆς γυναίκας. Τό πιό ἐκπληκτικό εἶναι, πώς μερικές φράσεις τοῦ Κινέζου καί τοῦ Ἴωνα εἶναι ἴδιες, σχεδόν λέξη πρός λέξη. Ὅπως ἡ ἀκόλουθη τοῦ Ἡρακλείτου: "οὐδέν μᾶλλον τό ὄν τοῦ μή ὄντος εἶναι", δηλαδή τό ὄν δέν ἔχει περισσότερη σημασία ἀπό τό μή ὄν, διότι ὁ κόσμος εἶναι μιά ἁρμονική σύνθεση τοῦ ὄντος καί τοῦ μή ὄντος.

Ὁ Ἡράκλειτος σέ μιά ἄλλη του εἰκόνα, παρομοιάζει τόν κόσμο μέ μιά ἁρμονία τεντωμένων καί λασκαρισμένων χορδῶν μιᾶς λύρας. Καί αὐτό εἶναι πολύ σημαντικό, διότι ἡ μουσική εἶναι βασική καί στήν κινεζική καί στήν ἑλληνική διαλεκτική. Καί στίς δύο περιπτώσεις ἔχουμε νά κάνουμε μέ τήν διαλεκτική τοῦ ρυθμοῦ τῆς φύσεως. Καί ὁ μουσικός ρυθμός τῆς φύσεως εἶναι ἡ ἁρμονία. Εἶναι τό *τάο*. Εἶναι μουσική.

Ἡ κινεζική μυθολογία λέει ὅτι ἡ Νίου Κούα (Niu Kua), ἡ γυναίκα καί συνάμα ἀδελφή τοῦ μυθικοῦ αὐτοκράτορα Φού Σί πού ἐνέπνευσε τό *Γί Τσίνγκ*, ἐφεῦρε τήν μουσική, βασισμένη στήν διαλεκτική ἀρχή τοῦ *γίν γιάνγκ*. Τό πρῶτο δέ μουσικό ὄργανο, πού ἐφεῦρε τήν ἴδια στιγμή καί πού ὀνομάζεται *σένγκ* (sheng), εἶναι ὁ αὐλός, ὅμοιος μέ τήν ἀρχαιότερη φλογέρα τῶν Ἑλλήνων, τήν σύριγγα τοῦ Πανός. Τό *σένγκ* ἔχει τήν ἴδια διαλεκτική ἔννοια ὅπως ὁ ἀντίστοιχος ἑλληνικός αὐλός. Ἡ κατασκευή του συμβολίζει τήν σύνθεση ἀνδρικοῦ καί θηλυκοῦ φύλου, γι' αὐτό καί ἐχρησιμοποιεῖτο εἰδικά στίς τελετές τοῦ γάμου. Ἄλλωστε μιά ἄλλη ἐφεύρεση τῆς Νίου Κούα, εἶναι ὁ γάμος. Ἡ σύγκριση ἐδῶ μέ τόν Ἕλληνα θεό Πάνα εἶναι συνταρακτική, διότι ὁ Πάν ἦταν ὁ θεός τῶν ὀρέων καί τῶν δασῶν, τῆς φύσεως καί τοῦ ρυθμοῦ τῆς φύσεως, ὁ θεός τῆς μουσικῆς. Ὁ Φού Σί, ὅπως καί ὁ Πάν, εἶναι ὁ πρῶτος διδάξας τήν μαντική.

Στήν Κίνα, ὅπως καί στήν Ἑλλάδα, ἡ μουσική συνδέεται μέ τά μαθηματικά ἀπό ἀρχαιοτάτων χρόνων. Ὁ σύγχρονος Ἕλληνας συνθέτης Ἰάννης Ξενάκης, ἐπανέφερε αὐτήν τήν παράδοση συνδυάζοντας μουσική καί μαθηματικά. Ἡ δέ μουσική τοῦ Ξενάκη ἔγινε γνωστή πρῶτα στήν Ἰαπωνία, πνευματικό παιδί τῆς Κίνας, προτοῦ γίνει γνωστή στήν Ἑλλάδα.

Ἄς δοῦμε ὅμως καί τήν σχέση τοῦ ταοϊσμοῦ μέ τόν Πυθαγόρα.

Ὁ Σάμιος φιλόσοφος καί μαθηματικός γεννήθηκε τήν ἴδια ἐποχή μέ τόν Λάο Τζέ, ἴσως δέ καί τόν ἴδιο χρόνο, δηλαδή γύρω στό 570 π.Χ. Ἡ διαλεκτική τοῦ Πυθαγόρα, ὅπως καί αὐτή τοῦ ταοϊσμοῦ, εἶναι βασισμένη στήν σημασία τῶν ἀριθμῶν. Καί ὅμως, δέν φαίνεται ὁ Πυθαγόρας νά εἶχε καμιά ἄμεση ἐπαφή μέ τήν Κίνα. Ἀντιθέτως, μυήθηκε στήν αἰγυπτιακή σκέψη τοῦ ἱδρυτῆ τοῦ πολιτισμοῦ τῆς Αἰγύπτου, τοῦ Θώτ, ὁ ὁποῖος κατά τήν παράδοση, εἶχε διδάξει πολύ πρίν τούς Ἕλληνες, πού τόν ὀνόμασαν Ἑρμῆ Τρισμέγιστο καί τούς εἶχε μεταφέρει τά φῶτα τοῦ πολιτισμοῦ. Τό γεγονός αὐτό μᾶς δείχνει πώς ἡ Εὐρασία εἶχε ἤδη διαμορφωθεῖ σέ οἰκουμένη, στήν ὁποία κυκλοφοροῦσαν οἱ ἰδέες μεταξύ Κίνας καί Ἀνατολικῆς Μεσογείου, πολύ πρίν ἀπό τήν γέννηση τοῦ Χριστοῦ καί πώς ὁ Θεάνθρωπος ἔζησε σέ μιά ἑνιαία εὐρασιατική οἰκουμένη κοινῶν γνώσεων ἀπό τόν Νεῖλο μέχρι καί τόν Κίτρινο ποταμό.

Τά μαθηματικά στήν Ἑλλάδα καί τήν Κίνα, δηλαδή ἡ ἐπιστήμη τῶν ἀριθμῶν, ἦταν ἡ κυρία ἐπιστήμη, τό κύριο "μάθημα", λέξη καί ἀπό τήν ὁποία προέρχεται. Γιά τόν Πυθαγόρα τό *γίν* ἦταν ὁ ζυγός ἀριθμός καί τό *γιάνγκ* ὁ μονός. Τό σύμπαν κινεῖται μέ βάση τήν διαλεκτική ζυγοῦ-μονοῦ ἀριθμοῦ. Ἡ σύνθεση *ζυγοῦ-μονοῦ* εἶναι ἡ ἁρμονία, ἡ ἔξοδος ἀπό τό χάος. Ὁ Κόσμος –πού σημαίνει τάξη– εἶναι ρυθμικά ἰσορροπημένος μεταξύ δύο ἀντίθετων ἀριθμητικῶν ἐννοιῶν: τό πεπερασμένο ἤ περιορισμένο καί τό ἄπειρο. Ἄν συγκρίνουμε τόν ταοϊστικό πίνακα τοῦ Φού Σί στό *Γί Τσίνγκ*, μέ τόν πίνακα τοῦ Πυθαγόρα, βλέπουμε πώς *γιάνγκ*=μονός ἀριθμός=τό πεπερασμένο, *γίν*=ζυγός=ἄπειρο. Οἱ ἀριθμοί, καί στούς δύο πίνακες ἀξιολογοῦνται ἀπό τό ἕνα ὥς τό δέκα. Ὁ ἀριθμός δέκα ἔχει καθοριστική σημασία στόν κινεζικό καί τόν ἑλληνικό πίνακα, ἐπειδή περιλαμβάνει ὅλους τούς ἄλλους ἀριθμούς καί ὀνομάζεται ἡ τετρακτύς ἀπό τόν Πυθαγόρα, διότι 1+2+3+4=10, πού εἶναι ἡ πηγή καί ἡ ρίζα τῆς αἰώνιας οὐσίας. Τό ἕνα γιά τόν Φού Σί εἶναι ἡ σύνθεση *γίν-γιάνγκ* (τό *τάο*), γιά δέ τόν Πυθαγόρα, εἶναι τό Ἕνα, ἡ σύνθεση πεπερασμένου-ἀπείρου. Τό τέσσερα γιά τόν Φού Σί εἶναι ἡ συγκεκριμένη θέση τῆς γῆς, πού ὑποδεικνύει τίς τέσσερες ἐποχές τοῦ χρόνου.

Τό πέντε γιά τόν Φού Σί εἶναι τό φῶς. Ἐπίσης εἶναι οἱ τέσσερις ἐποχές τοῦ χρόνου μέ ἐπιπλέον τό κέντρο τοῦ χρόνου πού μαζί στοιχειοθετοῦν πέντε ἐποχές. Καί γιά τόν Πυθαγόρα τό πέντε εἶναι τό φῶς. Ὁ Σάμιος σοφός, εἶχε φέρει τόν πίνακα τῶν ἀντιθέσεων πεπερασμένου-ἀπείρου ἀπ' ἔξω ἀπό τόν ἑλληνικό χῶρο, ἴσως ἀπό τήν Βαβυλώνα.

Ὁ Πυθαγόρας συνήθιζε νά ἔχει τήν ἑξῆς στιχομυθία μέ τούς μαθητές του: "Ποιό εἶναι τό σοφώτερο πρᾶγμα στόν κόσμο;", ρωτοῦσε. Οἱ 28 μαθητές του ἀπαντοῦσαν μέ μιά φωνή: "ὁ Ἀριθμός". "Καί ποιό εἶναι τό ὀμορφώτερο πρᾶγμα στόν κόσμο;", ρωτοῦσε πάλι ὁ Δάσκαλος. "Ἡ Ἁρμονία" ἀπαντοῦσαν οἱ μαθητές. Πρέπει νά ποῦμε πώς ὅλα τά κείμενα τοῦ Πυθαγόρα, ὅπως καί τοῦ Ἡράκλειτου, ἔχουν καί πάλι κινήσει τό ἐνδιαφέρον στήν Δύση μέ δύο νέες ἐκδόσεις: *Le Biblion de Pythagore*. Première traduction complète, commentée et présentée par Albert Slosman, Paris, R. Laffont, 1980, 324 σελ. καί M. Marcovich, *Heraclitus. Greek Text with a Short Commentary*, Merida (Venezuela), The Los Andes University Press, 1967, XXXII-665 σελ.). Ὅσο γιά τίς σχέσεις τοῦ Πυθαγόρα μέ τήν Ἰνδία, ἤδη στόν 19ο αἰῶνα, ἕνας Γερμανός μελετητής εἶχε προσέξει, πώς σχεδόν ὅλη ἡ μαθηματική καί φιλοσοφική διδασκαλία τοῦ Σαμίου ἦταν ἤδη γνωστή στήν Ἰνδία καί σέ μορφή μάλιστα πολύ πιό ἀνεπτυγμένη (Schröder, *Pythagoras und die Inder*, Leipzig, 1884). Ὁ Γάλλος μελετητής Ἀλαίν Ντανιελού, γράφει πώς "οἱ Ἰνδοί φιλόσοφοι ταξίδευαν στήν Ἑλλάδα καί μιλοῦσαν ἑλληνικά τόν 5ο αἰῶνα π.Χ.", μεταφέροντας τίς γνώσεις τῶν Βεδῶν, καί πώς ὁ Σωκράτης εἶχε συναντήσει Ἰνδούς. (Alain Daniélou, *Histoire de l' Inde*, Paris, Fayard, 1983, σ. 120. Μιά σύγκριση Κινέζων, Ἰνδῶν καί Ἑλλήνων σοφιστῶν τῆς Ἀρχαιότητας, ἐπιχειρήθηκε στήν παρακάτω διδακτορική διατριβή: I. Kou Pao-Koh, *Deux sophistes chinois: Houei Che et Kong-Souen Long*, Paris, Imprimerie nationale, 1953, VIII-163 σελ.).

Ὁ Πυθαγόρας ἔδινε τεράστια σημασία στήν μουσική. Εἶπε πώς ἡ φιλοσοφία ἦταν ἡ ἐπιστήμη τῆς μουσικῆς. Χρησιμοποιοῦσε τήν μουσική γιά ψυχοθεραπεία. Εἶχε ἐπινοήσει εἰδικές μελωδίες κατά τῆς μελαγχολίας, τοῦ θυμοῦ, τοῦ φθόνου κ.λπ. Ἀνεκάλυψε τήν ἐπιρροή τῆς μουσικῆς πάνω στά ζῶα.

Οἱ Κινέζοι ταοϊστές καί κονφουκιανοί ἔδιναν μεγάλη σημασία στήν διαλεκτική τῆς φύσεως, στίς σχέσεις κοινωνίας-φύσης. Εἰδικά ἡ ἀρχιτεκτονική, ἔπρεπε νά προσαρμόζεται στό περιβάλλον μέ μαθηματικούς συσχετισμούς. Τό ἴδιο καί γιά τούς Ἕλληνες. Τό τελευταῖο αὐτό θέμα μελέτησε ὁ μεγάλος Ἕλληνας πολεοδόμος Κωνσταντῖνος Δοξιάδης, στήν διδακτορική του διατριβή στά γερμανικά, πού δημοσιεύθηκε τό 1937 καί μεταφράσθηκε στά ἀγγλικά στίς ἀρχές τοῦ '70. (C.A. Doxiadis, *Architectural space in Ancient Greece*, The Massachusetts Institute of Technology, Cambridge, 1972, XL-184 σελ.). Σημειωτέον ὅτι στήν Ἑλλάδα τοῦ 1990, ὅπου τήν θέση τῶν πρωτοπόρων Ἑλλήνων φιλοσόφων καί ἐπιστημόνων ἔχουν ἀναλάβει τά μέσα μαζικῆς ἐνημερώσεως, οἱ δημοσιογράφοι καί οἱ πολιτικοί, οἱ ὁποῖοι ἀδιάκοπα ἀνταλλάσουν συνεντεύξεις μεταξύ τους, ὁ Δοξιάδης, 15 χρόνια μετά τό θάνατό του ἀγνοεῖται παντελῶς. Ἐνῶ οἱ δρόμοι τῆς Ἀθήνας φέρουν τά ὀνόματα πληθώρας πολιτικῶν "σωτήρων τοῦ ἔθνους", οὔτε ἕνα στενό δέν φέρει τό ὄνομα τοῦ Ντίνου Δοξιάδη.

Παρατηρεῖ λοιπόν ὁ Δοξιάδης: "Στήν Ὀλυμπία, εὑρισκόμενος κανείς στήν κυρία εἴσοδο τῆς Ἄλτεως, στήν νοτιοανατολική γωνιά τοῦ ἀρχαιολογικοῦ χώρου, τό περίγραμμα τοῦ λόφου τοῦ Κρονίου, στά δεξιά, σχημάτιζε μιά ἀπαραίτητη ἰσορροπία μέ τόν ναό τοῦ Διός στά ἀριστερά" (*ἔνθ' ἀν.*, σ. 20).

Ὁ καθηγητής τοῦ Πολυτεχνείου Δημήτρης Πικιώνης, ἀναλύοντας τήν ἀνακάλυψη τοῦ Δοξιάδη, ἔγραφε τό 1937: "Μέσα εἰς τή διαστημική τούτη διαίρεση τοῦ χώρου –πού εἶναι τό ἀνάλογο τῶν ἰσόχρονων διαστημάτων τῆς μουσικῆς– θά 'ρθει νά ἐγγραφεῖ ἡ μουσική τῶν σχημάτων, ὅπως ἀντίστοιχα μέσα σ' ἐκεῖνα ἐγγράφονται τά ὕψη τῶν τόνων... Ὡς κέντρα τῆς χάραξης [τοῦ χώρου], ἐκλέγονται τά κριτικά ἐκεῖνα σημεῖα τῆς διαδρομῆς πού θέ ν' ἀκολουθήσει ὁ ἐπισκέπτης ἤ ὁ προσκυνητής, γιά νά σιμώσει τά μνημεῖα. Πρός τίς κριτικές τοῦτες θέσεις, πού εἶναι ἡ πύλη ἤ τά προπύλαια ἑνός περιβόλου ἤ μιᾶς Ἀκρόπολης, τό τέρμα μιᾶς κλίμακος, τό ἄνοιγμα πρός μιά πλατεῖα ἤ πρός μιάν ἀγορά, ἑνός δρόμου ἤ ὅ,τι ἄλλο, πρός τίς ὀπτικές τῶν σημείων τούτων ἀπαιτήσεις ἔνοιωθε ὡς ἐπιβαλλόμενο ἡ ἀρχαία λογική νά ρυθμίσει τήν ἀρχιτεκτονική σύνθεση, ὥστε εἰς τόν θεατή, πού θά πρωταντίκρυζε, νά διαφυλάξει τήν πιό ἀκέραια, τήν πιό συνθετική εἰκόνα ἑνός συνόλου, ἰδωμένου καί τούτου ὄχι ἀνεξάρτητα, μά εἰς τήν ἀπόλυτή του μέ τή γύρω φύση ἑνότητα, ἔτσι πού τό βουνό, ὁ λόφος, ἡ κλίση τῆς κλιτύος, ἡ συμμετρία ἤ ἀσυμμετρία τοῦ τοπίου, τά σημεῖα τοῦ ὁρίζοντα, ἐγίνοντο οὐσιαστικά τῆς σύνθεσης στοιχεῖα κι ἐνέπνεαν κάθε φορά μιάν ἁρμόδια λύση. Τήν εἰκόνα αὐτοῦ τοῦ ἑνός καί ἀδιαίρετου συνόλου, τήν κυβερνοῦσε, μυστική, δρῶσα κάτω ἀπό τήν ἐπιφανειακή ἐλευθερία κι ἀσυμμετρία τῶν μαζῶν, ἀφανής, ὅπως τήν ἀπαιτεῖ ὁ Ἡράκλειτος, ἡ τέλεια, ἡ σύμμετρη ἁρμονία τῆς σφαίρας" (Δ.Π. Πικιώνη, "Ἡ θεωρία τοῦ ἀρχιτέκτονος Κ.Α. Δοξιάδη γιά τήν διαμόρφωση τοῦ χώρου εἰς τήν ἀρχαία ἀρχιτεκτονική", Ἀθήνα, Ἔκδοσις "Κύκλου", 1937, σσ. 5-6).

Ἡ κινεζική σκέψη βρῆκε τό κορύφωμά της μέ τόν Κονφούκιο (Kong Fu Tzu), πού γεννήθηκε τό 551 π.Χ., δηλαδή 123 χρόνια πρίν ἀπό τόν Πλάτωνα. Ὁ Κονφούκιος ἔδωσε στήν κινεζική σκέψη μιά ἀριστοκρατική χροιά. Θά μποροῦσε νά πεῖ κανείς πώς ὁ κονφουκιανισμός εἶναι ταοϊσμός γιά τήν ἐλίτ. Ὁ Κονφούκιος στάθηκε πιό τυχερός ἀπό τόν Ἕλληνα ὁμόλογό του, τόν Πλάτωνα, ἐφ' ὅσον τό φιλοσοφικό του σύστημα υἱοθετήθηκε ἐπίσημα ἀπό τό κινεζικό κράτος γιά δυό χιλιάδες χρόνια. Ὁ ἀριθμός 5 ἔχει μεγάλη σημασία γιά τόν Κονφούκιο καί γενικά γιά τήν κινεζική σκέψη. Στήν διαλεκτική σχέση φύσης-κοινωνίας, οἱ Κινέζοι βρίσκουν 5 ἐποχές τοῦ χρόνου (χειμώνα, καλοκαίρι, ἄνοιξη, φθινόπωρο, τό μέσο τοῦ χρόνου), 5 στοιχεῖα τῆς φύσεως (ὕδωρ, φωτιά, ξύλο, μέταλλο, γῆ), 5 σημεῖα τοῦ ὁρίζοντα (βορρᾶς, νότος, ἀνατολή, δύση, κέντρο), 5 χρώματα (μαῦρο, κόκκινο, πράσινο, ἄσπρο, κίτρινο), 5 γεύσεις, 5 αἰσθήσεις, 5 ἀρετές κ.λπ. Ὑπάρχει δέ πλήρης ἀντιστοιχία μεταξύ τῶν στοιχείων ὅλων αὐτῶν τῶν συμπλεγμάτων. Ἔτσι π.χ., ὁ χειμώνας, τό ὕδωρ, ὁ βορρᾶς καί τό μαῦρο, συγκροτοῦν μιά ἑνότητα. Ἐπίσης τό κέντρο τοῦ χρόνου, ἡ γῆ, τό κέντρο ὡς σημεῖο τοῦ ὁρίζοντα καί τό κίτρινο. Ὁ Πλάτων, ὁ Ἀριστοτέλης, ὁ Πλούταρχος, διατείνονταν ὁμοίως, πώς τό σύμπαν ἐβασίζετο σέ πέντε πολύεδρα, μέ τούς ἑξῆς συσχετισμούς ὡς πρός τά πέντε στοιχεῖα τῆς φύσεως καί τίς πέντε αἰσθήσεις: ὁ κύβος-ἡ γῆ-ἡ ἀφή, ἡ πυραμίδα-τό ὕδωρ-ἡ γεύση, τό ὀκτάεδρο-ἡ φωτιά-ἡ ὄσφρηση, τό δωδεκάεδρο-ὁ ἀέρας-ἡ ἀκοή, τό εἰκοσάεδρο-τό φῶς-ἡ ὅραση.

Ὁ Θεός μᾶς χάρισε τήν διαλεκτική σκέψη γιά νά πορευόμαστε πρός τήν ἀλήθεια. Ἀλλά ἔφθασε ὁ 15ος αἰώνας μ.Χ., ὅπου στήν

Ἰταλία εἰσακούσθηκε καί πάλι ὁ Διάβολος, ὅπως εἶχε γιά πρώτη φορά εἰσακουσθεῖ στόν κῆπο τῆς Ἐδέμ. Καί ἔπεισε τούς Ἰταλούς καί κατόπιν ὅλους τούς Δυτικούς καί κατόπιν ὡς καρκίνος ὅλον τόν πλανήτη, πώς ἡ διαλεκτική σκέψη ἦταν προϊόν πρωτόγονο, ἀντίθετο πρός τήν σκέψη πού ὀνόμασαν ρατσιοναλιστική. Καί ἡ δεύτερη αὐτή πτώση, ὀνομάσθηκε ἀδιάντροπα Ἀναγέννηση.

Ὁ ὅρος Ἀναγέννηση μπορεῖ νά χρησιμοποιηθεῖ περιοριστικά γιά νά ὀνομασθεῖ ὁ 15ος καί 16ος αἰώνας, ὅπου διαφοροποιήθηκε πολιτιστικά ἡ Ἰταλία ἀπό τήν προτεραία περίοδο, πού ὀνομάσθηκε ἀργότερα Μεσαίωνας. Ἡ ἀναγεννησιακή σκέψη ὑπόβοσκε στήν Ἰταλία ἀπό τήν ἐποχή τῆς Ρώμης, ἀλλά τότε ἀδυνατοῦσε νά θριαμβεύσει ἐφ' ὅσον ἡ κραταιά Ρωμαϊκή Αὐτοκρατορία εἶχε ὑποστεῖ τήν πολιτιστική κατάκτηση τῶν ἡττημένων ἀπό τά ρωμαϊκά ὅπλα Ἑλλήνων. Παρά ταῦτα, στό τετραγωνισμένο μυαλό τοῦ Ρωμαίου δύσκολα μποροῦσε νά διεισδύσει ἡ ἑλληνική διαλεκτική. Σίγουρα ἦταν καί θά παραμείνει μέχρι καί τῶν ἡμερῶν μας ἕνας ὑποδειγματικός κατασκευαστής ὁδῶν καί ἄπιαστος μηχανικός, ἀλλά αἰσθανόταν ἀνήμπορος νά μπεῖ στό νόημα τόσων λεπτῶν συλλογισμῶν, πού θά ἀποκαλέσει ἀργότερα σαρκαστικά βυζαντινισμούς, δηλαδή ἄσκοπες συζητήσεις περί τοῦ φύλου τῶν ἀγγέλων. Ἤδη ἀπό τούς πρώτους αἰῶνες μ.Χ., ἀρχίζει νά διαφοροποιεῖται ἡ χριστανική σκέψη στήν Δύση ἀπ' αὐτήν τῶν Πατέρων τῆς ὀρθόδοξης ἐκκλησίας, λόγω τῆς ἀδυναμίας τῶν δυτικῶν Ρωμαίων νά χωνέψουν τήν πατερική διαλεκτική. Ἔτσι ἐξηγεῖται τό μέλλον πού γνώρισε ὁ ἀρειανισμός τοῦ Ἀλεξανδρινοῦ Ἀρείου (256-336 μ.Χ.) στήν θρησκευτική σκέψη δυτικά τῆς Ἀδριατικῆς, μέχρι καί τῶν ἡμερῶν μας. Διότι ἡ ἀπολυταρχία τοῦ καθολικοῦ πάπα καί ὁ φιλελευθερισμός τοῦ προτεσταντισμοῦ, εἶναι ἀκόμη σήμερα οἱ δύο στῦλοι πού ὑποβαστάζουν τήν θρησκεία στήν Δύση καί πηγάζουν ἀπό τήν σκέψη τοῦ Ἀρείου. Πράγματι ὁ ρατσιοναλισμός τοῦ ἀρειανισμοῦ ἀδυνατεῖ νά συλλάβει τό μυστήριο τῆς Ἁγίας Τριάδος. Εἶναι δέ λυπηρό νά βλέπει κανείς σήμερα τόν Νεοέλληνα σέ τέτοιο βαθμό δυτικοποιημένο, ὥστε νά ἀρνεῖται τήν διαλεκτική σκέψη τῶν προγόνων του καί νά συγχέει τόν δυτικό ρατσιοναλισμό μέ τόν ἑλληνικό ὀρθολογισμό. Δηλαδή ὅπως ὁ Κοραῆς, πού πίστεψε πώς τό ἑλληνικό πνεῦμα μεταπήδησε στήν Δύση μετά τήν ἅλωση τῆς Πόλης τό 1453, καί πώς γιά νά τό ξαναβροῦμε πρέπει πρῶτα νά γίνουμε "Εὐρωπαῖοι" δηλαδή Γάλλοι ἤ Ἰταλοί, ἐνῶ στήν πραγματικότητα ποτέ τό ἑλληνικό πνεῦμα δέν μετανάστευσε, ἀλλά παραμένει ζωντανό καί ἀκμαῖο στόν φυσικό του χῶρο, τήν Ἀνατολή, μέσα στήν Ὀρθοδοξία. Κι ἔτσι διαβάζουμε μέ ἔκπληξη σέ ἑλληνικό ἐγκυκλοπαιδικό λεξικό τοῦ 1927, στό λῆμμα "ἀντίφασις", τά παρακάτω: "Νόμος τῆς ἀντιφάσεως καλεῖται ὁ θεμελιώδης νόμος τοῦ διανοεῖσθαι, καθ' ὅν δέν δύναται νά ὑπάρχει τι καί συγχρόνως νά μή ὑπάρχη" (Ἐλευθερουδάκη *Ἐγκυκλοπαιδικόν Λεξικόν*, τόμος Β΄, Ἀθήνα, 1927, σ. 230). Δηλαδή μιά "ἑλληνική" ἐγκυκλοπαίδεια δίνει ἕναν ρατσιοναλιστικό ὁρισμό τοῦ νόμου τῆς ἀντιφάσεως καί ἀγνοεῖ τόν ἀντίθετο ὀρθολογικό ὁρισμό τῆς ἑλληνικῆς διαλεκτικῆς, κατά τήν ὁποία "ὁ θεμελιώδης νόμος τοῦ διανοεῖσθαι εἶναι ὅτι δύναται νά ὑπάρχη τι καί συγχρόνως νά μή ὑπάρχη". Διότι γιά τόν Ἡράκλειτο, εἴτε ἡ ἀντίθεση εἶναι ἀντίφαση (ὄν καί μή ὄν), εἴτε εἶναι ἐναντίωση (ἄρρεν καί θῆλυ), ἡ συνύπαρξη καί τό ξεπέρασμά του στήν ἑνότητα τῆς ἁρμονίας δέν παύει νά ὑπάρχει.

Ἡ Ἀναγέννηση ὡς περιοριστική ἔννοια καλύπτουσα τόν 15ο καί 16ο αἰῶνα, πρῶτα στήν Ἰταλία καί κατόπιν στίς ἄλλες χῶρες τῆς Δύσεως, βασίσθηκε στόν ἰσχυρισμό ὅτι ξαναζωντάνεψε τό ἀρχαῖο ἑλληνικό πνεῦμα, ἐνῶ στήν πραγματικότητα παραμόρφωσε καί πλήγωσε αὐτό τό πνεῦμα καί οἰκοδόμησε τήν δυτική σκέψη πάνω σ' αὐτήν τήν παρανόηση. Ἀγνοώντας τήν διαλεκτική, θεώρησε ἀπαραίτητο νά χωρίσει τήν "ἐπιστήμη" ἀπό τήν "θεολογία" γιά νά δυνηθεῖ νά ἐμβαθύνει καλύτερα σέ καθένα ἀπό τά δύο αὐτά τμήματα τῆς γνώσεως. Ἀλλά ἐπιστήμη χωρίς θεολογία καταντᾶ νά εἶναι ἁπλῶς τεχνολογία καί γνωρίζουμε πλέον ὅτι ἡ ἐντυπωσιακή ἀνάπτυξη τῆς δυτικῆς ἐπιστήμης δέν εἶναι βασικά παρά ὑπερσύγχρονη τεχνολογία. Ὁμοίως, θεολογία χωρίς ἐπιστήμη καταντᾶ ἄσκοπη ἐγκεφαλική ἐνασχόληση (ἡ θρησκεία δηλαδή χάνει κάθε ἐπαφή μέ τήν πράξη καί δέν βιώνεται), πού τελικά ὁδεύει πρός τήν ἄρνηση τοῦ θείου.

Γιά νά γεννηθεῖ ἡ δυτική ἐπιστήμη, ἔπρεπε λοιπόν νά χωρισθεῖ ἀπό τήν θρησκεία. Καί τό σῶμα ἔγινε κορμί στόν Μιχαήλ Ἄγγελο καί τό πνεῦμα ἐγκεφαλική ἐνασχόληση στόν Καρτέσιο. Ὅπως τό φιδάκι πού μέ μαχαίρι τοῦ ἀποκόπτεται τό κεφάλι ἀπό τήν οὐρά, τό καθένα ἀπό τά δύο μέρη συνέχισε νά κινεῖται ἀνεξάρτητα ἀπό τό ἄλλο: τό πνεῦμα ἀνεξάρτητα ἀπό τήν ὕλη. Τό ἀποτέλεσμα ἦταν νά δημιουργηθοῦν βαθειά τραύματα σέ πολλές μεγάλες προσωπικότητες τῆς δυτικῆς Ἀναγεννήσεως. Τυπικό παράδειγμα μᾶς προσφέρει ἡ ζωή τοῦ Ὁλλανδοῦ ζωγράφου Ρέμπραντ στόν 17ο αἰῶνα. Στά νειάτα του παρασύρεται ἀπό τό πνεῦμα τῆς ἐποχῆς. Εἶναι ρατσιοναλιστής, ζωγραφίζει πλῆθος Ὁλλανδῶν ἀστῶν καί κερδίζει πολλά λεφτά. Ὑμνεῖ τήν ἐπιστήμη ἀπαλλαγμένη ἀπό τήν θεολογία καί ζωγραφίζει τό 1632 τόν περίφημό του πίνακα, "Τό μάθημα τῆς ἀνατομίας": σ' ἕνα ἀμφιθέατρο ἀνατομίας τοῦ Ἄμστερνταμ, ὁ καθηγητής χειροῦργος, ὀνόματι Τούλπ, κόβει τό κορμί ἑνός πτώματος. Εἶναι ἡ τυπική εἰκόνα τοῦ θριάμβου τῆς δυτικῆς Ἀναγεννήσεως: τό ἀνθρώπινο σῶμα, τό κατ' εἰκόνα τοῦ Θεοῦ, τώρα κομματιάζεται σάν βόδι ἀπό ἐπιστήμονα χασάπη, τόν χειροῦργο, πρός χάριν τῆς ἀνακαλύψεως τοῦ μυστηρίου τῆς ζωῆς. Τό σῶμα εἶχε πλέον συληθεῖ καί πάνω στό ἐκπορνευμένο αὐτό σῶμα, πού εἶχε ὑποβαθμισθεῖ σέ κορμί (διότι πορνογραφία σημαίνει ἀφαίρεση ἀπό τό σῶμα τῆς πνευματικῆς του διαστάσεως) οἰκοδομήθηκε ἡ μηχανιστική ὑλιστική θεωρία πώς τό κορμί τοῦ ἀνθρώπου δέν ἦταν τίποτα περισσότερο ἀπό ἕνα ἄρτιο ἐργοστάσιο. Ὅταν στόν 20ο αἰῶνα, ἡ ψυχοσωματική ἑνός Σίγκμουντ Φρόϋντ καί ἑνός Κάρλ Γιούνγκ προσπάθησε νά συγκολλήσει τό φιδάκι, ἐπισημαίνοντας πώς οἱ ἀρρώστιες ἦταν ψυχοσωματικές, ἦταν πλέον πολύ ἀργά: τό ἁρμονικό σύνολο εἶχε χαθεῖ καί καμιά κόλλα δέν ἦταν πλέον σέ θέση νά κολλήσει τήν οὐρά στό κομμένο κεφάλι.

Ὁ Ρέμπραντ ὅμως, κατάλαβε ὅτι εἶχε πάρει λάθος δρόμο. Σιγά σιγά ἀπομονώνεται καί ζωγραφίζει βιβλικά θέματα λουσμένα σέ πνευματικό φῶς. Ὁ πίνακάς του "Οἱ μαθητές ἐν Ἐμμαούς", εἶναι ἡ ἄρνηση τοῦ "μαθήματος τῆς ἀνατομίας". Καί ὁ πρώην πλούσιος ζωγράφος, πού τόσο τόν ἐκτιμοῦσε τό ἀστικό κατεστημένο τῆς Ὁλλανδίας, πέθανε ἀπομονωμένος καί πάμπτωχος, ἀφήνοντας μόνον τά ροῦχα του καί τά πινέλα του. Μέ τόν τρόπο του ὁ Ρέμπραντ ὑπῆρξε ἕνας ἅγιος, ὁ ὁποῖος ἀρνήθηκε τελικά τό πνεῦμα τῆς Ἀναγεννήσεως.

Ἄλλος ψυχικά τραυματισμένος ἀπό τό δρᾶμα τῆς Ἀναγεννήσεως, ἦταν ὁ Μιχαήλ Ἄγγελος. Στήν ἀρχή ἐπηρεάσθηκε ἀπό τόν μοναχό τῆς Φλωρεντίας Σαβοναρόλα (1452-1498), πού προσπάθησε ν' ἀνακόψει τήν ἀναγεννησιακή πτώση μέχρι πού ὁ πάπας τόν ἐθανάτωσε. Ἀλλά ἀντίθετα μέ τόν Ρέμπραντ, ὁ Μιχαήλ Ἄγγελος τελικά ὑπέκυψε εἰς τό δυτικό πνεῦμα καί κατασκεύασε καταπληκτικά κορμιά, πού μέχρι σήμερα διεγείρουν τούς ὁμοφυλόφιλους ἀνά τόν κόσμο. Ὄχι βέβαια ἐπειδή εἶναι γυμνά, ἀλλά ἐπειδή τά γλυπτά του δέν εἶναι σώματα, δέν εἶναι ἁρμονία πνεύματος καί σώματος, ὅπως ἐπί παραδείγματι ὁ Ἑρμῆς τοῦ Πραξιτέλους. Οἱ σκλάβοι του ἤ ὁ Δαυίδ του, εἶναι ξεπεσμένα σώματα, εἶναι ἁπλῶς κορμιά. Οἱ δέ Παναγίες του εἶναι γυναῖκες-παιδιά, χαριτωμένες καί θλιμμένες μέν, ἀλλά χωρίς θεία διάσταση.

Τό ὅτι ἡ ἀναγεννησιακή σκέψη ἦταν παραμόρφωση τῆς ἑλληνικῆς σκέψεως καί ὑπό τήν ἔννοια αὐτή τό ὅτι ποτέ δέν ὑπῆρξε ἀναγέννηση τοῦ ἁρμονικοῦ πνεύματος τῆς Ἑλλάδος, δέν πέρασε ἀπαρατήρητο ἀπό μερικά πρόσωπα ἐκείνης τῆς ἐποχῆς. Οἱ Φράγκοι ὅμως, εἶχαν τέτοια μεγάλη ἀνάγκη ἐπιφανῶν προγόνων, πού δέν ἐδίστασαν νά ἀποσιωπήσουν τό γεγονός, γιά νά προσεταιρισθοῦν τούς ἀρχαίους Ἕλληνες ὡς προγόνους τους, ἀφαιρῶντας τους ἀπό τόν ἑλληνικό κορμό.

Ἕνας τέτοιος σωστός παρατηρητής ὑπῆρξε κάποιος Γάλλος πρέσβης τοῦ 17ου αἰῶνος, ὁ μαρκήσιος ντέ Νοεντέλ (marquis de Nointel). Ὁ Γάλλος ἱστορικός τοῦ τέλους τοῦ 19ου αἰῶνος A. Vandal, πού μελέτησε τό προσωπικό του ἀρχεῖο, γράφει γι' αὐτόν: "Μόλις ὁ Νοεντέλ ἀντίκρυσε τόν Παρθενῶνα, τ' ἀριστουργήματα αὐτά ἀμέσως τόν ἐντυπωσίασαν καί τόν ἐβύθισαν κυριολεκτικά σέ ἔκσταση. Ἄν καί δέν ἐγνώριζε τούς δημιουργούς -καί αὐτή ἡ ἄγνοια εἶναι πρόσθετο στοιχεῖο εἰλικρινείας τῶν ἐντυπώσεών τουτό καλλιτεχνικό του αἰσθητήριο τόν ἐβοήθησε νά συνειδητοποιήσει τήν ἀσυναγώνιστη ὀμορφιά τους. *Στήν Ρώμη ὅπου στό πρόσφατο παρελθόν νόμιζε πώς εἶχε ἐξοικειωθεῖ μέ τήν ἑλληνική καί ρωμαϊκή γλυπτική, εἶχε δεῖ τήν Ἀρχαιότητα μέσω τῆς Ἀναγέννησης ἡ ὁποία δέν εἶχε διστάσει νά ρετουσάρει τά μάρμαρα καί νά τά προσαρμόσει στόν δικό της ρυθμό.* Ἀλλά τώρα ἦταν ἡ ἑλληνική τέχνη ἀκέραια, γυμνή καί θεία πού μονομιᾶς τοῦ ἀπεκαλύπτετο: τό σόκ πού αἰσθάνθηκε ὑπῆρξε ἔντονο καί ἡ συγκίνησή του βαθειά." (Albert Vandal, *L' odyssée d' un ambassadeur: les voyages du marquis de Nointel, 1670-1680,* Paris, Plon, 1900, σσ. 164-165).

Αὐτό πού ὀνομάζουμε σήμερα Δύση, γεννήθηκε λοιπόν στήν Ἰταλία τόν 15ο αἰῶνα. Μέχρι τότε, ὅλοι οἱ βάρβαροι λαοί ὅταν εἰσχωροῦσαν στόν χῶρο τοῦ πολιτισμοῦ, ἐδέχοντο σταδιακά τήν πλανητική σκέψη, τό μεγάλο θεϊκό δῶρο τῆς διαλεκτικῆς σκέψεως. Αὐτό εἶχε συμβεῖ μέ τούς Ἀχαιούς, ὅπως καί μέ ὅλους τούς ἄλλους πρώην νομάδες. Πρός στιγμήν ἡ ἀνθρωπότητα ἐνόμισε πώς τό ἴδιο θά συνέβαινε καί μέ τούς λατινογερμανικούς λαούς, πού εἶχαν ἐγκατασταθεῖ στό δυτικό ἥμισυ τῆς εὐρωπαϊκῆς χερσονήσου τῆς εὐρασιατικῆς ἠπείρου. Καί πράγματι, γιά παραπάνω ἀπό μιά χιλιετηρίδα προσαρμόσθηκαν μέχρι ἑνός σημείου στό πνεῦμα αὐτό. Ὅπως ὅμως καί στόν κῆπο τῆς Ἐδέμ, ὁ διάβολος καραδοκοῦσε, καί τελικά ἔπεισε αὐτούς τούς λαούς ν' ἀπαρνηθοῦν τήν διαλεκτική σκέψη καί νά δεχτοῦν τήν δική του σκέψη, τόν ρατσιοναλισμό. Ἔτσι σήμερα, μετά ἀπό 500 χρόνια, συνειδητοποιώντας τό ἀδιέξοδο τῆς Δύσεως, ὅταν μιλᾶμε γιά παρακμή, κάνουμε ἕνα σοβαρό λάθος: διότι παρακμή τῆς ἀναγεννησιακῆς Δύσεως οὐδέποτε ὑπῆρξε. Ἐξ ἀρχῆς ἡ ἀναγεννησιακή Δύση ὁρίζεται ὡς πτώση καί δέν ὑπῆρξε ποτέ ἄνοδος παρά μόνον κατήφορος. Ἀπό τόν 15ο αἰῶνα, ἕνα ἕνα κατέβηκε τά σκαλοπάτια τῆς κόλασης καί τώρα πού τά ἔχει σχεδόν ὅλα κατέβει, μιλᾶμε γιά ἀδιέξοδο. Τό φοβερώτερο δέ ὅπλο πού ἔβαλε ὁ διάβολος στά χέρια τοῦ δυτικοῦ ἀνθρώπου, ὑπῆρξε ἡ τεχνολογία, αὐτό πού κοινῶς ὀνομάζουμε δυτική ἐπιστήμη.

Ἔτσι λοιπόν, ὄχι ὡς περιοριστική ἔννοια, ἀλλά ἐπεκτείνοντας τόν ὅρο στήν οὐσία τῆς στροφῆς πού ἐπιτεύχθηκε τόν 15ο αἰῶνα, μποροῦμε νά ὀνομάσουμε Ἀναγέννηση τά 500 χρόνια ζωῆς τῆς Δύσεως, πού σημαδεύτηκαν διαδοχικά ἀπό τήν πολιτιστική Ἀναγέννηση (15ο-16ο αἰῶνα), τήν θρησκευτική Ἀναγέννηση (Μεταρρύθμιση καί ἄνοδος τοῦ προτεσταντισμοῦ τόν 16ο αἰῶνα καί καθολική Ἀντιμεταρρύθμιση τοῦ 16ου καί 17ου αἰώνα), τήν δεύτερη πολιτιστική Ἀναγέννηση τοῦ Διαφωτισμοῦ (18ος αἰώνας), τήν βιομηχανική Ἀναγέννηση (τήν πρώτη, ἀγγλική, βασισμένη στόν ἄνθρακα καί τόν χάλυβα στά τέλη τοῦ 18ου αἰώνα· κατόπιν, τήν δεύτερη, γερμανοαμερικάνικη, βασισμένη στήν χημεία καί τόν ἠλεκτρισμό, στά τέλη τοῦ 19ου αἰώνα, τέλος, τήν τρίτη ἤ μεταβιομηχανική, ἀμερικανοϊαπωνική, βασισμένη στήν πληροφορική, πού ἄρχισε μετά τό 1945), τήν ἐπιστημονική Ἀναγέννηση πού εἶναι συνεχής ἀπό τόν 15ο αἰῶνα (καί πού στήν οὐσία εἶναι τεχνολογική), καί τέλος τήν πολιτική Ἀναγέννηση (ἀστική ἐπανάσταση τοῦ 1789 καί ἐργατική ἐπανάσταση τοῦ 1917).

Πολλοί ἐπιστήμονες καί θεολόγοι πού ἔχουν συλλάβει τίς ἀρνητικές πτυχές τοῦ δυτικοῦ πολιτισμοῦ, ἀλλά ὄχι τήν ἑνότητα τῆς πορείας τῶν τελευταίων πεντακοσίων χρόνων, δακτυλοδεικτοῦν μία ἀπ' αὐτές τίς περιόδους, π.χ. τόν Διαφωτισμό, ὡς κύριο ἔνοχο, ἐνῶ εἶναι ὅλες ἀλληλένδετες καί συνυπεύθυνες.

Ἕνας Γάλλος καθηγητής τῆς κοινωνιολογίας, ὁ Julien Freund, στό βιβλίο του "Τό τέλος τῆς Ἀναγέννησης", πού δημοσίευσε τό 1980, δέν κάνει αὐτό τό λάθος καί βλέπει τό ἀναγεννησιακό φαινόμενο σφαιρικά, ὡς μία καί μόνη περίοδος πού τελειώνει ἐπί τῶν ἡμερῶν μας. Γράφει: "Ἡ Ἀναγέννηση ὑπῆρξε ἀποκλειστικό ἔργο τῶν Εὐρωπαίων καί ὄχι τῶν ἄλλων λαῶν. Συνεπῶς ἡ παρακμή τῆς Εὐρώπης δέν ἀφορᾶ ἄμεσα τούς τελευταίους". (Julien Freund, *La fin de la Renaissance*, Paris, Presses universitaires de France, 1980, σ. 9). Ὁ χριστιανισμός, λέει, δέν πρόκειται νά ἐξαφανισθεῖ μέσα στό ναυάγιο τῆς Εὐρώπης: "Ἡ ἰδέα τῆς Εὐρώπης συνδέεται συχνά μέ τήν ἰδέα τοῦ χριστιανισμοῦ, ἄν καί ἡ προέλευση τοῦ χριστανισμοῦ εἶναι ἐξωευρωπαϊκή... Ἄλλωστε οἱ σημερινές ἐκκλησίες ἀναγνωρίζουν ἔμμεσα τόν παροδικό χαρακτῆρα αὐτῆς τῆς συνεργασίας, ἐφ' ὅσον ἔχουν μπεῖ στόν δρόμο τῆς ἀποδυτικοποιήσεως τοῦ χριστιανισμοῦ... Ὁ χριστιανισμός ποτέ δέν ταυτίσθηκε μέ τήν Εὐρώπη καί μέ τήν Ἀναγέννηση, ἔστω καί ἄν ἐπωφελήθηκε ἀπό τίς κατακτήσεις τῆς Εὐρώπης γιά νά ἐπεκταθεῖ σ' ὅλο τόν κόσμο" (*ἔνθ᾽ ἀν.*, σ. 61 καί 69).

Βεβαίως, ὁ Γάλλος καθηγητής ἐννοεῖ λέγοντας χριστιανισμό, τόν καθολικισμό καί τόν προτεσταντισμό. Προσπαθεῖ νά σώσει ἀπό τό ναυάγιο τῆς Δύσεως τόν δυτικό χριστιανισμό. Αὐτό ὅμως δέν εἶναι τό πρόβλημα τῆς Ὀρθοδοξίας, πού ὄχι μόνον ποτέ δέν ταυτίσθηκε μέ τό δυτικό ἔκτρωμα, ἀλλά ἀντιθέτως ὑπῆρξε θῦμα, ὅπως καί ὁ ὑπόλοιπος πλανήτης, τοῦ δυτικοῦ ἰμπεριαλισμοῦ. Οἱ Εὐρωπαῖοι ποτέ δέν σκέφτονται τήν Ὀρθοδοξία ὅταν μιλᾶνε γιά χριστιανισμό. Τήν ἀγνοοῦν παντελῶς. Παρά ταῦτα, οἱ Ἕλληνες δυτικιστές ἀνέκαθεν ἤθελαν νά ταυτισθοῦν μέ τόν δυτικό χριστιανισμό καί σήμερα φθάνουν στό σημεῖο νά δεχθοῦν νά πάρουν μέρος στό δυτικό ναυάγιο μέσα στό κοινό εὐρωπαϊκό πλοῖο.

Μέ τήν Ἀναγέννηση δημιουργήθηκε καί ἡ μή Ἀναγέννηση. Αὐτή ἡ μή Ἀναγέννηση εἶναι ὁ Τρίτος Κόσμος. Βέβαια ἡ λέξη "Τρίτος Κόσμος" χρησιμοποιήθηκε γιά πρώτη φορά μετά τόν δεύτερο παγκόσμιο πόλεμο, ἀλλά ἡ πραγματικότητα πού περικλείει προϋπῆρχε ἤδη ἀπό τόν 15ο αἰῶνα. Πάντα ἡ ὀνομασία μιᾶς πραγματικότητας ἀκολουθεῖ αὐτήν τήν πραγματικότητα, μέ τόν ἴδιο τρόπο πού τό ὄνομα ἑνός παιδιοῦ δίδεται μετά τήν γέννησή του καί ὄχι πρίν. Καί ὅμως λέμε: Ὁ Γιάννης γεννήθηκε τήν τάδε ἡμερομηνία, ἐνῶ Γιάννης ὀνομάσθηκε ὀκτώ μῆνες ἤ ἕνα χρόνο ἀργότερα. Συνεπῶς ἡ κατηγορία τοῦ ἀναχρονισμοῦ, ὅταν χρησιμοποιοῦνται ὀνομασίες γιά περιόδους πού προηγοῦνται τῆς δημιουργίας τους, δέν εὐσταθεῖ.

Μόλις ἡ Ἀναγέννηση ἀνδρώθηκε, ἄρχισε νά ἐξάγεται σ' ὅλο τόν πλανήτη μέ τήν βία. Ἔτσι δημιουργήθηκαν δύο κόσμοι: Ἡ "Δύση" ἤ ὁ κόσμος τῆς Ἀναγέννησης καί ἡ "Ἀνατολή" ἤ ὁ κόσμος τῆς ἐξάρτησης ἀπό τήν Ἀναγέννηση, ὁ Τρίτος Κόσμος. Συνεπῶς ὁ ὅρος αὐτός δέν προϋποθέτει ὑποχρεωτικά οἰκονομική ἔνδεια. Προϋποθέτει ἁπλῶς ἐξάρτηση καί τίς συνέπειες τῆς ἐξαρτήσεως. Μιά κοινωνία μέ πολύ ὑψηλό βιωτικό ἐπίπεδο, μπορεῖ νά εἶναι τριτοκοσμική ἄν εἶναι ἐξαρτημένη ἔστω καί μόνο πολιτιστικά, διότι ἡ Ἀναγέννηση τῆς ἐπεβλήθει ὡς ξένο σῶμα. Σέ ἄλλο μου βιβλίο ἔδωσα τόν παρακάτω ὁρισμό τῆς τριτοκοσμικοποιήσεως: "Ἡ Δύση δημιούργησε τό φαινόμενο τῆς τριτοκοσμικοποίησης, ὅταν κατέστρεψε τήν ἰσορροπία τῶν μή δυτικῶν κοινωνιῶν καί τίς τοποθέτησε στήν τροχιά τῆς ὑπανάπτυξης, δηλαδή ὅταν τίς ὑποχρέωσε νά ἀναπτυχθοῦν μέ τρόπο μή ἰσορροπημένο σέ σχέση μέ τίς ἀνάγκες τους. Ἀπό τή στιγμή πού ἡ μή δυτική κοινωνία ἀρχίζει νά περιστρέφεται στήν τροχιά τοῦ ἀποικιστῆ της, τείνει νά δυτικοποιηθεῖ μέ τήν ἐλπίδα νά ξεφύγει ἀπό τήν ἐξάρτηση. Τό δυτικό μοντέλο ἐπιβάλλεται σταδιακά σάν τό μοναδικό σημεῖο ἀναφορᾶς". (Δ. Κιτσίκης, *Ἱστορία τῆς Ὀθωμανικῆς Αὐτοκρατορίας*. Ἀθήνα, Ἑστία, 1988, σ. 166).

Στά παλαιότερα βιβλία μου δέν θέλησα νά πάρω σαφῆ θέση πάνω σέ δύο βασικά προβλήματα: α) πότε γεννήθηκε ἡ Δύση καί β) ἄν ἡ Δύση εἶναι ἤ ὄχι κατώτερη τῆς μή Δύσεως. Ἔτσι, στόν πρόλογο τῆς *Συγκριτικῆς Ἱστορίας Ἑλλάδος καί Τουρκίας στόν 20 αἰῶνα*, τό 1978, ἔγραφα: "Ἔτσι ὅπως βρίσκονται ἀντιμέτωποι αὐτοί οἱ δύο κόσμοι, ὁ δυτικοκεντρισμός θέλησε νά δεῖ μιά πάλη μεταξύ τοῦ νέου καί τοῦ παλαιοῦ, μεταξύ τῆς προόδου καί τῆς ἀντιδράσεως, ἐνῶ δέν ἐπρόκειτο παρά γιά μιά πολυχιλιετῆ σύγκρουση δύο παλαιοτάτων πολιτισμῶν, πού δημιουργήθηκαν σέ διαφορετικά χρονικά διαστήματα, χωρίς νά εἶναι ὁ ἕνας ὑποχρεωτικά καλύτερος ἀπό τόν ἄλλο. Πάντα ὑπῆρχαν ἄνθρωποι πού ὑποστήριζαν, ὅτι ἡ Ἀνατολή εἶναι ἀνώτερη ἀπό τήν Δύση καί ἄλλοι τόσοι πού ὑποστήριζαν τό ἀντίθετο" (σ. 15).

Σήμερα παίρνω θέση καί ἀπαντῶ: α) Ἡ Δύση γνώρισε δύο πρόσωπα: Τό προαναγεννησιακό, ὅπου καλοῦ κακοῦ ἀκολουθοῦσε τήν διαλεκτική σκέψη τῶν δύο ἄλλων πολιτιστικῶν χώρων τῆς ἐνδιάμεσης περιοχῆς καί τῆς Ἀνατολῆς. Τό μεταναγεννησιακό, πού σχηματίσθηκε σταδιακά μέσα ἀπό πολλούς αἰῶνες, γιά νά θριαμβεύσει τελικά τόν 15ο αἰῶνα μέ τήν ἀποκαλούμενη ἰταλική Ἀναγέννηση. Εἶναι αὐτή ἡ δεύτερη μορφή τῆς Δύσεως πού ἐξήχθη σ' ὅλον τόν πλανήτη καί αὐτήν σκεφτόμαστε ὅταν σήμερα μιλοῦμε γιά δυτικό πολιτισμό. β) Ἡ μεταναγεννησιακή Δύση ὑπῆρξε δεύτερη πτώση καί τραγικό ἀδιέξοδο, καταστρεπτικό γιά ὅλον τόν πλανήτη.

Μποροῦμε νά διαιρέσουμε τήν Ἀναγέννηση ὑπό τήν εὐρεῖα της ἔννοια τῶν 500 χρόνων, σέ τρεῖς περιόδους:

α) *Ὑπεροχή τῆς κλασσικῆς σκέψεως*: πρώτη παρεκτροπή: τό πνεῦμα ξεπέφτει στό ἐπίπεδο τῆς ἁπλῆς ἐγκεφαλικῆς ἐνασχόλησης, τοῦ ρατσιοναλισμοῦ. Ὁ ἀναγεννησιακός ἄνθρωπος ἀποφασίζει νά χρησιμοποιήσει μόνο τό κεφάλι τοῦ τεμαχισμένου σκουλικιοῦ, πού συνεχίζει νά κινεῖται χωρίς τήν οὐρά του. "Ἀπελευθερωμένος" ἀπό τό θεῖο, ἐπιβάλλει μιά καινούργια εἰκόνα τοῦ ἑαυτοῦ του: ὁ ἄνθρωπος μέ ἀνοικτά τά δύο πόδια καί τά δύο χέρια σάν ἥλιος καί κέντρο τοῦ παντός, νά πέφτει στό ἐπίπεδο τοῦ ἀτόμου. Ἀντί τοῦ ἀνθρώπου, τοῦ κατ' εἰκόνα τοῦ Θεοῦ, κέντρου τῆς δημιουργίας, ἀντί τοῦ χριστιανικοῦ ἀνθρωπισμοῦ, ἔχουμε τώρα ἕναν εἰδωλολατρικό οὑμανισμό μέ ἄτομο ἀποκομμένο ἀπό τόν Δημιουργό του. Καί ἀρχίζει ἡ πορεία τοῦ καπιταλισμοῦ βασισμένη στόν ἀτομισμό καί τήν ἐλευθερία τοῦ ἐγώ.

Ἀπό τό 1450 ὡς τό 1770, ἔχουμε τήν ἄνοδο τοῦ ἐμπορικοῦ καπιταλισμοῦ, μαζί μέ τήν ἄνοδο τοῦ κλασσικισμοῦ στήν λογοτεχνία καί τήν τέχνη καί τοῦ καρτεσιανικοῦ ὀρθολογισμοῦ. Ἔτσι συντελεῖται ἡ 'κλασσική σκέψη ὡς ἰδεολογική βάση τοῦ ἀστικοῦ φιλελευθερισμοῦ: πρῶτα μέ τόν μεταφυσικό ἰδεαλισμό (Καρτέσιο, Βολταῖρο), ὡς βάση τοῦ δεξιοῦ φιλελευθερισμοῦ καί μετά μέ τόν μηχανιστικό ὑλισμό (Ντιντερό), ὡς βάση τοῦ ἀριστεροῦ φιλελευθερισμοῦ.

Ἐδῶ χρησιμοποιοῦμε τόν ὅρο κλασσικισμό ὑπό τήν εὐρεῖα του ἔννοια καί συμπεριλαμβάνουμε καί τό μπαρόκ. Διότι λέγοντας κλασσική σκέψη, ἐννοοῦμε τήν πρωτοκαθεδρία πού δίνεται στόν ἐγκέφαλο, στό ὑπερτροφικό λογικό, στήν "θρησκεία" τῆς raison, δηλαδή στόν ρατσιοναλισμό. Τό μπαρόκ εἶναι ἕνας ρυθμός πού ἐξελίχθηκε ἀπό τόν 16ο μέχρι καί τόν 18ο αἰῶνα, πρῶτα στήν Ἰταλία καί μετά στήν Γερμανία καί τήν Ἱσπανία. Ἀπό πνευματικῆς πλευρᾶς, εἶναι ὁ ἀναγεννησμός στήν πιό ὑλιστική του μορφή, πού ἀποδεικνύει περίτρανα πώς δέν εἶχε τίποτα τό κοινό μέ τήν ἑλληνική σκέψη. Πολιτιστική ἔκφραση μιᾶς Εὐρώπης πού πλούτισε ὑπέρμετρα ἀπό τήν στυγνή ἐκμετάλλευση τῶν ἀποικιῶν, καί πού θέλει νά τό ἐπιδείξει μέ τόν καταναλωτισμό της. Ἡ ἐπιδειξιμανία τοῦ μπαρόκ παράγει τίς πληθωρικές σάρκες ἑνός Ροῦμπενς (1577-1640), χονδροειδῆ κρεατοφαγική κατάληξη τοῦ δρόμου πού εἶχε ἀνοίξει ἡ προτίμηση τοῦ Μιχαήλ Ἀγγέλου γιά μυώδη κορμιά. Πόσο μακριά εἶναι ἤδη ὁ Φλαμανδός Ροῦμπενς ἀπό τόν Ὁλλανδό Ρέμπραντ, πού ὅμως εἶχε γεννηθεῖ 29 χρόνια ἀργότερα ἀπ' αὐτόν. Τό μπαρόκ, πού μόνον οἱ Γάλλοι προσπάθησαν ν' ἀντικρούσουν ἐν ὀνόματι τῆς ἑλληνικῆς σκέψεως.

εἶναι καί σήμερα πάλι τῆς μόδας στήν δυτική καταναλωτική κοινωνία. Ὁ θρίαμβος αὐτοῦ τοῦ ρυθμοῦ ἤδη στήν πρώτη περίοδο τῆς Ἀναγεννήσεως, αὐτήν τοῦ κλασσικισμοῦ, ἀποδεικνύει τό ἀδιέξοδο τῆς ὑπερηφάνειας καί τοῦ ἐγωισμοῦ πού τρέφεται μέσα στήν δυτική σκέψη ἀπό τήν κυριαρχία τοῦ ὑπερτροφικοῦ λογικοῦ.

Αὐτός ὁ ἐγωκεντρισμός φθάνει στήν πιό κατάπτυστή του μορφή στόν γαλλικό διαφωτισμό τοῦ 18ου αἰῶνος, πού εἶχε ἤδη περιγράψει ὁ δούκας Φραγκίσκος de La Rochefoucauld τό 1664, στό βιβλίο του *Réflexions ou Sentences et Maximes morales*. Ὁ Λά Ροσφουκώ σ' αὐτά τά "Γνωμικά" του ἐκφράζει τόν ἀποτροπιασμό του, διαπιστώνοντας πώς στήν δυτική κοινωνία στήν ὁποίαν ζεῖ, τά πάντα κινοῦνται ἀπό τό προσωπικό συμφέρον, ἀκόμη καί τά καλύτερα αἰσθήματα.

Ἀλλά διαφωτισμός δέν νοεῖται χωρίς τούς Ἐγκυκλοπαιδιστές. Καί ποιός χρηματοδότησε αὐτούς τούς Γάλλους φιλοσόφους στόν ἀγῶνα τους κατά τοῦ "σκοταδισμοῦ"; Ὁ μεγαλοαστός καί πάμπλουτος Claude Adrien Helvétius (1715-1771), φιλόσοφος κι αὐτός. Τό 1758 γράφει στό βιβλίο του *De l' esprit* ("Περί τοῦ πνεύματος"): "Ὁ πόνος καί ἡ εὐχαρίστηση εἶναι τά μόνα κίνητρα τοῦ ἠθικοῦ κόσμου καί τό αἴσθημα τῆς ἀγάπης τοῦ ἑαυτοῦ σου εἶναι ἡ μόνη βάση πάνω στήν ὁποία μπορεῖ νά οἰκοδομηθεῖ τό βάθρο μιᾶς χρήσιμης ἠθικῆς". Ἐπίσης: "Στόν ἄνθρωπο τά πάντα εἶναι ὀργανισμός [δηλαδή ἐργοστάσιο, κατά τόν μηχανιστικό ὑλισμό] καί στόν ἠθικό κόσμο τά πάντα εἶναι ἐγωισμός". Ὁ Ἑλβέτιος διακρίνει μάλιστα τόν "μεταμορφωμένο ἐγωισμό" καί τήν "μεταμορφωμένη αἴσθηση". Ὁ πρῶτος δημιουργεῖ τόν ἠθικό κόσμο καί ἡ δεύτερη συγκροτεῖ τόν ὑλικό κόσμο. Ὁ Γάλλος αὐτός φιλόσοφος προπαγάνδιζε τήν πλήρη ἀθεΐα.

Ἄλλος βασικός παράγων τῆς σκέψεως τῶν Ἐγκυκλοπαιδιστῶν, ὑπῆρξε τήν ἴδια ἐποχή ὁ ἄθεος πλούσιος βαρῶνος καί Γάλλος φιλόσοφος Pierre-Henri Dietrich, baron d' Holbach (1723-1789). Πολέμησε τήν θρησκεία μέ μανία, εἰδικά μέ τό βιβλίο πού ἐξέδωσε τό 1761, *Ὁ χριστιανισμός χωρίς μάσκα* (Le christianisme dévoilé). Πεπεισμένος πώς ἡ ἐπιστήμη θά ἐξουδετερώσει τήν ἰδέα τοῦ Θεοῦ, ἐξυμνεῖ τόν ἐγωισμό τοῦ ἀνθρώπου στό βασικό του ἔργο *Τό σύστημα τῆς φύσεως* (Système de la nature), πού ἐδημοσίευσε τό

1770 καί στό ὁποῖο γράφει: "Ἐφ' ὅσον ὁ ἄνθρωπος, ἐκ τῆς φύσεώς του, εἶναι ὑποχρεωμένος ν' ἀγαπᾶ τήν καλοπέρασή του, εἶναι καί ὑποχρεωμένος ν' ἀγαπᾶ καί τά μέσα αὐτῆς τῆς καλοπέρασης. Εἶναι ἀνωφελές καί ἴσως μάλιστα ἄδικο νά ζητᾶ κανείς ἀπό τόν ἄνθρωπο νά εἶναι ἠθικός... Ἐφ' ὅσον ἡ ἀκολασία τόν κάνει εὐτυχισμένο, πρέπει ν' ἀγαπᾶ τήν ἀκολασία". Ὁ βαρῶνος ντ' Ὀλμπάκ καί ὁ Ἑλβέτιος ἦταν, ὅπως βλέπουμε, οἱ προφῆτες τῆς σημερινῆς καπιταλιστικῆς καταναλωτικῆς κοινωνίας.

Οἱ τρεῖς ἰδεολογίες τῆς σύγχρονης πολιτικῆς ζωῆς τοῦ πλανήτη μας, δημιουργήθηκαν ὅλες στήν Δύση κατά τή διάρκεια τῆς Ἀναγέννησης, γιά νά πληρώσουν τό κενό πού εἶχε ἀφήσει ἡ περιθωριοποίηση τῆς θρησκείας καί γιά νά δικαιολογήσουν τά οἰκονομικά συμφέροντα τῶν κοινωνικῶν τάξεων. Πρῶτα γεννήθηκε ἡ ἰδεολογία τῆς ἀστικῆς τάξεως, ὁ φιλελευθερισμός. Κατόπιν γεννήθηκε ἡ ἰδεολογία τῆς ἐργατικῆς τάξεως, ὁ κομμουνισμός. Ὁ Κάρλ Μάρξ, ἄν καί ἔζησε στόν 19ο αἰῶνα, ἦταν βασικά "κλασσικός", παιδί τοῦ Διαφωτισμοῦ. Ἐμπνεύσθηκε ἀπό τόν Χέγγελ, ὁ ὁποῖος ἄν καί Γερμανός φιλόσοφος, ξανάφερε στήν ἐπιφάνεια τήν ξεχασμένη ἀπό αἰῶνες στήν Δύση διαλεκτική σκέψη. Ἀκόμη καί ἡ λέξη "διαλεκτική" ἀσχέτως τῶν διαφόρων ὁρισμῶν πού τῆς ἐδίδοντο, εἶχε σχεδόν ἐξαφανισθεῖ ἀπό τό λεξιλόγιο, μετά τόν 15ο αἰῶνα καί εἶχε ἀντικαταστασθεῖ μέ τήν λέξη "λογική". Ὁ Καρτέσιος ἀπέφευγε τήν λέξη καί ὅταν τήν χρησιμοποιοῦσε τῆς ἔδινε μιά ἀρνητική ἔννοια. Ἡ διαλεκτική εἶναι ἐπικίνδυνη γιά τήν σκέψη καί πρέπει ν' ἀποφευχθεῖ, ἔλεγε. Τό ἴδιο καί ὁ Κάντ, πού 150 χρόνια ἀργότερα θεωροῦσε τήν διαλεκτική λογική ἁπλό σόφισμα. Ἡ λέξη "διαλεκτική" δέν ὑπῆρχε καθόλου στό *Dictionnaire historique et critique* τοῦ Bayle πού εἶχε δημοσιευθεῖ τό 1696-1702. Ἡ περίφημη Ἐγκυκλοπαίδεια τοῦ Ντιντερό (1751-1766), λέει ἁπλῶς πώς ἡ διαλεκτική εἶναι "ἡ τέχνη νά σκέπτεσαι καί νά συζητεῖς μέ ἀκρίβεια". Ἀκόμη τό 1835, τό Λεξικό τῆς γαλλικῆς Ἀκαδημίας λέει πώς εἶναι "ἡ τέχνη τοῦ σκέπτεσθαι". Ἑκατό χρόνια ἀργότερα, τό 1935, καμμία πρόοδος. Τό ἴδιο Λεξικό γράφει ἐλλειπτικά: "τό σύνολο τῶν κανόνων τοῦ σκέπτεσθαι".

Ὁ Χέγγελ λοιπόν, στήν ἀρχή τοῦ 19ου αἰώνα ἐπαναφέρει τήν διαλεκτική. Ὁ ἴδιος δηλώνει, ὅτι ὁλόκληρον τόν Ἡράκλειτο τόν ἐνσωμάτωσε στήν δική του λογική. Πῶς ὅμως ἔγινε αὐτό τό περίεργο; Ἕνας Γερμανός πού μόλις ἔβγαινε ἀπό τούς σκοτεινούς διαδρόμους τοῦ Διαφωτισμοῦ, νά συναντήσει τήν θεϊκῆς ἐμπνεύσεως διαλεκτική; Αὐτό ἔγινε δυνατόν μέσω τῆς ἐπιρροῆς πού ἤσκησε ἐπάνω του ὁ γερμανικός μυστικισμός. Ὁ μυστικισμός εἶχε ἀνθίσει στήν Γερμανία λίγο πρίν ἀπό τήν Ἀναγέννηση, τόν 14ο αἰῶνα, ἐπηρεασμένος ἀπό τόν νεοπλατωνισμό καί τόν Ἀθηναῖο Διονύσιο Ἀρεοπαγίτη. Αὐτός ὁ χριστιανικός νεοπλατωνισμός βρῆκε τήν ἔκφρασή του στό πρόσωπο τοῦ Γερμανοῦ δομινικανοῦ μοναχοῦ Johann Eckhart (1260-1327). Ἀσχέτως ἐάν ὁ Ἔκχαρτ θεωρήθηκε πανθεϊστής καί συνεπῶς αἱρετικός, χρησιμοποιοῦσε τήν διαλεκτική μέθοδο (θέση-ἀντίθεση-σύνθεση), πού 500 χρόνια ἀργότερα ἐνέπνευσε τόν Χέγγελ. Ἀλλά καί ὁ Χέγγελ ἦταν πανθεϊστής καί συνεπῶς αἱρετικός. Ἄλλωστε αὐτή ἡ σύγχυση, Θεοῦ καί κόσμου, πού ὀνομάζουμε πανθεϊσμό, εἶναι μιά συνήθης αἵρεση στήν Δύση, πού προέρχεται ἀπό τό ὅτι ἡ θρησκεία ἀντί νά βιωθεῖ ἐξαντλεῖται σέ ἄσκοπη μεταφυσική.

Καί στήν περίπτωση τοῦ Χέγγελ ἀντιλαμβανόμαστε τό δρᾶμα τῆς Δύσεως. Διότι τό δυτικό ἔκτρωμα ἐγεννήθη ἀπό τόν τεμαχισμό τοῦ ἁρμονικοῦ συνόλου πνεύματος-ὕλης. Ἡ διαλεκτική σκέψη ἔχει νόημα ἐφ' ὅσον βοηθᾶ νά συλλάβει κανείς αὐτό τό ἁρμονικό σύνολο. Ἀλλά ὁ Χέγγελ ἀναγνωρίζει ὡς μόνη πραγματικότητα τό πνεῦμα, ἤ πιό σωστά τήν "Ἰδέα". Ὁ Μάρξ παίρνει ἀπό τόν Χέγγελ τήν διαλεκτική μέθοδο καί τήν ἐφαρμόζει στήν μόνη πραγματικότητα πού ἀναγνωρίζει: τήν ὕλη. Δηλαδή ὁ ὑλισμός τοῦ Μάρξ πολεμᾶ τόν ἰδεαλισμό τοῦ Χέγγελ μέ τό κοινό ὅπλο καί τῶν δύο: τήν διαλεκτική μέθοδο. Ἀλλά ἀπό τήν στιγμή πού τό φιδάκι ἔχει κοπεῖ στά δύο καί ἡ πρώτη παράταξη χρησιμοποιεῖ τό κεφάλι ἐνῶ ἡ ἄλλη τήν οὐρά, ἡ διαλεκτική σκέψη χάνει τήν οὐσία της ἐφ' ὅσον δέν τείνει στήν ἐξεύρεση τῆς ἁρμονίας. Εἶναι δέ χαρακτηριστικό, πώς ὁ Μάρξ θεωρεῖ ὡς κύριο του ἐχθρό τόν ἰδεαλισμό καί ὄχι τήν θρησκεία μέ τήν ὁποία ἐλάχιστα ἀσχολεῖται. Στήν οὐσία δέ καί ὁ Χέγγελ καί ὁ Μάρξ βρίσκονται ἀπό τήν ἴδια πλευρά τοῦ ὁδοφράγματος, ἀπό τήν πλευρά τοῦ κεφαλιοῦ καί ὄχι τῆς οὐρᾶς τοῦ τεμαχισμένου σκουλικιοῦ. Διότι καί οἱ δυό τους εἶναι ρατσιοναλιστές καί δίνουν προτεραιότητα στήν raison, στόν ἐγκέφαλο. Ἁπλῶς αὐτό πού ὁ Χέγγελ ἀποκαλεῖ "ἰδέα" ὡς μόνη πραγματικότητα, ὁ Μάρξ τό ἀποκαλεῖ "ὕλη". Καί οἱ δύο τους συμφωνοῦν πώς, "αὐτό πού εἶναι πραγματικό εἶναι ρατσιοναλιστικό (rationnel) καί αὐτό πού εἶναι ρατσιοναλιστικό εἶναι πραγματικό".

Γιά νά κατανοηθεῖ πλήρως ὅτι Χέγγελ καί Μάρξ βλέπουν τόν κόσμο μονιστικά, ὅπου μιά καί μόνη ἀντικειμενική πραγματικότητα ὑπάρχει, ἡ ὁποία ὑπόκειται σέ ἐπιστημονικούς νόμους καί ντετερμινιστικά πορεύεται σέ μιά ἀνοδική πορεία πρός μιά κορυφή, πρέπει νά ποῦμε πώς ὑπάρχουν δύο εἰδῶν ἰδεαλισμοί: Ὑπάρχουν πρῶτα αὐτοί πού σάν τόν Ἰρλανδό ἐπίσκοπο τοῦ 18ου αἰῶνος, George Berkeley, πιστεύουν πώς μόνον ἡ σκέψη μας ὑπάρχει. Ὅλα τά ἀντικείμενα μέσα στόν κόσμο ὑπάρχουν μόνον ἐφ' ὅσον συλλαμβάνονται ἀπό τήν σκέψη μας. Εἶναι δηλαδή ὑποκειμενικά φαινόμενα, γι' αὐτό καί ὁ ἰδεαλισμός αὐτός λέγεται ὑποκειμενικός ἰδεαλισμός. Ἐνῶ τοῦ Χέγγελ εἶναι ἀντικειμενικός ἰδεαλισμός, ἤ ὅπως τόν ἀποκαλεῖ ὁ ἴδιος "ἀπόλυτος ἰδεαλισμός". Μᾶς ἐξηγεῖ πώς αὐτό πού ὁρίζει τήν πλήρη ἀντικειμενικότητα τῆς σκέψεως, εἶναι τό γεγονός πώς δέν πρόκειται ἁπλῶς γιά *δικές μας* σκέψεις ἀλλά γιά ἀντικειμενικές σκέψεις, πού ὑπάρχουν ἔξω ἀπό τήν συνείδησή μας καί συγκροτοῦν τήν οὐσία τοῦ ἀντικειμενικοῦ κόσμου. Συνεπῶς Χέγγελ καί Μάρξ ὑποστηρίζουν τό ἴδιο σύστημα βασισμένο στήν ἀντικειμενική πραγματικότητα, πού ὁ μέν Χέγγελ ἀποκαλεῖ ἰδέα, ὁ δέ Μάρξ ὕλη. Χαρακτηριστικά οἱ μαρξιστές λένε γιά τόν Χέγγελ, ὅτι τό σύστημά του εἶναι ἡ πραγματικότητα ἀναποδογυρισμένη, μέ τό κεφάλι κάτω καί τά πόδια ἐπάνω.

Ὅτι μόνον ἡ Ὀρθοδοξία εἶναι ὀρθή διαλεκτική στήν ὑπηρεσία τῆς ἁρμονικῆς σκέψεως καί ὄχι ὁ ὑπόλοιπος "χριστιανισμός", ἀποδεικνύεται ἀπό τό φιλοσοφικό σύστημα πού συγκρότησε ὁ Γάλλος ἰησουΐτης καί παλαιοντολόγος Pierre Teilhard de Chardin (1881-1955). Ὁ "χριστιανικός μαρξισμός" τῆς φιλοσοφίας του, καταδικάσθηκε πρός στιγμήν ἀπό τό Βατικανό, ὄχι διότι ἐπρόκειτο περί χεγγελιανῆς αἱρέσεως (τό κοινό συνελάμβανε γιά μαρξισμό αὐτό πού στόν Τεϊγιάρ ἦταν χεγγελιανισμός), ἀλλά ἐπειδή τό 1955 πού ἀπεβίωσε καί καταδικάσθηκε ἀπό τήν καθολική ἐκκλησία, ὁ ψυχρός πόλεμος εἶχε μεταφέρει στό Βατικανό τήν ἀντικομμουνιστική ψύχωση. Ἀσχέτως ὅμως αὐτοῦ, ἤδη ἀπό τό 1926 ἡ καθολική ἐκκλησία εἶχε ἀπαγορεύσει τήν δημοσίευση τῶν ἔργων του, πού τελικά ἐξεδόθησαν μετά τόν θάνατό του. Μέ διάταγμα τοῦ Βατικανοῦ τῆς 6ης Δεκεμβρίου 1957, εἶχε δοθεῖ ἐντολή νά ἀποσυρθοῦν ὅλα του τά βιβλία ἀπό τά βιβλιοπωλεῖα καί τίς βιβλιοθῆκες. Σήμερα ὁ Τεϊγιάρ ἔχει ἀποκατασταθεῖ ἀπό τόν πάπα, χωρίς νά παύει νά εἶναι αἱρετικός γιά τούς Ὀρθοδόξους. Διότι ὅπως ὁ Χέγγελ, βλέπει τόν Θεό καί ὡς προϋπάρχων, ἀλλά καί εἰς τό γίγνεσθαι, μέσω τῆς ἀνοδικῆς πορείας τῆς συνειδήσεως πρός τό ὑπέρτατο σημεῖο Ὠμέγα. Δηλαδή ὁ Θεός (ἡ Ἰδέα τοῦ Χέγγελ), οἰκοδομεῖται καί *μέσα* στήν ἐξέλιξη τοῦ κόσμου γιά νά ὁλοκληρωθεῖ στό σημεῖο Ὠμέγα. Σ' αὐτήν τήν αἰσιόδοξη ἄνοδο μέ τροχιά τόν νόμο τῆς ἐξελίξεως καί σ' αὐτόν τόν μηχανισμό συνεχοῦς προόδου, τό προπατορικό ἁμάρτημα καί ἡ πτώση ἀπό τόν Παράδεισο ξεχνιέται ἀπό τόν Τεϊγιάρ. Ἐπί πλέον ὁ ἴδιος ἀναγνωρίζει τήν πίστη του πρός κάποια μορφή πανθεϊσμοῦ. Γράφει: "Πάντοτε εἶχα... μιά φυσική ροπή πρός τόν πανθεϊσμό... Ὁ Θεός, τό αἰώνιο Ὄν ἐν τῇ οὐσία του, εἶναι παντοῦ, θά ἔλεγε κανείς, διαμορφούμενος γιά μᾶς". (Claude Cuénot, *Teilhard de Chardin*, Paris, Seuil, 1962, σ. 148 καί 150).

Ἡ λέξη "αἱρετικός" δέν χρησιμοποιεῖται ἐδῶ μέ τήν δυτική της καθολική ἔννοια. Ἐκτοξευόμενη ἀπό τό Βατικανό, παγώνει μέ φρίκη ὁποιονδήποτε διανοούμενο. Ἀλλά ἡ Ὀρθοδοξία ὑπῆρξε πάντα ἀνεξίθρησκη, τουλάχιστον μέχρι πρόσφατα, μέχρι τῶν προσπαθειῶν δυτικοποιήσεώς της. Δέν ἐγνώρισε ποτέ Ἱερά Ἐξέταση. Ἡ ἐλεύθερη κίνηση τῶν ἰδεῶν εἶναι ἐπιθυμητή καί χρήσιμη καί πολλά μπορεῖ νά μάθει ἕνας Ὀρθόδοξος ἀπό ἕναν αἱρετικό ἤ μή Ὀρθόδοξο καί ὁ διάλογος μαζί του εἶναι ἐπιθυμητός καί ἐπιβεβλημένος. Ἀλλά αὐτό δέν σημαίνει πώς δέν ἔπρεπε ν' ἀποφανθοῦν οἱ πατέρες τῆς Ἐκκλησίας ἐπί τῆς ὀρθότητας τῆς πίστεως. Πάντως, οἱ Χέγγελ, Μάρξ καί Τεϊγιάρ ντέ Σαρντέν, μέ τήν ἐπαναφορά πού κάνανε στήν Δύση τῆς διαλεκτικῆς, ἔστω ὑπό μορφή ἐλλιπῆ, προσέφεραν μεγάλη ὑπηρεσία στήν ἀπέλπιδα προσπάθεια νά ἐξέλθει ἡ Δύση ἀπό τό ἀδιέξοδο. Ἰδιαίτερα ὁ Κάρλ Μάρξ, μέ τίς βαθύτατες καί μεγαλοφυεῖς του ἀναλύσεις τῆς δυτικῆς κοινωνίας, προσέφερε ἀνεκτίμητες ὑπηρεσίες στήν πλανητική σκέψη.

β) *Ὑπεροχή τῆς ρομαντικῆς σκέψεως: δεύτερη παρεκτροπή.*

Ἡ χρησιμοποίηση τοῦ πρώτου μισοῦ τοῦ τεμαχισμένου σκουλικιοῦ, δηλαδή ἡ χρησιμοποίηση τοῦ κεφαλιοῦ καί μόνον, εἶχε ἀπογοητεύσει μέ τόν καιρό τούς Δυτικούς, στήν διάρκεια 350 χρόνων κλασσικισμοῦ. Τώρα λοιπόν προσπάθησαν νά χρησιμοποιήσουν τήν οὐρά, πού συνέχιζε νά κινεῖται ἀποκομμένη ἀπό τό κεφάλι. Δηλαδή προσπάθησαν νά χρησιμοποιήσουν τήν ὕλη μόνη. Ἡ ὕλη σέ σχέση μέ τό πνεῦμα ἦταν σῶμα. Τώρα τό σῶμα ὑποβαθμίζετο σέ κορμί, δηλαδή σέ ἐκπορνευμένο σῶμα (σῶμα χωρίς πνεῦμα). Διότι τό σῶμα κατά τήν ὀρθόδοξη διδασκαλία εἶναι ὁ ναός τοῦ Ἁγίου Πνεύματος καί προορίζεται νά ἀναστηθεῖ, ὄχι ὅμως ἕνας ἀποπνευματοποιημένος κορμός σάρκας, ὅπως εἶναι τό κορμί. (Ἄς προσέξουμε καί τήν ἔκφραση "μούρη" πού ὑποβιβάζει τό κατ' εἰκόνα τοῦ Θεοῦ πρόσωπο, στό ἐπίπεδο φάτσας ζώου). Ἐνῶ δηλαδή οἱ κλασσικοί εἶχαν δώσει προτεραιότητα στό λογικό, τώρα οἱ ρομαντικοί στό τέλος τοῦ 18ου αἰώνα ἀποφάσισαν νά δώσουν προτεραιότητα στό ζωικό ἔνστικτο, στήν ἔμφυτο ὁρμή, στήν διαίσθηση-ἐνόραση, στήν θέληση, στό αἴσθημα, στό élan vital (ζωική ὁρμή), στό ὑποσυνείδητο, δηλαδή στήν πρωτόγονη πλευρά τοῦ ἀνθρώπου. Ὡς ρομαντικός ὁ Χίτλερ θά δηλώσει στούς ὀπαδούς του πώς ἐπιθυμοῦσε νά δεῖ μέσα στά μάτια τους τό ἄγριο βλέμμα τῆς ὑπέροχης τίγρης τῆς Βεγγάλης. Ὁ μή ρατσιοναλισμός (irrationalité), ἀντικατέστησε τόν ρατσιοναλισμό τῆς κλασσικῆς περιόδου. Καί ὅμως καί οἱ δύο ἔννοιες τοῦ μή ρατσιοναλισμοῦ καί τοῦ ρατσιοναλισμοῦ ἦσαν ξένες πρός τήν σκέψη τῆς ἁρμονικῆς ἐποχῆς.

Ἡ λέξη "ρομαντισμός" πού θά ἀναλύσουμε στήν συνέχεια αὐτοῦ τοῦ βιβλίου, κατανοεῖται ἀπό τό κοινό –ὅπως ἄλλωστε καί ὅλες οἱ θεωρητικές ἔννοιες– ἐξαιρετικά ἁπλουστευμένη καί παραμορφωμένη. Ἔτσι ὁ ρομαντικός ἄνθρωπος, στήν κοινή γλῶσσα, εἶναι ἕνας ἁγνός ὀνειροπόλος, μᾶλλον ἀφελής, ὁ ὁποῖος δέν μπορεῖ νά δράσει ἀποτελεσματικά διότι ζεῖ στά σύννεφα. Ἡ τάση τοῦ κοινοῦ εἶναι νά προσδώσει μέ αὐθαίρετο τρόπο μιά ἠθικολογική διάσταση σέ κάθε λέξη πού χρησιμοποιεῖ. Ἔτσι γι' αὐτό, ὁ ρομαντικός εἶναι "καλός", ἐνῶ ὁ φασίστας εἶναι "κακός". Καί ὅμως, ὅπως θά ἐξηγήσουμε διεξοδικά, οἱ φασιστές εἶναι οἱ κατ᾽ ἐξοχήν ρομαντικοί.

Οἱ κλασσικοί τῆς πρώτης περιόδου τῆς Ἀναγεννήσεως ἦσαν ἄνθρωποι αἰσιόδοξοι, διότι ἐνόμιζαν ὅτι ἡ διχοτόμηση τῆς ἁρμονικῆς σκέψης ἦταν μιά ἀπαραίτητη ἀπελευθερωτική πράξη τοῦ ἀνθρώπινου μυαλοῦ, γιά νά μπορέσει νά οἰκοδομήσει τήν δυτική ἐπιστήμη. Δέν εἶχαν ἀκόμη πίσω τους καμιά ἀποτυχία. Ἔχοντας ξεχάσει τήν διαλεκτική, εἶχαν ὑποβαθμίσει τήν ἔννοια τῆς ἀντίφασης. Ἡ ἐπαναφορά τῆς διαλεκτικῆς τριάδας στήν ἀρχή τοῦ 19ου αἰώνα ἀπό τόν Χέγγελ, μαζί μέ τό αἴσθημα τῆς ἀποτυχίας τῆς πρώτης περιόδου τῆς Ἀναγεννήσεως, προσέδωσε στούς ρομαντικούς δύο σημαντικά χαρακτηριστικά: Πρῶτα μιά ἔντονη συνείδηση τῆς ἔννοιας τῆς ἀντιφάσεως. Ἡ ἀντίφαση ἐγκωμιάζεται συστηματικά ἀπό τούς ρομαντικούς πού ἀρέσκονται νά ζοῦν σ᾽ αὐτήν, χωρίς νά προσπαθοῦν νά τήν ξεπεράσουν μέ τήν σύνθεση. Παραπλεύρως, ἐγκωμιάζουν τήν ὑπερβολή καί τήν ψυχική ὀδύνη. Ὅσο ὁ κλασσικός ἄνθρωπος ἔδειχνε εὐτυχής ἄλλο τόσο ὁ ρομαντικός εἶναι δυστυχής. Τό δεύτερο χαρακτηριστικό εἶναι ἡ νοσταλγία τῆς προαναγεννησιακῆς περιόδου, δηλαδή τοῦ δυτικοῦ Μεσαίωνα καί τοῦ "γοτθικοῦ" του πολιτισμοῦ.

Ἐν μέσω τοῦ Διαφωτισμοῦ τοῦ 18ου αἰώνα, προτοῦ ἀκόμη ξεκινήσει ἡ πρώτη βιομηχανική ἐπανάσταση μέ τόν ἄνθρακα καί τόν χάλυβα, στήν Ἀγγλία τό 1770, πού θά δημιουργήσει τίς τεράστιες πόλεις καί τίς ρυπάνσεις τους, τούς βιομηχανικούς ἀστούς καί τούς βιομηχανικούς ἐργάτες, τήν στιγμή πού ἀκόμη διατυμπανίζεται γύρω ἀπό τό εἴδωλο τῆς προόδου ἡ βεβαιότητα γιά τό λαμπρό μέλλον τῆς Ἀνθρωπότητος, νά πού καταφθάνει ὁ προφήτης τῶν νέων καιρῶν, ὁ Jean-Jacques Rousseau (1712-1778), γιός ἑνός ρολογᾶ πού εἶχε κάνει στήν Κωνσταντινούπολη, καί προειδοποιεῖ: πήραμε λάθος δρόμο στήν Δύση, τό 1450. Ὄχι, ἡ ἄνοδος τῆς ἐπιστήμης δέν ἔφερε ἠθική καλυτέρευση στόν ἄνθρωπο, τόν ἐκπόρνευσε. Προβλέπει τήν βιομηχανοποίηση καί τήν ἀστικοποίηση καί προφητεύει τήν καταστροφή πού θά ἐπιφέρουν στήν ἀνθρωπότητα. Ἡ δύναμη τῆς προσωπικότητάς του θά συγκλονίσει τούς ἐπαναστάτες τοῦ γαλλικοῦ 1789, πού θά τόν ἀποκαλέσουν Ἅγιο Ζάν-Ζάκ καί αὐτή θά ἀνοίξει τήν περίοδο τῆς ρομαντικῆς σκέψης, πού εἶναι ἡ ἰδεολογική βάση τοῦ ἐθνικοσοσιαλισμοῦ (ἢ φασισμοῦ) τῆς μικροαστικῆς τάξεως. Ἔτσι, ὁ Ζάν-Ζάκ Ρουσώ εἶναι ὁ πατέρας τῆς τρίτης μεγάλης δυτικῆς ἰδεολογίας, τοῦ φασισμοῦ. Ἐπειδή ὁ ρομαντισμός πού ξεκίνησε ὁ Ρουσώ, ἀναπτύχθηκε στόν 19ο αἰῶνα, ὁ Ζάν-Ζάκ -ἀντίθετα ἀπό τόν Μάρξ- προηγήθηκε τῆς ἐποχῆς του καί θεωρήθηκε λανθασμένα πώς ἦταν φιλελεύθερος. Ἐνῶ ὁ Μάρξ πού ἔζησε στόν 19ο αἰῶνα μέ νοοτροπία κλασσική τοῦ 18ου, ἦρθε ἀργά σέ μιά ἐποχή πού ἤδη ἦταν ρομαντική. Ὁ ρατσιοναλισμός του, ἔστω καί βελτιωμένος μέ τήν διαλεκτική μέθοδο, δέν ἀξιοποιήθηκε ἀπό τούς ὀπαδούς του καί ἡ διδασκαλία του ἑρμηνεύθηκε σέ ρομαντικό πλαίσιο, ὅπως φέρ' εἰπεῖν ἀπό τήν Μπολσεβίκικη Ἐπανάσταση, καί αὐτό ἀντίθετα ἀπό τήν θέλησή του.

Τόν φοβερό κίνδυνο γιά τήν ἀνθρωπότητα τῆς συνεχοῦς ἀστικοποιήσεως, πού εἶχε ἐπισημάνει ἐξ' ἀρχῆς ὁ Ρουσώ, τόν συνέλαβε πλήρως 200 χρόνια ἀργότερα, ὁ Ἕλληνας πολεοδόμος Ντῖνος Δοξιάδης μέ τό ὅραμά του τῆς πλανητικῆς κοσμοπόλεως. Τό 1963, ὁ μεγάλος Ἄγγλος ἱστορικός Ἄρνολντ Τόϋνμπη (Arnold Toynbee), φίλος καί θαυμαστής τοῦ Δοξιάδη, ἔγραφε γι' αὐτόν στήν ἀγγλική ἐφημερίδα *Observer* καί στό *Βῆμα*: "Ἐδῶ εἰς τάς Ἀθήνας, ἵδρυσεν ἕνα ἰνστιτοῦτον *Οἰκιστικῆς*, τῆς νέας ἐπιστήμης ἡ ὁποία ἀποβλέπει εἰς τό νά καταστεῖ ἡ ζωή δυνατή εἰς μίαν κυριολεκτικήν κοσμόπολιν -πόλιν καλύπτουσα ὁλόκληρη τήν κατοικήσιμον ἐπιφάνειαν τοῦ πλανήτου μας. Ὁ κ. Δοξιάδης προβλέπει ὅτι ἐντός τῆς προσεχοῦς ἑκατονταετίας, ὁ πληθυσμός τοῦ πλανήτου μας ἐνδέχεται νά φθάση τά 25.000 ἑκατομμύρια καί ὅτι, ἕως τότε, ὅλαι αἱ πόλεις τοῦ κόσμου θά ἔχουν συνενωθῆ μεταξύ των... Ὁ συγκλονισμός μιᾶς τόσον ἐπαναστατικῆς ἀλλαγῆς, ἀπειλεῖ να μᾶς κάμη ὅλους ἐγκληματίας ἢ παράφρονας ἢ καί τά δύο... Οἱ ἐπιστήμονες μᾶς λέγουν ὅτι ἐάν ἡ γενεά μας δέν διαπράξη μαζικήν αὐτοκτονίαν, ἡ ἀνθρώπινη φυλή ἔχει ἀκόμη 2.000 ἑκατομμύρια ἔτη ζωῆς εἰς τόν πλανήτην αὐτόν. Δύο χιλιάδων ἑκατομμυρίων ἐτῶν φυλάκισις εἰς τήν κοσμόπολιν. Αὐτή εἶναι ἡ βαρυτέρα συλλογική ποινή καταναγκαστικῶν ἔργων πού ἐπεβλήθη ποτέ ἐπί τῆς ἀνθρωπότητος." (*Τό Βῆμα*, 18 Ἰανουαρίου 1963).

Ὁ 19ος αἰώνας εἶναι καί ὁ αἰώνας τῆς ἐξαπλώσεως τοῦ ἐθνικισμοῦ, πού εἶναι ἄρρηκτα δεμένος μέ τόν ἐθνικοσοσιαλισμό. Εἶναι καί ὁ αἰώνας ὅπου ὁ δυτικός ἰμπεριαλισμός θά ἐξάγει τόν πολιτισμό τῆς Ἀναγέννησης σ' ὅλο τόν πλανήτη. Σ' αὐτήν τήν ἐποχή λοιπόν, θά ὁλοκληρωθεῖ ἡ παραμόρφωση τῆς ἑλληνικῆς σκέψης μέ τήν χρησιμοποίηση τῆς Ἀρχαίας Ἑλλάδας γιά νά δικαιολογηθεῖ ὁ δυτικοευρωπαϊκός φυλετισμός, ἀπαραίτητο ὅπλο στήν ὑποδούλωση τῆς ὑφηλίου. Ἔτσι οἱ Ἕλληνες χρησιμοποιήθηκαν ἀπό τούς Εὐρωπαίους γιά νά δικαιολογήσουν τήν ἀποικιακή τους ἐξάπλωση, ἐνῶ συνάμα ἦσαν καί οἱ ἴδιοι ἀποικισμένοι ἀπ' αὐτούς τούς Εὐρωπαίους. Ἀλλά τό χειρότερο ἦταν, ὅπως τό ἐξήγησα στό βιβλίο μου, *Ἱστορία τῆς Ὀθωμανικῆς Αὐτοκρατορίας*, πώς ἔπεισαν τούς Ἕλληνες ν' ἀποδεχθοῦν ὡς δική τους αὐτήν τήν παραμορφωμένη εἰκόνα τοῦ ἑαυτοῦ τους.

Τήν εὐρωπαϊκή ἐπιχείρηση συνειδητῆς παραμορφώσεως τῆς ἑλληνικῆς Ἱστορίας, ἀνέλυσε ὁ Martin Bernal στόν πρῶτο τόμο πού τιτλοφορεῖ The Fabrication of Ancient Greece, 1785-1985, τοῦ βιβλίου του *Black Athena: The Afroasiatic Roots of Classical Civilization.* (London, Free Association Books, 1987). Ὁ Βρεταννός καθηγητής ὑπῆρξε πρωτίστως εἰδικός στήν κινεζική ἱστορία καί ἡ παγκοσμιότητα τῶν γνώσεών του δίνει τήν ἀπαραίτητη διάσταση στήν ἀπομυθοποίηση τῆς ἑλληνικῆς ἱστορίας. Ὁ Μπέρναλ διαπιστώνει πώς ἡ ἑλληνική ἱστορία ἑρμηνεύεται βάσει δύο προτύπων, πού εἶναι τά ἑξῆς: ἡ εἰκόνα πού εἶχαν οἱ ἀρχαῖοι Ἕλληνες τοῦ ἑαυτοῦ τους καί πού ὁ Μπέρναλ ὀνομάζει "τό ἀρχαῖο μοντέλο" καί ἡ εἰκόνα πού κατασκεύασαν οἱ δυτικοί Εὐρωπαῖοι στόν 19ο αἰῶνα, δηλαδή στόν αἰῶνα τοῦ ρομαντισμοῦ καί τοῦ ρατσισμοῦ καί πού ὁ συγγραφέας ὀνομάζει "τό ἄριο μοντέλο", δηλαδή τό βασισμένο στήν θεωρία τῆς ἰνδοευρωπαϊκῆς ἀρίας φυλῆς, ὡς τῆς καθαυτοῦ ἀνώτερης καί ἐκπολιτιστικῆς φυλῆς. Αὐτή ἀκριβῶς ἡ θεωρία διδάσκεται ἀκόμη σήμερα στά ἑλληνικά σχολεῖα. "Αὐτοί οἱ τόμοι ἀφοροῦν δύο μοντέλα ἑλληνικῆς ἱστορίας: τό ἕνα βλέπει τήν Ἑλλάδα ὡς οὐσιαστικά εὐρωπαϊκή καί ἀρία καί τό ἄλλο ὡς ἀνατολίτικη στήν περιφέρεια τοῦ αἰγυπτιακοῦ καί σημιτικοῦ πολιτιστικοῦ χώρου. Τά ὀνομάζω "ἄριο" καί "ἀρχαῖο" μοντέλο. Τό "ἀρχαῖο μοντέλο" ἦταν ἡ καθιερωμένη ἄποψη τῶν Ἑλλήνων στήν κλασσική καί ἑλληνιστική ἐποχή. Κατά τό πρότυπο αὐτό, ὁ ἑλληνικός πολιτισμός ἦταν τό ἀποτέλεσμα τῆς ἀποικίσεως, γύρω στό 1500 π.Χ., ἀπό Αὐγυπτίους καί Φοίνικες, οἱ ὁποῖοι εἶχαν ἐκπολιτίσει τούς αὐτόχθονες κατοίκους [τῆς Ἑλλάδος]. Ἐπί πλέον, οἱ Ἕλληνες συνέχισαν νά ἐμπνέονται σέ πολύ μεγάλο βαθμό ἀπό τούς πολιτισμούς τῆς Ἐγγύς Ἀνατολῆς. Κάνει ἐντύπωση στούς περισσοτέρους ἀπό μᾶς ὅταν μαθαίνουμε πώς τό ἄριο μοντέλο, πού σχεδόν ὅλοι μας εἴχαμε συνηθίσει νά πιστεύουμε ὡς σωστό, ἀναπτύχθηκε μόνον στό πρῶτο ἥμισυ τοῦ 19ου αἰώνα... Τό νέο αὐτό πρότυπο ἀπέρριπτε τό γεγονός τῶν αἰγυπτιακῶν ἀποικιῶν [στήν Ἑλλάδα] καί ἀμφισβητοῦσε τίς ἀποικίες τῶν Φοινίκων... Πιστεύω πώς χρειάζεται νά ἐπιστρέψουμε στό ἀρχαῖο μοντέλο, ἀλλά μέ μερικές ἀλλαγές... πού ἀποκαλῶ τό "ἀναθεωρημένο ἀρχαῖο μοντέλο"... εἶναι ἀπαραίτητο ὄχι μόνον νά ξανασκεφθοῦμε τίς βάσεις τοῦ λεγόμενου "δυτικοῦ πολιτισμοῦ", ἀλλά καί νά ἀναγνωρίσουμε τήν διείσδυση τοῦ φυλετισμοῦ καί τοῦ "ἠπειρωτικοῦ σωβινισμοῦ" μέσα σ' ὅλη μας τήν ἱστοριογραφία... Γιά τούς ρομαντικούς καί φυλετιστές τοῦ 18ου καί 19ου αἰώνα... ἦταν ἀπαράδεκτο ἡ Ἑλλάδα νά ἦταν τό ἀποτέλεσμα ἀναμίξεως αὐτόχθονων Εὐρωπαίων μέ Ἀφρικανούς καί Σημῖτες ἀποίκους. Γι' αὐτό καί ἦταν ἀπαραίτητο νά ἀνατραπεῖ τό ἀρχαῖο μοντέλο." (σσ. 1-2).

Ὁ παρασιτισμός τῆς σημερινῆς ἑλληνικῆς σκέψεως εἶναι γεγονός. Π.χ. γιά νά λύσουν προβλήματα περιβάλλοντος ἤ ψυχικῶν ἀσθενειῶν, ὅπως τήν ρύπανση τῶν ἀκτῶν ἤ τήν ὀργάνωση τοῦ ψυχιατρείου τῆς Λέρου, οἱ Ἕλληνες ὄχι μόνον δέν ἔχουν τίποτα τό πρωτότυπο νά προτείνουν, ἀλλά οὔτε κἄν καταφεύγουν ἀπό μόνοι τους στά ἐπιτεύγματα τῶν προγόνων τους. Ἔτσι οἱ Πράσινοι τῆς Ἑλλάδος ἀντιγράφουν ἁπλῶς τούς Πράσινους τῆς Δύσεως. Ἡ τεράστια πεῖρα τῆς Ὀρθοδοξίας στά περιβαλλοντολογικά θέματα, ἤ δέν ἀξιοποιεῖται καθόλου ἤ ζητεῖται ἁπλῶς ἀπό τήν Ὀρθόδοξη Ἐκκλησία νά δράσει σ' αὐτόν τόν τομέα μέσα σέ δυτικά πρότυπα. Ὁ ἄκρατος ἑλληνοκεντρισμός τοῦ ἑλληνικοῦ πληθυσμοῦ εἶναι καί αὐτός εἰσαγόμενος, διότι προέρχεται ἀπό τόν δυτικό ἐθνικιστικό μῦθο τοῦ 19ου αἰῶνος καί ἐπί πλέον γίνεται μπούμερανγκ κατά τῶν ἰδίων αὐτῶν Δυτικῶν, ὅταν σήμερα οἱ ἐπιστήμονές τους προσπαθοῦν νά ἀποκαταστήσουν τήν ἱστορική ἀλήθεια καί κατηγοροῦνται ἀπό τόν "καλομαθημένο" ἀπό τόν μῦθο Ἕλληνα πολίτη γιά μισέλληνες (ἑβραιόφιλοι, μασόνοι, τουρκόφιλοι κ.λπ.). Ἔτσι λοιπόν, ὁ καθηγητής Μπέρναλ μπορεῖ νά κατηγορηθεῖ ἀπό τόν παρηκμασμένο Ἕλληνα -χωρίς κανένα σεβασμό γιά τό ἐπιστημονικό του ἔργο- ὅτι εἶναι ἑβραϊκῆς καταγωγῆς, ὅτι μέ τήν "ἀποκατάσταση" τῶν Σημιτῶν (φοινικική παρουσία στήν Ἑλλάδα) πού ἐπιχειρεῖ, γίνεται ὄργανο τῆς ἑβραϊκῆς προπαγάνδας μειώσεως τοῦ ἑλληνικοῦ πολιτισμοῦ καί ἀνηψώσεως τοῦ ἑβραϊκοῦ. Μπορεῖ ἀκόμη ὁ Ἕλληνας νά χρησιμοποίησει τίς πληροφορίες πού τοῦ δίνει ὁ ἴδιος ὁ Μπέρναλ ἐναντίον του. Γράφει λοιπόν ὁ Βρεταννός καθηγητής: "Οἱ μασόνοι πού συμπεριλάμβαναν στούς κόλπους τους σχεδόν ὅλα τά σημαντικά πρόσωπα τοῦ Διαφωτισμοῦ [στόν 18ο αἰῶνα], θεωροῦσαν τήν θρησκεία τους ὡς αἰγυπτιακή, τά σύμβολά τους ὡς ἱερογλυφικά, τίς στοές τους ὡς αἰγυπτιακούς ναούς καί τόν ἑαυτό τους ὡς αἰγυπτιακό ἱερατεῖο. Πράγματι, ὁ μασονικός θαυμασμός γιά τήν Αἴγυπτο ἐπιβίωσε καί μετά τήν ὑποβάθμιση τῆς χώρας αὐτῆς ἀπό τούς ἀκαδημαϊκούς. Ἄν καί μέ λιγότερη ἔνταση, ἡ λατρεία αὐτή καλλιεργήθηκε μέχρι σήμερα ἀπό τούς μασόνους καί θεωρεῖται σάν ἀνωμαλία σ' ἕναν κόσμο πού πιστεύει ὅτι ἡ "πραγματική" ἱστορία ξεκίνησε μέ τούς Ἕλληνες. Τό ζενίθ τοῦ ἀκραίου μασονισμοῦ καί τῆς πλέον ἔντονης ἀπειλῆς πού παρουσίαζε γιά τήν χριστιανική τάξη τῶν πραγμάτων, ἐμφανίσθηκε στήν διάρκεια τῆς Γαλλικῆς Ἐπαναστάσεως... στό ἔργο τοῦ μεγάλου ἀντικληρικοῦ καί ἐπαναστάτη Γάλλου ἐπιστήμονα, Charles François Dupuis" (σ. 26). Καί προσθέτει ὁ Μπέρναλ: "Εἶναι πιθανό πώς ἡ ἵδρυση τοῦ Ἰσραήλ ὑπῆρξε περισσότερο καθοριστική ἀπό τό ἑβραϊκό ὁλοκαύτωμα τοῦ μεσοπολέμου γιά τήν ἐπαναφορά τῆς σημασίας τῶν Φοινίκων" (σ. 35). Τέλος, παρατηρεῖ πώς "ὁ ἰσχυρισμός τοῦ δόκτορος Σπυρόπουλου περί ὑπάρξεως αἰγυπτιακῆς ἀποικίας στήν Θήβα τοῦ 21ου αἰῶνος π.Χ., θάφτηκε μέσα σέ μιά εὐγενική σιωπή" (σ. 38. Βλ. Τ. Σπυρόπουλος, "Αἰγυπτιακός ἐποικισμός ἐν Βοιωτία", *Ἀρχαιολογικά Ἀνάλεκτα*, Ἀθήνα, ἀρ. 5, 1972, σσ. 16-27).

Ἡ "εὐγενική σιωπή" πού κυριαρχεῖ στήν Ἑλλάδα γιά

ὁποιαδήποτε ἰδέα πού δέν ἐντάσσεται στό κύκλωμα τοῦ ἑλληνικοῦ παρασιτικοῦ πνεύματος, ἔχει ἀναπτύξει μιά σημαντική ὑπόγεια λογοτεχνία πού ποτέ δέν βλέπει τό φῶς ἀπό τά μέσα μαζικῆς ἐνημερώσεως. Καί ὅμως, ἀκόμη καί ἀπό τόν ἀκραῖο ἐθνικιστικό χῶρο βγαίνουν ἀξιοπρόσεκτα βιβλία. Π.χ. τήν θεωρία τῆς αἰγυπτιακῆς προελεύσεως τοῦ ἑλληνικοῦ πολιτισμοῦ, τήν βρίσκουμε στό φιλοσοφικό μυθιστόρημα πού δημοσίευσε τό 1988 ὁ ἰδεολόγος τῆς παπαδοπουλικῆς περιόδου, Γεώργιος Γεωργαλᾶς, ὁ ὁποῖος γράφει: "Ὁ Ὀρφέας... ἦρθε ἐδῶ [στήν Αἴγυπτο] ἀπό τήν Σαμοθράκη γύρω στό 1450 π.Χ. καί ἔμεινε εἴκοσι χρόνια σπουδάζοντας στό ναό τῆς Ἴσιδας, στή Μέμφιδα, ὅταν Ἀρχιερέας ἦταν ὁ Μάμπρα. Στόν ἴδιο ναό φοίτησαν, δύο αἰῶνες ἀργότερα, ὁ Μωυσῆς καί 7 αἰῶνες ἀργότερα, ὁ Πυθαγόρας. Ἐδῶ πῆρε καί τό ὄνομά του, Ὄρφα, πού σημαίνει "αὐτός πού θεραπεύει μέ τό φῶς". Καί τί ἀκριβῶς δίδαξε... : ὅτι εἴμαστε δεμένοι σ' ἕναν τροχό πού διαγράφει τούς ἀέναους κύκλους τῆς γέννησης καί τοῦ θανάτου. Ἡ πραγματική ζωή βρίσκεται ἀλλοῦ, ὅμως ἐμεῖς εἴμαστε δεμένοι ἐδῶ, στή γῆ, στόν τροχό. Μόνο μέ τόν ἐξαγνισμό καί τήν ἄσκηση μποροῦμε νά ξεφύγουμε ἀπό τόν τροχό καί νά φθάσουμε ὡς τήν ἔκσταση πού φέρνει ἡ ἑνότητα μέ τό Θεό... Οἱ Ἕλληνες ἦταν μιά φυλή πολύ νέα, πολύ σφριγηλή, πού ἔσφυζε ἀπό ζωντάνια καί κέφι. Κι εἶναι κι ἐκείνη ἡ φύση τους πού τούς περιβάλλει –τό φῶς, ἡ θάλασσα, ὁ οὐρανός, τά λουλούδια, οἱ βράχοι. Δέν μποροῦσαν ν' ἀπαρνηθοῦν τίποτε ἀπό τή γήινη ζωή γιά χάρη τῆς ἄλλης. Ἴσως γι' αὐτό ὁ Ὀρφισμός δέν ἔγινε ἡ ἐπικρατοῦσα θρησκεία τῶν Ἑλλήνων. Ὅμως οἱ μυημένοι ὀρφικοί δέν ἔπαψαν νά παίζουν τό ρόλο τους σάν ὁδηγοί τῶν Ἑλλήνων. Ἡ ἀριστοκρατική μή-ὀλυμπική θρησκεία, στήν πραγματικότητα ἐπηρέασε πολύ περισσότερο ἀπό τήν ὀλυμπική, τήν πνευματική πορεία τῶν Ἑλλήνων. Οἱ ὀρφικοί ἵδρυσαν κοινότητες, ὅπου κάθε ἄξιος, ἀνεξάρτητα ἀπό φύλο ἤ φυλή, μποροῦσε νά γίνει δεκτός καί νά μυηθεῖ. Ἀπ' αὐτές τίς κοινότητες τῶν ἐκλεκτῶν διαποτίστηκε τό ἑλληνικό πνεῦμα. Ὀρφικοί ἦσαν ὁ Πυθαγόρας καί ὁ Πλάτων, πού ἐδίδαξαν ὅτι ὁ ἀληθινός κόσμος ἀποκαλύπτεται ὄχι στίς αἰσθήσεις, ἀλλά στή νόηση καί βρίσκεται πέρα καί πίσω ἀπό τόν ὑλικά ἁπτό ἐπιφανειακό κόσμο. Ὀρφική εἶναι καί ἡ περίφημη εἰκόνα πού παρομοιάζει τόν κόσμο μέ σπηλιά, ὅπου οἱ ἄνθρωποι δέν ἀντικρύζουν τά ἴδια τά πράγματα, παρά μόνον τούς ἴσκιους τους. Πρίν ἀπό τόν Πλάτωνα τήν ἀναφέρει ἕνας ἄλλος ὀρφικός, ὁ Ἐμπεδοκλῆς. Ὀρφικοί καί οἱ ἀρχαῖοι "ἀτομικοί" σάν τό Λεύκιππο καί τό Δημόκριτο, ὁ ὁποῖος ἄλλωστε πέρασε πολλά χρόνια στήν Αἴγυπτο, πού δίδαξαν ὅτι ἕνα πράγμα μπορεῖ νά εἶναι ὑπαρκτό χωρίς νά εἶναι ἐνσώματο. Καί ὑπάρχει ἕνας ὀρφικός ἅγιος... ὁ Σωκράτης". (Γεωργίου Γεωργαλᾶ, *Πίσω ἀπό τό τεῖχος πού φράζει τόν οὐρανό*, Ἀθήνα, Σμυρνιωτάκης, 1988, σσ. 64-65).

Ἄν καί ἡ ρομαντική σκέψη ἀναπτύσσεται στήν διάρκεια τοῦ 19ου αἰώνα μέσα στά πλαίσια τῆς ἐπαναφορᾶς στήν Δύση τῆς διαλεκτικῆς, ἐν τούτοις οἱ ρομαντικοί δέν ἐφαρμόζουν αὐτήν τήν διαλεκτική μέ ἐπιδίωξη τήν ἁρμονία. Δέν προχωροῦν στήν σύνθεση, κολλᾶνε στήν ἀντίθεση καί παραμένουν ψυχολογικά ἀσθενεῖς, ὅπως καί οἱ κλασσικοί. Διότι ρατσιοναλισμός (θέση) καί μή ρατσιοναλισμός (ἀντίθεση), εἶναι ἐξίσου ἐλλιπεῖς. Παρά ταῦτα, οἱ ρατσιοναλιστές χλευάζουν τούς ρομαντικούς ὡς παράφρονες. Ἔτσι ὁ καθηγητής J.L. Talmon, τοῦ Ἑβραϊκοῦ Πανεπιστημίου τῆς Ἱερουσαλήμ, σέ μιά μελέτη του γιά τήν γένεση τοῦ ὁλοκληρωτισμοῦ, γράφει: "Τρεῖς ἄλλοι ἀντιπρόσωποι τοῦ ὁλοκληρωτικοῦ μεσσιανικοῦ χαρακτήρα [ἐκτός τοῦ Ρουσώ]... δείχνουν καί αὐτοί τήν ἴδια παρανοϊκότητα. Εἶναι ὁ Ροβεσπιέρρος, ὁ Σαίν-Ζύστ καί ὁ Μπαμπέφ. Στήν πρόσφατη ἱστορία εἴχαμε παραδείγματα τοῦ περίεργου συνδυασμοῦ ψυχολογικῆς δυσκολίας προσαρμογῆς καί ὁλοκληρωτικῆς ἰδεολογίας". (J.L.Talmon, *The Origins of Totalitarian Democracy*, New York, Praeger, 1960, σ. 39). Τό ἴδιο παράφρονες θά μπορούσαμε νά ἀποκαλέσουμε καί τούς ρατσιοναλιστές σάν τόν καθηγητή Τάλμον. Ἡ μόνη διαφορά εἶναι πώς οἱ ρομαντικοί -σέ ἀντίθεση μέ τούς κλασσικούς καί ἐπειδή συνειδητοποιοῦν καλύτερα τό πρόβλημα -ὄχι μόνον παραδέχονται τήν ἀνισορροπία τους, ἀλλά καί συστηματικά τόν 19ο αἰῶνα κάνουν τό "ἐγκώμιο τῆς τρέλλας" (éloge de la folie). Γιά τόν Ὀρθόδοξο χριστανό, ὁ ὁρισμός τῆς ψυχικῆς ἀσθένειας εἶναι ἡ ἀποκοπή τοῦ ἀνθρώπου ἀπό τό θεῖο, δηλαδή ἡ ἀποκοπή του ἀπό τήν σύνθεση, τήν ἁρμονία, εἴτε λόγω τοῦ ρατσιοναλισμοῦ, εἴτε λόγω τῆς irrationalité.

γ) Μετά τό 1918: Ἡ ἐποχή τῆς ἀπελπισίας.

Ἡ οἰκοδόμηση τῆς Δύσεως εἶχε ἐπιτευχθεῖ πάνω στό διχοτομημένο σῶμα τῆς ἁρμονίας. Τό φιδάκι εἶχε κοπεῖ στά δύο καί οἱ ἀναγεννησιακοί εἶχαν διαπιστώσει μέ ἱκανοποίηση πώς, παρά τήν διχοτόμηση, τό κεφάλι συνέχιζε νά κινεῖται μόνο του σάν νά μήν ἐχρειάζετο τήν οὐρά καί ἡ οὐρά νά κινεῖται μόνη της σάν νά μήν ἐχρειάζετο τό κεφάλι. Τήν πίστη τους στην πρόοδο, οἱ ἀναγεννησιακοί τήν εἶχαν καί στήν κλασσική καί στήν ρομαντική ἐποχή. Ἄλλωστε ὁ 19ος αἰώνας γνώρισε, περισσότερο ἀπό κάθε ἄλλον, τόν θρίαμβο τῆς Δύσεως μέ τόν ἀποικισμό ὁλοκλήρου τοῦ πλανήτη καί μέ μία ἄνευ προηγουμένου πρόοδο τῆς τεχνολογίας. Ἡ μόνη διαφορά εἶναι πώς ὁ κλασσικός πιστεύει στήν εὐτυχία, ἐνῶ ὁ ρομαντικός πιστεύει πώς τό αἴσθημα ἔντονης δυστυχίας εἶναι ἀπαραίτητο γιά νά μπορέσει νά δημιουργήσει. Κι ἔτσι ὁ ρομαντικός ἡδονίζεται νά δημιουργεῖ μέσα στό κλάμα.

Ἀλλά στό τέλος τοῦ πρώτου παγκοσμίου πολέμου, ἡ ἀπελπισία ἀντικαθιστᾶ τήν ρομαντική σκέψη. Ἡ χρησιμοποίηση τῆς οὐρᾶς τοῦ διχοτομημένου "σκουλικιοῦ τῆς ἁρμονίας" εἶχε μέ τήν σειρά της ἀποτύχει καί αὐτή. Καί τώρα δέν ὑπῆρχε ἄλλο σκέλος μέ τό ὁποῖο νά πειραματισθεῖ κανείς. Ἡ ἀπελπισία ἀντικατέστησε τήν ἡδονή τῆς ψυχικῆς ὀδύνης. Ὁ 20ος αἰώνας βουλιάζει στόν παραλογισμό τῆς ἀπελπισίας. Τό πολιτικό ἔγκλημα φθάνει σέ ἀνύποπτα ὕψη. Τά ὁλοκαυτώματα ὀργανώνονται ἀπό δυτικούς ἤ δυτικοποιημένους πολιτικούς ἡγέτες, ὅπως ὁ Χίτλερ, ὁ Στάλιν, ὁ Μάο, ὁ Σουχάρτο, ὁ Πόλ Πότ, ὁ Ἰντί Ἀμίν Νταντά, ἀπό τούς Γάλλους στήν Ἀλγερία, τούς Ἄγγλους στήν Κένυα καί τούς Ἀμερικανούς στό Βιετνάμ. Μέ τήν μανία πού δημιουργεῖ ἡ ἀπελπισία, οἱ ρατσιοναλιστές καί οἱ μή ρατσιοναλιστές πολλαπλασιάζουν τίς προσπάθειές τους γιά νά ἐπιβάλουν τό σχῆμα τους. Τελικά ὅμως, ὅλοι οἱ σωτῆρες ἀποτυγχάνουν: ὁ ἥρωας ὡς ἰσχυρός ἀνήρ, ὁ ἥρωας ὡς περιούσιος λαός, ὁ ἥρωας ὡς ἐργατική τάξη ἤ ὡς ἀγροτική τάξη, ὁ ἥρωας ὡς Τρίτος Κόσμος, ὁ ἥρωας ὡς ἀντιήρωας (ὁ "μή χαρισματικός ἡγέτης" πού παίρνει τό λεωφορεῖο, περιμένει στήν οὐρά ἤ πάει στό σινεμά σάν τόν ἁπλό πολίτη). Ἐπί πλέον τώρα καί οἱ τρεῖς ἰδεολογίες, φιλελευθερισμός, κομμουνισμός, φασισμός, βρίσκονται σέ πλήρη παρακμή.

Ἀπό τόν πρῶτο παγκόσμιο πόλεμο, ἀρχίζει νά ἐμφανίζεται στήν Δύση μιά τεράστια σέ ὄγκο λογοτεχνία μέ παραλλαγές τοῦ ἴδιου πάντα τίτλου τοῦ βιβλίου τοῦ Γερμανοῦ φιλόσοφου Oswald Spengler (1880-1936), *Ἡ παρακμή τῆς Δύσεως*. Τόν τίτλο αὐτόν ὁ Σπένγκλερ τόν εἶχε βρεῖ ἤδη τό 1912, ἀλλά τό βιβλίο του κυκλοφόρησε τελικά τόν Δεκέμβριο τοῦ 1917, κατά τήν διάρκεια τοῦ πολέμου, στό Μόναχο. Ἡ τελική ἔκδοση κυκλοφόρησε τόν Δεκέμβριο τοῦ 1922. Ἤδη μέχρι τό 1927, τό δίτομο αὐτό δυσκολοδιάβαστο βιβλίο εἶχε πουλήσει ἑκατό χιλιάδες ἀντίτυπα. Ὁ Ἄρνολντ Τόϋνμπη ὑπῆρξε ὁ συνεχιστής του. Ἀλλά ἐνῶ ἡ Δύση στόν μεσοπόλεμο καί ἀκόμη περισσότερο μετά τό 1945, συνειδητοποιεῖ πώς οἱ πολιτισμοί, ὅπως καί οἱ ἄνθρωποι, δέν εἶναι ἀθάνατοι καί πώς ἡ Δύση ὁδεύει στόν θάνατο μέ τό αἴσθημα τῆς πλήρους ἀποτυχίας, ὁ συνεχιζόμενος ἀποικισμός τοῦ πλανήτη ἀναπαράγει παρασιτικές πελατεῖες τοῦ ἀναγεννησιακοῦ πνεύματος. Ἔτσι στήν Ἑλλάδα, τό "Κολωνάκι", μικροσκοπική ἐπαρχία τῆς Δύσεως, χαμπάρι δέν παίρνει τῆς ἀπελπισίας πού δέρνει τά δυτικά του ἀφεντικά καί κρατώντας γερά τά ἡνία τοῦ ἑλληνικοῦ κράτους, συνεχίζει νά ἐκθειάζει ἀπό τόν Ἠλία Ἠλιοῦ μέχρι τόν Κων. Καραμανλῆ τό δυτικό εὐρωαμερικανικό πολιτισμό.

Ἡ ἐφημερίδα *Καθημερινή* εἶναι ἕνα καλό παράδειγμα αὐτοῦ τοῦ φαινομένου. Δημοσιογράφοι σάν τόν κ. Τηλέμαχο Μαρᾶτο, φθάνουν μάλιστα σέ τραγελαφικές ἀκρότητες τοῦ τύπου: "Τό πνεῦμα τό ἑλληνικό θά ζήσει καί θά βασιλεύει. Ὄχι ἐκεῖ πού τό πῆγε ὁ Μεγαλέξαντρος –γιατί ἐκεῖ ἦταν τό ἔδαφος ἀκατάλληλο καί ξηράθηκε– ἀλλά στήν ἀκριβῶς ἀντίθετη κατεύθυνση: στή Δύση. Ἐκεῖ πού εἶναι ὁ ἐλεύθερος καί πολιτισμένος κόσμος. Ἐμεῖς ὅμως ἐδῶ, θά καταλήξουμε ἀποκλειστικά νά πουλᾶμε πλαστικά σουβενίρ σέ τουρίστες καί νά τούς περιφέρουμε ἀνάμεσα σέ σύννεφα καπνοῦ καί σκόνης σέ κέντρα τουρκικῆς μουσικῆς, νά διασκεδάζουν κοιτάζοντάς μας. Δύο φορές πήγαμε νά ξεφύγουμε ἀπ' αὐτή τή μοῖρα. Ἡ πρώτη ἦταν τό 1821 καί ἡ δεύτερη στήν περίοδο 1974-1981. [Δυστυχῶς οἱ ὀπαδοί τῆς ἀνατολικῆς παράταξης μᾶς λένε] ὄχι στίς ξένες ἰδέες! Θά μᾶς ἀλλοτριώσουν. Ὑπάρχει καί ὁ κίνδυνος νά μᾶς κάνουν Εὐρωπαίους... Ἐκεῖνο πού ἀποφασίζει ὁ λαός στίς [βουλευτικές ἐκλογές τῆς] 2 Ἰουνίου, εἶναι ἄν εἴμαστε μέρος αὐτοῦ τοῦ κόσμου [τῆς Δύσεως] ἤ ὄχι". (*Ἡ Καθημερινή*, Ἀθήνα, 18 Μαΐου 1985).

Πέντε χρόνια ἀργότερα, ὁ οἰκονομολόγος καί δοκιμιογράφος Χρῆστος Μαλεβίτσης, θριαμβολογώντας γιά τήν πτώση τοῦ κομμουνισμοῦ καί μή κατανοώντας πώς αὐτή ἡ πτώση ἰσοδυναμεῖ μέ τόν θρυμματισμό τοῦ ἑνός ἀπό τούς δύο κίονες τοῦ δυτικοῦ ἀναγεννησιακοῦ οἰκοδομήματος, γράφει στήν ἴδια ἐφημερίδα πώς αὐτή ἡ κατάρρευση ἀποδεικνύει τήν σοφία τῆς μή διαλεκτικῆς ἀγγλοσαξωνικῆς σκέψεως! "Καμιά ἀπό τίς προβλέψεις τοῦ Μάρξ δέν ἐπαληθεύτηκε –δηλώνει ἀνακριβέστατα. Πρᾶγμα πού δείχνει πώς τοῦτος δέν ὑπῆρξε οὔτε ἀληθινός φιλόσοφος, οὔτε ὀξυδερκής κοινωνιολόγος, οὔτε ἀποτελεσματικός οἰκονομολόγος... Τί ἀπέγινε ἐκείνη ἡ περιβόητη μέθοδος τῆς διαλεκτικῆς... Διότι ἡ φιλελεύθερη ἀστική δημοκρατία νίκησε χωρίς τήν ἄδεια τῆς διαλεκτικῆς. Αὐτή λοιπόν τή μεγαλειώδη διαλεκτική πού μοιάζει μέ τό βάδισμα τοῦ Θεοῦ μέσα στήν ἱστορία, τώρα καλοῦνται οἱ μαρξιστές νά τήν ἐγκαταλείψουν καί νά συμμορφωθοῦν πρός τήν ταπεινή μέθοδο τῆς δοκιμῆς καί λάθους, τῆς ἐμπειρικῆς trial and error. Ἐν τέλει, ὁ ἀγγλοσαξωνικός ἐμπειρισμός ἀποδιώχνει τά νέφη τῆς ἠπειρωτικῆς μεταφυσικῆς... Τώρα μέ τήν ταπεινή μέθοδο τῆς trial and error μποροῦμε νά ἐπιβιώσουμε" (*Ἡ Καθημερινή*, Ἀθήνα, 20 Ἰανουαρίου 1990). Εἶναι ἀλήθεια πώς στό τέλος τοῦ ἄρθρου του ὁ Μαλεβίτσης "φωτίζεται" πρός τήν σωστή κατεύθυνση καί γράφει: "Ὅμως δέν πρόκειται περί αὐτοῦ. Οἱ πνευματικές προοπτικές τοῦ ἀνθρώπου δέν ἐξασφαλίζονται οὔτε μέ αὐτή τή μέθοδο... Ἔτσι ἐπιστρέφουμε στή σωκρατική μέθοδο, τή μαιευτική. Ὁ ἄνθρωπος δέν καθοδηγεῖται ἀπό τό κόμμα ἤ τήν πολιτεία ἤ τίς κρατικές ὑπηρεσίες. Ὁ ἄνθρωπος καθοδηγεῖται ἀπό τόν πνευματικό του δάσκαλο, σέ προσωπική παιδαγωγική σχέση. Ὅταν γίνει μιά μιά ψυχή καλύτερη, τότε θά γίνει καί ἡ κοινωνία καλύτερη. Ἡ ὥρα τῶν γκουρού, τῶν στάρετς, τῶν πνευματικῶν πατέρων, τῶν πλατωνικῶν παιδαγωγῶν τῆς ἀνθρωπότητας ἐσήμανε καί πάλι". Ἀλλά τότε νά ἔλειπαν οἱ θριαμβολογίες περί τῆς ἀνωτερότητος τοῦ ἀγγλοσαξωνικοῦ ἐμπειρισμοῦ.

Ἡ ἀπελπισία πού ἀναπτύσσεται μετά τό 1918, προέρχεται ἀπό τήν τρελλή προσπάθεια νά ξανακολληθοῦν τά δυό ἄκρα τοῦ σκουλικιοῦ, πού ὅμως μέ καμιά ὑπαρκτή κόλλα δέν ἐπιτυγχάνεται. Ἤδη, στό δεύτερο ἥμισυ τοῦ 19ου αἰῶνος, ὁ ἀναρχισμός στήν πολιτική του δράση ταλαντεύεται μεταξύ ἑνός ἄκρατου ρατσιοναλισμοῦ καί ἑνός ἐξίσου ἄκρατου ρομαντισμοῦ καί τό δεύτερο ἥμισυ τοῦ 20ου αἰῶνος βλέπει πλῆθος διανοουμένων νά διστάζουν μεταξύ τῶν δύο πόλων τοῦ τεχνολογικοῦ ρατσιοναλισμοῦ τῆς μεταβιομηχανικῆς ἐποχῆς τῆς πληροφορικῆς καί τῆς ἀναζητήσεως ἐξόδου στόν βουδδισμό ἤ τόν ἰνδουϊσμό. Τυπικό παράδειγμα τῆς ἀπέλπιδος αὐτῆς προσπάθειας, εἶναι ἡ ἵδρυση στίς Ἡνωμένες Πολιτεῖες, τό 1971, τοῦ "Διεθνοῦς Πανεπιστημίου Μαχαρίσι" ἀπό τόν Ἰνδουιστῆ Maharishi Mahesh Yogi, πού ὅμως ὑποβιβάζει τήν θρησκεία σέ ἁπλή ψυχοσωματική ἄσκηση μέ τήν μέθοδο τοῦ ὑπερβατικοῦ διαλογισμοῦ ἤ TM (Transcendental Meditation), μέ στόχο τήν ἀποκαλούμενη "ἐπιστήμη δημιουργικῆς εὐφυΐας". Χαρακτηριστικό εἶναι πώς χρησιμοποιεῖται ἡ λέξη τεχνολογία γιά νά ὁρισθεῖ αὐτή ἡ προσπάθεια (the Maharishi technology of the Unified Field). Πολλά μέλη τῆς ἀμερικανικῆς τεχνολογικῆς ἐλίτ τῶν μάνατζερ καταφεύγουν σ' αὐτόν τόν ψευτοϊνδουισμό ἤ τότε πιό ἁπλά στήν χρήση κοκαΐνης.

Ἡ ἀπελπισία πηγάζει ἐπίσης ἀπό τήν συνειδητοποίηση ὅτι δέν εὐσταθεῖ ἡ δυτική θεωρία περί διαχωρισμοῦ μεταξύ μιᾶς ρατσιοναλιστικῆς Δύσεως καί μιᾶς μή ρατσιοναλιστικῆς Ἀνατολῆς καί πώς ἡ θρησκεία ἐκφράζει τήν ὅλη πραγματικότητα συμπεριλαμβάνοντας Δύση καί Ἀνατολή. Πῶς ὅμως θά τεθεῖ τέρμα στό ἀναγεννησιακό πνεῦμα καί θά θανατωθεῖ τό πολιτισμικό ἔκτρωμα πού ὀνομάζουμε Δύση καί πού σήμερα περιλαμβάνει πλέον καί τήν Ἀνατολή; Κανείς μέχρι στιγμῆς δέν βρίσκει ἀπάντηση σ' αὐτό τό φοβερό ἐρώτημα.

Ἄς δώσουμε δύο παραδείγματα ἐντελῶς ἐνδεικτικά τῶν πολυπληθῶν δημοσιεύσεων πού κατέκλυσαν τήν Δύση μετά τήν κυκλοφορία τοῦ βιβλίου τοῦ Σπένγκλερ. Τό πρῶτο εἶναι τοῦ Γαλλοκαναδοῦ δημοσιογράφου Jean Pellerin, *La faillite de l' Occident* (Montréal, Les Editions du Jour, 1963, 157 σελ.). Ὁ τίτλος τοῦ βιβλίου σημαίνει, "Ἡ χρεωκοπία τῆς Δύσεως". Ἰδού μιά ἀπό τίς φράσεις του: "Ὁ δυτικός ἄνθρωπος εἶναι καταδικασμένος στήν ἀπελπισία ἐπειδή περιέπεσε στήν ἁμαρτία τοῦ ἐγωκεντρισμοῦ... Αὐτός πού μέχρι τώρα ἦταν πάντα πεπεισμένος ὅτι ἔχει δίκαιο, βαδίζει πρός τήν αὐτοκτονία" (σ. 136).

Τό δεύτερο βιβλίο εἶναι τοῦ Αὐστριακοῦ καθολικοῦ ἱερέα Λαυρέντιου Γκέμερεϋ, *Ἡ δύση τῆς Δύσης: ἡ ἀπομυθοποίηση τῆς Εὐρώπης καί ὁ ἑλληνισμός*, (Ἀθήνα, Ἐκδόσεις Παπαζήση, 1977, 272 σελίδες), πού γράφει: "Σέ ὅλη τήν διάρκεια τῆς ἱστορίας τους οἱ Ἕλληνες ποτέ δέν αἰσθάνθηκαν τήν ἀνάγκη νά "ἀνήκουν" κάπου. Μόνον ἡ κολακευτική ἐκδοχή ὅτι ὁ "δυτικός πολιτισμός" ἔχει τίς ρίζες του στόν ἀρχαῖο πολιτισμό τῆς Ἑλλάδας, μπόρεσε νά παρασύρει σέ τέτοια αἰσθήματα, τά ὁποῖα ὅμως μόνον σάν κόμπλεξ κατωτερότητας εἶναι δυνατόν νά λειτουργοῦν. Καί εἶναι κάπως θλιβερά παράλογο νά λειτουργεῖ ἕνα τέτοιο κόμπλεξ, ὅταν εἶναι πιά ἀποδεδειγμένο γεγονός τό ἀδιέξοδο ὅπου βρίσκεται αὐτός ὁ "δυτικός πολιτισμός". Βασικά αὐτός ὁ πολιτισμός ἔπαψε νά ὑπάρχει: εἴτε εἶναι ἕνα τεράστιο σύμπλεγμα γιά τήν ἐξυπηρέτηση τῶν οἰκονομικῶν συμφερόντων, εἴτε εἶναι ἕνας καθιερωμένος μηχανισμός γιά τήν ἀποβλάκωση τῶν καταναλωτῶν στά πλαίσια τοῦ "συστήματος" (σ. 263).

Γιά τόν Πέλλερεν τό 1963, ἡ ἀπελπισία ἐμετριάζετο μέ τήν ἐλπίδα ὅτι "ἡ Ἀνατολή" θά σώσει τόν κόσμο ἀπό τό δυτικό ἔκτρωμα. Γιά τόν Γκέμερεϋ τό 1977, ἡ σωτηρία θά ἐρχόταν ἀπό τήν Ἑλλάδα. Ἔκτοτε συνειδητοποιήθηκε περισσότερο πώς ὁ καρκίνος τῆς δυτικοποιήσεως ἔχει τόσο προχωρήσει σ' ὅλη τήν ἔκταση τοῦ πλανήτη, πού οὔτε πλέον ἡ Ἀνατολή οὔτε ἡ Ἑλλάδα, ὁλοσχερῶς διεφθαρμένες ἀπό τήν Δύση, θά μπορέσουν νά δώσουν τήν λύση. Κι ἔτσι ἡ ἀπελπισία αὐξήθηκε. Τί παραμένει λοιπόν; Ἕνας καθολικός Γάλλος διανοούμενος ὁλκῆς τοῦ μεσοπολέμου, ὁ Daniel-Rops, τεκμηρίωσε τήν δική του ἀπελπισία τό 1932 μέ τίς ἑξῆς φράσεις: "Θεωρῶ τήν ὑποταγή στίς οἰκονομικές προσταγές ὡς μιά ἀπό τίς πιό καθοριστικές αἰτίες τῆς σύγχρονης σύγχισης". (*Le monde sans âme*, Paris, Plon, 1932, σ. 44). Καί διαπιστώνει: "Ὑπάρχει σήμερα σ' ὅλο τόν κόσμο ἕνα πνεῦμα οὐσιαστικῆς ἀβεβαιότητος [τό βιβλίο γράφτηκε μεταξύ 1926 καί 1931]. Δέν εἶναι χθεσινό. Ἤδη πρό πενήντα χρόνια καί πλέον, ὁ Νίτσε [1844-

1900] ἔγραψε τήν περίφημή του φράση: "Ὁλόκληρος ὁ εὐρωπαϊκός μας πολιτισμός βρίσκεται ἀπό καιρό σέ ἀναταραχή κάτω ἀπό μιά πίεση πού αὐξάνεται μέχρι βασανισμοῦ, ἕνα ἄγχος πού μεγαλώνει ὅλο καί περισσότερο κάθε δέκα χρόνια, σάν νά ἤθελε νά προκαλέσει μιά καταστροφή... Ὁ ἀριθμός τῶν προφητῶν τοῦ θανάτου αὐξήθηκε γρήγορα. Ἔτσι γεννήθηκε αὐτό πού μποροῦμε νά ἀποκαλέσουμε ὁ σύγχρονος καταστροφισμός" (σσ. 18-19).

Ὁ καπιταλισμός δέν μπορεῖ νά δώσει τήν λύση, διότι ἀπό τήν ἐποχή τῆς Ἀναγέννησης ἐξαπλώνεται σάν καρκίνος σ' ὅλο τόν πλανήτη, μέ τήν ἐπιτακτική ἀνάγκη γιά συνεχῶς περισσότερη παραγωγή καί συνεπῶς ὅλο καί περισσότερη κατανάλωση, δημιουργώντας συνεχῶς μεγαλύτερες ἀνάγκες γιά νά ἀπορροφεῖται αὐτή ἡ παραγωγή. Τό ἠθικό θέμα πού δημιουργεῖται εἶναι τεράστιο. "Δέν διακρίνουν ὅτι ἡ δυστυχία προέρχεται ἀπό τήν ἐπιθυμία πού καλλιέργησαν μέσα τους γιά ἀνάγκες συνεχῶς αὐξανόμενες, ἀνάγκες οἱ ὁποῖες ἦσαν ἄγνωστες ἄλλωτε καί πού ἡ μή ἱκανοποίησή τους σήμερα εἶναι γι' αὐτούς τόσο ὀδυνηρή [σάν ναρκωτικό]. Ἰδού ἡ βασική αἰτία: ἐφόσον ὅλο τό σύστημα παγκόσμιας παραγωγῆς εἶναι ἐξαρτώμενο ἀπό τήν χωρίς τέλος αὔξηση καί τόν πολλαπλασιασμό τῶν ἀναγκῶν, κανείς δέν εἶναι σέ θέση νά τερματίσει αὐτήν τήν ἀνωμαλία χωρίς νά ἐξαφανίσει τό βασικό αἴτιο. Στήν βάση τῆς σύγχρονης σύγχισης βρίσκεται ἕνα πρόβλημα ἠθικῆς" (σ. 47).

Ὁ Ἰνδός συγγραφέας καί ποιητής Rabindranath Tagore (1861-1941), ἔλεγε: "Ἕνας πολιτισμός ἔχει ἀξία ἐάν προτείνει στούς ἀνθρώπους μιά ἑρμηνεία τῆς ζωῆς –καί ὄχι ἁπλῶς ἕναν οὑμανισμό– δηλαδή ἐάν ἀπαντᾶ στίς ἐρωτήσεις πού θέτει ἡ συνείδηση σχετικά μέ τόν προορισμό καί τήν σημασία τῆς ὑπάρξεως" (σ. 126).

Ὅσο τό ἀναγεννησιακό πνεῦμα ἀνεπτύσσσετο στήν Ἰταλία ἤ τήν Γαλλία, τά ἀρνητικά του σημεῖα ἐσκεπάζοντο ἀπό τούς ἐξευγενισμένους τρόπους τῆς Δυτικῆς Εὐρώπης. Ὅταν ὅμως τήν σκυτάλη τοῦ δυτικοῦ πολιτισμοῦ παρέλαβαν οἱ Ἡνωμένες Πολιτεῖες, τό ἔκτρωμα πῆρε τέτοιες διαστάσεις ὥστε ἀκόμη καί οἱ δυτικοευρωπαῖοι διανοούμενοι συνειδητοποίησαν τό μέγεθος τοῦ λάθους πού εἶχε γίνει τόν 15ο αἰῶνα. Ὡς μεγεθυντικός φακός, ἡ

Ἀμερική ἀπογύμνωσε τελείως τό ἔκτρωμα καί μπροστά στήν ἀμερικανική του μορφή ἔφριξαν καί οἱ Εὐρωπαῖοι. Αὐτόν τόν ἀποτροπιασμό ἐκφράζει ὁ Ντανιέλ-Ρόπς: "Ἡ σημασία γιά τήν Εὐρώπη τοῦ ἀμερικανικοῦ πειρασμοῦ... εἶναι ἡ ἀποδοχή ἑνός τρόπου ζωῆς ὅπου ἡ ποσότητα ὑπερισχύει τῆς ποιότητας... Εἶναι ἡ παραδεισιακή πραγματοποίηση τῶν πιό χαμερπῶν πόθων τῆς ἀνθρώπινης φύσεως" (σ. 126). Καί ἐνῶ "ὁ ἀτομισμός καταλήγει σέ μιά πραγματική κατάπτωση τοῦ ἀτόμου" (σ. 147), ἡ Ἀμερική στήν ἀπελπισία της ἀναζητεῖ τήν ἐπιστροφή της στό θεῖο: "Αὐτή ἡ ἀπελπισία μέ τήν ὁποία ὁ ἀμερικανικός πολιτισμός γαντζώνεται στό γράμμα τῆς χριστιανικῆς θρησκείας, τήν στιγμή πού παραγνωρίζει τελείως τό πνεῦμα της... αὐτές οἱ παράξενες τυμπανοκρουσίες ὑποβαθμισμένων καί ἀνακατωμένων δοξασιῶν, πού σκεπάζουν σάν πέπλο τόν βαθειά ριζωμένο ὑλισμό τους... Ὁμολογοῦν τήν βαθειά ἀσθένεια πού προκάλεσε μέσα στήν ἀνθρώπινη συνείδηση ἡ ἀποπομπή τοῦ θείου: ἡ ἀσθένεια πού δακτυλοδεικτοῦν δέν εἶναι παρά ἡ νοσταλγία τοῦ Θεοῦ" (σ. 137). Καί πῶς φτάσαμε στό φαινόμενο τῆς ἀμερικανικῆς κοινωνίας; "Σχεδόν τέσσερις αἰῶνες τώρα [μέ τήν Ἀναγέννηση], ἀλλά μέ αὐξανόμενη βία τά τελευταῖα ἑκατόν πενήντα χρόνια, αὐτή [ἡ ἀνθρώπινη ἐγκεφαλικότητα] προσπάθησε μετά μανίας νά καταστρέψει τίς ἀξίες τῆς ψυχῆς γιά νά τίς ἀντικαταστήσει μέ τίς ἀξίες τῆς raison. Ἐγκώμιο στόν ὕψιστο βαθμό τοῦ ὑπερτροφικοῦ λογικοῦ (rationnel), παρακμή τοῦ πνεύματος" (σ. 163). Ποιός τελικά μπορεῖ νά δώσει τήν λύση; "Ἕνας τραππιστής ἤ ἕνας μποντισάττβας εἶναι ἴσως οἱ μόνοι ἐπαναστάτες τῆς ἐποχῆς μας" (σ. 161).

Ὁ καθολικός Ντανιέλ-Ρόπς, στήν ἀπελπισία του, δέν βλέπει ἄλλους ἀπό τούς πιό ἀκραίους μοναχούς, ἀσχέτως θρησκείας, γιά σωτῆρες. Διότι ὁ τραππιστής εἶναι ὁ ἀκραῖος σιστερσιανός καθολικός μοναχός, ὁ ὁποῖος ὑπό τήν ἐπιρροή τῶν ὀρθοδόξων πατέρων τῆς ἐρήμου, τῶν πρώτων αἰώνων τοῦ χριστιανισμοῦ, ἀκολουθεῖ σκληρή ἀσκητική: τηρεῖ ἀπόλυτη σιωπή, προσεύχεται ἕντεκα ὧρες τήν ἡμέρα, οὐδέποτε τρώει κρέας, οὔτε ψάρι, οὔτε αὐγό, οὔτε πίνει ποτέ κρασί. Ὁ μποντισάττβας ὡς ἐπίγειος βουδδιστής καλόγερος, ἀνήκει στήν μεγάλη οἰκογένεια τῶν μποντισάττβα, οὐράνιους καί ἐπίγειους, ἀγγέλους, ἁγίους, μοναχούς. Τό χαρακτηριστικό ὅλων τῶν κατηγοριῶν τῶν μποντισάττβα εἶναι πώς ἀπό ἀγάπη πρός τούς ἀνθρώπους, ἀντί νά γίνουν βοῦδδες καί ν' ἀποσυρθοῦν στήν νιρβάνα, θυσιάζονται γιά μᾶς καί παραμένουν μεταξύ μας γιά νά μᾶς συμπαρασταθοῦν.

Ἡ ἀπελπισία τοῦ δυτικοῦ ἀνθρώπου, πού στά πόδια του βλέπει διχοτομημένα κι ἀχρηστευμένα ὕλη καί πνεῦμα καί ἀφοῦ ἡ ἀθεΐα δέν τόν ἱκανοποιεῖ πλέον, φαντάζεται τώρα μιά θρησκεία χωρίς Θεό. Οἱ Ἀγγλοσάξωνες διαμαρτυρόμενοι, πού τό πάθος τους γιά ἀλλαγές, νεωτερισμούς, προσαρμογές, κομμάτιασε σέ ἄπειρους κόκκους τόν χριστιανισμό, τώρα φθάνουν καί στό ὑπέρτατο ἔκτρωμα: τόν χριστιανισμό χωρίς Θεό! Τό 1963, ὁ Βρεταννός Ἀγγλικανός ἐπίσκοπος τοῦ Woolwich, Dr. John Robinson, κυκλοφόρησε ἕνα βιβλίο μέ τίτλο *Honest to God*, (S.C.M. Press). Σ' ἕνα μακροσκελές ἄρθρο του, πού δημοσιεύθηκε στίς 17 Μαρτίου 1963 στήν ἐφημερίδα τοῦ Λονδίνου *The Observer*, μέ τόν προκλητικό τίτλο "Ἡ εἰκόνα πού ἔχουμε τοῦ Θεοῦ δέν πρέπει πλέον νά ὑφίσταται", ἐπαναλαμβάνει τόν ἰσχυρισμό τοῦ βιβλίου του ὅτι γιά νά ἐπιζήσει ὁ χριστιανισμός θά πρέπει νά ἀμφισβητηθεῖ ἡ ὑπερφυσική ἰδιότητα τοῦ Θεοῦ ὡς προσώπου. Γράφει λοιπόν, ὁ "χριστιανός" αὐτός ἐπίσκοπος τῆς Ἐκκλησίας τῆς Ἀγγλίας: "Οἱ ἄνθρωποι δέν μποροῦν πλέον νά πιστεύουν στήν ὕπαρξη θεῶν ἤ ἑνός Θεοῦ ὡς ὑπερφυσικοῦ Προσώπου, ὅπως ἡ θρησκεία μας πάντοτε βεβαίωσε. Ὄχι σπάνια, ὅταν παρακολουθῶ ἤ ἀκούω μιά συζήτηση στήν ραδιοτηλεόραση μεταξύ ἑνός χριστιανοῦ καί ἑνός οὑμανιστῆ, πιάνω τόν ἑαυτό μου νά συνειδητοποιεῖ πώς οἱ περισσότερές μου συμπάθειες πᾶνε στούς οὑμανιστές... Οἱ νέες ἰδέες κατεγράφησαν γιά πρώτη φορά ἀπό ἕναν Γερμανό πάστορα σέ μιά ναζιστική φυλακή τό 1944... τόν Dietrich Bonhöffer πού πρῶτος ἔφερε τό θέμα τοῦ "ἄθρησκου χριστιανισμοῦ" μέσα σέ μιά κρυφή ἀλληλογραφία μέ τόν φίλο του Eberhard Bethge, ὁ ὁποῖος ἀργότερα τήν δημοσίευσε ὡς *Γράμματα καί ἔγγραφα ἀπό τήν φυλακή*... Ὁποιαδήποτε εἰκόνα μπορεῖ νά γίνει εἴδωλο. Πιστεύω δέ πώς οἱ χριστιανοί πρέπει νά περάσουν ἀπό τήν ἀγωνιώδη ἐξέλιξη αὐτῆς τῆς γενεᾶς, νά ἀποδεσμευθοῦν ἀπό αὐτό τό εἴδωλο... Ὁ Sir Julian Huxley [ὁ Βρεταννός βιολόγος, διευθυντής τῆς Οὐνέσκο τό 1946]... στό βαθειά συγκινητικό βιβλίο του *Θρησκεία χωρίς Ἀποκάλυψη*... συνεχῶς ἀπηχεῖ τά αἰσθήματα τοῦ Bonhöffer καί συμφωνῶ μέ ὅλη μου τήν καρδιά ὅταν λέει, ὅτι "τό αἴσθημα πνευματικῆς ἀνακούφισης πού προέρχεται ἀπό τήν ἀπόρριψη τῆς ἰδέας τοῦ Θεοῦ ὡς ὑπερανθρώπου ὄντος, εἶναι τεράστιο"... Ὁ μεγάλος Ἀμερικανός θεολόγος Paul Tillich, ἀπό τήν Γερμανία κι αὐτός, εἶπε: "Ἡ διαμαρτυρία τοῦ ἀθεϊσμοῦ κατά ἑνός τέτοιου ὑπερβατικοῦ προσώπου εἶναι ὀρθή". Ὁ Τίλλιτς ἔδειξε πώς εἶναι ἐξίσου δυνατό νά μιλᾶ κανείς γιά τόν Θεό, μέ λέξεις ὅπως "βάθος" ἤ καί "ὕψος"... Ὁ Τίλλιτς μιλᾶ γι' αὐτό πού εἶναι τό πιό βαθειά ἀληθινό σχετικά μέ μᾶς καί γιά μᾶς καί συνεχίζει: "Αὐτό τό βάθος εἶναι αὐτό πού ἡ λέξη Θεός σημαίνει. Καί ἄν αὐτή ἡ λέξη δέν ἔχει πολύ νόημα γιά σᾶς, μεταφράστε το καί μιλῆστε γιά τό βάθος τῆς ζωῆς σας... Ἴσως γιά νά τό καταφέρετε θά πρέπει νά ξεχάσετε ὁτιδήποτε πατροπαράδοτο μάθατε γιά τόν Θεό, ἴσως καί αὐτήν τήν λέξη. Διότι ἐάν γνωρίζετε πώς Θεός σημαίνει βάθος, τότε ξέρετε πολλά γι' αὐτόν. Δέν μπορεῖτε νά πεῖτε πώς εἶσθε ἄθεος ἤ μή πιστός. Διότι δέν μπορεῖτε νά σκεφθεῖτε ἤ νά πεῖτε: ἡ ζωή δέν ἔχει βάθος!.. Ἐάν μπορούσατε νά πεῖτε αὐτό μέ ἀπόλυτη σοβαρότητα, τότε θά ἤσασταν πράγματι ἄθεος, διαφορετικά δέν εἶσθε". Αὐτές οἱ λέξεις ἀπό τό βιβλίο του *Shaking of the Foundations* (Pelican Books), μέ συγκίνησαν περίεργα ὅταν τίς πρωτοδιάβασα πρίν ἀπό δεκατέσσερα χρόνια... Πράγματι, ἄν καί βέβαια δέν θά μπορέσουμε νά τό ἐπιτύχουμε, καταλαβαίνω αὐτούς πού ἐπιμένουν πώς θά ἔπρεπε νά ἐγκαταλείψουμε τήν χρήση τῆς λέξεως "Θεός" γιά μιά γενεά, τόσο ἀναπόσπαστα ἔχει εἰσχωρήσει στόν τρόπο σκέψεως πού θά χρειασθεῖ νά ἀπορρίψουμε, ἐάν τό Εὐαγγέλιο ἔχει κάποια σημασία".

Τό ἄρθρο αὐτό ἔγινε τό ἔναυσμα μιᾶς ἔντονης συζήτησης σ' ὅλη τήν Ἀγγλία, στήν ὁποία πῆρε μέρος καί ὁ Julian Huxley, μέ ἄρθρο του στήν *Observer* τῆς 31ης Μαρτίου 1963. Γράφει πώς ἦταν ἀναπόφευκτο καί σωστό νά φθάσουμε στήν θρησκεία χωρίς Θεό, μέσα στήν διαμορφούμενη ἀπό τόν καιρό τῆς Ἀναγέννησης νέα θεώρηση τοῦ κόσμου καί τή νέα θέση καί ρόλο τοῦ ἀνθρώπου σ' αὐτόν τόν κόσμο. Δηλαδή, αὐτό πού ἔμμεσα ἀναγνωρίζει ὁ μεγάλος Βρεταννός ἐπιστήμων εἶναι πώς ἡ Ἀναγέννηση κατέληξε στήν ἀπομάκρυνση τοῦ Θεοῦ μέ τόν ἑξῆς τρόπο: πρῶτα χώρισε τήν ἐπιστήμη ἀπό τήν θεολογία, μέ τόν ἰσχυρισμό ὅτι δέν πᾶνε μαζί καί ἀλληλοβλάπτονται ὅταν συγχέονται. Μέ τήν διαφοροποίηση λοιπόν αὐτή, ἐξυπηρετεῖτο -λέγανε- ἡ καλύτερη μελέτη καί ἀνάπτυξη καί τῆς ἐπιστήμης καί τῆς θεολογίας κι ἔτσι καί τά δύο τμήματα τῆς γνώσεως ἔβγαιναν κερδισμένα. Ἀλλά ἐφ' ὅσον οἱ νέες μέθοδοι τῆς ἐπιστήμης τοποθετοῦνται σέ καθαρῶς ρατσιοναλιστικές βάσεις καί ἡ ὁριζομένη μέ αὐτόν τόν τρόπο ἐπιστημονική ἀλήθεια, γίνεται τό μόνο σημεῖο ἀναφορᾶς τῆς ἀλήθειας, ἡ θεολογία παύει νά ἐκφράζει ὁποιαδήποτε ἀλήθεια, ἀφοῦ δέν μπορεῖ "νά ἀποδειχθεῖ ἐπιστημονικά" ἡ ὕπαρξη τοῦ Θεοῦ. Κατόπιν αὐτοῦ, ἐπιχειρεῖται ἡ ἐπανένωση τοῦ "σκουλικιοῦ τῆς ἁρμονίας" μέ βάση τό δυτικό "ἐπιστημονικό πνεῦμα". Καί λέει ὁ Χάξλεϋ: "Αὐτή ἡ νέα θεώρηση τῶν πραγμάτων εἶναι ὁλοκληρωτική [συμπεριλαμβάνει τά πάντα] καί συνάμα μονοφυσιτική... "πνεῦμα" καί "ὕλη" παρουσιάζονται ὡς δύο ὄψεις τοῦ ἑνιαίου πνευμα-σώματός μας. Δέν ὑπάρχει ὑπερφυσικός διαχωριστικός χῶρος: ὅλα τά φαινόμενα εἶναι μέρος μιᾶς καί μόνης φυσικῆς διαδικασίας. Δέν ὑπάρχει οὐσιαστική διχοτόμηση μεταξύ ἐπιστήμης καί θρησκείας. Καί οἱ δύο εἶναι ὄργανα τῆς ἐξελικτικῆς ἀνθρωπότητος. Ἡ γῆ εἶναι ἕνα ἀπό τά σπάνια σημεῖα τοῦ σύμπαντος ὅπου ἄνθησε τό πνεῦμα". Ὁ Χάξλεϋ βλέπει τήν θρησκεία νά προσαρμόζεται στόν κόσμο ὅπως τό κάνει καί ἡ ἐπιστήμη, ἐφ' ὅσον "οἱ θρησκεῖες εἶναι ὄργανα τοῦ ἀνθρώπου". Ἑπομένως, ἔφθασε ἡ στιγμή νά μεταφέρουμε τήν θρησκευτική μας σκέψη "ἀπό ἕνα θεοκεντρικό μοντέλο σ' ἕνα ἐξελικτικοκεντρικό μοντέλο". Ἐφ' ὅσον λοιπόν ἡ ἐπιστήμη, ὅπως αὐθαίρετα τήν ὥρισαν οἱ Δυτικοί, παίρνει τήν κεντρική θέση καί γίνεται ἕνα εἶδος θρησκείας καί ἡ ἔννοια τοῦ Θεοῦ ἀντικαθίσταται μέ τήν ἔννοια τῆς ἐξελίξεως, ὁ Βρεταννός ἐπιστήμων μπορεῖ νά καταλήξει πώς "ὁ Θεός εἶναι μιά ὑπόθεση πού οἰκοδομήθηκε ἀπό τόν ἄνθρωπο [μέ τόν ἴδιο τρόπο πού οἰκοδομοῦνται ἐπιστημονικές ὑποθέσεις]... Σήμερα ἡ ὑπόθεση τοῦ Θεοῦ ἔπαψε νά εἶναι ἐπιστημονικά ὑποστηρικτέα, ἔχασε τήν ἐπεξηγηματική ἀξία της καί γίνεται πλέον ἕνα βάρος γιά τήν σκέψη μας... ['Αλλά] μιά οὑμανιστική ἐξελικτικοκεντρική θρησκεία χρειάζεται καί αὐτή τήν θεότητα, ὅμως θεότητα χωρίς Θεό... Ἡ κεντρική θρησκευτική ὑπόθεση [αὐτῆς τῆς οὑμανιστικῆς θρησκείας] θά εἶναι σίγουρα ἡ ἐξέλιξη... Ἡ οὑμανιστική θρησκεία θά χρειασθεῖ νά ἐπινοήσει τό δικό της τυπικό καί τούς δικούς της βασικούς συμβολισμούς". Τέλος, σημειώνει ὁ Χάξλεϋ, μέ τόν ἴδιο τρόπο πού ὁ χριστιανισμός στό παρελθόν βοήθησε στήν διαμόρφωση τοῦ δυτικοῦ πνεύματος, ἔτσι καί τώρα ἡ οὑμανιστική θρησκεία θά μποροῦσε νά διαμορφώσει τήν ἀνάπτυξη πάνω σ' ὅλον τόν πλανήτη. Μέ ἄλλα λόγια, νά βοηθήσει στήν παγκόσμια ἐπικράτηση τοῦ δυτικοῦ πνεύματος.

Ἡ ἐξέλιξη τοῦ δυτικοῦ κόσμου ἀπό τότε πού γράφτηκαν αὐτές οἱ θεωρίες, ἀπέδειξε ὅτι δέν καταλήγουν πουθενά καί ὅτι σέ τελική ἀνάλυση ὁ μαρξιστικός διαλεκτικός ὑλισμός μέ τήν ἀπερίφραστη ἀθεΐα του, εἶναι κατά πολύ προτιμότερος ἀπό αὐτά τά πνευματικά τερατουργήματα τοῦ ἀγγλοσαξωνικοῦ ἐγκέφαλου.

Μετά τήν πλήρη κατάρρευση τῆς δυτικογενῆς ἰδεολογίας τοῦ κομμουνισμοῦ στίς χῶρες τοῦ "ὑπαρκτοῦ σοσιαλισμοῦ" καί τήν προσχώρηση τῶν κομμουνιστικῶν κοινωνιῶν στίς "χαρές" τοῦ ἀμερικανικοῦ τρόπου ζωῆς, ὁ Τρίτος Κόσμος μπῆκε μέ τήν σειρά του στήν ἐποχή τῆς ἀπελπισίας. Ὅλα τά ὄνειρα τοῦ τρίτου δρόμου μεταξύ καπιταλισμοῦ καί κομμουνισμοῦ διαψεύσθηκαν καί οἱ ντεσπεράντος τοῦ Τρίτου Κόσμου, ὅπως καί οἱ Ρῶσοι ἀναρχικοί τοῦ 19ου αἰῶνος, καταλήγουν νά χρησιμοποιοῦν μεθόδους δράσεως τοῦ ὑποκόσμου. Τά ναρκωτικά χρησιμοποιοῦνται ἀπο τίς χῶρες τοῦ Τρίτου Κόσμου γιά νά σώσουν τίς κατεστραμμένες οἰκονομίες τους καί ὡς ὕστατο ὅπλο κατά τοῦ ἀμερικανικοῦ ἰμπεριαλισμοῦ. Οἱ φυτεῖες καννάβεως ἐπικτείνονται στό Μαλί, τήν Ἀκτή τοῦ Ἐλεφαντόδοντος, τήν Σενεγάλη, ἐνῶ οἱ πωλήσεις τῆς ἀραχίδης καί τοῦ κακάο σημειώνουν κατακόρυφη πτώση. Ἡ πάμπτωχη Αἰθιοπία ἔχει ἀρχίσει τό ἐμπόριο ἑνός παραισθησιογόνου φυτοῦ, τοῦ χάτ. Ἡ ἐπαρχία τοῦ Ρίφ στό Μαρόκο ἔχει στραφεῖ στήν καλλιέργεια τῆς καννάβεως καί γιά πρώτη φορά στην ἱστορία τους, οἱ Φιλιππινέζοι ἔχουν ἀρχίσει νά φυτεύουν κόκα. Ὑπάρχουν βέβαια καί οἱ γνωστές ζῶνες παραγωγῆς ἡρωΐνης στήν Βιρμανία, τήν Ταϋλάνδη, τό Λάος, τό Πακιστάν, τό Ἀφγανιστάν καί τό Ἰράν.

Ὑπάρχουν ἐπίσης καί οἱ περιοχές καλλιέργειας κόκας στήν Βραζιλία, τήν Κολομβία καί τό Περού. Μόνο γιά τήν Βολιβία, μεταξύ 1980 καί 1988, ὅταν τό ποσοστό ἀνεργίας αὐξανόταν ἀπό 5,7% σέ 21,5% καί ἐκεῖνο τῆς ὑποαπασχόλησης ἀπό 18% σέ 58%, οἱ ἐκτάσεις στίς ὁποῖες ἐκαλλιεργεῖτο ἡ κόκα αὐξήθηκαν ἀπό 20.000 ἑκτάρια σέ 70.000. Οἱ ἐπαναστατικές ἀνταρτικές ὁμάδες πού δροῦν κατά τοῦ ἀμερικανικοῦ ἰμπεριαλισμοῦ, δέν διστάζουν νά χρησιμοποιοῦν τά ναρκωτικά γιά νά ἐξασφαλίσουν χρηματικούς πόρους καί νά ἀφανίσουν τόν ἀντίπαλο δηλητηριάζοντάς τον μέσα στήν ἴδια του τήν χώρα. Ἔτσι ὁ στρατηγός Μανουέλ Ἀντόνιο Νοριέγκα τοῦ Παναμᾶ, πού εἶχε ἐμπλακεῖ στό ἐμπόριο ναρκωτικῶν, γίνεται σύμβολο ἀντιστάσεως μικροσκοπικῆς χώρας τοῦ Τρίτου Κόσμου κατά τοῦ ἀμερικανικοῦ γίγαντα. Ἐνῶ δέ οἱ πλαστικές καρδιές στό Ντισνεϋλάντ τῆς δυτικῆς καταναλωτικῆς κοινωνίας, συγκινοῦνται ἀπό τήν ἐγκληματική δράση τῶν τρομοκρατικῶν ὀργανώσεων, τοῦ τύπου τῆς 17 Νοέμβρη, ἡ κυβέρνηση τοῦ Ἀμερικανοῦ προέδρου Τζώρτζ Μπούς προσπαθεῖ, στά τέλη τοῦ 1989, νά ἔλθει σέ μιά συνεννόηση μέ τό Κονγκρέσσο τῆς χώρας του, ὥστε νά καταργηθοῦν οἱ περιορισμοί γιά ἀνάμιξη τῶν ἀμερικανικῶν δυνάμεων σέ πραξικοπήματα, πού ἐνδεχομένως θά κατέληγαν στήν δολοφονία ξένων ἡγετῶν. Αὐτό δέ, μετά τήν ἀποτυχία τῆς ἀπόπειρας πραξικοπήματος κατά τοῦ στρατηγοῦ Νοριέγκα, πού ὑπῆρξε ταπεινωτική γιά τό ἀμερικανικό γόητρο, στίς 3 Ὀκτωβρίου 1989, τόν ὁποῖο ἡ Οὐάσιγκτον προσπαθοῦσε νά ἀνατρέψει αὐτά τά τελευταῖα δύο χρόνια. Τελικά, στίς 20 Δεκεμβρίου 1989, γιά ἑνδεκάτη φορά ἀπό τό 1856, ὁ ἀμερικανικός στρατός εἰσέβαλε στόν Παναμᾶ παραβιάζοντας γιά ἄλλη μιά φορά κατάφωρα τό διεθνές δίκαιο, ὑπό τίς ἐπευφημίες σχεδόν ὅλου τοῦ Κονγκρέσσου!

Ἡ ἀμερικανική κυβέρνηση εὐθύνεται γιά πολλές δολοφονίες πολιτικῶν ἀντιπάλων στό παρελθόν καί μάλιστα σέ ξένες χῶρες, ὅπως ἐπί παραδείγματι τήν δολοφονία, τό 1973, τοῦ χιλιανοῦ προέδρου Σαλβαδόρ Ἀλιέντε. Οἱ δέ κρατικές μυστικές ὑπηρεσίες ὅλου τοῦ κόσμου, χρηματοδοτοῦνται ἀπό τίς κυβερνήσεις τους γιά νά πολλαπλασιάζουν τίς ἀνομίες, συμπεριλαμβανομένων καί τῶν φόνων. Αὐτό ὀνομάζεται κρατική τρομοκρατία. Χωρίς αὐτό νά δικαιολογεῖ τήν χρησιμοποίηση τῶν ἰδίων μεθόδων ἀπό τούς ἀντιπάλους τῶν κατεστημένων, πῶς εἶναι δυνατόν νά μήν βοηθεῖ στό αἴσθημα ἀηδίας καί ἀπελπισίας, ἡ ὑποκριτική στάση σοβαροτάτων ἐφημερίδων ἐπί τοῦ θέματος αὐτοῦ; Παράδειγμα: μετά τήν δολοφονία τοῦ βουλευτοῦ Παύλου Μπακογιάννη στήν Ἀθήνα, στίς 26 Σεπτεμβρίου 1989, ἡ *Καθημερινή* ἀρνεῖται νά φιλοξενήσει στίς στῆλες της τό κείμενο τῆς 17 Νοέμβρη πού συνόδευε τό ἔγκλημα, διότι δέν εἶναι δυνατόν –λέει– νά κάνει κανείς διάλογο μέ δολοφόνους. Ἀλλά ἀμέσως μετά, στό κύριο πρωτοσέλιδο ἄρθρο της (27 Σεπτεμβρίου 1989), προτείνει νά ζητηθεῖ τεχνική συνδρομή ἀπό τίς ἀμερικανικές διωκτικές ἀρχές –ὑπεύθυνες στό παρελθόν γιά τόσες δολοφονίες– στήν μάχη κατά τῆς ἑλληνικῆς τρομοκρατίας. Ἡ ἴδια δέ ἐφημερίδα, τιτλοφορεῖ ἄρθρο της (18 Ὀκτωβρίου 1989), "Ζητοῦν ἄδεια γιά φόνους: ἡ CIA, μέσω τοῦ προέδρου Μπούς, θέλει κάλυψη σέ ἀπόπειρες κατά ξένων ἡγετῶν". Αὐτή λοιπόν εἶναι ἡ λογική τοῦ δυτικοῦ ρατσιοναλισμοῦ, πού ἐγκαινιάσθηκε πρίν ἀπό πεντακόσια χρόνια στήν ἀναγεννησιακή Ἰταλία.

ΚΕΦΑΛΑΙΟ ΔΕΥΤΕΡΟ

Η ΓΕΝΕΣΗ ΤΗΣ ΙΔΕΟΛΟΓΙΑΣ ΤΟΥ ΦΑΣΙΣΜΟΥ

Ὅπως εἴπαμε στό πρῶτο κεφάλαιο, πατέρας τῆς ἰδεολογίας τοῦ φασισμοῦ εἶναι ὁ Ζάν-Ζάκ Ρουσώ, στόν 18ο αἰῶνα. Αὐτή ἡ διαπίστωση εἶναι τόσο ἀπίστευτη γιά τήν μεγάλη πλειοψηφία τῶν συνανθρώπων μας, πού ἔχουν διδαχθεῖ πώς, ἀντίθετα, ὁ Ρουσώ εἶναι ἀπό τούς πατέρες τῆς ἰδεολογίας τοῦ φιλελευθερισμοῦ, ὥστε χρειάζεται ἐδῶ νά στηρίξω τήν ἄποψή μου σέ λεπτομερῆ καί ἀδιάσηστα στοιχεῖα.

Ὁ Ρουσώ μπῆκε στήν παγκόσμια σκέψη αἰφνίδια καί ὡς προφήτης. Τό διηγεῖται ὁ ἴδιος στό ὄγδοο κεφάλαιο τῶν *Ἐξομολογήσεών* του, ἀπό τίς ὁποῖες δημοσιεύθηκαν τέσσερα χρόνια μετά τόν θάνατό του τά ἕξι πρῶτα κεφάλαια (1782) καί ἕντεκα χρόνια μετά τά ὑπόλοιπα ἕξι (1789). Δηλαδή τό ὄγδοο κεφάλαιο πού περιέχει τήν "Ἀποκάλυψη" τοῦ 1749, βγῆκε στό φῶς τῆς δημοσιότητος τήν χρονιά τῆς Γαλλικῆς Ἐπαναστάσεως καί ἡ χήρα τοῦ Ρουσώ, ἡ ὑπηρέτρια Thérèse Le Vasseur (1721-1801), πού ἔζησε 33 χρόνια κοντά του, ἀπό τό 1745, χωρίς νά τόν παντρευτεῖ ἐπισήμως πρό τοῦ 1767, παρέδωσε στήν ἐπαναστατική ἐθνοσυνέλευση τῆς Γαλλικῆς Δημοκρατίας τό χειρόγραφο τῶν *Ἐξομολογήσεων*, πού βρίσκεται σήμερα στήν Βιβλιοθήκη τῆς Βουλῆς στό Παρίσι. Τό σόκ γιά τούς Γάλλους ἐπαναστάτες τῆς ρουσωικῆς "καθαρῆς καρδιᾶς" ὑπῆρξε τόσο ἔντονο, ὥστε μερικοί τόν διάβαζαν γονατιστοί κλαίγοντας, σάν Ἱερά Γραφή, ἀποκαλώντας τον Ἅγιο Ζάν-Ζάκ. Αὐτή ἡ θρησκευτική ἔνταση τῶν αἰσθημάτων καί ἡ φύση τῆς ρουσωικῆς γνώσεως, ἡ ὁποία ἐμφανίζεται ὄχι κατόπιν ρατσιοναλιστικῆς διαδικασίας, ἀλλά μέ αἰφνιδιαστική ἀποκάλυψη, εἶναι χαρακτηριστικά τῆς τρίτης ἰδεολογίας, ἡ ὁποία θά ὀνομασθεῖ φασισμός ἐνάμισυ αἰῶνα ἀργότερα καί συγκεκριμένα στίς 23 Μαρτίου 1919, στό Μιλάνο τῆς Ἰταλίας, ὅταν ὁ Μουσολίνι θά ἱδρύσει τήν ὀργάνωση πού ὀνόμασε Fascio di Combattimento.

Ἄς δοῦμε πρῶτα τήν γέννηση τοῦ προφήτη, ὅπως τήν διηγεῖται ὁ ἴδιος: "Γεννήθηκα στήν Γενεύη τό 1712... [28 Ἰουνίου· πέθανε στίς 2 Ἰουλίου 1778, στήν Ἐρμενονβίλ, κοντά στό Παρίσι]... Ὁ πατέρας μου, μετά τήν γέννηση τοῦ μοναδικοῦ ἀδελφοῦ μου, ἔφυγε γιά τήν Κωνσταντινούπολη, ὅπου τόν εἶχαν καλέσει, καί ἔγινε ρολογᾶς τοῦ Σαραγιοῦ... Ἡ μητέρα μου [γιά νά μήν ὑποκύψει στίς προτάσεις ἑνός ἐραστῆ]... τοῦ ἐπέμεινε νά ἐπιστρέψει. Ἐκεῖνος παράτησε τά πάντα καί ἐπέστρεψε. Ἔγινα τό θλιβερό ἀποτέλεσμα αὐτῆς τῆς ἐπιστροφῆς. Δέκα μῆνες ἀργότερα, γεννήθηκα ἀνάπηρος καί ἄρρωστος. Ὑπῆρξα ἡ αἰτία τοῦ θανάτου τῆς μητέρας μου κι ἔτσι ἡ γέννησή μου ἦταν καί ἡ πρώτη μου συμφορά... Ὅταν μοῦ ἔλεγε [ὁ πατέρας μου]: Ζάν-Ζάκ, ἄς μιλήσουμε γιά τήν μητέρα σου, ἐγώ τοῦ ἔλεγα: Ἔ, λοιπόν πατέρα, θά κλάψουμε... Σαράντα χρόνια μετά τό χαμό της, πέθανε στήν ἀγκαλιά μιᾶς δεύτερης γυναίκας, ἀλλά μέ τό ὄνομα τῆς πρώτης στά χείλη του καί τήν εἰκόνα της μέσα στήν καρδιά του. Αὐτοί ἦσαν οἱ γονεῖς μου. Ἀπ' ὅλα τά καλά πού ὁ Θεός τούς εἶχε δώσει μοῦ ἄφησαν μονάχα μιά εὐαίσθητη καρδιά, πού τούς εἶχε κάνει εὐτυχισμένους, ἐνῶ γιά μένα ὑπῆρξε ἡ αἰτία ὅλων τῶν συμφορῶν τῆς ζωῆς μου.

Γεννήθηκα σχεδόν ἑτοιμοθάνατος" (J.-J. Rousseau, *Les confessions*, Paris, NRF-la Pléiade, 1947, σσ. 5-7).

Ἔκτοτε ὅλοι οἱ ρομαντικοί θά θελήσουν νά γεννηθοῦν ἀνάπηροι καί ἑτοιμοθάνατοι! Τυπικό παράδειγμα, ὁ γεμᾶτος ὑγεία Βίκτωρ Οὐγκώ, πού ἐνῶ πέθανε σέ ἡλικία 83 ἐτῶν ἀκόμη ἀκμαῖος, ἔγραψε στίς 23 Ἰουνίου 1830, σ' ἕνα ποίημά του: "Δυό χρόνων ἦταν ὁ αἰώνας [ὁ Οὐγκώ γεννήθηκε τό 1802]... Τότε... γεννήθηκε... ἕνα παιδί χωρίς χρῶμα, ματιά ἤ φωνή, τόσο καχεκτικός πού παρατήθηκε σάν χίμαιρα ἀπό τούς πάντες ἐκτός ἀπό τήν μητέρα του καί πού ὁ λαιμός του, λυγισμένος σάν ἀδύνατο καλάμι, συνάμα τοῦ 'κανε καί φέρετρο καί κούνια. Αὐτό τό παιδί πού τό 'σβυνε ἡ ζωή ἀπό τό βιβλίο της καί πού δέν εἶχε οὔτε μιά μέρα νά ζήσει, εἶμαι ἐγώ". (Victor Hugo, *Les feuilles d' automne*, Paris, Librairie Garnier Frères, 1950, σ. 39). Ἀκόμα χειρότερα, προσθέτει ὁ ποιητής, δέν τόν θέλανε διότι περίμεναν κορίτσι.

Ἄς δοῦμε τώρα, πῶς ἀποκαλύφθηκε στόν Ρουσώ ἡ ἄνωθεν ἀλήθεια, ὅπως ὁ ἴδιος τό διηγεῖται. Ἄν συγκρίνουμε τά καθαρῶς σωματικά του συμπτώματα πού ἐμφανίζονται τήν στιγμή τῆς ἀποκαλύψεως, μέ παρεμφερῆ συμπτώματα ὑστερίας -πού θυμίζουν κρίσεις ἐπιληψίας- θρησκευτικῶν προφητῶν (ὁ Μαρτῖνος Λούθηρος στήν Γερμανία, τόν 16ο αἰῶνα, ὁ Χόνγκ Σίου-τσούαν/Hong Xiu-quan, ἀρχηγός τῶν Τάϊπινγκ στήν Κίνα τόν 19ο αἰῶνα, ἤ καί ὁ Μωάμεθ στή Ἀραβία τόν 7ο αἰῶνα, πού σέ ἐπιληπτική κατάσταση παρέδωσε τό Κοράνιο στούς ἀνθρώπους), θά κατανοήσουμε πλήρως τήν προφητική ἰδιότητα τοῦ Ρουσώ. Γράφει λοιπόν ὁ προφήτης: "Τό καλοκαίρι αὐτῆς τῆς χρονιᾶς τοῦ 1749, ἔκανε ὑπερβολική ζέστη. Πρέπει νά ὑπολογίσει κανείς ἀπόσταση δύο λεῦγες ἀπό τό Παρίσι ὡς τίς Vincennes [9 περίπου χιλιόμετρα]. Ἐπειδή δέν ἤμουν σέ θέση νά πληρώσω ἅμαξα, ὅταν ἤμουν μόνος πήγαινα μέ τά πόδια στίς δύο τό μεσημέρι καί πήγαινα γρήγορα γιά νά φθάσω νωρίτερα [στόν φίλο του, τόν φιλόσοφο Ντιντερό πού ἦταν πολιτικός κρατούμενος στόν πύργο τῶν Βιγκεννῶν-château de Vincennes]. Τά δέντρα τοῦ δρόμου, πάντα κλαδεμένα κατά τήν τοπική συνήθεια, δέν ἔδιναν σχεδόν καθόλου ἴσκιο καί συχνά, ἀποκαμωμένος ἀπό τήν ζέστη καί τήν κούραση, ξάπλωνα χάμω σέ πλήρη ἐξάντληση. Σκέφθηκα, γιά νά ἐπιβραδύνω τό βῆμα μου, νά πάρω ἕνα βιβλίο. Μιά μέρα πῆρα τό *Mercure de France* [μηνιαία παρισινή ἐφημερίδα τοῦ Ὀκτωβρίου 1749] καί ἐνῶ περπατοῦσα καί τήν ξεφύλλιζα, ἔπεσα πάνω σέ τούτη τήν ἐρώτηση, πού τήν εἶχε προτείνει ἡ Ἀκαδημία τῆς Ντιζόν [Dijon, πρωτεύουσα τῆς Βουργουνδίας] γιά τό βραβεῖο τῆς ἑπόμενης χρονιᾶς: "Ἐάν ἡ πρόοδος τῶν ἐπιστημῶν καί τῶν τεχνῶν συνετέλεσε στήν διαφθορά ἤ τόν ἐξαγνισμό τῶν ἠθῶν". Μόλις τήν διάβασα εἶδα ἕναν ἄλλο κόσμο καί ἔγινα ἄλλος ἄνθρωπος... Φθάνοντας στίς Βιγκέννες (Vincennes) βρισκόμουνα σέ τέτοια ἀναταραχή πού παραληροῦσα. Ὁ Ντιντερό τό ἀντελήφθη. Τοῦ ἐξήγησα τήν αἰτία καί τοῦ διάβασα [ἕνα κομμάτι]... πού εἶχα γράψει μέ τό μολύβι κάτω ἀπό μιά βελανιδιά. Μέ προέτρεψε νά δώσω ἔκταση στίς ἰδέες μου καί νά πάρω μέρος στόν διαγωνισμό. Τό ἔκανα καί ἀπό ἐκείνη τήν στιγμή ἤμουν χαμένος. Ὅλη μου ἡ ὑπόλοιπη ζωή καί οἱ συμφορές μου ὑπῆρξαν τό ἀναπόφευκτο ἀποτέλεσμα αὐτῆς τῆς τρελλῆς στιγμῆς. Τά αἰσθήματά μου ἐναρμονίσθηκαν μέ τίς ἰδέες μου μέ τήν πιό ἀπίστευτη ταχύτητα... καί αὐτό πού εἶναι ἀκόμη πιό ἐκπληκτικό, εἶναι πώς αὐτός ὁ ἀναβρασμός παρέμεινε μέσα στήν καρδιά μου πάνω ἀπό τέσσερα μέ πέντε χρόνια, μέ τέτοια ἔνταση πού πιθανῶς ποτέ δέν ἐμφανίστηκε στήν καρδιά κανενός ἄλλου ἀνθρώπου. Ἑτοίμασα αὐτήν τήν πραγματεία μέ πολύ περίεργο τρόπο, πού ἀκολούθησα σχεδόν πάντα καί στά ἄλλα μου συγγράμματα. Τῆς ἀφιέρωσα τίς ἀυπνίες μου τῆς νύχτας... Διαλογιζόμουνα πάνω στό κρεβάτι μου μέ κλειστά μάτια" (*Les confessions*, ἔνθ' ἀνωτ., σσ. 343-344).

Τήν κλινική περιγραφή τῶν σωματικῶν συμπτωμάτων τῆς ἄνωθεν ἀποκαλύψεως, ἔκανε ὁ Ρουσώ σέ ἐπιστολή του τῆς 12ης Ἰανουαρίου 1762 στόν δικαστή Malesherbes (1721-1794) καί παραμένει ἀπαραίτητη σήμερα γιά τήν ψυχιατρική ἀνάλυση τοῦ "θρησκευτικοῦ" του παραληρήματος.

Ὁ Ρουσώ τό 1749 ἦταν 37 χρονῶν. Μέχρι τότε δέν εἶχε ποτέ ἀσχοληθεῖ μέ τήν λογοτεχνία ἤ τήν φιλοσοφία. Ἐξασκοῦσε τό ἐπάγγελμα τοῦ μουσικοσυνθέτου καί εἶχε γίνει κάπως γνωστός μέ μιά ὄπερα πού εἶχε γράψει, τίς *Muses galantes*. Εἶχε τήν ἐντύπωση πώς εἶχε τελειώσει τήν καρριέρα του καί ἑτοιμαζόταν γιά κάποια ἥσυχη ζωή συνταξιούχου, καθαρογράφοντας ἁπλῶς μουσικές παρτιτοῦρες, γιά τίς ὁποῖες ἐπληρώνετο μέ τήν σελίδα.

Καί ποιά ἦταν ἡ οὐσία τῆς ἀποκαλύψεως; Ἦταν πώς ἀντίθετα ἀπό ὅτι πίστευαν οἱ "προοδευτικοί", θά λέγαμε σήμερα, διανοούμενοι τῆς ἐποχῆς του, πού ἐπονομάσθη καί αἰώνας τοῦ Διαφωτισμοῦ, ἀντίθετα μάλιστα ἀπ' ὅτι πίστευε καί ὁ φίλος του ὁ Ντιντερό καί οἱ Ἐγκυκλοπαιδιστές καί ὁ ἴδιος ὁ ἑαυτός του μέχρι τότε, ἡ πρόοδος τῆς [δυτικῆς] ἐπιστήμης ὑπῆρξε καταστρεπτική γιά τόν ἄνθρωπο,· κατάρα καί ὄχι θεϊκό δῶρο. Πράγματι ἔγραψε ὁ Ρουσώ: "Δέν εἶχα πάντα τήν εὐτυχία νά σκέπτομαι ὅπως σήμερα, διότι εἶχα γοητευθεῖ ἐπί μακρόν ἀπό τίς προκαταλήψεις τοῦ αἰώνα μου, ἔπαιρνα τήν μελέτη ὡς τήν μόνη ἀξιοπρεπῆ ἀπασχόληση ἑνός σοφοῦ, ἔβλεπα τήν ἐπιστήμη μέ σεβασμό καί τούς ἐπιστήμονες μέ θαυμασμό... Χρειάσθηκα πολλή σκέψη... γιά νά ἐξουδετερώσω μέσα μου τήν αὐταπάτη ὅλης αὐτῆς τῆς μάταιης πομπώδους ἐπιστήμης (J.-J. Rousseau, *Narcisse*, πρόλογος, 1753).

Ὅλοι αὐτοί οἱ "προοδευτικοί" δυτικοί ἤ δυτικιστικοί διανοούμενοι, πού ἀκόμη σήμερα συγκροτοῦν τό παγκόσμιο κατεστημένο τῆς σκέψης, ἐκφράζονται ἀπό τόν ἀδυσώπητο ἐχθρό τοῦ Ρουσώ, τόν ρατσιοναλιστῆ Βολταῖρο, γιά τόν ὁποῖο ὅμως ὁ Goethe ἔγραψε: Μέ τόν Βολταῖρο, ὁ παλαιός κόσμος τελειώνει. Μέ τόν Ρουσώ νέος κόσμος ἀρχίζει". Πάντως, στίς 30 Αὐγούστου 1755, ὁ Βολταῖρος "εὐχαριστεῖ" μέ ἐπιστολή τόν Ρουσώ γιά τό καινούργιο βιβλίο του: "Ἔλαβα, Κύριε, τό καινούργιο βιβλίο σας [τήν *Πραγματεία γιά τήν γένεση καί τίς βάσεις τῆς μεταξύ τῶν ἀνθρώπων ἀνισότητος*] κατά τοῦ ἀνθρώπινου γένους. Σᾶς εὐχαριστῶ... Ὅταν διαβάζει κανείς τό βιβλίο σας, τοῦ ἔρχεται ἡ ἐπιθυμία νά περπατήσει μέ τά τέσσερα... Ἀφήνω ὅμως τό φυσικό αὐτό βάδισμα, σ' αὐτούς πού εἶναι πιό ἀξιοπρεπεῖς ἀπό σᾶς ἤ ἀπό μένα. Καί δέν μπορῶ νά πάρω τό πλοῖο γιά νά πάω νά βρῶ τούς ἀγρίους τοῦ Καναδᾶ". (Τό γράμμα αὐτό δημοσιεύεται στίς σελίδες 1379-1381 τῶν *Oeuvres complètes*, tome III, J.-J. Rousseau, Paris, NRF- la Pléiade, 1964).

Τό πρῶτο ἔργο-ἀποκάλυψη τοῦ Ρουσώ, περιλαμβάνει τίς βασικές ἰδέες τῆς ἰδεολογίας τοῦ μελλοντικοῦ φασισμοῦ, πού θά ἐπεκτείνει καί θά ἐπεξηγήσει λεπτομερειακά στά ἑπόμενα βιβλία του. Μποροῦμε νά προσθέσουμε κοντά σ' αὐτήν τήν πρώτη πραγματεία, τό βιβλίο του μέ τίτλο *Lettre à M. d' Alembert sur les spectacles*, δηλαδή, "Ἐπιστολή πρός τόν κ. ντ' Ἀλαμπέρ περί θεαμάτων". Πρόκειται γιά μιά ἀπάντηση τοῦ Ρουσώ στό ἄρθρο τοῦ συνεκδότη -μέ τόν Ντιντερό- τῆς Ἐγκυκλοπαίδειας, πού δημοσιεύθηκε ὡς λῆμμα "Γενεύη" στόν 7ο τόμο τῆς Ἐγκυκλοπαίδειας. Τό ἔργο αὐτό τοῦ Ρουσώ, ὑπό μορφήν ἐπιστολῆς, εἶναι στήν πραγματικότητα βιβλίο πού καταλαμβάνει πάνω ἀπό 200 σελίδες καί πού δημοσιεύθηκε τό 1758.

Ὁ ντ' Ἀλαμπέρ ἔγραφε στό ἄρθρο του σχετικά μέ τήν ἀπαγόρευση τῶν καλβινιστικῶν ἀρχῶν τῆς Γενεύης, νά παίζεται θέατρο στήν πόλη τους: "Δέν ἀνέχονται τό θέατρο στήν Γενεύη. Ὁ λόγος δέν εἶναι πώς καταδικάζουν τά θεάματα ὡς θεάματα. Ἀλλά φοβοῦνται -λένε- τήν ἀγάπη πού τρέφουν οἱ θίασοι γιά τά στολίδια, τήν σπατάλη καί τήν ἀκολασία, πού διαδίδουν μέσα στήν νεότητα. Ἀλλά δέν θά ἦταν δυνατόν, νά λυθεῖ αὐτή ἡ δυσκολία μέ τήν παρεμβολή αὐστηρῶν καί καλά ἐφαρμοσμένων νόμων κατά τῆς διαγωγῆς τῶν ἠθοποιῶν;... Ἡ λογοτεχνία θά ἔβγαινε κερδισμένη χωρίς ἡ ἀκολασία νά ἐξαπλωθεῖ καί ἔτσι ἡ Γενεύη θά συνεβίβαζε τήν σοφία τῆς Λακεδαίμονος μέ τήν εὐγένεια τῶν Ἀθηνῶν".

Ὁ Ρουσώ σ' αὐτό τό βιβλίο, κάνει ἀκόμη πιό σαφῆ τήν θέση του ἐναντίον τοῦ Διαφωτισμοῦ, ὑποστηρίζοντας ὡς πολίτης τῆς Γενεύης, τήν πολιτική τῶν ἀρχῶν πού ἀπαγόρευαν τό θέατρο. Ὁ Βολταῖρος διαβάζοντάς το, εἶχε βγεῖ ἀπό τά ροῦχα του καί τό μῖσος του κατά τοῦ "πιθήκου τοῦ Διογένη", ὅπως ἀποκαλοῦσε τόν Ρουσώ, αὐξήθηκε ἀκόμη περισσότερο.

Ποιά εἶναι τά κύρια χαρακτηριστικά τῆς ἰδεολογίας πού ἀναδύεται μέσα ἀπό τά δύο αὐτά ἔργα; Ἔντονη εἶναι κατ' ἀρχήν, ἡ νοστάλγία τοῦ χαμένου παραδείσου. "Δέν εἶναι δυνατόν νά μελετήσει κανείς τά ἤθη, χωρίς νά ἀρέσκεται νά θυμᾶται τήν εἰκόνα τῆς ἁπλότητας τῶν πρώτων καιρῶν. Βλέπω μιά ὡραία ἀκρογιαλιά στολισμένη μονάχα μέ τά χέρια τῆς φύσεως, πρός τήν ὁποία στρέφω συνεχῶς τά μάτια καί ἀπό τήν ὁποία νοιώθω νοσταλγικά ἀπομακρυσμένος. Τήν ἐποχή πού οἱ ἄνθρωποι, ἀθῶοι καί ἐνάρετοι, ἤθελαν νά ἔχουν τούς θεούς μάρτυρες τῶν πράξεών τους, ζοῦσαν μαζί στίς ἴδιες καλύβες. Σύντομα ὅμως, ὅταν ἔγιναν κακοί, δέν ἄντεξαν τούς ἐνοχλητικούς αὐτούς θεατές καί τούς ἐξόρισαν σέ μεγαλοπρεπεῖς ναούς. Τελικά τούς διώξανε κι ἀπό ἐκεῖ γιά νά ἐγκατασταθοῦν οἱ ἴδιοι ἤ, πάντως, οἱ ναοί τῶν θεῶν δέν διέφεραν πλέον ἀπό τά σπίτια τῶν πολιτῶν" (*Discours: Si le rétablissement des Sciences et des Arts a contribué à épurer les moeurs*. J.-J. Rousseau, *Oeuvres complètes*, tome III, σ.22). Ὁ Ρουσώ ἀντιλαμβάνεται πώς τό πέρασμα ἀπό τήν ἁρμονική ἐποχή, ὅπου ὁ ἄνθρωπος ἦταν δεμένος μέ τόν Θεό, στήν Ἀναγέννηση –μέσω τῆς παρηκμασμένης Ρώμης– εἶχε ὡς ἀποτέλεσμα πρῶτα τόν ἐξορισμό τοῦ Θεοῦ ἀπό τήν καθημερινή ζωή τῶν ἀνθρώπων καί κατόπιν τόν σφετερισμό τῆς θεϊκῆς ἰδιότητος.

Τό δεύτερο χαρακτηριστικό πού θά σημαδέψει καί ὅλη τήν ρομαντική περίοδο τῆς ἀναγεννησιακῆς ἐποχῆς καί εἶναι ἔντονο στόν Ρουσώ, εἶναι τό ἐγκώμιο τῆς ἀντίφασης. Ἡ ὅλη ζωή καί τά λόγια τοῦ μεγάλου Γενευέζου, πλέουν μέσα στήν ἡδονή τῆς ἀντίφασης. Γράφει λοιπόν: "Διασκεδάζω μερικές φορές μέ τήν ἰδέα τῶν κρίσεων πού πολλοί θά ἐκφράσουν ὅσον ἀφορᾶ τίς προτιμήσεις μου μέσα στά γραπτά μου. Γιά τοῦτο ἐδῶ τό γραπτό θά ποῦνε σίγουρα: αὐτός ὁ ἄνθρωπος ἔχει τρέλλα μέ τόν χορό. Ἐγώ ὅμως πλήττω ὅταν βλέπω νά χορεύουν.–Ἤ: Δέν ἀντέχει τό θέατρο. Κι ἐγώ ἀγαπῶ τό θέατρο παράφορα. Ἤ: ...Εἶναι δυσαρεστημένος μέ τούς ἠθοποιούς. Ἀντιθέτως, ἔχω κάθε λόγο νά εἶμαι εὐχαριστημένος... Ἡ ἀλήθεια εἶναι ὅτι ὁ Ρακίνας μέ γοητεύει καί ποτέ δέν ἔχασα ἐπίτηδες παραστάσεις τοῦ Μολιέρου... Σχεδόν πάντα ἔγραψα ἐναντίον τοῦ ἰδίου μου συμφέροντος" (J.-J. Rousseau, *Lettre à M. d' Alembert sur les spectacles*, Genève, Librairie Droz, 1948, σσ. 176-177).

Ὁ Ρουσώ ἔχει ὡς πρότυπο τήν στρατιωτική Σπάρτη καί καταδικάζει τήν δημοκρατική Ἀθήνα τῆς τέχνης καί τῆς ἐπιστήμης. Ἡ ὅλη του ἀνάλυση διαπνέεται ἀπό ἔντονο ἀντιδιανοουμενισμό καί ὑπερασπίζει τόν μιλιταρισμό. "Ἐνῶ οἱ εὐκολίες τῆς ζωῆς πολλαπλασιάζονται, οἱ τέχνες τελειοποιοῦνται καί ἡ χλιδή ἐξαπλώνεται, τό πραγματικό θάρρος χάνεται, τά στρατιωτικά ἤθη ἐξατμίζονται καί πάλι ὅλα αὐτά εἶναι τό ἀποτέλεσμα τῶν ἐπιστημῶν καί τῶν τεχνῶν πού ἀσκοῦνται στήν σκιά τοῦ γραφείου. Ὅταν οἱ Γότθοι ἐρήμαξαν τήν Ἑλλάδα, ὅλες οἱ βιβλιοθῆκες σώθηκαν ἀπό τήν φωτιά μόνον λόγω μιᾶς γνώμης πού διέδωσε ἕνας ἀπ' αὐτούς, πώς δηλαδή, ἔπρεπε ν' ἀφεθοῦν στούς ἐχθρούς τόσο κατάλληλα ἀντικείμενα, πού θά τούς ἀπέτρεπαν ἀπό τήν στρατιωτική ἄσκηση καί θά τούς διασκέδαζαν μέ ἄσκοπες καθιστικές ἀσχολίες." (*Discours*... σ. 22).

Ἡ καθαρή καρδιά, ἡ ἀπόλυτη εἰλικρίνεια, ἡ ἁγνότητα μέχρι βλακείας, κατά τούς πονηρούς, εἶναι ὁ ἀκρογωνιαῖος λίθος τῆς στάσεως τοῦ Ρουσώ μπροστά στήν ζωή. Αὐτή ἡ θέση τόν ὁδηγεῖ στήν ἐξύμνηση τοῦ καλογηρικοῦ βίου καί στήν ὑπεράσπιση τοῦ ὁλοκληρωτικοῦ κράτους. Ἀφοῦ καταδίκασε τίς ἐπιστῆμες καί τίς τέχνες τῆς Ἀναγεννήσεως, τελειώνει τήν πραγματεία του μέ τήν ἑξῆς παράγραφο: "Ὦ ἀρετή! ὕψιστη ἐπιστήμη τῶν ἁγνῶν ψυχῶν, γιατί νά χρειάζεται τόση προσπάθεια καί προετοιμασία γιά νά σέ γνωρίσει κανείς; Οἱ ἀρχές σου δέν εἶναι χαραγμένες μέσα σέ ὅλες τίς καρδιές καί μήπως δέν ἀρκεῖ γιά νά γνωρίσουμε τού νόμους σου νά ἐπιστρέψουμε στόν ἑαυτό μας καί νά ἀκούσωμε τήν φωνή τῆς συνειδήσεώς μας μέσα στήν σιγή τῶν πόθων μας; Αὐτή εἶναι ἡ πραγματική φιλοσοφία καί ἄς ἀρκεστοῦμε σ' αὐτήν. Χωρίς δέ νά ζηλεύουμε τήν δόξα τῶν διάσημων αὐτῶν ἀνθρώπων πού περνᾶνε στήν ἀθανασία μέσα στήν Δημοκρατία τῶν Γραμμάτων, ἄς προσπαθήσουμε νά ὀρθώσουμε μεταξύ αὐτῶν καί ἡμῶν τό τοῖχος τῆς ἔνδοξης διαφορᾶς πού παρατηροῦσε κανείς παλιά μεταξύ δύο μεγάλων λαῶν [τῆς Ἀθήνας καί τῆς Σπάρτης], πού ὁ ἕνας ἤξερε νά μιλᾶ ὡραῖα καί ὁ ἄλλος νά δρᾶ καλά" (*Discours*..., σ. 30). Ἡ ἀπόλυτη εἰλικρίνεια παρομοιάζεται μέ ἕναν γυμνό ἀθλητή τῆς Ἀρχαιότητος: "Ὁ σωστός ἄνθρωπος εἶναι ἕνας ἀθλητής πού τοῦ ἀρέσει νά ἀγωνίζεται γυμνός: περιφρονεῖ ὅλα τά εὐτελῆ στολίδια πού θά δυσκόλευαν τήν χρησιμοποίηση τῆς δύναμής του, τά περισσότερα ἀπό τά ὁποῖα ἐφευρέθησαν γιά νά κρύψουν κάποια δυσμορφία". (*Discours*..., σ.8).

Αὐτή ἡ ἀπόλυτη εἰλικρίνεια κάνει τόν Ρουσώ νά ἐξυμνεῖ τόν γυμνισμό τῆς Ἐδέμ μαζί μέ τό χαρέμι, τήν σκληρή χειρονακτική ἐργασία ὡς διαρκῆ σχόλη, τήν ζωή ὡς διαρκές δημόσιο καί ὑπαίθριο θέαμα, πού καταδικάζει τά ἀστικά θεάματα. Ἡ "Ἐπιστολή πρός ντ' Ἀλαμπέρ" ἐξηγεῖ μέ κάθε σαφήνεια τήν θέση αὐτή: "Κάθε ἄσκοπη διασκέδαση εἶναι ἐπιζήμια γιά τόν ἄνθρωπο, πού ἡ ζωή του εἶναι τόσο σύντομη καί ὁ χρόνος του τόσο πολύτιμος... Νομίζουμε πώς εἶμαστε μαζί στό θέαμα [θέατρο] κι ὁ καθένας ἐκεῖ ἀπομονώνεται... Τά θεάματα πρέπει νά εἶναι γιά τόν λαό... Γιά νά ἀρέσουν [στούς λαούς] τούς δίνουνε θεάματα πού αὐξάνουν τίς φυσικές τους ροπές ἐνῶ θά ἔπρεπε νά τίς μετριάσουν" (*Lettre à M. d' Alembert*..., σ. 20,21,23). Ἡ ἀστυνομία πρέπει νά ἐπέμβει καί νά ἐπιβάλει τήν λογοκρισία κατά τοῦ θεάτρου, ὅπως ὑπάρχει σήμερα στίς πόλεις καί νά τό ἀπαγορεύσει. Τό κράτος πρέπει νά κατευθύνει τήν κοινή γνώμη μέσω τῆς κατάλληλης προπαγάνδας καί νά μήν ἐπιτρέψει στό θέατρο ν' ἀλλάξει τά πιστεύω τῆς πολιτείας. "Τό θέατρο θά γελοιοποιήσει τούς λογοκριτές ἤ οἱ λογοκριτές θά διώξουν τούς ἠθοποιούς" (σ. 100) καί ὁ Ρουσώ ἐλπίζει ὅτι θά συμβεῖ τό δεύτερο.

Μόνον τό ἑλληνικό θέατρο τῆς Ἀρχαιότητας -σέ ἀντίθεση μέ αὐτό τῶν Ρωμαίων-ἐγκρίνεται ἀπό τόν Ρουσώ: "Αὐτά τά μεγάλα καί λαμπρά θεάματα [τῶν Ἑλλήνων] πού ἐδίδοντο κάτω ἀπό τόν οὐρανό καί μπροστά σ' ἕνα ὁλόκληρο ἔθνος, προσέφεραν παντοῦ μονάχα μάχες, νίκες, βραβεῖα, ἀντικείμενα ἱκανά νά ἐμπνεύσουν στούς Ἕλληνες μιά φλογερή ἅμιλλα καί νά ζεστάνουν τίς καρδιές μέ αἰσθήματα τιμῆς καί δόξας" (σ. 105). Καί τό ἑλληνικό θέατρο πρέπει νά γίνει τό πρότυπο ὑγιοῦς θεάτρου σέ μιά σύγχρονη Δημοκρατία: "Τί λοιπόν; Δέν χρειάζεται κανένα θέαμα σέ μιά Δημοκρατία [république]; Χρειάζονται ἀντιθέτως πολλά... Ἀλλά μή δεχόμεθα αὐτά τά περιορισμένα θεάματα πού ἐγκλωβίζουν θλιβερά ἕναν μικρό ἀριθμό ἀνθρώπων σ' ἕνα σκοτεινό ἄντρο, πού τά κρατᾶ φοβισμένα καί ἀκίνητα μέσα στήν σιωπή καί τήν ἀδράνεια... Ὄχι, εὐτυχισμένοι λαοί, τέτοιες δέν εἶναι οἱ γιορτές σας. Στήν ὕπαιθρο, κάτω ἀπό τόν οὐρανό, ἐκεῖ πρέπει νά συναθροίζεσθε καί νά ἀφήνεσθε στό γλυκύ αἴσθημα τῆς εὐτυχίας σας. Οἱ διασκεδάσεις σας νά μήν εἶναι θηλυπρεπεῖς οὔτε κερδοσκοπικές. Τίποτα πού νά θυμίζει τόν καταναγκασμό καί τό συμφέρον νά μήν τίς δηλητηριάζει· νά εἶναι ἐλεύθερες καί μεγαλόψυχες, ὅπως εἶσθε σεῖς· ὁ ἥλιος νά φωτίζει τά ἀθῶα σας θεάματα... Ἀλλά τέλος πάντων, ποιό θά εἶναι τό ἀντικείμενο αὐτῶν τῶν θεαμάτων; Τί θά δείχνουν; Κατά κάποιον τρόπο τίποτα... Φυτέψτε στή μέση μιᾶς πλατείας ἕναν πάσσαλο στολισμένο μέ λουλούδια, συναθροίσατε ἐκεῖ τόν λαό καί ἐφτιάξατε μιά γιορτή. Κάνετε κάτι καλύτερο:

μετατρέψτε τούς θεατές σέ θέαμα [τό θέατρο τοῦ 20ου αἰώνα προσπάθησε νά ἐφαρμόσει τήν ἰδέα αὐτή τοῦ Ρουσώ], ὑποχρεῶστε τούς ἠθοποιούς νά εἶναι ὁ ἑαυτός τους, κάντε ἔτσι ὥστε ὁ καθένας νά βλέπει καί ν' ἀγαπᾶ τόν ἑαυτό του μέσα στούς ἄλλους, ὥστε ὅλοι τους νά εἶναι καλύτερα ἑνωμένοι. Δέν χρειάζεται νά παραπέμψω στίς διασκεδάσεις τῶν ἀρχαίων Ἑλλήνων... Κάθε χρόνο ἔχουμε [στήν Γενεύη] ἐπιθεωρήσεις, δημόσια βραβεῖα, πρωταθλητές στό arquebuse, στό κανόνι, στήν ναυτιλία... χοροί τοῦ νυμφοπάζαρου" (σσ. 168-169,171).

Ὁ Ρουσώ ἐγκωμιάζει τήν ἐλαφρά ἐνδυμασία τῶν Σπαρτιατισσῶν καί ἰδίως τήν πλήρη γύμνια τοῦ γυναικείου σώματος: "Ἤδη ἀκούω τούς χαριεντίζοντες νά μέ ἐρωτοῦν, ἐάν μαζί μέ ὅλες αὐτές τίς θαυμάσιες ὁδηγίες, δέν θά 'θελα νά εἰσάγω στίς γιορτές μας τῆς Γενεύης καί τούς χορούς τῶν νεαρῶν Σπαρτιατισσῶν. Ἀπαντῶ πώς θά ἤθελα νά πιστεύω πώς ἔχουμε μάτια καί καρδιά ἀρκετά ἁγνά γιά νά ἀντέξουμε σ' ἕνα τέτοιο θέαμα... Ἀλλά μήπως νομίζουμε, πώς οὐσιαστικά ἡ ἐξεζητημένη ἐνδυμασία τῶν γυναικῶν μας εἶναι λιγότερο ἐπικίνδυνη ἀπό τήν πλήρη γυμνότητα, τῆς ὁποίας ἡ συνήθεια θά ἔφερνε σύντομα τήν ἀδιαφορία καί ἴσως μάλιστα τήν ἀηδία; Ἄραγε δέν ξέρουμε πώς τά ἀγάλματα καί οἱ πίνακες σοκάρουν τά μάτια, μόνον ὅταν ἕνα κρᾶμα ρούχων κάνει τήν γύμνια ἄσεμνη; Ἡ ἄμεση ἀποδοτικότητα τῶν αἰσθήσεων εἶναι μικρή καί περιορισμένη. Μέσω τῆς φαντασίας λοιπόν κάνουν τίς μεγαλύτερές τους ζημιές... Μιά νεαρή Κινέζα πού προχωρεῖ μέ τήν ἄκρη τοῦ ποδιοῦ της καλυμμένη καί παπουτσωμένη, θά κάνει μεγαλύτερη ζημιά στό Πεκῖνο παρά τό πιό ὄμορφο κορίτσι τοῦ κόσμου χορεύοντας ὁλόγυμνο στήν πλαγιά τοῦ Ταϋγέτου" (σσ. 179-180). Ἡ τελευταία αὐτή πολύ σωστή παρατήρηση τοῦ Ρουσώ, πρόσθετη ἀπόδειξη ὅτι παραμένει ἐπίκαιρος, μᾶς κάνει πιό κατανοητό τό γιατί κατεδίκαζε ὡς πορνογραφική τήν τέχνη τῆς Ἀναγεννήσεως: "Οἱ κῆποι μας εἶναι στολισμένοι μέ ἀγάλματα καί οἱ στοές μας μέ πίνακες. Τί νομίζετε πώς δείχνουν αὐτά τά ἀριστουργήματα τῆς τέχνης, πού ἐπιδεικνύονται στόν θαυμασμό τοῦ κοινοῦ; Τούς ὑπερασπιστές τῆς πατρίδας; Ἤ μήπως ἐκείνους τούς ἄνδρες, ἀκόμη μεγαλύτερους, πού τήν πλούτισαν μέ τίς ἀρετές τους; Ὄχι. Πρόκειται γιά εἰκόνες ὅλων τῶν παρεκτροπῶν τῆς καρδιᾶς καί τοῦ λογισμοῦ, βγαλμένες μέ προσοχή ἀπό τήν ἀρχαία μυθολογία καί παρουσιασμένες ἀπό νεαρῆς ἡλικίας στήν περιέργεια τῶν παιδιῶν μας. Σίγουρα γιά νά ἔχουν μπροστά στά μάτια τους πρότυπα κακῶν πράξεων, πρίν ἀκόμη μάθουν νά διαβάζουν" (*Discours*..., σ. 25). Καί προσθέτει ὁ Ρουσώ πώς στήν Σπάρτη καί τήν Περσία ἡ διαπαιδαγώγηση τῶν νέων ἦταν βασισμένη στήν ἠθική καί ὄχι στήν ἐπιστήμη. Τά παιδιά ἐξετάζοντο πάνω σέ προβλήματα ἠθικῆς καί ὄχι γραμματικῆς.

Ἡ θέση τοῦ Ρουσώ, ὡς πρός τήν γυναίκα εἶναι πολύ παραδοσιακή, σέ πλήρη ἀντίθεση μέ τίς τάσεις τῆς ἐποχῆς του πού, στόν 20ο αἰῶνα, θά καταλήξουν στήν Δύση στόν ἀγγλοσαξωνικῆς ἐπινοήσεως φεμινισμό. Κατ' ἀρχήν οἱ ὑποστηρικτές του ὑπῆρξαν ἰδίως γυναῖκες, καί ὅσο ζοῦσε, ἀλλά καί μετά τόν θάνατό του. Τό μυθιστόρημά του *Julie ou la Nouvelle Héloïse* (1761), ἀποδεικνύει τήν πολύ προχωρημένη του γνώση γιά τήν γυναικεία ψυχολογία, γι' αὐτό καί τό ἔργο τοῦτο συνετάραξε τίς γυναῖκες τῆς ἐποχῆς του. Τό ἐκπαιδευτικό του βιβλίο *Emile, ou de l' Education* (1762), συνετέλεσε στήν ἐπιστροφή τῶν κυριῶν τῆς ἀριστοκρατίας στίς ἠθικές ἀρχές τῆς οἰκογενείας καί στόν θηλασμό τοῦ νεογέννητου ἀπό τήν ἴδια τήν μητέρα ἀντί ἀπό τήν νταντά, ὅπως εἶχε ἐπικρατήσει τόν 18ο αἰῶνα στούς δυτικούς ἀριστοκρατικούς κύκλους. Ὁ Ρουσώ δίνει τεράστια σημασία στήν γυναίκα, ἀλλά τήν διαχωρίζει σαφῶς ἀπό τόν ἄνδρα. Σέ ἀντίθεση μέ τόν σημερινό δυτικό φεμινισμό, βλέπει ριζικές διαφορές μεταξύ τῶν φύλων. Μόνον στήν πρωτόγονη ἐποχή, στήν ἀγρία κατάσταση, πρίν ἱδρυθεῖ ἡ ἀνθρώπινη κοινωνία, ὁ ἄνδρας καί ἡ γυναίκα ἦσαν ἴσοι. Ἡ ἵδρυση ὅμως τοῦ θεσμοῦ τῆς οἰκογενείας, ὑπῆρξε τό τέλος τῆς ἀγρίας ἀνεξαρτησίας καί γιά τόν ἄνδρα καί γιά τήν γυναίκα. Μέσα στήν οἰκογένεια οἱ ρόλοι τους διαχωρίζονται καί ἐγκαθίσταται μιά ἰσορροπία μεταξύ τους στήν ἁρμονική ἐποχή. Ἀλλά ἡ παρακμή ἀρχίζει μέ τήν ἄνοδο τοῦ ρόλου τοῦ σέξ, πού πυροδοτεῖ μιά πάλη τῶν φύλων γιά τήν ἐξουσία τοῦ ἑνός φύλου ἐπί τοῦ ἄλλου, πού θά καταλήξει, προβλέπει ὁ Ρουσώ, στήν ἐπικράτηση τῆς γυναικός ἐπί τοῦ ἀνδρός. Ἡ διαλεκτική τοῦ σέξ, παρατηρεῖ ὁ Ρουσώ, πού ἦταν ὑποβαθμισμένο φαινόμενο ὅσο ζοῦσε ὁ ἄνθρωπος στήν φύση, μέ τήν ἐξέλιξη τοῦ πολιτισμοῦ χρησίμευσε γιά νά ἑνώσει τά φύλα καί συνάμα γιά νά τά διαιρέσει σέ μιά ἀδυσώπητη ἀντιδικία. Ὁ ρομαντικός ἔρωτας πού ἀντικατέστησε τήν οἰκογενειακή ἀγάπη, χρησιμοποιήθηκε ὡς ὅπλο πολιτικῆς ἐπικρατήσεως ἀπό τήν γυναίκα εἰς βάρος τοῦ ἀνδρός.

Ἡ ρουσωική γυναίκα πρέπει νά ἐξουσιάζει στό σπίτι καί στήν ἀνατροφή τῶν παιδιῶν. Στήν φυσική της κατάσταση ἡ γυναίκα εἶναι ἄσεμνη καί ἀδιάντροπη, ἀλλά στήν κοινωνική της κατάταση, ὡς δεύτερη φύση, ἐπιβάλλεται μέσω τῆς σεμνότητας καί τοῦ αἰσθήματος τῆς ντροπῆς. Γι' αὐτό καί ἡ γυναίκα πρέπει νά φέρεται ὅπως ἐφέρετο σέ ὅλες τίς κοινωνίες τοῦ πλανήτη πρίν ἀπό τήν ἔλευση τῆς Ἀναγεννήσεως. Πρέπει νά ἀποφεύγει νά κοιτάζει τόν ἄνδρα κατάματα, διότι "τό νά ἐπιζητᾶ τίς ματιές τῶν ἀνδρῶν εἶναι ἤδη ἡ ἀπαρχή τῆς διαφθορᾶς" (*Lettre à M. d' Alembert*..., σ. 110). Ἐξυμνεῖ τήν οἰκοκυρά μέ τόν ἑξῆς τρόπο: "Μιά γυναίκα ἔξω ἀπό τό σπίτι της χάνει τήν μεγαλύτερή της ἀξία καί ἀπογυμνωμένη ἀπό τά πραγματικά της κοσμήματα, ἐκτίθεται μέ ἀπρέπεια" (σ.117). Ἀλλά ἀμέσως μετά, προσθέτει μέ τόν ἀντιφατικό συλλογισμό πού τόσο ἀγαπᾶ: "Περιμένω νά μοῦ ἀντιταχθεῖ πώς οἱ γυναῖκες τῶν ἀγρίων εἶναι ἀδιάντροπες διότι περιφέρονται γυμνές. Ἀπαντῶ, πώς οἱ δικές μας ἔχουν ἀκόμη λιγότερη ντροπή διότι ντύνονται" (σ. 115). Τό χαρέμι, δηλαδή τόν γυναικωνίτη, τό θεωρεῖ ἔνδειξη πολιτισμοῦ: "Στό θέατρο τῶν Ἀθηνῶν, οἱ γυναῖκες κατελάμβαναν ἕνα ὑψηλό θεωρεῖο, πού ὀνομάζετο κερκίς, ἀπ' ὅπου δέν ἦταν εὔκολο νά δεῖς ἀλλά οὔτε καί νά σέ δοῦν. Φαίνεται ὅμως... πώς στόν ἱππόδρομο τῆς Ρώμης ἦταν ἀναμιγμένες μέ τούς ἄνδρες... Ἡ ποινή τοῦ θανάτου ἐπεβάλετο κατά τῶν γυναικῶν πού θά τολμοῦσαν νά ἐμφανισθοῦν στούς ὀλυμπιακούς ἀγῶνες... Στό σπίτι [τῶν Ἀρχαίων] ὑπῆρχε ἕνα ἰδιαίτερο διαμέρισμα γιά τίς γυναῖκες, ὅπου οἱ ἄνδρες δέν μπαίνανε... Δέν ὑπῆρχε καμμία κοινή συνέλευση καί γιά τά δύο φύλα... Αὐτά ἦταν τά ἔθιμα τῶν Περσῶν, τῶν Ἑλλήνων, τῶν Ρωμαίων, ἀκόμη καί τῶν Αἰγυπτίων... Πολλά βέβαια ἐλέχθησαν γιά τήν ἐλευθερία τοῦ φύλου στήν Σπάρτη [ἀλλά αὐτά εἶναι ἀνακριβῆ]... Τά πάντα ὅμως ἄλλαξαν. Ἀπό τότε πού τά πλήθη τῶν βαρβάρων, σέρνοντας μαζί τους τίς γυναῖκες τους ἐν μέσω τοῦ στρατοῦ τους, κατέκλυσαν τήν Εὐρώπη, ἡ ἔκλυση τῶν ἠθῶν στά στρατόπεδα, μαζί μέ τήν φυσική ψυχρότητα τῶν βορείων κλιμάτων, πού κάνει τήν συστολή λιγότερο ἀναγκαία, εἰσήγαγε ἕναν ἄλλο τρόπο ζωῆς· ἕναν τρόπο ζωῆς πού ἐνεθάρρυναν τά ἱπποτικά βιβλία, ὅπου οἱ ὡραῖες δέσποινες περνοῦσαν τόν καιρό τους μέ τίς ἀπαγωγές πού ὑφίσταντο ἐκ μέρους τῶν ἀνδρῶν... Γιά νά ξανάρθουμε τώρα στίς ἠθοποιούς μας, ἐρωτῶ πῶς εἶναι δυνατόν ἕνα ἐπάγγελμα τοῦ ὁποίου ὁ μοναδικός σκοπός εἶναι νά δείχνεσαι στό κοινό καί, ἀκόμη χειρότερα, νά δείχνεσαι ἔναντι χρημάτων, νά ἁρμόζει σέ τίμιες γυναῖκες... Αὐτή πού ἐκτίθεται ἔναντι χρημάτων σέ μιά παράσταση, θά μποροῦσε νά ἐκθέσει χρηματικά καί τόν ἴδιο τόν ἑαυτό της" (σσ. 118-121).

Τήν πιό πάνω θέση τοῦ Ρουσώ ὡς πρός τίς γυναῖκες, θά τήν ξαναβροῦμε στήν ἰδεολογία τοῦ φασισμοῦ, ἐκτός ἀπό τήν μισογυνία πού ἀποτελεῖ προσωπικό του ψυχολογικό πρόβλημα. "Θά μοῦ ποῦν", γράφει ὁ Ρουσώ, "ὅτι ἀπεχθάνομαι τίς γυναῖκες: εἶμαι ἀπόλυτα δικαιολογημένος γι' αὐτό" (σσ. 176-177). Αὐτό τό προσωπικό του πρόβλημα τόν ὠθεῖ σέ δηλώσεις ἀνάξιες τῆς μεγαλοφυΐας του: "Γενικά οἱ γυναῖκες -γράφει- δέν ἀγαποῦν καμμία τέχνη, δέν γνωρίζουν καμμία καί δέν ἔχουν καμμία ἱκανότητα... Δέν ξέρουν οὔτε νά περιγράψουν οὔτε νά αἰσθανθοῦν καί αὐτήν ἀκόμη τήν ἀγάπη" (σ. 138). Παρά ταῦτα, ὁ φόβος τῆς γυναίκας καί τοῦ εὐνουχισμοῦ τοῦ ἀνδρός ἀπ' αὐτήν, εἶναι παρών καί στόν φασισμό. Ὁ Ρουσώ δηλώνει πώς στόν σύγχρονο κόσμο ἡ γυναίκα κατώρθωσε νά πραγματοποιήσει τήν ἄμετρη ἐπιθυμία της νά ἐξουσιάζει καί εἰδικά στήν Γαλλία τοῦ 18ου αἰῶνος, οἱ ἄνδρες γιά νά ἱκανοποιήσουν τίς γυναῖκες πού τούς ὑποτάσσουν, ἔγιναν θηλυπρεπεῖς καί στό Παρίσι τά ἀγόρια κατάντησαν νά εἶναι κορίτσια μέ ἀνδρικά ροῦχα. Στήν θηλυκοποίηση τῶν ἀνδρῶν δέν εὐθύνονται μόνον οἱ Φράγκοι εἰσβολεῖς πού κατήργησαν τόν διαχωρισμό τῶν φύλων καί τόν γυναικωνίτη, ἀλλά καί ὁ ἴδιος ὁ χριστιανισμός, πού μέ τό νά καταδικάζει τήν βία ὑπέσκαψε τήν ἀνδρότητα καί ὑποβάθμισε τήν ἀγάπη πρός τήν πατρίδα. Ἀκριβῶς αὐτήν τήν κριτική τοῦ χριστιανισμοῦ, θά παρουσιάσει στόν 20ο αἰῶνα ὁ ναζισμός.

Σ' αὐτό τό σημεῖο πρέπει νά ποῦμε πώς, ἀντίθετα μέ τούς κοσμοπολῖτες τῆς ἐποχῆς του σάν τόν Βολταῖρο, ὁ Ρουσώ ὑπῆρξε ὁ πατέρας τοῦ ἐνθνικισμοῦ. Ὁ ἐθνικισμός, ἐκεῖνος τοῦ Ρουσώ, γεννήθηκε ὡς ἰσότιμος πού βασίζεται στήν ἀρχή τῆς ἰσότητος μικρῶν καί μεγάλων ἐθνῶν. Στήν *Déclaration des droits de l' homme et du citoyen* τῆς Γαλλικῆς Ἐπαναστάσεως τοῦ 1789, διεκηρύσσετο πώς τό ἔθνος εἶναι ἡ μοναδική πηγή τῆς κυριαρχίας. Στόν διεθνῆ τομέα, ἡ γαλλική ἐθνοσυνέλευση, τό 1790, ἀποφάσισε μέ τό 4ο συνταγματικό της ἄρθρο πώς "τό γαλλικό ἔθνος ἀρνεῖται νά ἀναλάβει ὁποιονδήποτε πόλεμο μέ κατακτητικούς σκοπούς καί ὅτι ποτέ δέν θά χρησιμοποιήσει τίς δυνάμεις του κατά τῆς ἐλευθερίας ὁποιουδήποτε λαοῦ" (Διάταγμα τῆς 22ας Μαΐου 1790, στό Marcel Merle, éd., *Pacifisme et internationalisme XVIIe-XXe siècles,* Paris, A. Colin, 1966, σ. 154). Ἀλλά οἱ Γάλλοι ἀγαποῦσαν τόσο πολύ τήν ἐλευθερία, πού δέν ἄντεξαν στήν ἐπιθυμία νά τήν ἐπιβάλουν διά τοῦ πολέμου καί στούς ἄλλους λαούς καί ὁ Ναπολέων συνέχισε στόν δρόμο πού εἶχε ἀνοίξει ἡ Γαλλική Ἐπανάσταση. Ἔτσι ἀμέσως μετά τήν ἐγκαθίδρυση τοῦ ἰσότιμου ἐθνικισμοῦ, γεννιέται ἀναπόφευκτα ὁ ἐπεκτατικός ἐθνικισμός, πού ὑποχρεωτικά θά φθάσει νά πιστεύει πώς τό ἐπεκτεινόμενο ἔθνος εἶναι ἀνώτερο ἀπό τά ἄλλα καί γι' αὐτό τόν ὀνομάζουμε σωβινιστικό ἐθνικισμό. Αὐτόν θά υἱοθετήσει στόν 20ο αἰῶνα, καί ὁ φασισμός στήν Εὐρώπη. Ἰσότιμος καί σωβινιστικός ἐθνικισμός εἶναι συνεπῶς διαλεκτικά ἀλληλένδετοι. (Βλ. Δημήτρης Κιτσίκης, "Le nationalisme", *Etudes internationales,* septembre 1971, σσ. 347-370).

Στήν φασιστική ἰδεολογία ὁ ἐνθνικισμός δέν νοεῖται χωρίς τόν σοσιαλισμό: αὐτό τό ἐξήγησε ὁ Ρουσώ στό ἔργο του *Παρατηρήσεις σχετικές μέ τήν κυβέρνηση τῆς Πολωνίας,* πού ἔγραψε τό 1771-1772, δηλαδή 150 χρόνια πρίν ἀπό τήν ἵδρυση τοῦ ἐθνικοσοσιαλιστικοῦ κινήματος στήν Γερμανία: ἐπειδή τό ἔθνος καί ὄχι ἡ τάξη εἶναι ἡ ὑπερτάτη ἀρχή, εἶναι ἀπαραίτητη ἡ συνεργασία τῶν τάξεων πρός ὄφελος τῆς ἑνότητος τοῦ ἔθνους. Ἀλλά αὐτός ὁ σκοπός δέν μπορεῖ νά ἐπιτευχθεῖ χωρίς μιά κοινωνική πολιτική, πού νά ἀμβλύνει τίς κοινωνικές διαφορές μεταξύ τῶν τάξεων. Ἔτσι ὁ Ρουσώ παρατηρεῖ: "Ἡ τεράστια διαφορά τῶν περιουσιῶν [στήν Πολωνία] πού χωρίζει τούς ἄρχοντες ἀπό τήν τάξη τῶν μικροευγενῶν ἀντιπροσωπεύει ἕνα μεγάλο ἐμπόδιο στίς ἀναγκαῖες μεταρρυθμίσεις γιά νά γίνει ἡ ἀγάπη τῆς πατρίδας τό κύριο αἴσθημα" *(Considérations sur le gouvernment de Pologne.* J.-J. Rousseau, *Oeuvres complètes,* tome III, σ. 964). Ἐπίσης ἀπαραίτητη σ' ἕνα ἐθνικιστικό κράτος εἶναι ἡ κρατική προπαγάνδα: "Ἄς ξεκινήσετε μέ τήν προσπάθεια νά δώσετε στούς Πολωνούς μιά μεγάλη γνώμη γιά τόν ἑαυτό τους καί γιά τήν πατρίδα τους... Πρέπει νά χαραχτεῖ μέ ἀπαραβίαστα γράμματα μέσα στίς καρδιές ὅλων τῶν Πολωνῶν αὐτή ἡ μεγάλη ἐποχή [γιά τήν Πολωνία]" (σ. 961). Ἡ ὁμοιομορφία εἶναι καταστροφή γιά τόν πλανήτη μας. Ἀλλά μέ ποιόν τρόπο μιά χώρα σάν τήν Πολωνία, περιστοιχισμένη ἀπό ἰσχυρά κράτη, θά μπορέσει νά ἐξασφαλίσει τήν ἀνεξαρτησία της καί τήν προσωπικότητά της; Ἡ Πολωνία "δέν ἔχει ὀχυρά γιά νά σταματήσει τίς ἐπιδρομές τους. Ὁ ὑποπληθυσμός της τήν θέτει σχεδόν τελείως ἐκτός ἄμυνας... Ἡ Πολωνία ἦταν στά σίδερα τῶν Ρώσων, ἀλλά οἱ Πολωνοί παρέμειναν ἐλεύθεροι... Ἐφ' ὅσον δέν μπορεῖτε νά τούς ἐμποδίσετε νά σᾶς καταβροχθίσουν, κάντε ἔτσι ὥστε νά μήν εἶναι σέ θέση νά σᾶς χωνέψουν... Τό ἦθος τῶν πολιτῶν της, ὁ πατριωτικός τους ζῆλος, ἡ ἰδιαιτερότητα πού οἱ ἐθνικοί θεσμοί μποροῦν νά δώσουν στίς ψυχές τους, εἶναι τό μοναδικό ὀχυρό πού σέ κάθε στιγμή θά εἶναι σέ θέση νά τήν ὑπερασπίσει καί πού κανένας στρατός δέν μπορεῖ νά κυριεύσει. Ἐάν κατορθώσετε, ποτέ ἕνα Πολωνός νά μήν γίνει Ρῶσος, τότε σᾶς διαβεβαιῶ πώς ἡ Ρωσία δέν θά ὑποτάξει τήν Πολωνία" (σσ. 959-960).

Ποιά εἶναι ἡ ὑφή τοῦ ρουσωικοῦ-φασιστικοῦ σοσιαλισμοῦ, πού ὁ Κάρλ Μάρξ θά ὀνομάσει στόν 19ο αἰῶνα μικροαστικό σοσιαλισμό; Στήν βάση εἶναι καί πάλι ἡ νοσταλγία τοῦ χαμένου παραδείσου, τῆς Ἐδέμ, ὅπου δέν ὑπῆρχε ἰδιωτική ἰδιοκτησία, ὅπου τό χρῆμα ἦταν ἄγνωστο. Γιά τόν Ρουσώ τό χρῆμα εἶναι βρώμικο καί καλύτερα θά ἦταν νά μήν τό ἔπιανε κανείς ποτέ στά χέρια του. Ἄν ἦταν δυνατόν (πού δέν εἶναι πλέον), θά ἔπρεπε νά καταργηθεῖ. Ἀντίθετα μέ τόν Μάρξ, ἡ σκέψη του εἶναι βασικά ἠθική καί ὄχι οἰκονομική. Τό ἴδιο καί μέ τήν ἰδιοκτησία: Ὁ Ρουσώ νοσταλγεῖ τόν πρωτόγονο κομμουνισμό τῆς φυσικῆς καταστάσεως (l' état de nature). Γράφει: "Ὁ πρῶτος πού περιέφραξε μιά γῆ, σκέφθηκε νά πεῖ, *αὐτό εἶναι δικό μου* καί βρῆκε ἀνθρώπους ἀρκετά ἀφελεῖς νά τόν πιστέψουν, αὐτός εἶναι ὁ πραγματικός ἱδρυτής τῆς πολιτικῆς κοινωνίας (société civile). Ἀπό πόσα ἐγκλήματα, πόσους πολέμους, πόσους φόνους, πόσες ἀθλιότητες καί ἀπό πόσα αἴσχη θά εἶχε ἀπαλλάξει τό ἀνθρώπινο γένος, αὐτός πού βγάζοντας τούς πασσάλους ἤ κλείνοντας τό χαντάκι, εἶχε φωνάξει στούς συνανθρώπους του: προσοχή, μήν ἀκοῦτε αὐτόν τόν ἀπατεώνα. Εἶσθε χαμένοι ἄν ξεχάσετε πώς οἱ καρποί ἀνήκουν σέ ὅλους καί πώς ἡ γῆ δέν ἀνήκει σέ κανέναν". (*Discours sur l' origine et les fondements de l' inégalité parmi les hommes.* J.-J. Rousseau, *Oeuvres comlètes*, tome III, σ. 164). Φυσικά αὐτή ἡ δήλωση ἐξώργισε τόν θεωρητικό τοῦ καπιταλισμοῦ Βολταῖρο καί τό ὑστερικό του μῖσος κατά τοῦ Ρουσώ τόν ὠθεῖ νά γράψει στό περιθώριο τῆς σελίδας τοῦ βιβλίου: "Τί; αὐτός πού ἐφύτεψε, ἔσπειρε καί περιέφραξε δέν δικαιοῦται τόν καρπό τῶν κόπων του; Τί; Αὐτός ὁ ἄδικος ἄνθρωπος, ὁ κλέφτης, θά μποροῦσε νά θεωρηθεῖ ὁ εὐεργέτης τοῦ ἀνθρώπινου γένους; Αὐτή εἶναι φιλοσοφία ἑνός ζητιάνου πού θέλει τούς φτωχούς νά κλέβουν τούς πλουσίους" (G.R. Havens, "Voltaire's Marginalia on the Pages of Rousseau", *Ohio State University Studies*, vol. 6, 1933, σ. 15).

Μέ τά παραπάνω θά νόμιζε κανείς πώς ὁ Ρουσώ ἦταν κατά τῆς ἰδιωτικῆς ἰδιοκτησίας. Ἀλλά αὐτό δέν εἶναι σωστό. Γνωρίζει πώς εἶναι ἀδύνατον νά ἐπιστρέψει ὁ κόσμος στήν φυσική κατάσταση. Τό κακό ἔγινε. Ἀλλά τουλάχιστον γιά νά ἀποτραπεῖ ἡ ἐκμετάλλευση τοῦ ἀνθρώπου ἀπό τόν ἄνθρωπο, μόνον ἡ μικρή οἰκογενειακή ἰδιοκτησία θά πρέπει νά ἐπιτρέπεται, τοῦ τύπου τοῦ ἑλβετικοῦ ἀγροκτήματος. Ἡ ἀνεπίτρεπτη ἐκμετάλλευση ἀρχίζει μέ τήν πρόσληψη ἐργατικῶν χειρῶν ἐκτός οἰκογενείας. Μιά πολυπληθής παραδοσιακή οἰκογένεια φερ' εἰπεῖν εἴκοσι ἀτόμων, πού ἦταν σύνηθης στήν ἐποχή του, θά μποροῦσε νά ἀξιοποιήσει μιά μικρή ἤ καί μεσαία ἐπιχείρηση χωρίς νά χρειάζεται νά καταφεύγει σέ ἐξωοικογενειακά χέρια. Γράφει λοιπόν στό *Κοινωνικό Συμβόλαιο*: "Γιά νά ἀναγνωρισθεῖ πάνω σέ μιά ὁποιαδήποτε γῆ τό δικαίωμα τοῦ πρώτου κατόχου, χρειάζονται οἱ ἑξῆς προϋποθέσεις. Πρῶτον, ἡ γῆ αὐτή νά μήν ἔχει καταληφθεῖ ἀκόμη ἀπό κανέναν. Δεύτερον, νά καταληφθεῖ μόνον ἡ ἀπαραίτητη ἔκταση πρός ἐπιβίωσιν. Τρίτον, ἡ κατοχή νά γίνεται ὄχι μέ μιάν ἀνώφελη τελετή, ἀλλά μέ τήν ἐργασία καί τήν καλλιέργεια, ὡς μόνη ἔνδειξη ἰδιοκτησίας, πού σέ περίπτωση ἀνυπαρξίας νομικῶν τίτλων θά πρέπει νά τήν σεβασθοῦν οἱ τρίτοι... Πῶς ὅμως ἕνας ἄνθρωπος ἤ ἕνας λαός μπορεῖ νά ἁρπάξει μιά τεράστια γῆ καί νά τήν στερήσει ἀπ' ὅλη τήν ἀνθρωπότητα, παρά μόνον μέ τιμωρητέο σφετερισμό, ἐφ' ὅσον ἀφαιρεῖ ἀπό τούς ὑπόλοιπους ἀνθρώπους τήν κατοικία καί τήν τροφή πού ἡ φύση τούς παραχωρεῖ ἀπό κοινοῦ; "(*Du Contrat social, ou essai sur la forme de la République*. J.-J. Rousseau, *Oeuvres complètes*, tome III, σ. 366).

Ὁ Ρουσώ ἔβλεπε τόν οἰκογενειάρχη αὐτόν μικροϊδιοκτήτη ὄχι ὡς ἀτομιστή, ἀλλά συμπράττοντα σέ μιά κοινότητα: "Μέ ὁποιον τρόπο καί νά πραγματοποιηθεῖ αὐτή ἡ ἰδιοκτησία, τό δικαίωμα τοῦ κάθε ἰδιώτη πάνω στό ἀκίνητό του ἐξαρτᾶται πάντα ἀπό τό δικαίωμα πού ἡ κοινότητα ἔχει πάνω σέ ὅλους, διαφορετικά δέν θά ὑπῆρχε οὔτε στερεότητα τοῦ κοινωνικοῦ δεσμοῦ, οὔτε πραγματική δύναμη στήν ἄσκηση τῆς [ἐθνικῆς] κυριαρχίας" (σ. 367). Ὅσο γιά τήν βιομηχανία καί τήν βιοτεχνία, ὁ Ρουσώ δέν ἔχει ὡς πρότυπο τόν μεγαλοβιομήχανο, ἀλλά ἀντιθέτως τόν βιοτέχνη πού δέν ἐξαρτᾶται ἀπό κανένα ἀφεντικό, γιατί ὁποιαδήποτε ὑποταγή σέ ἐργοδότη τοῦ εἶναι ἀπεχθής. Ὁ "Αἰμίλιός" του θά μάθει τό ἐπάγγελμα τοῦ ξυλουργοῦ.

Ὁ μικροαστικός σοσιαλισμός τοῦ Ρουσώ πάει πιό πέρα ἀπό τήν ἰσότητα μπροστά στό νόμο πού ἐξήγγειλαν οἱ φιλελεύθεροι τῆς Γαλλικῆς Ἐπαναστάσεως. Ζητᾶ καί τήν κοινωνική ἰσότητα, αὐτή πού θά προσπαθήσουν νά ἐπιβάλουν οἱ ὀπαδοί του τό 1793-1794, οἱ Ροβεσπιέρρος καί Σαίν-Ζύστ. Τήν ἐξηγεῖ ὡς ἑξῆς στό *Κοινωνικό Συμβόλαιο*: "Κάτω ἀπό τίς κακές κυβερνήσεις αὐτή ἡ [νομική] ἰσότητα εἶναι φαινομενική καί ἀπατηλή. Χρησιμεύει ἁπλῶς γιά νά διατηρεῖ τόν φτωχό στήν ἀθλιότητά του καί τόν πλούσιο στόν σφετερισμό του. Στήν πραγματικότητα, οἱ νόμοι εἶναι πάντα χρήσιμοι γι' αὐτούς πού ἔχουν καί βλαβεροί γι' αὐτούς πού δέν ἔχουν τίποτα. Συνέπεια αὐτοῦ εἶναι πώς ἡ κοινωνική κατάσταση [l' état social] συμφέρει στούς ἀνθρώπους, μόνον ὅταν ὅλοι τους ἔχουν κάτι καί ὅταν κανείς τους δέν ἔχει παραπάνω ἀπό τό ἀναγκαῖο" (σ. 367).

Ἐκεῖ ὅμως πού ἡ σκέψη τοῦ Ρουσώ συστηματικά καί ἐνσυνείδητα παραποιήθηκε, εἶναι στόν τομέα τοῦ πολιτικοῦ συστήματος, εἰδικά ἀπό τούς Γάλλους πού δέν θέλησαν ποτέ νά ἀναγνωρίσουν πώς ὁ ἐμπνευστής τῆς Γαλλικῆς Ἐπαναστάσεως τοῦ 1789 δέν ἦταν ὁ πατέρας τῆς κοινοβουλευτικῆς δημοκρατίας, ἔτσι ὅπως ἐπεκράτησε σ' ὅλη τήν Δύση. Οἱ Ἀγγλοσάξωνες ἀντιθέτως, περιέγραψαν συχνά τόν Ρουσώ ὡς τόν ἐμπνευστή τοῦ ὁλοκληρωτικοῦ πολιτικοῦ συστήματος, ἀλλά μέ τήν πρόθεση νά τόν διαβάλουν ὅπως συστηματικά προσπάθησαν νά διαβάλουν τόν Ναπολέοντα. Ἔτσι, ἐνῶ ὁ πρώην πρωθυπουργός τῆς Γαλλίας καί καθηγητής τῆς Νομικῆς, Ἐντγκάρ Φώρ (Edgar Faure), ἑρμηνεύει τήν "γενική θέληση" (volonté générale) τοῦ Ρουσώ ὡς τήν θέληση τῆς πλειοψηφίας τῶν πολιτῶν πού ἐκφράζεται διά τῆς ἐκλογικῆς ψήφου, ὁ Ἄγγλος φιλόσοφος Μπέρτραντ Ράσελ μᾶς διαβεβαιώνει πώς ὁ Ρουσώ "εἶναι αὐτός πού ἐπινόησε τήν πολιτική φιλοσοφία τῆς ψευτοδημοκρατικῆς δικτατορίας σέ ἀντίθεση μέ τήν παραδοσιακή ἀπόλυτη μοναρχία... Ὁ Χίτλερ εἶναι τό παιδί τοῦ Ρουσώ" (Bertrand Russell, *History of Western Philosophy*, London, George Allen and Unwin, 1946, new ed. 1961, σ. 660). Ἐπίσης ὁ σύμβουλος ἑνός πρώην προέδρου τῶν ΗΠΑ, ὁ καθηγητής Μπρζεζίνσκι γράφει: "Μπορεῖ νά δείξουμε ὅτι ἡ ρουσωική ἔννοια τῆς ἀπόλυτης δημοκρατίας εὔκολα δύναται νά ἐκφυλισθεῖ σέ ἀπόλυτη δικτατορία" (C. J. Friedrich and Zbigniew K. Brzezinski, *Totalitarian Dictatorship and Autocracy*, New York, Fr. Praeger, 1956, new ed. 1965, σ. 100).

Ἕνας ἄλλος Ἀγγλοσάξωνας παρατηρεῖ: "Τήν ἐποχή πού ἡ ἰδέα τῆς δημοκρατίας δέν ἦτο ἀρεστή, ὁ Ζάν-Ζάκ Ρουσώ ἐθεωρῆτο γενικά ὡς ἕνας ἀπό τούς μεγάλους θεωρητικούς της. Ὅταν μετά τόν πρῶτο παγκόσμιο πόλεμο, ἡ δημοκρατία ἔγινε τῆς μόδας, ἀποφασίσθηκε αἰφνιδίως πώς ὁ Ρουσώ ἦταν ὁ ἐχθρός της, προάγγελος τοῦ κομμουνισμοῦ καί τοῦ φασισμοῦ". (Maurice Cranston, "The Sexual Contract. Rousseau's Republicans and Matriarchs", *Encounter*, February 1987, σ. 41). Μέ ἄλλα λόγια, μόνιμος στόχος ἦταν νά διαβάλουν τόν Ρουσώ, ἀποκαλώντας τον εἴτε δημοκράτη, ὅταν ἡ λέξη αὐτή ἐθεωρεῖτο ὕβρις, εἴτε φασίστα, ὅταν ἀντιθέτως ἦταν ἐπαινετικό νά εἶσαι δημοκράτης.

Στήν πραγματικότητα, ὁ Ρουσώ σπάνια χρησιμοποίησε τήν λέξη "δημοκρατία". Στό σύνολο τῶν πολιτικῶν ἔργων του, ἡ λέξη αὐτή ἐμφανίζεται μόνον ἐννέα φορές, ἕξι φορές δέ ὡς "δημοκρατικό" καί μία φορά ὡς "δημοκρατικῶς". Καί πάλι ὅμως, γι' αὐτόν δέν ἔχει τήν ἴδια ἔννοια πού τῆς ἔχει δοθεῖ στόν δυτικό κόσμο, δηλαδή δέν σημαίνει λαϊκή ψῆφος. Ἡ λέξη πάντως πού ὁ Ρουσώ προτιμᾶ, εἶναι "κυριαρχία", καί ἡ λαϊκή αὐτή κυριαρχία ἐκφράζεται μέσω τῆς "γενικῆς θελήσεως".

Ἡ γενική θέληση δέν ἔχει καμιά σχέση μέ τήν πλειοψηφία τοῦ λαοῦ, οὔτε κἄν μέ τήν θέληση ὅλων τῶν πολιτῶν. Τό λέει ξεκάθαρα ὁ Ρουσώ στήν *Πραγματεία περί Πολιτικῆς Οἰκονομίας*: "Μά θά μοῦ ποῦνε, μέ ποιόν τρόπο μπορεῖ ν' ἀναγνωρίσει κανείς τήν γενική θέληση στίς περιπτώσεις πού δέν ἐμφανίζεται σαφῶς; Μήπως θά πρέπει νά συναθροίζουμε ὅλο τό ἔθνος γιά κάθε ἀπρόβλεπτο γεγονός; Ὄχι, διότι δέν εἶναι σίγουρο πώς ἡ ἀπόφασή του θά ἐκφράζει τήν γενική θέληση καί ἐπί πλέον αὐτός ὁ τρόπος εἶναι ἀνεφάρμοστος σέ ἕναν πολυπληθῆ λαό. Ἄλλωστε σπανίως χρειάζεται, ὅταν ἡ κυβέρνηση εἶναι καλά διατεθειμένη: διότι οἱ ἡγέτες γνωρίζουν ἀρκετά πώς ἡ γενική θέληση εἶναι πάντα μέ τό μέρος πού εὐνοεῖ περισσότερο τό κοινό συμφέρον, δηλαδή τό πιό δίκαιο, ἔτσι ὥστε νά εἶναι ἀρκετό νά εἶναι κανείς δίκαιος γιά νά εἶναι σίγουρος ὅτι ἀκολουθεῖ τήν γενική θέληση." *(Discours sur l' Economie Politique*. J.-J. Rousseau, *Oeuvres complètes*, tome III, σσ. 250-251). Ἡ μελέτη αὐτή πού εἶναι γνωστή καί ὡς τρίτη πραγματεία (Troisième Discours), δημοσιεύθηκε γιά πρώτη φορά τό 1755 στόν 5ο τόμο τῆς *Ἐγκυκλοπαίδειας*, στίς σελίδες 337-349. Ἀργότερα, τό 1762, στό *Κοινωνικό Συμβόλαιο*, ὁ Ρουσώ δέν ἀπέκλεισε τήν ψῆφο ἤ καί ἐνίοτε τήν ἀρχή τῆς πλειοψηφίας καί πρότεινε συγκρότηση συνελεύσεως τοῦ λαοῦ, ἀλλά αὐτές οἱ πρακτικές λύσεις γιά κάποια καί πάντα ἐλλιπῆ ἔκφραση τῆς γενικῆς θελήσεως, καθόλου δέν ἀναιρεῖ τήν ἀπέχθεια πού ἔτρεφε γιά τό κοινοβουλευτικό σύστημα ἐκλεγμένων ἀντιπροσώπων. Στήν Δύση, ἡ ἰδέα τῆς ἀντιπροσώπευσης τῶν κοινωνικῶν ὁμάδων μέ ἀντιπροσώπους εἶχε καθιερωθεῖ ἀπό αἰῶνες καί ὁ Ρουσώ θεωροῦσε τά ἀντιπροσωπευτικά σώματα ὡς κατάλοιπα τοῦ φεουδαλισμοῦ. Νά ὑπενθυμίσουμε πώς στήν 'Αγγλία στόν 10ο αἰῶνα μ.Χ., ὁ Βασιλεύς ἐκλέγετο καί ἡ ἐξουσία του ἦταν περιορισμένη. Μετά τήν ἔλευση τῶν Νορμανδῶν, ὁ περιορισμός τῆς ἐλευθερίας πού ἐπακολούθησε εἶχε ὡς ἀποτέλεσμα τήν ἀνταρσία τῶν βαρώνων στόν 13ο αἰῶνα, τό δέ 1254, λόγω τοῦ μεγάλου ἀριθμοῦ τῶν ἱπποτῶν, ἀπεφασίσθη πώς θά ἐκλέγουν σέ κάθε κομιτεία ἀνά δύο ἀντιπροσώπους. Ἔτσι γεννήθηκε στήν 'Αγγλία τό ἀντιπροσωπευτικό σύστημα: κοινοβούλιο πού ἀντιπροσώπευε τίς κοινωνικές τάξεις. Στόν 14ο αἰῶνα οἱ βαρῶνοι καί οἱ ἐπίσκοποι συγκρότησαν τήν ἄνω Βουλή τῶν Λόρδων, ἐνῶ οἱ ἱππότες μέ τούς ἀστούς ἀπετέλεσαν τήν κάτω Βουλή τῶν Κοινοτήτων.

Ἴσως ἡ μεγαλύτερη εἰρωνεία ἔγκειται στό γεγονός ὅτι τό *Κοινωνικό Συμβόλαιο* πού χρησιμοποιήθηκε ἀπό τήν ἰδεολογία τοῦ φιλελευθερισμοῦ ὡς τό ἐγχειρίδιο τοῦ κοινοβουλευτικοῦ συστήματος, μπορεῖ κάλλιστα νά διαβαστεῖ ὡς ἐγχειρίδιο τοῦ ὁλοκληρωτικοῦ συστήματος στήν πιό ἀκραία του μορφή. 'Αλλά πιό συγκεκριμένα, ἄς δοῦμε ποιό μοντέλο πολιτείας περιγράφει τό βιβλίο αὐτό.

Ἡ βάση τοῦ συλλογισμοῦ εἶναι πώς τό ἄτομο δέν εἶναι τίποτα καί τό κοινωνικό σύνολο τό πᾶν. Εἴδαμε πώς ὁ μικροαστικός σοσιαλισμός τοῦ Ρουσώ εἶναι ἰσοπεδωτικός, δηλαδή πρόκειται περί ἰσοτισμοῦ (égalitarisme) καί ὄχι περί σοσιαλισμοῦ ὑπό τήν μαρξιστική ἔννοια. Τό μόνο πού ἐπιτρέπεται στόν ἄνθρωπο -ἡ οἰκογενειακή μικροϊδιοκτησία- ὑπάρχει κατ' ἀνάγκην λόγω τῆς πτώσεως ἀπό τόν Παράδεισο. 'Αλλά τό ἰδανικό θά ἦταν ὁ ἄνθρωπος νά μήν ἔχει ἀπολύτως τίποτα δικό του, νά εἶναι ἀπόλυτα γυμνός, διότι μήν ἔχοντας ἀπολύτως τίποτα νά χάσει, θά μποροῦσε ἔτσι νά εἶναι ἀπόλυτα ἐλεύθερος. Χαρακτηριστικά ἀπαιτεῖ τήν "ἀπόλυτη ἀλλοτρίωση τοῦ κάθε συνεταίρου, μαζί μέ ὅλα του τά δικαιώματα, σέ ὅλη τήν κοινότητα: διότι, πρῶτον, ἀπό τήν στιγμή πού ὁ καθένας δίδεται ὁλοκληρωτικά, ἡ κοινωνική θέση εἶναι ἴση γιά ὅλους καί ἐφ' ὅσον ἡ κοινωνική θέση εἶναι ἴση γιά ὅλους, κανείς δέν ἔχει συμφέρον νά τά φορτώσει στόν ἄλλο. 'Επί πλέον, ἐπειδή ἡ ἀλλοτρίωση γίνεται χωρίς περιορισμούς, ἡ ἕνωση εἶναι τέλεια καί κανένας συνέταιρος δέν ἔχει πλέον τίποτα νά ἀπαιτήσει... Τέλος, ἐφ' ὅσον ὁ καθένας δίδεται σέ ὅλους δέν δίδεται σέ κανέναν... ['Ιδού τό κοινωνικό σύμφωνο]: Καθένας ἀπό μᾶς βάζει μαζί τό ἄτομό του καί ὅλη του τήν ἰσχύ ὑπό τήν ἀνωτάτη καθοδήγηση τῆς γενικῆς θελήσεως καί δεχόμεθα ὡς σῶμα, κάθε μέλος ὡς ἀδιαίρετο μέρος τοῦ συνόλου" *(Du Contrat social,* ἔνθ' ἀν., σσ. 360-361).

Οἱ ἐπιπτώσεις τῶν παραπάνω ἐξαγγελιῶν εἶναι σαφεῖς: "Γιά νά μήν εἶναι τό κοινωνικό σύμφωνο μιά μάταιη συλλογή τύπων, ἐξυπακούεται ὅτι περιέχει τήν δέσμευση πού μόνη αὐτή μπορεῖ νά δώσει ἰσχύ στίς ἄλλες, ὅτι ὁποιοσδήποτε ἀρνηθεῖ νά ὑπακούσει στήν γενική θέληση θά ἐξαναγκασθεῖ νά τό κάνει ἀπό ὅλο τό σῶμα, πού σημαίνει τί ἄλλο παρά ὅτι *θά τόν ὑποχρεώσουν νά εἶναι ἐλεύθερος"* (σ. 364). Τό ρουσωικό ὁλοκληρωτικό κράτος, καταργώντας ὅλα τά ἐνδιάμεσα σώματα καί ὅλους τούς ἀντιπροσώπους μεταξύ τοῦ λαοῦ καί τοῦ ἑαυτοῦ του, ἐπιβάλλει μιά ἀπόλυτη πολιτική ἐξουσία πού μόνη αὐτή θά δώσει στόν πολίτη τήν δικαιοσύνη καί τήν ἀρετή. Τό φορολογικό σύστημα θά πρέπει νά εἶναι ἐξοντωτικό, οὕτως ὥστε νά ἀφαιρέσει ἀπό τόν πολίτη τήν δυνατότητα μάταιης κατανάλωσης, διότι ὁ Ρουσώ ἀπεχθάνεται ὁποιαδήποτε πολυτέλεια. Δέν ἐπιτρέπει δέ στόν ἡγέτη νά ἔχει περισσότερες ὑλικές εὐκολίες ἀπό τούς ἄλλους μέ τήν πρόφαση ὑπηρεσιακῶν ἀναγκῶν.

Ἡ ἀπόλυτη ἐξουσία τοῦ κράτους ἔχει ὡς σκοπό τήν ἠθική ἀνύψωση τοῦ πολίτη καί τήν δημιουργία ἑνός "νέου ἀνθρώπου", πού τά ὁλοκληρωτικά κράτη τοῦ 20ου αἰώνα θά προσπαθήσουν νά δημιουργήσουν. 'Επειδή ὁ λαός εἶναι ὁ ἀπόλυτος κυρίαρχος, δέν εἶναι δυνατόν νά ὑπάρξει θεωρητικά διαχωρισμός τῶν τριῶν ἐξουσιῶν: τῆς ἐκτελεστικῆς, τῆς νομοθετικῆς καί τῆς δικαστικῆς, ὅπως εἶχε ἐξαγγελθεῖ ἀπό τό φιλελεύθερο σύστημα τοῦ Μοντεσκιέ. 'Εφ' ὅσον ἡ ἐξουσία τοῦ λαοῦ εἶναι ἀδιαίρετη, ὁ λαός εἶναι ἑρμαφρόδιτος μέ τήν ἔννοια ὅτι εἶναι συνάμα ἡγέτης καί διοικούμενος, ὁ λαός-ἡγεμών. Μιά εἰκόνα μπορεῖ νά δώσει παραστατικά αὐτήν τήν ἑρμαφρόδιτη κατάσταση. Ὁ λαός, πού εἶναι ἡ μόνη πραγματικότης, μπορεῖ νά ἀποδοθεῖ πάνω σ' ἕνα σχέδιο ὑπό τήν μορφή γραμμῆς. Αὐτός ὁ λαός-γραμμή βλέπει τόν ἑαυτό του μέσα σ' ἕνα καθρέφτη ὡς κουκκίδα. Ἡ παραμόρφωση τοῦ λαοῦ-γραμμή σέ λαό-κουκκίδα εἶναι μιά πλάνη τοῦ καθρέφτη. Τέτοιοι καθρέφτες ὑπάρχουν στά πανηγύρια καί κάνουν τόν ἄνθρωπο πότε χοντρό καί κοντό καί πότε λιγνό καί ψηλό. Ὁ λαός λοιπόν, βλέπει τόν ἑαυτό του στόν καθρέφτη ὡς ἡγέτη, δηλαδή ἡ γραμμή βλέπει τόν ἑαυτό της ὡς κουκκίδα. Ἀλλά ὁ ἡγέτης-κουκκίδα εἶναι ὁ ἴδιος ὁ λαός-γραμμή. Δέν ὑπάρχει ὡς διαφορετικό πρόσωπο.

Παρά τό γεγονός ὅτι ὁ ἡγέτης δέν ἔχει καμιά αὐθυπαρξία καί ἐξαρτᾶται πλήρως ἀπό τόν λαό, μόνη πραγματικότητα, πρακτικά πρέπει νά εἶναι χαρισματικός ἡγέτης, "πολιτικός ἥρωας" καί νά κατέχει στά χέρια του τήν ἀπόλυτη καί ἀδιαίρετη ἐξουσία πού πηγάζει ἀπό τόν λαό. Πρόκειται γι' αὐτό πού ὀνόμασε ὁ Χίτλερ τό Führersprinzip. Ὁ Χίτλερ *εἶναι* ἡ Γερμανία, δηλαδή ἡ μόνη πραγματικότητα εἶναι ὁ λαός-Γερμανία (ἡ γραμμή) καί ἡ ἀπεικόνισή του στόν καθρέφτη εἶναι ὁ Χίτλερ (ἡ κουκκίδα). Ἡ γενική θέληση εἶναι ἡ ἀντανάκλαση τοῦ λαοῦ μέσα στόν καθρέφτη, εἶναι ἡ κουκκίδα, δηλαδή ὁ πολιτικός ἥρωας, ὁ Χίτλερ.

Αὐτός ὁ ἡγέτης-ἥρωας ἔχει ὑποχρέωση νά διαπαιδαγωγήσει τόν ἀμόρφωτο λαό γιά νά τόν ἀνυψώσει στό ὑπέρτατο ἐπίπεδο τῆς ἀρετῆς, μέσω ἀδιάκοπης προπαγάνδας. Ἄς δοῦμε πῶς ὁ Ρουσώ περιγράφει τόν ἥρωα (τόν χαρισματικό ἡγέτη) στό κεφάλαιο τοῦ *Κοινωνικοῦ Συμβολαίου* πού τιτλοφορεῖ "Περί νομοθέτου": "Γιά νά ἀνακαλυφθοῦν οἱ καλύτεροι κανόνες τῆς κοινωνίας πού νά ἁρμόζουν στά ἔθνη, θά χρειαζόταν ἕνας ἀνώτερος νοῦς... Θά χρειαζόντουσαν θεοί γιά νά δώσουν νόμους στούς ἀνθρώπους... Ἄν ἀληθεύει πώς ἕνας μεγάλος ἡγεμών εἶναι σπάνιο φαινόμενο, πόσο μᾶλλον ἕνας μεγάλος νομοθέτης. Ὁ πρῶτος δέν ἔχει παρά νά ἀκολουθήσει τό πρότυπο πού ὁ ἄλλος πρέπει νά προτείνει... Αὐτός πού ἔχει τό θάρρος νά θέσει νόμους γιά ἕναν λαό, πρέπει νά αἰσθάνεται πώς εἶναι σέ θέση ν' ἀλλάξει, οὕτως εἰπεῖν, τήν ἀνθρώπινη φύση, νά μεταμορφώσει τό κάθε ἄτομο, πού ὥς ἔχει εἶναι ἕνα τέλειο καί μοναχικό σύνολο, σέ τμῆμα ἑνός πιό μεγάλου συνόλου, ἀπό τό ὁποῖο αὐτό τό ἄτομο θά λάβει, νά ποῦμε, τήν ζωή του καί τήν ὕπαρξή του, ν' ἀλλοιώσει τήν ἰδιοσυγκρασία τοῦ ἀνθρώπου γιά νά τήν δυναμώσει... Πρέπει, ἐν συντομίᾳ, νά ἀφαιρέσει ἀπό τόν ἄνθρωπο τίς δικές του δυνάμεις γιά νά τοῦ δώσει ἄλλες, ξένες δυνάμεις, τίς ὁποῖες δέν θά μπορεῖ νά χρησιμοποιήσει χωρίς τήν βοήθεια τρίτων... Πρέπει νά προσέξουμε καί μιά ἄλλη δυσκολία. Οἱ σοφοί πού θέλουν νά μιλήσουν τήν γλῶσσα τους ἀντί τῆς γλῶσσας τοῦ κοσμάκη ἀπευθυνόμενοι σ' αὐτόν δέν θά μπορέσουν νά γίνουν κατανοητοί. Καί ὅμως ὑπάρχει πληθώρα ἰδεῶν πού εἶναι ἀδύνατον νά μεταφρασθοῦν στήν γλῶσσα τοῦ λαοῦ... Ὁ νομοθέτης μή μπορώντας νά χρησιμοποιήσει οὔτε τήν ἰσχύ, οὔτε τήν λογική, πρέπει νά προσφύγει σέ μιά ἀρχή ἄλλου εἴδους πού θά δύναται νά φέρει τήν συσπείρωση γύρω του χωρίς βία καί νά πιστέψει κανείς χωρίς νά πεισθεῖ.

Αὐτός εἶναι ὁ λόγος γιά τόν ὁποῖον ἀνέκαθεν οἱ πατέρες τοῦ ἔθνους ὑποχρεώνονταν νά προσφύγουν στήν ἐπέμβαση τοῦ οὐρανοῦ καί νά ἀποδώσουν στούς θεούς τήν δική τους σοφία, οὕτως ὥστε οἱ λαοί... νά ὑποτάσσονται οἰκειοθελῶς στόν ζυγό τῆς δημοσίας εὐδαιμονίας... Ὁ νομοθέτης βάζει τίς ἀποφάσεις μέσα στό στόμα τῶν ἀθανάτων... Ἡ μεγάλη ψυχή τοῦ νομοθέτη εἶναι τό πραγματικό θαῦμα πού πρέπει νά ἀποδείξει τήν ἀποστολή του." (σσ. 381-384).

Ὁ Ρουσώ θά ἐπιθυμοῦσε νά δεῖ πίσω ἀπό τόν πολιτικό ἡγέτη, ὡς καθοδηγητή, ἕναν Πλάτωνα ἤ ἕναν Κονφούκιο, δηλαδή ἕναν σοφό φολόσοφο ὁ ὁποῖος εἶναι καί ὁ πραγματικός ἥρωας. Στόχος τοῦ ἥρωα εἶναι νά διαμορφώσει ἕναν καινούργιο ἄνθρωπο, νά τόν ξαναπλάσει ἐξ ἀρχῆς μέσα στό καλούπι τοῦ ὁλοκληρωτικοῦ κράτους. Ὁ ἀνώτερος αὐτός ἄνθρωπος δέν μπορεῖ νά χρησιμοποιήσει τήν ἀλήθεια γιά νά διαπαιδαγωγήσει τόν λαό πού εἶναι πνευματικά κατώτερος καί θά πρέπει νά ἐπικαλεῖται τόν Θεό γιά νά περάσει τίς ἰδέες του καί τά προστάγματά του. Ἄλλωστε ὁ Ρουσώ ἐλάτρευε τόν Πλάτωνα καί ἀναφερόταν ἐπίσης στό κινεζικό κονφουκιανικό σύστημα ὡς μοντέλο του. Γράφει στήν *Πραγματεία περί Πολιτικῆς Οἰκονομίας:* "Ψάχνω ὅσο τό δυνατόν καλύτερα παραδείγματα νά ἀκολουθήσω σ' αὐτήν τήν περίπτωση. Στήν Κίνα ὁ ἡγεμών ἔχει ὡς πάγεια ἀρχή νά παίρνει μέρος κατά τῶν δημοσίων ὑπαλλήλων του σέ ὅλες τίς ἀντιδικίες τους μέ τόν λαό. Τό ψωμί εἶναι ἀκριβό σέ κάποια ἐπαρχία; Ὁ ἔφορος φυλακίζεται.

Γίνεται ἐξέγερση σέ κάποια ἄλλη ἐπαρχία; Ὁ κυβερνήτης καθαιρεῖται καί ὁ κάθε μανδαρῖνος παίζει τό κεφάλι του γιά ὁποιοδήποτε κακό συμβαίνει στό τομέα του. Αὐτό δέν σημαίνει πώς δέν ἐξετάζεται κατόπιν ἡ ὑπόθεση σέ μιά τακτική δίκη. Ἀλλά μιά μακρά πεῖρα τοῦ ἐπιτρέπει νά προδικάζει τήν δικαστική ἀπόφαση. Σπάνια τυχαίνει νά χρειάζεται νά ἐπανορθώσει κάποια ἀδικία καί ὁ αὐτοκράτωρ, ἀπόλυτα πεπεισμένος πώς ἡ λαϊκή κραυγή ποτέ δέν ἀκούγεται χωρίς λόγο, ἀναγνωρίζει πάντα στό μέσον τῶν φωνασκιῶν τῆς ἀνταρσίας πού τιμωρεῖ, δίκαια παράπονα πού ἱκανοποιεῖ" *(Discours sur l' Economie Politique,* ἔνθ' ἀν., σ. 251). Διότι ἡ γενική θέληση ἐξασκεῖται σωστά μόνον ἀπό τόν πολιτικό ἥρωα, χωρίς ἔλεγχο ἐνδιαμέσων σωμάτων.

Οἱ ἀρχές τῆς φασιστικῆς διακυβερνήσεως, ἀντίθετες μέ τά ἀστικοαναγεννησιακά πρότυπα, δίνουν τό χέρι, πάνω ἀπό τό κεφάλι τῆς Δυτικῆς Ἀναγεννήσεως, στίς πολιτικές ἀρχές πού δέσποζαν στόν πλανήτη μας ἀπό τήν ἐποχή τῆς Ἀρχαιότητας. Ἔτσι ὁ Ρουσώ συναντᾶ τόν Κονφούκιο. Τό "κοινωνικό συμβόλαιο" τοῦ κινέζου σοφοῦ πού ἐφαρμόσθηκε στήν Κίνα ἐπί 2000 χρόνια, βασίζεται στίς ἑξῆς πέντε ἀρχές: α) Ὁ ἡγεμών πρέπει ν' ἀνατραπεῖ ἀπό τόν λαό ἐάν ἔπαψε νά εἶναι καλός. β) Ἡ λαϊκή ἐξέγερση ὅταν ἐπιβάλλεται, εἶναι ἀναφαίρετο δικαίωμα τοῦ λαοῦ. γ) Μόνη πηγή τῆς πολιτικῆς ἐξουσίας εἶναι ὁ λαός. δ) Ὁ αὐτοκράτωρ ὑπάρχει μόνον πρός ἐξυπηρέτηση τοῦ λαοῦ του. Δέν ἔχει κανένα δικαίωμα ἀλλά μόνον ὑποχρεώσεις. Ὡς ἀνώτερος ἄνθρωπος, πνευματικά καί ἠθικά, δέν χρειάζεται κανένα ὑλικό κίνητρο γιά νά ἐξασκήσει τό λειτούργημά του, ἀντίθετα ἀπό τόν κοσμάκη πού μοιάζει μέ τό σκυλί στό τσίρκο νά περιμένει τήν ζάχαρη γιά νά κάνει τό νούμερό του. ε) Ὅσο ὁ ἡγεμών εἶναι "σωστός", δηλαδή ἐνεργεῖ κονφουκιανικά, τότε εἶναι ἀποδεκτός ἀπό τόν λαό καί κυβερνᾶ ὡς ἀπόλυτος μονάρχης.

Αὐτή ἡ ἄμεση μυστικιστική σχέση μεταξύ τοῦ σοφοῦ "νομοθέτη" (Κονφούκιου) πού δρᾶ μέσω τοῦ ἡγεμόνος, καί τοῦ λαοῦ, χωρίς ἐνδιάμεσους ἀντιπροσώπους, ὀνομάζεται στό σύγχρονο ὁλοκληρωτικό κράτος ἄμεση δημοκρατία, ἡ μόνη πραγματική καί τέλεια δημοκρατία, ἐφ' ὅσον ὁ λαός διοικεῖ ἄμεσα τόν ἑαυτό του διά τοῦ ἑαυτοῦ του, δηλαδή μέ τήν ἀντανάκλασή του στόν καθρέφτη πού εἶναι ὁ ἀπόλυτος ἡγεμών. Αὐτή ἦταν ἡ σχέση μεταξύ Μάο καί κινεζικοῦ λαοῦ στήν διάρκεια τῆς πολιτιστικῆς ἐπαναστάσεως τοῦ 1966-1976, ὅπου παραμερίστηκαν ὅλα τά ἐνδιάμεσα σώματα μεταξύ λαοῦ καί ἡγέτου, ὅπως ἦταν τό κινεζικό κομμουνιστικό κόμμα. Ἄλλωστε καί στίς ἀρχές τῆς Γαλλικῆς Ἐπαναστάσεως, ἡ ρουσωική ἰδέα τῆς ἄμεσης δημοκρατίας εἶχε ὡς ἀποτέλεσμα νά θεωρεῖται ἀντιδημοκρατική ὁποιαδήποτε συσπείρωση (ἐπαγγελματικό συνδικάτο ἤ κόμμα) ὡς ἐκφράζουσα ἰδιωτικά συμφέροντα πού παρεισέδυαν μεταξύ τοῦ λαοῦ. Οἱ λέξεις φατρία (faction) καί φατριαστής (factieux) γιά νά χαρακτηρίσουν τέτοιου εἴδους συσπειρώσεις, ἐθεωροῦντο ἡ ὕψιστη ὕβρις. Ἀντιθέτως, στήν σημερινή Μέκκα τοῦ καπιταλισμοῦ, τίς Ἡνωμένες Πολιτεῖες, ἀκόμη καί οἱ ἀναρίθμητες ὁμάδες πιέσεως θεωροῦνται ὡς φυσιολογική ἄσκηση τοῦ δημοκρατικοῦ δικαιώματος.

Ἡ ρουσωική γενική θέληση ὀνομάζεται ἀπό τόν Κονφούκιο "ἐντολή τοῦ οὐρανοῦ" (tianming) πού δίδεται προσωρινά στόν αὐτοκράτορα, ὁ ὁποῖος εἶναι ὁ μυστικός σύνδεσμος μεταξύ φύσεως καί κοινωνίας ἤ μεταξύ οὐρανοῦ καί γῆς. Ὁ οὐρανός εἶναι *γιάνγκ*, εἶναι στρογγυλός, ἀντιπροσωπεύει τόν νομάδη-βοσκό, ἐνῶ ἡ γῆ εἶναι *γίν*, τετράγωνη καί ἀντιπροσωπεύει τόν ἐγκατεστημένο ἀγρότη. Στήν κινεζική γραφή, ὁ χαρακτήρας μέ τόν ὁποῖο γράφεται ἡ λέξη οὐάνγκ (wang) εἶναι τρεῖς παράλληλες γραμμές πού τίς διαπερνᾶ στήν μέση μιά διαγώνια γραμμή. Ἡ πάνω παράλληλη γραμμή ἀντιπροσωπεύει τόν οὐρανό, ἐνῶ ἡ τρίτη χαμηλώτερη γραμμή τήν γῆ. Ἡ δεύτερη ἐνδιάμεση γραμμή μεταξύ οὐρανοῦ καί γῆς ἀντιπροσωπεύει τόν ἄνθρωπο. Αὐτές εἶναι οἱ τρεῖς μόνες πραγματικότητες τῆς συνθέσεως ἀνθρώπου-φύσεως. Ἡ διαγώνια γραμμή πού διαπερνᾶ τίς τρεῖς παράλληλες, δέν ἔχει αὐθυπαρξία καί ἀντιπροσωπεύει τόν ἡγεμόνα. Εἶναι μιά μυστική ἐνέργεια πού πηγάζει ἀπό τόν οὐρανό καί μεταδίδεται στήν γῆ μέσω τοῦ ἀνθρώπου. Αὐτός λοιπόν ὁ χαρακτήρας τῶν τεσσάρων γραμμῶν, χρησιμοποιεῖται στά κινεζικά γιά νά γραφτεῖ ἡ λέξη βασιλεύς (wang). Ἡ ἐνέργεια τῆς διαγώνιας γραμμῆς εἶναι ἀκριβῶς ἡ γενική θέληση, ἡ ἐντολή τοῦ οὐρανοῦ, γι' αὐτό καί ὁ αὐτοκράτωρ ὀνομάζεται Τιάν Τσέ (Tian tse), πού σημαίνει υἱός τοῦ οὐρανοῦ. Ὁ πλανήτης Κίνα (ἡ Ἀνατολή τῆς Εὐρασίας· οἱ ἄλλοι δύο πλανῆτες εἶναι ἡ Ἐνδιάμεση Περιοχή καί ἡ Δύση) οἰκουμενικός καί αὐθύπαρκτος, σχεδιάζεται ἀπό τούς Κινέζους ὡς κύκλος μέσα σέ τετράγωνο. Ὁ κύκλος εἶναι ὁ οὐρανός καί τό τετράγωνο ἡ γῆ. Ἡ Κίνα εἶναι ὁλόκληρη ἡ χώρα πού καλύπτεται ἀπό τόν κύκλο-οὐρανό, γι' αὐτό καί ἡ λέξη πού στά κινεζικά σημαίνει Κίνα, εἶναι Τζόνγκουο (Zhongguo) δηλαδή "Αὐτοκρατορία τοῦ Κέντρου" καί ὁ κινεζικός πολιτισμός λέγεται Τζόνγκουα (Zhonggua) πού σημαίνει "πολιτισμός τοῦ κέντρου". Οἱ τέσσερις γωνίες τοῦ τετραγώνου-γῆ πού δέν καλύπτονται ἀπό τόν κύκλο-οὐρανό, δηλαδή πού εἶναι ἐκτός Κίνας, συγκροτοῦν τόν ὑπόλοιπο κόσμο πού δέν ἔχει τό προνόμιο νά δέχεται τήν πνευματική ἀκτινοβολία τοῦ οὐρανοῦ.

Ἀλλά καί γιά τόν Κονφούκιο ὅπως καί γιά τόν Ρουσώ, τό ἐρώτημα τίθεται: μέ ποιόν τρόπο μπορεῖ νά ἀναγνωρίσει κανείς τήν ὕπαρξη τῆς ἐντολῆς τοῦ οὐρανοῦ (τῆς γενικῆς θελήσεως), ἀφοῦ ἐκλογές δέν ὑπάρχουν; Ἡ ἀπάντηση εἶναι ὅμοια μέ τοῦ Ρουσώ, δηλαδή πώς ἡ ἐντολή τοῦ οὐρανοῦ εἶναι πάντα μέ τό μέρος τοῦ κοινοῦ συμφέροντος, ἔτσι ὥστε νά εἶναι ἀρκετό νά εἶναι κανείς δίκαιος (κονφουκιανός) γιά νά εἶναι σίγουρος πώς ἀκολουθεῖ τήν ἐντολή τοῦ οὐρανοῦ. Ὅταν ὅμως παύει ὁ αὐτοκράτωρ νά φέρεται σωστά, τότε ὑπάρχει "ἀκύρωση τῆς ἐντολῆς", πού λέγεται *γκέμινγκ* (geming), λέξη πού στά κινεζικά σημαίνει ἐξέγερση, διότι τότε ὁ λαός ἐξεγείρεται νόμιμα γιά νά ἀνατρέψει τόν αὐτοκράτορα πού ἔπαψε νά εἶναι ἀντανάκλαση τῶν ὑπηκόων του, ἐφ' ὅσον, κατά τήν ἔκφραση τοῦ Κονφούκιου, "ὁ λαός εἶναι τό στοιχεῖο τό πιό σημαντικό καί ὁ ἡγεμών τό στοιχεῖο τό λιγότερο σημαντικό".

Γεγονότα πού προμηνύουν τήν ἀκύρωση τῆς ἐντολῆς καί πού βοηθοῦν τόν αὐτοκράτορα καί τούς ὑπηκόους νά συνειδητοποιήσουν τήν ἀπαρχή τῆς παρακμῆς, εἶναι τά ἀκόλουθα: α) Ἀστρονομικά φαινόμενα, ὅπως ἐκλείψεις τοῦ ἡλίου, σεισμοί, ἐκρήξεις ἡφαιστείων. β) Κλιματικές ἀλλαγές. γ) Φυσικές καταστροφές, ὅπως πλημμύρες, ξηρασίες, τυφῶνες. δ) Ὁ παραμελισμός καί ἡ κατάρρευση τοῦ ὑδραυλικοῦ συστήματος τῶν φραγμάτων, διωρύγων καί τῶν ἐν γένει ἀρδευτικῶν ἔργων. ε) Ἡ διαφθορά τῶν δημοσίων ὑπαλλήλων (τῶν μανδαρίνων) στ΄) Οἱ ἀνθρώπινες καταστροφές, ὅπως λιμοί καί ἐκτεταμένες ἀπώλειες ζωῶν. ζ) Ἡ διαφθορά τοῦ ἰδίου τοῦ αὐτοκράτορος καί τοῦ ἄμεσου περιβάλλοντός του. η) Τέλος, ἀλλεπάληλες ἀγροτικές ἐξεγέρσεις. Συχνά ὁ ἡγέτης τῆς τελικῆς ἐξεγέρσεως, πού συχνά εἶναι ὁ ἴδιος ἀγρότης ἤ καλόγερος ταοϊστής ἤ βουδδιστής, πρίν ἀπό τήν κατάρρευση τῆς δυναστείας γίνεται αὐτοκράτωρ καί ἱδρύει μιά καινούργια δυναστεία. Σ' αὐτό τό σύστημα δέν ὑπάρχει ἡ ἔννοια τῆς ἀνοδικῆς προόδου πού εἰσήγαγε ἡ δυτική Ἀναγέννηση, ἀλλά ἡ ἔννοια τοῦ κύκλου. Ἡ ἐπανάσταση δέν ἔχει σκοπό νά ἐγκαθιδρύσει ἕνα καινούργιο σύστημα, ἀλλά ἀντιθέτως νά ἐπαναφέρει στήν προτεραία του μορφή, αὐτό πού ὑπῆρχε πρό τῆς παρακμῆς, τό ἴδιο σύστημα, αὐτήν τήν τέλεια κοινωνία πού εἶχε ἐπινοήσει μιά γιά πάντα ὁ Κονφούκιος. Συνεπῶς τήν στιγμή τῆς ἐξεγέρσεως, ἔντονο ἦταν πάντα τό αἴσθημα νοσταλγίας τοῦ χαμένου παραδείσου. Μέ τήν καινούργια δυναστεία τό κοινωνικό συμβόλαιο ἀποκαθίσταται καί ἡ "ἐντολή τοῦ οὐρανοῦ" δίδεται πάλι στόν καινούργιο αὐτοκράτορα. Ὁ κύκλος τῆς ἀκμῆς-παρακμῆς ξαναρχίζει. Καί ὁ Μάο (ἀσχέτως ἐάν κατεδίκαζε τόν κονφουκιανισμό γιά νά τόν ἀντικαταστήσει μέ τόν μαοϊσμό), ἐγνώριζε πώς ὁ "ἡγεμών", δηλαδή τό καμμουνιστικό κόμμα, μέ τόν καιρό παρακμάζει καί εἶναι ἐπιτακτική ἀνάγκη περιοδικές λαϊκές ἐπαναστάσεις νά ἐπαναφέρουν στήν προτεραία του μορφή τό μαοϊκό σύστημα. Ὅπως καί στόν μαοϊσμό, τά τρία κύρια χαρακτηριστικά τῶν ἀγροτικῶν ἐξεγέρσεων τῆς κονφουκιανικῆς περιόδου 2000 ἐτῶν ἦσαν ὁ ἰσοτισμός (νοσταλγία τοῦ πρωτόγονου κομμουνισμοῦ), ἡ παράδοση καί ὁ μυστικισμός.

ΚΕΦΑΛΑΙΟ ΤΡΙΤΟ

Ο ΜΥΣΤΙΚΙΣΜΟΣ ΤΗΣ ΦΑΣΙΣΤΙΚΗΣ ΙΔΕΟΛΟΓΙΑΣ

Ἐφ' ὅσον οἱ τρεῖς ἰδεολογίες γεννήθηκαν στήν Δύση γιά νά πληρώσουν τό κενό πού εἶχε ἀφήσει ἡ περιθωριοποίηση τῆς θρησκείας, φυσικό ἦταν καί οἱ τρεῖς, στήν στάση τους μπροστά στά προβλήματα, νά εἶχαν κρατήσει κάτι τό θρησκευτικό. Ἔτσι μιλᾶμε γιά "πίστη" τοῦ φιλελευθερισμοῦ πρός τήν ἐπιστήμη, τῆς ὁποίας ἡ ἀλήθεια γίνεται ἀπόλυτη καί ἀντικαθιστᾶ τόν Θεό, ἤ γιά θρησκευτικό ὁραματισμό τῆς ἀταξικῆς ἐσχατολογικῆς κοινωνίας τοῦ κομμουνισμοῦ. Ἀλλά σέ καμιά ἰδεολογία ἡ διείσδυση τῆς θρησκευτικῆς συμπεριφορᾶς δέν ἦταν τόσο εὐρεία ὅσο στόν φασισμό.

Ἄς δοῦμε πρῶτα ποιά ἦταν ἡ στάση τοῦ πατέρα τῆς φασιστικῆς ἰδεολογίας, Ζάν-Ζάκ Ρουσώ, στό θέμα τῆς θρησκείας. Ὁ Γενευέζος "προφήτης" εἶχε βαθειά θρησκευτική πίστη. Ἔγραφε στόν ἐχθρό του, τόν Βολταῖρο, σέ μιά ἐπιστολή πού τοῦ ἔστειλε στίς 18 Αὐγούστου 1756: "Χορτασμένος ἀπό δόξα καί κουρασμένος ἀπό μάταιες τιμές, ζεῖτε ἐλεύθερος μέσα στήν ἀφθονία... καί ὅμως βρίσκετε πώς μόνον κακό ὑπάρχει πάνω στήν γῆ. Κι ἐγώ, ἀφανής, φτωχός καί βασανισμένος... βρίσκω τά πάντα ὡραῖα. Ἀπό ποῦ προέρχεται αὐτή ἡ φαινομενική ἀντίφαση; Ἐσεῖς ὁ ἴδιος δώσατε τήν ἐξήγηση: ἀπολαμβάνετε ἐνῶ ἐγώ ἐλπίζω καί ἡ ἐλπίδα ἐξωραΐζει τά πάντα... Ὄχι, ἀρκετά ὑπέφερα σέ τούτην ἐδῶ τήν ζωή. Τώρα περιμένω μιάν ἄλλη. Ὅλες οἱ σοφιστεῖες τῆς μεταφυσικῆς δέν θά δυνηθοῦν νά μέ κάμουν νά ἀμφιβάλω οὔτε μιά στιγμή γιά τήν ἀθανασία τῆς ψυχῆς καί γιά τήν ὕπαρξη μιᾶς ἀγαθοεργοῦς πρόνοιας. Τήν αἰσθάνομαι, τήν πιστεύω, τήν θέλω, τήν ἐλπίζω, θά τήν ὑπερασπίσω ὡς τήν τελευταία μου πνοή." (*Lettre de J.-J. Rousseau à M. de Voltaire*, J.-J. Rousseau, *Oeuvres complètes*, tome IV, σσ. 1074-1075).

Τήν θρησκεία του ὅμως τήν εἶχε οἰκοδομήσει μόνος του. Ὁ Βολταῖρος τόν εἶχε ἀποκαλέσει πίθηκο τοῦ Διογένη. Ἀλλά ὁ Γενευέζος προφήτης δέν διαχωρίζει τόν ἑαυτό του ἀπό τήν κοινωνία μέ τόν ἴδιο τρόπο πού τό ἔπραττε ὁ ὀπαδός τῆς φιλοσοφικῆς σχολῆς τῶν κυνικῶν ἤ ἕνας καλόγερος. Ὁ Ρουσῶ ὑπῆρξε ὁ πρῶτος χίππης τῆς ἀναγεννησιακῆς κοινωνίας. Παρατημένος μέσα σέ μιά ἀτομικοποιημένη κοινωνία πού τείνει νά ἀποσυνθέσει ὅλες τίς κοινωνικές ἀξίες πρός χάριν τοῦ ἀτόμου, ἐπιζητεῖ μέ πάθος τήν θαλπωρή τῆς χαμένης οἰκογενείας, τῆς χαμένης θρησκείας, τοῦ χαμένου κοινωνικοῦ ἀλληλεγγυϊσμοῦ. Αὐτός ὁ πρόγονος τῆς τραγικῆς νεολαίας πού θά ἀνθίσει ἀργότερα στήν ἄκαρδη ἔρημο τῶν βιομηχανικῶν μεγαλουπόλεων, κρύβει μέσα του τήν βασική ἀντίφαση ὅλων τῶν χίππηδων πού χαρακτηρίζει τόν ἀναρχισμό: ἀπέχθεια γιά ὁποιοδήποτε ἐξαναγκασμό τοῦ ἀτόμου ἀπό τήν κρατική ἐξουσία καί ἐπιθυμία τοῦ ἰδίου αὐτοῦ ἀτόμου νά ἐνταχθεῖ χωρίς περιορισμούς σ' ἕνα ὁλοκληρωτικό κράτος.

Ὁ Ρουσῶ εἶχε γεννηθεῖ σέ μιά προτεσταντική καλβινιστική οἰκογένεια. Οἰκογένεια ὅμως δέν γνώρισε ἀφοῦ ἡ μητέρα του πέθανε γεννώντας τον καί ὁ πατέρας του τόν ἄφησε οἰκότροφο νά τόν ἀναθρέψει ἕνας πάστορας, μερικά χιλιόμετρα ἔξω ἀπό τήν

Γενεύη. Στά 15 του χρόνια τό σκάει ἀπό τήν Γενεύη καί πηγαίνει στήν γειτονική καθολική Σαβοΐα, ὅπου τόν παραλαμβάνει ἕνας καθολικός παπάς πού τοῦ προπαγανδίζει τόν καθολικισμό. Κατόπιν τόν στέλνει στήν κοντινή πόλη τοῦ Ἀννεσύ σέ μιά Ἑλβετίδα κυρία πού εἶχε προσφάτως ἀλλαξοπιστήσει καί εἶχε γίνει καθολική, ἔπαιρνε μισθό ἀπό τόν βασιλέα τῆς Σαρδηνίας-Πεδεμοντίου-Σαβοΐας καί ὑποχρεωνόταν ἀπό τούς καθολικούς παπάδες νά δέχεται νεαρούς προτεστάντες μέ σκοπό νά τούς κάνει καθολικούς. Τό μέσον ἦταν ἁπλό: προσεφέρετο ὡς παλλακίδα στούς νεαρούς αὐτούς. Ὀνομάζετο Μαντάμ ντέ Βαρένς (madame de Warens). Ὁ τρόπος μέ τόν ὁποῖο ἡ καθολική ἐκκλησία προσηλύτιζε τίς "αἱρετικές ψυχές", μέ καλό κρασί καί γυναῖκες, ὅπως μᾶς τόν περιγράφει ὁ ἴδιος ὁ Ρουσώ, εἶναι ἀνατριχιαστικός. Πράγματι ἡ κυρία αὐτή τόν ξεπαρθενεύει καί ἡ μεγάλη διαφορά ἡλικίας μεταξύ τους εἶχε ὡς ἀποτέλεσμα ὁ Ρουσώ νά τήν ὀνομάσει "μαμά", μιά καί δέν εἶχε ποτέ γνωρίσει μητέρα. Ἡ "μαμά" τόν ἔστειλε στήν πρωτεύουσα τοῦ βασιλείου τῆς Σαρδηνίας, τό Τορίνο, ὅπου ὁ Ρουσώ ἀλλαξοπίστησε κι αὐτός καί ἔγινε καθολικός γιά νά μπορέσει νά ἐπιζήσει ὑλικά, ὅπως ὁ ἴδιος ἔγραψε στίς "Ἐξομολογήσεις" του. Ἀλλά ὅλη του τήν ζωή εἶχε τύψεις γι' αὐτό πού ἔκανε. "Ἀπό τήν στιγμή πού ἔβλεπα τόν παπισμό μόνον σέ σχέση μέ τήν διασκέδαση καί τήν καλοφαγία, εὔκολα συνήθισα στήν ἰδέα νά ζήσω χάρη σ' αὐτόν... Δέν μπόρεσα ὅμως νά ἀποκρύψω στόν ἑαυτό μου ὅτι τό ἅγιον ἔργον πού ἐπρόκειτο νά ἐπιτελέσω, κατά βάθος δέν ἦταν τίποτα ἄλλο ἀπό μιά πράξη ληστοῦ. Ἄν καί πολύ νέος ἀκόμη, αἰσθάνθηκα πώς ἀσχέτως ποιά θρησκεία ἦταν ἡ πραγματική, ἐπρόκειτο νά πουλήσω τήν δική μου καί πώς ἔστω καί ἄν διάλεγα καλά, στήν καρδιά μου μέσα θά ἔλεγα ψέματα στό Ἅγιον Πνεῦμα καί θά ἤμουν ἄξιος τῆς περιφρόνησης τῶν ἀνθρώπων" (J. J. Rousseau, *Les confessions,* ἔνθ΄ ἀνωτ., σ. 62).

Οἱ σχέσεις του μέ τήν "μαμά" πῆραν κάποτε τέλος, ὅταν τήν θέση τοῦ ἐραστῆ τήν πῆρε ἕνας ἄλλος νεαρός Ἑλβετός πού ἦταν κουρέας καί πού κι αὐτόν ἡ Μαντάμ ντέ Βαρένς τόν εἶχε κάνει καθολικό.

Ἡ ἀλλαξοπιστία του ἐνέτεινε πολύ τίς ἀναρχικές του τάσεις

καί τήν θέλησή του νά εἶναι πάντα διαφορετικός ἀπό τούς ἄλλους. Ἀργότερα μάλιστα θά περιφέρεται ντυμένος μέ τήν ἐξωτική ἀμφίεση Ἀρμένη. Θά τόν ὠθήσει δέ νά ἐπινοήσει δικό του θρησκευτικό πιστεύω, πού θά καταγράψει στήν "Ὁμολογία πίστεως τοῦ ἐφημερίου ἀπό τήν Σαβοΐα" ("La profession de foi du vicaire savoyard").

Ἡ "Ὁμολογία" δέν εἶναι αὐτοτελές ἔργο. Συμπεριλαμβάνεται στό τέταρτο κεφάλαιο (livre quatre) τοῦ βιβλίου τοῦ Ρουσσώ περί παιδείας, *Emile* (Αἰμίλιος): σελ. 565-635 τῶν *Oeuvres complètes*, tome IV. Πρόκειται γιά δικό του θρησκευτικό πιστεύω πού βάζει στό στόμα ἑνός ἐφημέριου. Διηγεῖται τήν συνάντησή του μ' αὐτόν τόν ἐφημέριο στό Τορίνο ὅταν ἦταν 16 χρονῶν, στίς σελίδες πού προηγοῦνται τῆς "Ὁμολογίας", μέ τόν ἑξῆς τρόπο: "Πρίν ἀπό τριάντα χρόνια σέ μιά πόλη τῆς Ἰταλίας, ἕνας ἐκπατρισμένος νέος [ὁ ἑαυτός του] βρισκόταν στήν ἔσχατη ἔνδεια. Εἶχε γεννηθεῖ καλβινιστής, ἀλλά λόγω μιᾶς τρέλλας βρέθηκε φυγάς σέ ξένη χώρα, χωρίς χρήματα καί ἄλλαξε θρησκεία γιά νά βρεῖ ψωμί... [ἐκεῖ γνώρισε ἕναν καθολικό ἐφημέριο] Ἐσεῖς [τοῦ λέει ὁ Ρουσσώ] τόσο φτωχός, ξενιτεμένος, κατατρεγμένος, εἶσθε εὐτυχισμένος! Καί πῶς τά καταφέρατε; Παιδί μου, λέγει, εὐχαρίστως νά σᾶς τό πῶ... καί μοῦ διηγήθηκε τά παρακάτω". (*Emile*, J.-J. Rousseau, *Oeuvres complètes*, tome IV, σ. 558-565. Ἀκολουθεῖ ἡ ὁμολογία του).

Ἐπειδή ὁ Ρουσσώ δέν ἔχει θρησκευτική παίδευση κι ἐπειδή εἶχε πάθει σύγχυση λογώ τῆς ἀλλαξοπιστίας του, προσπαθεῖ νά οἰκοδομήσει δική του θρησκεία στήν ὁποία ἡ ἰδέα τοῦ Σατανᾶ, τοῦ κακοῦ, ὑπάρχει μόνον ὡς κοινωνικό φαινόμενο καί ὄχι θεολογικά. Τόν δέ Θεό τόν βλέπει ὡς ἀπόλυτη καλωσύνη, ἀλλά ὄχι ὥς τριαδικό. Ὅλες οἱ θρησκεῖες εἶναι καλές καί συνεπῶς τό πιό σωστό εἶναι νά ἀκολουθεῖ τό παιδί τήν θρησκεία τῶν γονέων του, κάτι πού δυστυχῶς δέν μπόρεσε νά πραγματοποιήσει ὁ Ρουσσώ γιά τόν ἑαυτό του. Ἀλλά ὁ Αἰμίλιος, σάν τόν Ρουσσώ, εἶναι χωρίς πατέρα καί χωρίς πατρίδα καί συνεπῶς θά διαλέξει μιά θρησκεία βασισμένη στήν συνείδηση πού κάθε ἄνθρωπος, ἐκ τοῦ φυσικοῦ του, ἔχει τῆς ἔννοιας τοῦ καλοῦ καί τοῦ κακοῦ. Πρόκειται γιά τήν "φυσική θρησκεία" πού πηγάζει ἀπό τήν καρδιά τοῦ ἀνθρώπου καί ὄχι ἀπό τήν θεϊκή ἀποκάλυψη. Εἶναι ἕνας μυστικισμός ἐκτός τῶν ἐκκλησιῶν." Ἡ βασική θρησκεία εἶναι ἡ θρησκεία τῆς καρδιᾶς" (σ. 627).

Πέρα ἀπό τήν φυσική θρησκεία, ἀπαραίτητη εἶναι καί ἡ ὕπαρξη "πολιτικῆς θρησκείας" (religion civile), ἐφ' ὅσον ὁ ἄνθρωπος ζεῖ σέ μιά πολιτική κοινωνία. Αὐτή ἡ θρησκεία δέν μπορεῖ νά εἶναι ὁ χριστιανισμός, διότι ἡ πεῖρα πού ὁ Ρουσώ εἶχε τοῦ χριστιανισμοῦ στήν Δύση, τοῦ ἔδειχνε πώς τό κράτος ἦταν διηρημένο μεταξύ τῆς πολιτικῆς ἐξουσίας καί τῆς θρησκευτικῆς. Ὁ Ρουσώ ἐπίστευε πώς ἔπρεπε νά ὑπάρχει πάντα μία καί μόνη πολιτική ἐξουσία βασισμένη στήν θρησκεία, νά μήν ὑπάρχει ἐκκοσμίκευση, νά μήν ὑπάρχει διαχωρισμός κράτους καί ἐκκλησίας. Γι' αὐτό καί προτιμᾶ τό Ἰσλάμ ἀπό τόν χριστιανισμό." Ὁ Μωάμεθ εἶχε πολύ σωστές ἰδέες", γράφει (*Du contrat social*, J.-J. Rousseau, *Oeuvres complètes*, tome III, σ. 462). Δυστυχῶς ὅμως μέ τόν καιρό, οἱ Ἄραβες ὑπέκυψαν στίς ἰδέες τῶν Βαρβάρων καί δέχθηκαν τήν διαίρεση τῶν δύο ἐξουσιῶν. Μέ ἄλλα λόγια καί σ' αὐτό τό σημεῖο, ὅπως καί σ' ὅλα τά ἄλλα, ὁ Ρουσώ καταδικάζει τίς ἀξίες τῆς Ἀναγεννήσεως καί ἀπαιτεῖ τήν ἐπιστροφή στήν προαναγεννησιακή δομή τοῦ κράτους, πού μπορεῖ πρακτικά νά ἐπιτευχθεῖ μόνον μέ τήν συγκρότηση μοντέρνου ὁλοκληρωτικοῦ κράτους.

"Ἡ θρησκεία... δύναται νά χωρισθεῖ σέ δύο μορφές, τήν θρησκεία τοῦ ἀνθρώπου καί τήν θρησκεία τοῦ πολίτη. Ἡ πρώτη εἶναι χωρίς ναούς, χωρίς ἱερά, χωρίς τελετουργίες καί περιορίζεται σέ μιά ἐντελῶς ἐσωτερική λατρεία τοῦ Ὑπέρτατου Θεοῦ καί στά αἰώνια καθήκοντα τῆς ἠθικῆς: πρόκειται γιά τήν ἀκραιφνῆ καί ἁπλή θρησκεία τοῦ Εὐαγγελίου, ὁ πραγματικός θεϊσμός καί αὐτό πού μπορεῖ κανείς νά ὀνομάσει τό φυσικό θεῖο δίκαιο [ἡ θρησκεία τοῦ ἐφημέριου ἀπό τήν Σαβοΐα]. Ἡ ἄλλη περιορίζεται σέ μία μόνον χώρα, στήν ὁποία προσφέρει τούς θεούς της, τά ἀφεντικά της, πού ἀνήκουν μόνον σ' αὐτήν καί τήν προστατεύουν. Ἔχει τά δόγματά της, τό τυπικό της, τήν ἐξωτερική της λατρεία, καθορισμένα ἀπό τούς νόμους... Μποροῦμε νά τήν ὀνομάσουμε πολιτικό θεῖο δίκαιο ἤ θετικό θεῖο δίκαιο. Ὑπάρχει καί μιά τρίτη μορφή θρησκείας, πιό περίεργη, πού δίνοντας στούς ἀνθρώπους δύο νομοθεσίες, δύο ἀρχηγούς, δύο πατρίδες, τούς ὑποχρεώνει νά ἔχουν ἀντιφατικά καθήκοντα καί τούς ἐμποδίζει νά εἶναι ταυτόχρονα πιστοί καί πολίτες... Ἡ τρίτη αὐτή μορφή εἶναι ἐμφανῶς τόσο κακή πού χάνει κανείς τόν καιρό του προσπαθώντας νά τό ἀποδείξει. Ὁτιδήποτε σπάει τήν κοινωνική ἑνότητα δέν ἀξίζει τίποτα. Ὅλες οἱ νομοθεσίες πού τοποθετοῦν τόν ἄνθρωπο σέ ἀντίφαση μέ τόν ἑαυτό του δέν ἀξίζουν τίποτα." (σ. 464).

Ἕνας πρόσθετος λόγος πού ὁ χριστιανισμός δέν κάνει γιά πολιτική θρησκεία, ὑποστηρίζει ὁ Ρουσώ εἶναι πώς "οἱ πραγματικοί χριστιανοί εἶναι φτιαγμένοι γιά δούλους" (σ. 467), ἐπειδή δέν πιστεύουν στήν βία καί ὁποιοσδήποτε στρατός μέ σπαρτιατική νοοτροπία θά τούς κατετρόπωνε. Τό ὁλοκληρωτικό κράτος τοῦ Ρουσώ θά χρειασθεῖ συνεπῶς μιά θρησκεία στά χέρια τοῦ ἡγέτη, μέ σκοπό νά κατευθύνει τόν λαό του πρός τόν ἐπιδιωκόμενο στόχο. Στήν οὐσία αὐτό πού ὀνομάζει "πολιτική θρησκεία" εἶναι ἡ ἐγκαθίδρυση πολιτικῆς ἰδεολογίας μέ μυστικιστικό περιχόμενο, ὅπως θά εἶναι ὁ ναζισμός ἀργότερα: "Ὑπάρχει μιά ὁμολογία πίστεως, καθαρῶς πολιτική, τά ἄρθρα τῆς ὁποίας καθορίζονται ἀπό τόν ἡγεμόνα... Ἐάν κάποιος πού δημοσίως ἀνεγνώρισε αὐτά τά δόγματα φερθεῖ σάν νά μήν τά πίστευε, θά πρέπει νά τιμωρηθεῖ μέ τήν ποινή τοῦ θανάτου... Τά δόγματα τῆς πολιτικῆς θρησκείας πρέπει νά εἶναι ἁπλά, λίγα, παρουσιασμένα μέ ἀκρίβεια, χωρίς ἐξηγήσεις οὔτε σχόλια" (σ.468).

Ἐπειδή τό σύγχρονο ὁλοκληρωτικό κράτος ἔχει σχέση μέ τίς πολιτικές ἀρχές τοῦ πλανήτη πρίν ἀπό τήν Ἀναγέννηση, ὁ Ρουσώ δέν ξεχνᾶ νά ἀναφερθεῖ καί στήν δυνατότητα συνυπάρξεως πολλῶν θρησκειῶν σέ πνεῦμα ἀνεξιθρησκείας μέσα σ' ἕνα πολυεθνικό κράτος τοῦ τύπου τῆς Ὀθωμανικῆς Αὐτοκρατορίας. Ὁ ὅρος αὐτῆς τῆς συνυπάρξεως –ὅπως ἀκριβῶς καί στήν Ὀθωμανική Αὐτοκρατορία– εἶναι οἱ θρησκεῖες αὐτές νά εἶναι ντόπιες καί ὄχι ξενοκίνητες καί ὅλες νά ἐντάσσονται στό σύστημα διακυβερνήσεως τῆς Αὐτοκρατορίας. Τήν ἴδια ἀρχή ἀκολουθεῖ στό Ἰράν μετά τό 1979, τό χομεϊνικό καθεστώς, ὅπου ἰδίως διώκονται οἱ Μπαχάϊ ἐπειδή θεωροῦνται ἀμερικανοφερμένοι. Συνεπῶς δέν εἶναι ἀντιφατική μέ τήν ἀρχή τοῦ ὁλοκληρωτισμοῦ, ἡ ἐξαγγελία ἀπό τόν Ρουσώ πώς ἕνα ἀπό τά δόγματα τῆς πολιτικῆς θρησκείας εἶναι καί ἡ ἀπαγόρευση τῆς μισαλλοδοξίας.

Ἡ καθολική ἐκκλησία ἐξεμάνη κατά τοῦ βιβλίου αὐτοῦ τοῦ Ρουσώ καί τό 1762 τό Παρίσι διέταξε νά καεῖ ὁ *Αἰμίλιος* δημοσίως καί ὁ συγγραφέας του νά ἐγκλεισθεῖ στίς φυλακές. Ὁ Ρουσώ μπόρεσε νά ξεφύγει καί βρέθηκε κυνηγημένος ἐπί ὀκτώ χρόνια ἀπό τίς γαλλικές ἀρχές. Κατά τήν διάρκεια ὅμως τῆς Γαλλικῆς Ἐπαναστάσεως, ὁ Ροβεσπιέρρος ἐγκαθίδρυσε τήν πολιτική θρησκεία, στίς 10 Νοεμβρίου 1793, μέ μιά μεγάλη τελετή πού ἔγινε στόν καθεδρικό ναό τῆς Παναγίας τῶν Παρισίων. Στίς 7 Μαΐου 1794, ἡ ἐπαναστατική βουλή τῆς Convention κατόπιν εἰσηγήσεως τοῦ ἡγέτου τῆς Ἐπαναστάσεως καί ἐνθουσιώδη ρουσωιστῆ Ροβεσπιέρρου, ψήφισε ὁμόφωνα τό παρακάτω νομοθετικό διάταγμα: "1) Ὁ γαλλικός λαός ἀναγνωρίζει τήν ὕπαρξη τοῦ Ὑπέρτατου Ὄντος (l' Etre suprême) καί τήν ἀθανασία τῆς ψυχῆς. 2) Ἀναγνωρίζει πώς ἡ θρησκεία πού ἁρμόζει στό Ὑπέρτατο Ὄν εἶναι ἡ ἐφαρμογή τῶν καθηκόντων τοῦ ἀνθρώπου... 4) Θά καθιερωθοῦν ἑορτές γιά νά θυμίζουν στόν ἄνθρωπο τήν θεότητα καί τήν ἀξιοπρέπεια τῆς ὑπάρξεώς του... 7) Θά γιορτάζει κάθε δέκα μέρες τίς ἑξῆς ἑορτές: στό Ὑπέρτατο Ὄν καί στήν Φύση..." (A. Aulard, *Histoire politique de la Révolution française*, Paris, A. Colin, 1926, σ. 489). Ὁ Ροβεσπιέρρος ὑπῆρξε ὁ πρῶτος πολιτικός ἡγέτης πού ἐφήρμοσε τήν ἰδεολογία τοῦ φασισμοῦ. Προσπάθησε νά εἶναι ὁ ἡγέτης-ἥρωας πού θά ἐφήρμοζε πιστά τίς ὁδηγίες τοῦ σοφοῦ φιλόσοφου Ρουσώ, ἀκριβῶς ὅπως ὁ τελευταῖος τίς εἶχε ἐκθέσει στό κεφάλαιο "Περί νομοθέτου" τοῦ *Κοινωνικοῦ Συμβολαίου*.

Ἔκτοτε, ἡ ρομαντική σκέψη πού θά κατακλύσει τόν 19ο αἰῶνα θά βρεθεῖ ἄρρηκτα συνδεδεμένη μέ τόν μυστικισμό: εἴτε μέ τήν ἰδέα τοῦ Θεοῦ, εἴτε μέ τήν ἰδέα τοῦ Διαβόλου· μέ τήν θεϊκή λατρεία ἤ μέ τήν διαβολική λατρεία τῶν "μαύρων λειτουργιῶν" (messes noires). Γι' αὐτό καί ἕνας σύγχρονος συγγραφέας παρατηρεῖ πώς "ἡ βασική διαφορά μεταξύ τοῦ ὁλοκληρωτισμοῦ τῆς ἀριστερᾶς καί τοῦ ὁλοκληρωτισμοῦ τῆς δεξιᾶς, [εἶναι πώς]... ἡ ἀριστερά διακηρύσσει τήν οὐσιαστική ἀγαθότητα καί δυνατότητα καλυτερεύσεως τῆς ἀνθρώπινης φύσεως, [ἐνῶ] ἡ δεξιά διακηρύσσει πώς ὁ ἄνθρωπος εἶναι δειλός καί διεφθαρμένος. (J. L. Talmon, *The Origins of Totalitarian Democracy*, ἔνθ' ἀν., σελ. 6-7).

Εἰδικά ἀπό τήν ἀρχή τοῦ 19ου αἰῶνος, ἡ δαιμονολογία παίρνει μεγάλες διαστάσεις μέ πρῶτο τόν λόρδο Βύρωνα. Ποιός ἦταν ὁ Βρετανός αὐτός ἀριστοκράτης. τοῦ ὁποίου στήν Ἑλλάδα εἶναι γνωστός μόνον ὁ φιλελληνισμός; Γεννήθηκε τό 1788 κουτσός. Ἔπρεπε νά φοράει παπούτσια εἰδικοῦ σχήματος ἐπειδή τά πόδια του ἦταν παραμορφωμένα. Πέθανε ἀπό πυρετό τό 1824 σέ ἡλικία 36 ἐτῶν. Ὁ πατέρας του εἶχε κι αὐτός πεθάνει στά 36 του τό 1791· κι δυό τους ἐξόριστοι ἐκτός τῆς πατρίδος τους: ὁ Βύρων στήν Ὀθωμανική Αὐτοκρατορία, ὁ πατέρας του στήν Γαλλία. Κι δυό τους ξεπεσμένοι ἀριστοκράτες χωρίς χρήματα. Ἡ κόρη τοῦ Βύρωνος, ἡ Ἄντα πέθανε, τό 1852, κι αὐτή 36 χρονῶν! Ἄραγε κάποια κατάρα εἶχε πέσει πάνω σ' αὐτήν τήν οἰκογένεια; Ὁ Διάβολος τούς ἐξουσίαζε; Ὁ λόρδος Βύρων τό πίστευε αὐτό: Ἦταν ἀντιπρόσωπος τοῦ Σατανᾶ ἐπί τῆς γῆς καί εἶχε κηρύξει τόν πόλεμο στόν Θεό πού τόν εἶχε κάνει κουτσό καί πού ὁμοίως εἶχε ἀδικήσει στήν ἀρχή τοῦ κόσμου καί τόν Κάϊν, τόν ἐγκληματία. Τό 1821 γράφει τόν *Κάϊν*, ὅπου ὑποστηρίζει τόν δολοφόνο τοῦ Ἄβελ. Μισεῖ τόν χριστιανισμό, ἀλλά ὁ μυστικισμός του εἶναι ἔντονος. Ὁ πρόγονός του, ὁ John Byron, –Τζών ὅπως κι ὁ πατέρας του– εἶχε πολεμήσει καθολικός στίς Σταυροφορίες, στήν Ἀνατολή. Ἡ ἰδέα τοῦ θανάτου ἦταν κοντά του ἀπό μικρό παδί. Μεγάλωσε στήν δεισιδαιμονική Σκωτία μέ ἱστορίες τῆς κόλασης στό προσκέφαλό του. Θά πεθάνει νέος τοῦ λέει μιά μάγισσα. Ἡ μητέρα του ἦταν διαβολική καί παράφρων. Τήν μισοῦσε ἐπειδή αὐτή μισοῦσε, ὡς χήρα στά 27 της, τόν πατέρα του. Ἡ ἐρωτική του ζωή ἦταν φοβερά ἄστατη μέ ὁμοφυλοφιλία καί αἱμομιξία. Περιφρονοῦσε τίς γυναῖκες.

Τό αἴσθημα τοῦ χαμένου παραδείσου καί τό μῖσος του κατά τοῦ Θεοῦ, τόσο πού ἔφτανε στό σημεῖο νά θεωρεῖ τήν ἀναστάσιμη ἡμέρα τῆς Κυριακῆς ὀλέθρια, τόν εἶχαν πείσει πώς ἀπό μικρό παιδί εἶχε δημιουργηθεῖ γιά νά διαπράξει κάποιο φοβερό ἔγκλημα πού θά τόν τοποθετοῦσε ἐκτός καί ὑπεράνω τῶν νόμων τῆς κοινωνίας. Ὁ θάνατός του στό Μεσολόγγι ὑπῆρξε οὐσιαστικά αὐτοκτονία, διότι ἐπίστευε πώς μιά ἀόρατη δύναμη τόν ἔσπρωχνε νά κάνει τό κακό καί συνεπῶς ἔπρεπε νά πεθάνει γρήγορα. Ἔλεγε συχνά: "Ἡ μοῖρα μου εἶναι νά ἐπιστρέψω στήν Ἀνατολή, ναί, πρέπει νά ἐπιστρέψω στήν 'Ανατολή γιά νά πεθάνω". (André Maurois, *Don Juan ou la vie de Byron*, Paris, Grasset, 1952, σ. 226). Οἰκοδόμησε τήν προσφιλή εἰκόνα τοῦ 'Υπερανθρώπου ἤ τοῦ κολασμένου καί καταραμένου ποιητῆ, ἀρχίζοντας ἀπό τόν Ναπολέοντα πού τόσο ἐθαύμαζε, περνώντας ἀπό τόν ἑαυτό του καί ἐπεκτεινόμενη ἀργότερα μέσω τοῦ Βάγκνερ στόν Χίτλερ. Οἱ σύγχρονοί του λέγανε πώς εἶχε δολοφονήσει μιά ἐρωμένη του καί πώς ἔπινε μέσα στό κρανίο της. 'Ο ἴδιος ὁ Γκαῖτε ἦταν πεπεισμένος πώς ὁ Βύρων εἶχε δολοφονήσει τουλάχιστον ἕνα ἤ δύο ἄτομα. 'Η ἠθικολογία, ἀνάμεικτη μέ τίς ἐγκληματικές διαθέσεις πού φέρνει ἡ νοσταλγία του χαμένου παραδείσου, τυπικό χαρακτηριστικό τοῦ πολιτικοῦ ρομαντισμοῦ (φασισμοῦ) ἀπό τόν Ρουσώ στόν Χίτλερ, ἔσπρωχνε τόν λόρδο Βύρωνα νά γίνει χορτοφάγος καί νά πάψει νά πίνει οἰνόπνευμα, ὅπως χορτοφάγος ἦταν καί ὁ Χίτλερ. Τόν Ρουσώ ὁ Βύρων τόν εἶχε διαβάσει μέ πάθος ὅταν ἦταν ἀκόμη ἔφηβος: στά 17 του τήν *Νέα 'Ελοΐζα*, στά 19 του τίς *'Εξομολογήσεις*. Εἶχε τήν ἴδια μισανθρωπία μέ τόν Ρουσώ, μέ τήν διαφορά ὅτι ὁ Γάλλος φιλόσοφος εἶχε τό πάθος τοῦ ἀγαθοῦ ἐνῶ ὁ Ἄγγλος ποιητής τό πάθος τοῦ κακοῦ.

'Ο λόρδος Βύρων εἶχε καί αὐτός τό μῖσος τοῦ δυτικοῦ πολιτισμοῦ πού εἶχε οἰκοδομήσει ἡ ἰταλική 'Αναγέννηση. Ἔλεγε: "Ἄχ, νά φύγω, νά παρατήσω αὐτήν τήν σάπια Δύση, νά βρῶ τήν πνευματική ἡσυχία στήν 'Ελλάδα ἤ τήν Τουρκία" (σ. 239). 'Ωραιοποιεῖ τόν Τρίτο Κόσμο πού δέν ἔχει προφθάσει ἀκόμη νά φθαρεῖ ἀπό τήν καπιταλιστική Δύση, αὐτός ὁ ἀριστοκράτης μέ καταβολές στόν Μεσαίωνα. Πανί μέ πανί, μέ φοβερά χρέη ὅπως ὁ πατέρας του, περιφρονεῖ τό χρῆμα καί ἡ φυγή πρός τήν 'Ανατολή (μακριά κι ἀπό τούς δανειστές του) γίνεται ὁ ὑπέρτατος ρομαντισμός. Λέει στούς Ἕλληνες: προσέξετε! Μήν ἐμπιστεύεσθε τόν Φράγκο. Εἶναι ἄπιστος καί ὕπουλος φίλος. Μήν ζητᾶτε τήν δυτική βοήθεια. "'Ο μόνος σίγουρος δρόμος γιά τήν 'Ελλάδα εἶναι νά βασισθεῖ στίς δικές της δυνάμεις". (Harold Spender, *Byron and Greece*, London, John Murray, 1924, σ. 13). Ὅμως, εἰρωνεία τῆς τύχης, στίς 26 Μαΐου 1824 τό φέρετρό του ἐπιβιβάσθηκε στήν Ζάκυνθο γιά νά σταλεῖ στήν γενέτειρά του στό ἀγγλικό πλοῖο *Φλώριντα*, πού εἶχε φθάσει ἀπό τήν 'Αγγλία δυό μέρες μετά τόν θάνατο τοῦ Βύρωνα, φέρνοντας τήν πρώτη δόση τοῦ ξένου δανείου πρός τόν ἑλληνικό ἀγῶνα.

Ἡ ἀγγλικανική ἐκκλησία ἀρνήθηκε νά δώσει τήν ἄδεια τοῦ ἐνταφιασμοῦ του στό Οὐέστμινστερ τοῦ Λονδίνου, ὅπου κεῖνται οἱ λόρδοι τοῦ κοινοβουλίου καί οἱ ἔνδοξοι τῆς Ἀγγλίας νεκροί. Στήν Γαλλία ἀμέσως ἐξαπλώθηκε ὁ βυρωνισμός ὡς δαιμονολογία. Οἱ Γάλλοι λέγανε πώς "ἦταν ἕνας ξεπεσμένος ἄγγελος ἀλλά πού εἶχε ἐπάνω του τά σημάδια –ὅπως ὁ Ἑωσφόρος– τῆς οὐράνιας προέλευσής του" (Edmond Estève, *Byron et le romantisme francais. Essai sur la fortune et l' influence de l' oeuvre de Byron en France, de 1812 à 1850.* 2e éd. -Paris, Boivin, 1900, σ. 19). Τό 1819 εἶχε δημοσιευθεῖ ἕνα διήγημα πού ἀπεδίδετο στόν λόρδο Βύρωνα μέ τίτλο *Ὁ Βρυκόλακας* (Vampire). Τό ἔργο αὐτό ἔδωσε τό ἔναυσμα γιά τήν ἐξάπλωση στήν Γαλλία τῆς μόδας τοῦ "βαμπιρισμοῦ". Ὅλα τά θέατρα τοῦ Παρισιοῦ ἀνέβαζαν ἔργα μέ βρυκόλακες. Π.χ. στίς 27 Ἰουνίου 1820 βλέπουμε τρία παρισινά θέατρα νά παίζουν συγχρόνως τά ἑξῆς ἔργα: στήν Porte-Saint-Martin, *Le Vampire*, στό Vaudeville, *Le Vampire* καί στίς Variétés, *Les trois vampires*. Ἡ πολιτική διάσταση τοῦ λόρδου Βύρωνος συνειδητοποιήθηκε ἀπό τούς Γάλλους. Ὅταν πέθανε, οἱ γαλλικές ἐφημερίδες ἔγραψαν πώς οἱ δύο πιό μεγάλοι ἄνδρες τοῦ αἰῶνος ἦταν ὁ Ναπολέων καί ὁ Βύρων.

Ὁ μυστικισμός τοῦ 19ου αἰῶνος, στενά συνδεδεμένος μέ τήν λατρεία τοῦ διαβόλου, παίρνει μεγάλες διαστάσεις, ὅπως ἄλλωστε καί ὁ πανθεϊσμός. "Στήν πραγματικότητα αὐτή ἡ μεγάλη ρομαντική ἔξαρση, ἀπό τό Ρουσώ στόν Μπωντελαίρ, ὑπῆρξε τό τελευταῖο θρησκευτικό κίνημα τῆς νεώτερης ἐποχῆς. Ἡ πίστη αὐτή εἶναι τίς περισσότερες φορές ἕνα εἶδος πανθεϊσμοῦ... Περνάει σχεδόν στόν ἀθεϊσμό, ἀλλά πρόκειται γιά μυστικιστικό ἀθεϊσμό... Ὁ ἀριθμός αὐτῶν πού ἔγιναν παράφρονες εἶναι μεγαλύτερος ἀπό κάθε ἄλλη ἐποχή... καί ὁ κατάλογος αὐτῶν πού αὐτοκτόνησαν ἤ πέθαναν νέοι εἶναι ἀκόμη πιό ἐντυπωσιακός" (H. Peyre, "Romantisme", *Encyclopaedia Universalis*, Paris, 1980, vol. 14, σσ. 368-369). Ἕνας ἀπό τούς πιό περίεργους μύθους πού κυκλοφόρησαν οἱ σημερινοί φιλελεύθεροι καί ἀριστεροί διανοούμενοι τοῦ ἑλληνικοῦ κατεστημένου, εἶναι πώς διανοούμενος καί φασίστας εἶναι ὅροι ἀσυμβίβαστοι, ἐνῶ ὁ ἀντιδιανοουμενισμός, πού πάντοτε χαρακτήριζε τήν ἰδεολογία τοῦ φασισμοῦ ὑποστηρίχθηκε ἀπό ἕναν μεγάλο ἀριθμό κορυφαίων διανοούμενων στήν Δύση. Ὁ λόρδος Βύρων φερ' εἰπεῖν ἔδιδε προτεραιότητα στήν πράξη καί περιφρονοῦσε τούς διανοούμενους μέ τόν ἴδιο τρόπο πού τό ἔκανε καί ὁ Ρουσώ.

Ὁ πολιτικός ρομαντισμός θά ἐξαπλώσει τόν μυστικισμό στόν 19ο αἰῶνα καί στήν Γερμανία. Ἄλλωστε ἡ ἐθνικιστική ἰδεολογία πού ἀνδρώνεται τόν αἰῶνα ἐκεῖνο, εἶναι ἄρρηκτα δεμένη μέ τόν μυστικισμό. Ὅπως καί προηγούμενα μέ τήν κλασσική σκέψη, ἔτσι τώρα μέ τήν ρομαντική βλέπουμε ρεύματα πού ἐντάσσονται εἴτε στά "ἀριστερά" εἴτε στά "δεξιά". Συνεπῶς ὁ μόνος τρόπος νά διορθώσουμε τήν παραμορφωτική εἰκόνα πού ἐπέβαλε στό πολιτικό λεξιλόγιο ὁλοκλήρου τοῦ πλανήτη ἡ ἀποκλειστική ὁρολογία δεξιά-ἀριστερά, εἶναι νά ἀναλύουμε τίς πολιτικές ἰδεολογίες στήν φιλοσοφική καί πολιτισμική τους βάση. Δεξιά καί ἀριστερά ὑπάρχουν σέ καθεμιά ἀπό τίς τρεῖς ἰδεολογίες, ἀλλά αὐτό πού ἔχει μεγαλύτερη σημασία εἶναι νά καταλάβουμε πώς ὁ βασικότερος διαχωρισμός εἶναι μεταξύ κλασσικῆς σκέψεως, στήν ὁποία ἀνάγονται φιλελευθερισμός καί κομμουνισμός (στήν καθαρῶς μαρξιστική του μορφή) καί ρομαντικῆς σκέψεως, στήν ὁποία ἀνάγεται ὁ φασισμός. Ἐπειδή οἱ δύο πρῶτες ἰδεολογίες, προϊόντα τῆς προτεραίας κλασσικῆς σκέψεως, συνέχισαν νά ἀναπτύσσονται στήν ἑπόμενη ἐποχή τοῦ ρομαντισμοῦ, ὁ φασισμός ὡς τρίτη ἰδεολογία, προϊόν τῆς ρομαντικῆς σκέψεως, θά ξεβάψει ἐπηρεάζοντας καί τόν κομμουνισμό καί τόν φιλελευθερισμό. Αὐτός ὁ βασικός διαχωρισμός κλασσικισμοῦ-ρομαντισμοῦ ἀντιστοιχεῖ στόν ἄλλο βασικό διαχωρισμό πού ἀνέπτυξα στά βιβλία μου περί ἑλληνοτουρκικοῦ χώρου, αὐτόν τῆς δυτικῆς παρατάξεως (κλασσικισμός) καί τῆς ἀνατολικῆς παρατάξεως (ρομαντισμός).

Ἔτσι ἐνῶ ὁ ρομαντισμός-φασισμός συνδέεται ἀρχικά μέ τούς ροβεσπιερρικούς καί τήν ὑπεράσπιση τῶν πιό ἀκραίων θέσεων τῆς Γαλλικῆς Ἐπαναστάσεως, στήν Γερμανία αὐτός ὁ ἴδιος ρομαντισμός-φασισμός συνδέεται μέ τούς πολέμιους τῆς Γαλλικῆς Ἐπαναστάσεως. Τό φαινόμενο αὐτό ἀναπτύχθηκε στήν Γερμανία στίς πρῶτες δεκαετίες τοῦ 19ου αἰώνα. Οἱ Γάλλοι ὀνόμασαν αὐτόν

τόν "δεξιό" ρομαντισμό, Ἀντεπανάσταση (la Contre-Révolution). Ἄλλωστε αὐτή ἡ Ἀντεπανάσταση ὑπῆρξε ὅπως καί ἡ Γαλλική Ἐπανάσταση, γενικό φαινόμενο πού κάλυψε ὅλη τήν Δύση καί ὄχι μόνον τήν Γερμανία καί ἔχει ὡς πρωταρχικό κείμενο τό βιβλίο τοῦ Ἄγγλου Edmund Burke, *Reflections on the Revolution in France*, πού δημοσιεύθηκε τό 1790 καί καταδικάζει τόν ρατσιοναλισμό.

Καλό παράδειγμα αὐτοῦ τοῦ γερμανικοῦ πολιτικοῦ ρομαντισμοῦ εἶναι ὁ Βερολινέζος Adam Müller (1779-1829). Πρῶσσος προτεστάντης, κατόπιν πανθεϊστής, τό 1805 ἀλλαξοπίστησε καί ἔγινε καθολικός. Ἀγωνίσθηκε κατά τοῦ γαλλικοῦ ἰμπεριαλισμοῦ τοῦ Ναπολέοντα καί γιά τήν συγκρότηση τῆς γερμανικῆς ἐθνικῆς συνειδήσεως. Ὁ χριστιανικός σοσιαλισμός του, πού ὁ Μάρξ ὀνόμασε "φεουδαλικό σοσιαλισμό", εἶναι μία εἰς βάθος φασιστική ἀνάλυση τῆς κοινωνίας ἀπό τά δεξιά. Ἔτσι βρίσκουμε στά γραπτά τοῦ Μύλλερ τόν ἀντισημιτισμό, τόν ἐθνικισμό, τόν οἰκονομικό κρατισμό, τήν ἀπέχθειά του γιά τό χρῆμα καί τήν ἀστικοποίηση, τήν συνεργασία τῶν τάξεων, τήν ἀνάγκη τοῦ πολέμου ὡς πράξη ψυχικῆς καθάρσεως, τήν παντοδυναμία τοῦ κράτους βασισμένη σέ θρησκεία.

Ἀντίθετα ἀπ' αὐτό πού πιστεύεται, ὁ φυλετισμός δέν ὑπῆρξε ἀπό καταβολῆς κόσμου. Αὐτό πού ἀνέκαθεν ὑπῆρχε ἦταν ἡ ἀνισότητα μεταξύ ὁμάδων ἀνθρώπων ὅλων τῶν κατηγοριῶν: κοινωνικῶν, θρησκευτικῶν. Ὡς τήν Γαλλική Ἐπανάσταση, στήν Δύση ἡ μισαλλοδοξία ἦταν κανόνας. Σέ κάθε δυτικό κράτος ὑπῆρχε μία καί μόνη κρατική θρησκεία. Οἱ ἄλλες θρησκεῖες εὑρίσκοντο ὑπό συνεχῆ διωγμό. Ἔτσι οἱ καθολικοί ἐδιώκοντο στήν Ἀγγλία καί οἱ προτεστάντες στήν Γαλλία. Ἐπειδή ὅμως δέν ὑπῆρχε ἑβραϊκό κράτος, ἡ ἑβραϊκή θρησκεία ἐδιώκετο σ' ὅλη τήν Δύση. Στήν Ἐνδιάμεση ὅμως Περιοχή τά πράγματα ἦταν διαφορετικά. Ἡ Ὀθωμανική Αὐτοκρατορία εἶχε οἰκοδομηθεῖ πάνω στό βάθρο τῶν τεσσάρων θρησκευτικῶν ἐθνῶν, τῶν μιλλετίων. Οἱ ἑβραῖοι ἐγκατέλειπαν τήν Δύση καί βρίσκανε καταφύγιο στό ἑβραϊκό μιλλέτι τῆς Ὀθωμανικῆς Αὐτοκρατορίας. Τό ἀντικληρικό καί ἐκκοσμικευμένο πνεῦμα τῆς Γαλλικῆς Ἐπαναστάσεως πού ἀνέπτυξε τήν ἀθεΐα στήν Δύση, ἐλευθέρωσε πρός στιγμήν τούς ἑβραίους ἀπό τόν δυτικό ζυγό. Ἤδη τό 1776, ἡ ἀμερικανική ἐπανάσταση εἶχε δώσει τήν πλήρη ἰσότητα στούς ἀμερικανούς ἑβραίους. Τό 1791, ἡ γαλλική βουλή ἔκανε τό ἴδιο. Στήν ἀστική Δύση, πού ἀναδύεται ἀπό τίς ἀστικές ἐπαναστάσεις, ἡ θρησκεία δέν ἔχει σημασία πλέον, ἀλλά μόνο τό ἔθνος. Μέ ἄλλα λόγια, ἡ ἀπελευθέρωση τῶν ἑβραίων στίς χῶρες τῆς Δύσεως δέν ἐπιτεύχθηκε λόγω τῆς ἀνόδου τῆς ἀνεξιθρησκείας, ἔτσι ὅπως ὑπῆρχε πάντοτε στήν Ὀθωμανική Αὐτοκρατορία, ἀλλά λόγω τῆς ἀνόδου τῆς θρησκευτικῆς *ἀδιαφορίας*. Ὁ Βολταῖρος εἶχε ὑποστηρίξει τούς ἑβραίους ἐπειδή ἀδιαφοροῦσε γιά τήν θρησκεία γενικά. Ἕως τά μέσα τοῦ 19ου αἰῶνος, κανείς δέν τούς εἶχε κατατρέξει μέ τό ἐπιχείρημα ὅτι ἦταν ἑβραϊκῆς ἤ σημιτικῆς "ράτσας". Μέχρι ὅμως τά τέλη τοῦ 18ου αἰῶνος, ἐπειδή εὑρίσκοντο ἐκτός τῆς φεουδαρχικῆς ἄρχουσας τάξεως καί δέν μποροῦσαν νά κατέχουν γῆ, πού ἦταν ἡ οἰκονομική βάση τῆς ἐξουσίας αὐτῆς τῆς τάξεως, ὅλοι οἱ ἑβραῖοι εἶχαν καταφύγει στό ἐμπόριο καί τίς τραπεζικές ἐπιχειρήσεις, πού οἱ εὐγενεῖς περιφρονοῦσαν. Ἐπίσης ἀσχολοῦντο μέ τά ἐλεύθερα ἐπαγγέλματα, ὅπως τήν ἰατρική. Μέ τόν τρόπο αὐτό ἀντιστάθμησαν τήν ἔλλειψη πολιτικῆς καί κοινωνικῆ ἰσχύος μέ μιά αὐξάνουσα οἰκονομική καί πνευματική ἰσχύ. Μέ ἄλλα λόγια, ἦσαν μέλη τῆς ἀστικῆς τάξεως πού κατέλαβε τήν ἀρχή τό 1789.

Ἡ ἔννοια τῆς "ράτσας" ἐμφανίσθηκε στήν δυτική κοινωνία παράλληλα μέ τήν ἄνοδο τοῦ καπιταλισμοῦ καί τήν ἑδραίωση τῆς δυτικῆς ἐπιστήμης-τεχνολογίας. Ὁ Ἄγγλος γιατρός William Harvey (1578-1657) ἀνεκάλυψε τό 1618 τήν κυκλοφορία τοῦ αἵματος. Τέσσερις αἰῶνες ἀργότερα, τό 1910 καί 1928, ὁ Ἀμερικανός βιολόγος Thomas Hunt Morgan (1866-1945) ἀνεκάλυψε τά κληρονομικά γονίδια μέσα στά χρωμόσωμα. Μέ τόν τρόπο αὐτό συγκεκριμενοποίησε τούς νόμους τῆς κληρονομικότητας πού εἶχαν ἀνακαλυφθεῖ τό 1865 ἀπό τόν Αὐστριακό Gregor Mendel (1822-1884). Ὁ Δαρβῖνος, ὁ Βρεταννός, δημοσίευσε τό 1859, *Περί γενέσεως τῶν εἰδῶν μέσω τῆς φυσικῆς ἐπιλογῆς*. Στό βιβλίο αὐτό ἐξηγοῦσε τήν ἐξέλιξη τῶν ζώντων ὀργανισμῶν μέ κίνητρο τόν ἀγῶνα γιά τήν ζωή. Φυσικά δέν ἦταν δυνατόν προτοῦ γίνουν αὐτές οἱ ἀνακαλύψεις καί παρουσιασθοῦν αὐτές οἱ ἐπιστημονικές θεωρίες, νά μιλήσει κανείς γιά "ἑβραϊκό αἷμα" ἤ γιά "ἑβραϊκά γονίδια" ἤ καί ἀκόμη γιά τήν μαύρη φυλή πού ὑποτίθεται πώς εἶχε χάσει τήν μάχη στήν φυσική ἐπιλογή τῶν ἱκανοτέρων. Γι' αὐτό καί οἱ φυλετιστές πιστεύουν πώς ὅσο ἡ ἐπιστήμη θά προχωρεῖ, ἄλλο τόσο ἡ θεωρία τους θά δυναμώνει. Ὁ Χίτλερ εἶχε ἀνοιχτά βασισθεῖ στούς Δαρβῖνο καί Μέντελ.

Στό πρῶτο ἥμισυ τοῦ 19ου αἰῶνος, ἡ πολιτιστική ἀφομίωση τῶν ἑβραίων στήν Δύση ὑπό τήν ἐπίδραση τῆς φιλελεύθερης ἰδεολογίας εἶχε πάρει μεγάλες διαστάσεις. Ἡ θρησκεία γινόταν προσωπική ὑπόθεση κι ἔτεινε νά χάσει τόν κοινωνικό της χαρακτῆρα. Οἱ ἑβραῖοι γινόντουσαν Γάλλοι ἤ Ἄγγλοι μέ ἀμυδρή ἀνάμνηση τῆς καταγωγῆς τους. Ἡ ἄνοδος ὅμως μιᾶς νέας μορφῆς μισαλλοδοξίας, τοῦ σωβινιστικοῦ ἐθνικισμοῦ, στό δεύτερο ἥμισυ τοῦ 19ου αἰῶνος, πού ἐξήχθη καί στήν Ἐνδιάμεση Περιοχή μέ ἀποτέλεσμα νά συμβάλει στήν πλήρη ἐξάρθρωση τοῦ ὀθωμανικοῦ συστήματος τῶν μιλλετίων, τελείως κατέστρεψε τά ἀποτελέσματα τῆς πρόσφατης ἀπελευθέρωσης τῶν ἑβραίων. Ὄχι μόνον ἐπανῆλθε ὁ θρησκευτικός ἀντισημιτισμός ἀλλά καί συνδυάστηκε μέ τόν ἐμφανιζόμενο φυλετισμό πού οἰκοδόμησε τήν θεωρία τῆς ἑβραϊκῆς φυλῆς ὡς ἀντίθετης τῆς ἰνδοευρωπαϊκῆς ἀρίας φυλῆς.

Ὁ ἀντισημιτισμός τοῦ Ἄνταμ Μύλλερ δέν εἶναι μόνον θρησκευτικός ἀλλά ἤδη καί φυλετικός. Τό 1818 γράφει: "Οἱ ἑβραῖοι δέν πρέπει νά λάβουν πολιτικά δικαιώματα ὄχι μόνον σ' ἕνα χριστιανικό κράτος, ἀλλά καί σέ κανένα κράτος, ὅποιο καί νά 'ναι. Πράγματι δέν εἶναι ἐπειδή τό κράτος εἶναι χριστιανικό, ἀλλά ἐπειδή οἱ ἑβραῖοι εἶναι ἑβραῖοι... Αὐτοί δέν γνωρίζουν ἄλλον κανόνα συμπεριφορᾶς ἀπό τό συμφέρον τους. Εἶναι χριστιανοί ἤ ἑβραῖοι σχετικά μέ τό τί θά κερδίσουν, ἀλλά δέν εἶναι δεμένοι μέ καμμία ὑποχρέωση, κανέναν πατριωτισμό στήν χώρα πού τούς ὑποδέχθηκε μέ εὐμένεια, ἀλλά στήν ὁποία δέν ἀνταποδίδουν τίποτα, γιά τήν ὁποία δέν κάνουν καμμία θυσία" (Jacques Droz, *Le romantisme politique en Allemagne*, Paris, Armand Colin, 1963. Διαλογή κειμένων, σ. 164).

Τήν ἀντίθεσή του στό χρῆμα καί τήν ἀστικοποίηση τήν ἐκφράζει ὡς ἑξῆς: "Τί τό περίεργο, ἀφοῦ ἀποφασίσαμε νά οἰκοδομήσουμε ἕναν κόσμο παραδομένο στόν ἐγωϊσμό, ἕνα οἰκοδόμημα ρατσιοναλιστικό πού ἀποκλείει τόν Θεό καί τήν

Ἀποκάλυψη, ἕνα σύστημα τοῦ χρήματος πού ἀγνοεῖ τίς ἀμοιβαῖες καί δωρεάν ὑπηρεσίες, μιά ἰδιωτική ἰδιοκτησία πού δέν ἀντισταθμίζεται μέ τήν κοινοκτημοσύνη, ἐν ὀλίγοις τό κράτος χωρίς τήν ἐκκλησία; Τί τό περίεργο λοιπόν, πού σ' ἕναν τέτοιο κόσμο παρέμειναν ἀντιμέτωπες μόνον δύο τάξεις: ἡ ὀλιγομελής τῶν ἰδιοκτητῶν καί ἡ πολυπληθέστατη τῶν μή ἰδιοκτητῶν; Διεφθαρμένη ἀπό τήν ἐπικράτηση τοῦ χρήματος, ἡ ἐποχή μας θά βαδίσει πρός τήν διεκδίδηση τῆς κοινοκτημοσύνης, διεκδίκηση πού θά εἶναι ὅλο καί πιό ἐχθρική στήν ἰδιωτική ἰδιοκτησία καί τό ἰδιωτικό δίκαιο, ἐφ' ὅσον τά κοινοτικά ἔθιμα τά πιό ἐπωφελῆ ἀμελήθηκαν. Καί πρέπει νά θεωρήσουμε τόν ἑαυτό μας τυχερό πού αὐτός ὁ κομμουνισμός... παραμένει ἰσορροπημένος καί τίμιος καί σταματᾶ μόνον στήν κτηματική περιουσία" (σσ. 165-166).

Γιά τόν Μύλλερ τό κράτος πρέπει νά εἶναι ὁ μοναδικός κάτοχος τῶν περιουσιακῶν στοιχείων τοῦ ἔθνους, ἐνῶ ἡ ἰδιοκτησία πρέπει νά εἶναι ἁπλῶς ἐπικαρπία. Γιά τόν πόλεμο γράφει τό 1814: "Ἀπό τήν ἄποψη τοῦ κράτους, ὁ πόλεμος δέν εἶναι κακό πρᾶγμα, εἶναι εὐεργεσία... Ὁ πόλεμος εἶναι τό γεγονός μέ τό ὁποῖο ἐκδηλώνεται καλύτερα ἡ ὁρμή τῆς πολιτικῆς ζωῆς, μέ τό ὁποῖο τό κράτος συνειδητοποιεῖ τήν ἰδιαίτερή του οὐσία" (σσ. 101-102).

Στήν Ἀγγλία, 20 χρόνια μετά τόν Μύλλερ καί τόν Βύρωνα, ἔχουμε τόν ἱστορικό Thomas Carlyle (1795-1881), πού εἶναι κι αὐτός ἐχθρός τοῦ ρατσιοναλισμοῦ καί ὁ ἀπόστολος τῆς δράσεως. Τό 1840 δίνει ἕξι διαλέξεις, πού θά δημοσιευθοῦν σέ βιβλίο μέ τίτλο: "Περί Ἡρώων" (*On Heroes, Hero-Worship and the Heroic in History*). Στήν πρώτη διάλεξη παρουσιάζει τόν ἥρωα ὡς θεότητα, στήν δεύτερη τόν ἥρωα ὡς προφήτη (τόν Μωάμεθ), στήν τρίτη τόν ἥρωα ὡς ποιητή (Ντάντε, Σαίξπηρ), στήν τέταρτη τόν ἥρωα ὡς ἱερέα (Λούθηρος), στήν πέμπτη τόν ἥρωα ὡς λογοτέχνη (Ρουσώ), καί στήν ἕκτη καί τελευταία διάλεξη τόν ἥρωα ὡς βασιλέα (Ναπολέων). Τό βιβλίο αὐτό ἐπηρέασε πολύ τήν ἐξέλιξη τῆς φασιστικῆς ἰδεολογίας καί εἰδικά τόν μουσολινισμό.

Ποιό εἶναι τό καθοριστικό στοιχεῖο, κατά τόν Κάρλαϋλ, πού ἐξυψώνει ἕναν ἄνθρωπο στό ἐπίπεδο τοῦ ἥρωα; Εἶναι τό θρησκευτικό κριτήριο τῆς καθαρῆς καρδιᾶς, τῆς ἀπόλυτης εἰλικρίνειας. Ὁ ἥρωας εἶναι κατ' αὐτόν ὑπεράνω τῶν κοινῶν ἀνθρώπων, διότι βλέπει στό βάθος τῶν πραγμάτων τήν ἀλήθεια, μέ μέσον τήν ἀπόλυτη εἰλικρίνεια. Μέ ἄλλα λόγια, ὁ πονηρός, ὁ καιροσκόπος, ὁ μή ρομαντικός πραγματιστής, ὁ κοινῶς θεωρούμενος ἔξυπνος δέν μπορεῖ νά εἶναι ἥρωας. Τυπικό παράδειγμα, ὁ Ρουσώ. Ὁ Κάρλαϋλ δέν συμπαθεῖ τόν Γενευέζο καί ὅμως τόν θεωρεῖ ἥρωα. Στήν πέμπτη διάλεξή του τῆς Τρίτης 19ης Μαΐου 1840, τόν χαρακτηρίζει ὡς "νοσηρό, εὐερέθιστο, σπασμωδικό· στήν καλύτερη περίπτωση περισσότερο ἔντονο παρά δυνατό... Τό πρόσωπο τοῦ κακόμοιρου Ρουσώ εἶναι ἐκφραστικό τοῦ ἑαυτοῦ του... Ἕνα πρόσωπο γεμᾶτο μιζέρια... κάτι τό χαμερπές, τό πληβεῖο πού τό σώζει μονάχα ἡ ἔνταση: τό πρόσωπο ἑνός φανατικοῦ [σάν τόν Χίτλερ θά λέγαμε σήμερα]. Ἕναν μελαγχολικά συνεσταλμένο ἥρωα! Ἄν τόν διαλέξαμε ἐδῶ [γιά ἥρωα] εἶναι ἐπειδή –παρ' ὅλα του τά ἀρνητικά, καί εἶναι πολλά– κατέχει τό πρώτιστο καί κύριο χαρακτηριστικό τοῦ ἥρωα: εἶναι μέ ὅλη του τήν καρδιά εἰλικρινής. Εἰλικρινής ὅσο κανένας ἄνθρωπος δέν ὑπῆρξε ποτέ, ὅσο κανένας ἀπ' αὐτούς τούς Γάλλους φιλόσοφους... Οἱ ἰδέες του κυριαρχοῦσαν ἐπάνω του σάν δαίμονες... Δέν μποροῦσε νά ζήσει μέ κανέναν. Ἕνας κύριος μέ κάποια θέση ἀπό τήν ἐπαρχία, πού τόν ἐπισκέπτετο συχνά καί πού συνήθιζε νά κάθεται μαζί του, ἐκφράζοντας ὅλον του τόν σεβασμό καί τήν ἀγάπη, καταφθάνει μιά μέρα καί βρίσκει τόν Ζάν-Ζάκ φοβερά κακόκεφο, χωρίς λόγο. "Κύριε –τοῦ λέει ὁ Ζάν-Ζάκ μέ πύρινα μάτια– ξέρω γιατί ἔρχεσθε ἐδῶ. Ἔρχεσθε γιά νά δεῖτε πόσο φτωχά ζῶ, πόσο λίγο φαγητό ὑπάρχει στό φτωχό μου τό τσουκάλι πού βράζει ἐκεῖ πέρα. Λοιπόν, ὁρίστε, κοιτᾶξτε μέσα στό τσουκάλι. Ἔχει μισή λίβρα κρέας, ἕνα καρότο καί τρία κρεμμύδια. Αὐτό εἶναι ὅλο. Πηγαίνετε νά τό πεῖτε σέ ὅλην τήν οἰκουμένη, ἄν αὐτό σᾶς ἱκανοποιεῖ, Κύριε!"... Καί ὅμως, περιέργως, πέραν ἀπό ὅλην αὐτήν τήν παραμόρφωση, τόν ἐξευτελισμό καί σχεδόν παραφροσύνη, ὑπάρχει στά βάθη τῆς καρδιᾶς τοῦ κακόμοιρου Ρουσώ μιά σπίθα πραγματικῆς οὐράνιας φωτιᾶς. Μιάν ἀκόμη φορά, ἔξω ἀπό τόν μαραμένο καί κοροϊδευτικό φιλοσοφισμό, σκεπτικισμό καί τήν εἰρωνεία, εἶχε ἀναδύσει μέσα στόν ἄνθρωπο αὐτόν ἡ ἀνεκρίζωτη αἴσθηση καί γνώση πώς τούτη ἡ ζωή ἡ δική μας εἶναι ἀληθινή... Ἡ φύση τοῦ εἶχε κάνει τήν ἀποκάλυψη αὐτή καί τόν εἶχε διατάξει νά τό βροντοφωνάξει καί τό βροντοφώναξε, ἄν ὄχι καλά καί καθαρά, τουλάχιστον λειψά καί θολά, ὅσο καθαρά μποροῦσε... Οἱ ἄνθρωποι ἄγονται ἀπό περίεργες παρεμβολές... ἡ Γαλλική Ἐπανάσταση βρῆκε στόν Ρουσώ τόν εὐαγγελιστή της" (Thomas Carlyle, *On Heroes...*, Boston, Ginn & Co.-The Athenaeum Press, 1902, σσ. 212-216).

Τό πορτραῖτο αὐτό τοῦ Ρουσώ εἶναι καταπληκτικό σέ ἀλήθεια, φτιαγμένο ἀπό ἕναν ἄνθρωπο πού δέν τόν εἶχε ποτέ γνωρίσει ἀπό κοντά, ἀφοῦ εἶχε γεννηθεῖ 17 χρόνια μετά τόν θάνατό του. Τόν περιγράφει δέ, σαφῶς ὡς προφήτη, διαλεγμένο ἀπό τόν Θεό, γιά νά ἐκφράσει τό θεϊκό μήνυμα, παρ' ὅλη τήν δυσκολία πού εἶχε ὁ Ρουσώ νά τό ἐκφράσει καθαρά. Ὁ ἥρωας, μᾶς λέει ὁ Κάρλαϋλ, εἶναι ἀπαραίτητος γιά τήν χρηστή διοίκηση τοῦ κράτους: "Βρῆτε σέ ὁποιαδήποτε χώρα τόν ἱκανότερο ἄνθρωπο πού ὑπάρχει ἐκεῖ. Ἀνυψῶστε τον στήν ὑπέρτατη θέση καί εὐλαβεῖτε τον πιστά. Ἔτσι θά ἔχετε μιά τέλεια κυβέρνηση γι' αὐτήν τήν χώρα. Κάλπες, βουλευτική εὐγλωττία, ψηφοφορία, οἰκοδομή συντάγματος ἤ ἄλλοι μηχανισμοί, οὔτε κατά κεραία δέν μποροῦν νά τήν βελτιώσουν. Εἶναι τό τέλειο κράτος, μιά ἰδανική χώρα" (σ. 226). Ὅσο γιά τόν φυλετισμό, ὁ Κάρλαϋλ ὑποστήριξε πώς ἡ λευκή φυλή ἦταν ἀνώτερη τῆς μαύρης, στήν πραγματεία του "Occasional Discourse on the Nigger Question", *Fraser's Magazine*, 1849.

Ὁ σατανισμός τοῦ λόρδου Βύρωνος συνεχίσθηκε μέ τήν ἴδια ἔνταση στό ἔργο καί τήν προσωπικότητα ἑνός Γερμανοῦ, τοῦ Ριχάρδου Βάγνερ (1813-1883), πού ὅπως καί ὁ Βύρων εἶχε πολύ μεγάλη ἐπιρροή στήν διαμόρφωση τῆς πολιτικῆς ἰδεολογίας τοῦ ρομαντισμοῦ-φασισμοῦ. Ἀκόμη καί σήμερα, ἡ μουσική τοῦ κολοσσιαίου αὐτοῦ συνθέτη, ἐνοχλεῖ στήν Δύση καί ἰδιαίτερα στήν Βόρειο Ἀμερική τήν φιλελεύθερη καπιταλιστική καταναλωτική κοινωνία, ὅπου τά ἔργα του σπανίως παίζονται ἤ καί καθόλου δέν ἀκούγονται στίς κλασσικές ἐκπομπές τῶν ραδιοφωνικῶν σταθμῶν, πού ἀντιθέτως κατακλύζονται ἀπό μουσική μπαρόκ, ἰδίως τοῦ Μπάχ καί τοῦ Μόζαρτ. Ὁ ρατσιοναλισμός, ὁ κοσμοπολιτισμός καί οἱ φιλελεύθερες ἰδέες τῶν μασόνων εἶναι τά κύρια ἰδεολογικά χαρακτηριστικά πού κάνουν τήν μουσική τοῦ Μόζαρτ, ὀπαδοῦ τοῦ μασονισμοῦ, τόσο δημοφιλῆ στήν βορειοαμερικανική κοινωνία σήμερα.

Ἡ ρομαντική σκέψη ἐκφράζεται τέλεια ἀπό τόν Βάγνερ. Ἡ διαίσθηση-ἐνόραση (Anschauung) δίδει ἀπόλυτη δεσποτική ἐλευθερία στόν ἥρωα, τόν μεγαλοφυῆ. Μόνος δημιουργός σέ ὅλες τίς ἀνθρώπινες δραστηριότητες, καί στήν πολιτική, εἶναι ὁ ποιητής, ὁ καλλιτέχνης. Μάλιστα ὁ μεγάλος πολιτικός δέν δύναται νά ἔχει "πολιτικές" ἱκανότητες ἀλλά μόνον "καλλιτεχνικές". Ἡ πολιτική τοῦ ἥρωα εἶναι ὁ μετασχηματισμός τῆς τέχνης σέ δράση. Ἔτσι ἡ διεθνής πολιτική θά γνωρίσει βαγνερικά πρότυπα ἡρώων, σάν τόν Χίτλερ πού ἦταν ζωγράφος ἤ τόν Μάο πού ἦταν ποιητής. Ὁ καλλιτέχνης εἶναι θεόπνευστος καί δέν δέχεται κανέναν περιορισμό. Ὁ κανόνας εἶναι ἡ ἔλλειψη κανόνος, τό σχῆμα, ἡ ἔλλειψη σχήματος. Ὁ καλλιτέχνης-ἥρωας εἶναι συνεπῶς ἀπόλυτα ἀναρχικός. Καί ὁ Χίτλερ καί ὁ Μάο ἦσαν ἀναρχικοί στήν κορυφή τῆς ἐξουσίας.

Ἀπό τήν μυστικιστική αὐτή ἀρχή πηγάζει καί ὁ ἀμοραλισμός τοῦ ρομαντικοῦ. Ἡ ἠθική τοῦ Βάγνερ ἦταν νά μήν ἔχει καμμία ἠθική. Εἴδαμε μέ τόν Ρουσώ πώς στήν βάση τῆς μικροαστικῆς ἰδεολογίας τοῦ φασισμοῦ εἶναι ἡ ἀντίφαση καί τό ἐγκώμιο τῆς ἀντίφασης. Ἔτσι ἀπό τή μιά ἔχουμε τήν ὑποστήριξη τῆς παραδοσιακῆς οἰκογενειακῆς ἠθικῆς (γνωστῆς ὡς μικροαστικῆς) καί ἀπό τήν ἄλλη τόν ἀναρχισμό καί τήν καταδίκη ἀπό τούς ρομαντικούς τῆς ἰδίας αὐτῆς μικροαστικῆς ἠθικῆς: ὁ 19ος αἰώνας βλέπει τούς ρομαντικούς νά πολλαπλασιάζουν τίς μοιχεῖες, τά διαζύγια, νά ἐκθειάζεται ἡ ὁμοφυλοφιλία. Τήν ἀντίφαση αὐτή προσπάθησαν νά τήν ξεπεράσουν βάζοντας δύο μέτρα καί δύο σταθμά. Ὁ λαός πρέπει νά ἀκολουθεῖ τήν παραδοσιακή ἠθική, ἐνῶ ὁ ἥρωας ὡς ὑπεράνθρωπος, ὑπεράνω τῶν κοινῶν ἀνθρώπων, δέν τήν ἀκολουθεῖ. Γιατί; Διότι ἔχει πάρει τήν θέση τοῦ Θεοῦ πού ἡ Δύση καθαίρεσε μετά τό τέλος τῆς ἁρμονικῆς ἐποχῆς. Ὁ ἥρωας δίνει στόν ἑαυτό του τήν θεϊκή ἰδιότητα τῆς πλήρους ἐλευθερίας. Ὅπως ἔλεγε ὁ Ρουσώ, θά χρειαζόντουσαν θεοί γιά νά δώσουν νόμους στούς ἀνθρώπους.

Ἡ ἐρωτική ζωή τοῦ Βάγνερ πῆρε τήν ἴδια τροχιά μ' αὐτήν τοῦ Βύρωνος. Ἰδιαίτερα ἐκτιμοῦσε τήν τριγωνική σχέση: νά συζεῖ μέ παντρεμένο ζευγάρι καί νά κάνει ἔρωτα μέ τήν σύζυγο, ἐν γνώσει τοῦ συζύγου. Ἀλλά εἶναι καί ὁμοφυλόφιλος, "γυναικεῖος": τοῦ ἀρέσουν τά ἀτλάζια, οἱ γοῦνες, τά μαλακά γάντια, οἱ μόδιστροι. Οἱ σχέσεις του μέ τόν Λουδοβῖκο Β΄ τῆς Βαυαρίας ἦταν ἐρωτικές. Στήν ἀλληλογραφία του μέ ἄνδρες ἀπευθύνεται σάν νά ἦταν γυναῖκες. Ὁ ἴδιος λέει γιά τόν ἑαυτό του πώς εἶναι διαφορετικά διαμορφωμένος ἀπό τούς ἄλλους ἄνδρες.

Ὁ Βάγνερ ἔβλεπε τήν μουσική ὡς θρησκευτικό μυστήριο. Αὐτός καί τό περιβάλλον του θεωροῦσαν πώς θρησκεία καί μουσική ἦταν τό ἴδιο πρᾶγμα. Ἡ μουσική αὐτή πρέπει νά ἀπορρίπτει τό ἔκτρωμα τῆς Ἀναγέννησης καί νά ἐκθειάζει τήν προαναγεννησιακή Γερμανία τοῦ Μεσαίωνος καί τῶν πρωτογερμανικῶν φυλῶν. Ὁ μουσικός παίρνει τήν μορφή μάγου ἤ διαβόλου. Καί οἱ γυναῖκες συγγραφεῖς πού κινοῦνται σ' αὐτόν τόν χῶρο εἶναι χειραφετημένες, πολλαπλασιάζουν τίς ἐρωτικές περιπέτειες καί θεωροῦν ὅτι κυριαρχοῦνται ἀπό τόν Σατανᾶ. Οἱ πάντες ἀσχολοῦνται μέ τόν ἀποκρυφισμό.

Στήν διάρκεια τῆς παραμονῆς του στό Παρίσι, τό 1839-1843, ὁ Βάγνερ μετατρέπεται σέ Γερμανό σωβινιστῆ πού μισεῖ Γάλλους καί ἑβραίους. Βγάζει τό συμπέρασμα πώς τήν Γαλλία τήν ἔχουν σαπίσει οἱ ἑβραῖοι, πώς ἡ φυλή τῶν Λατίνων δέν ξέρει πῶς νά ὀχυρωθεῖ κατά τῶν ἑβραίων, ἐνῶ ἀντιθέτως ἡ γερμανική φυλή θά μπορέσει νά ἀμυνθεῖ ἀποτελεσματικά κατά τοῦ ἑβραϊκοῦ κινδύνου. Αὐτή ἀκριβῶς ἡ θέση τοῦ Βάγνερ θά ἐπηρεάσει ἄμεσα τόν Χίτλερ μαζί μέ τόν μυστικισμό τῆς μουσικῆς του. Ὅταν ἐπιστρέφει στό Παρίσι τό 1849 καί 1850, γράφει κατά τῆς Γαλλίας μιά μπροσούρα, *Ὁ ἰουδαϊσμός στήν μουσική.* Ὁ Βάγνερ τότε εἶναι ἀναρχικός καί σοσιαλιστής καί παίρνει μέρος στήν Σαξωνία στήν ἐπανάσταση τοῦ 1848. Δηλαδή ὁ φασισμός του εἶναι ἤδη ὁλοκληρωμένος. Ὁ μόνος Γάλλος πού τόν ἐπηρέασε καί στόν ὁποῖο ὁ Βάγνερ θά ἀφιερώσει τό σύνολο τῆς δημιουργίας του, εἶναι ὁ θεωρητικός τοῦ φυλετισμοῦ κόμης Ἀρθοῦρος ντέ Γκομπινώ (Arthur de Gobineau, 1816-1882), πού τό 1853-1855 δημοσίευσε σέ τέσσερις τόμους τό "Δοκίμιο περί ἀνισότητος τῶν ἀθρωπίνων φυλῶν" *(Essai sur l' inégalité des races humaines).* Τόν καλεῖ στό Μπαϋρόϊτ, προτοῦ πεθάνει ὁ κόμης, τόν χειμῶνα τοῦ 1881-1882.

Τό τελευταῖο ἔργο τοῦ Βάγνερ, ὁ *Πάρσιφαλ*, μουσικό δρᾶμα σέ τρεῖς πράξεις, πού συνέθεσε τό 1877-1882, εἶναι ἔντονα θρησκευτικό καί μυστικιστικό, παρ' ὅλο πού ὁ ἴδιος ὁ Βάγνερ ἦταν οὐσιαστικά ἄθεος. Ὁ Ἀλσατός Edouard Schuré (1841-1929), ὑπῆρξε ὁ κύριος προπαγανδιστής τοῦ ἔργου τοῦ Βάγνερ στήν Γαλλία. Ἦταν ἐξαιρετικός πιανίστας ἀλλά καί ποιητής καί φιλόσοφος. Ὁ Βάγνερ πού –ὅπως καί ὁ Χίτλερ ἀργότερα– ἐφοβεῖτο μήπως τόν θεωρήσουν ἑβραῖο ἐπειδή –ἐλέγετο– ἦταν νόθο παιδί πού ἡ μητέρα του εἶχε κάνει μέ ἕναν ἑβραῖο ἠθοποιό, σπρώχνει τόν Συρέ πρός τόν φυλετισμό. Ὅπως τό δείχνουν οἱ "Ἀνάμνησεις περί Ριχάρδου Βάγνερ" *(Souvenirs sur Richard Wagner)*, πού ἐξέδωσε τό 1875, ὁ Συρέ ἔτρεφε ἀπεριόριστο θαυμασμό πρός τόν μουσικό μυστικισμό τοῦ Βάγνερ. Ἀργότερα, τό 1908, ἔγραψε καί μιά μελέτη μέ τίτλο "Ἡ μυστικιστική ἰδέα στό ἔργο τοῦ Ριχάρδου Βάγνερ" (*L' idée mystique dans l' oeuvre de Richard Wagner*). Ὁ ἴδιος ὁ Συρέ εἶχε ἕνα πολύ θρησκευτικό πνεῦμα. Τό 1889 στό βιβλίο του "Οἱ μεγάλοι μύστες" (*Les grands initiés*), παρουσίασε τήν ἀνώτερη σκέψη τῶν Ἀρίων μέσω τῶν Ράμα, Κρίσνα, Ἑρμῆ Τρισμέγιστου, Μωυσῆ, Ὀρφέα, Πυθαγόρα, Πλάτωνα καί Ἰησοῦ. Τό 1929, εἶχαν κυκλοφορήσει ἤδη 110 ἐκδόσεις αὐτοῦ τοῦ βιβλίου! Στήν προμετωπίδα εἶχε γράψει: "Ἡ ψυχή εἶναι τό κλειδί τοῦ σύμπαντος".

Στόν πρόλογο τῆς 91ης ἐκδόσεως ἐξηγοῦσε τήν ἐπιτυχία τοῦ βιβλίου μέ τόν ἑξῆς τρόπο: "Ὑπάρχει μιά ζωική ὁρμή στήν κυρία του σκέψη. Αὐτή ἡ σκέψη εἶναι ἡ φωτεινή καί ἀποφασιστική προσέγγιση τῆς ἐπιστήμης καί τῆς θρησκείας, τῶν ὁποίων ὁ δυϊσμός ὑπονόμευσε τίς βάσεις τοῦ πολιτισμοῦ μας καί μᾶς ἀπειλεῖ μέ τίς χειρότερες καταστροφές. Αὐτή ἡ συμφιλίωση θά μπορέσει νά πραγματοποιηθεῖ μόνον μέ μιά νέα συνθετική ἐνατένιση τοῦ ὁρατοῦ καί ἀοράτου κόσμου, μέσω τῆς πνευματικῆς ἐνόρασης καί τῆς ψυχικῆς μαντείας. Μόνον ἡ βεβαιότης τῆς ἀθάνατης ψυχῆς μπορεῖ νά γίνει μία σταθερή βάση τῆς ζωῆς στήν γῆ, καί μόνον ἡ συνεννόηση μεταξύ τῶν μεγάλων θρησκειῶν διά τῆς ἐπιστροφῆς στήν κοινή τους πηγή ἐμπνεύσεως, μπορεῖ νά ἐξασφαλίσει τήν ἀδελφοσύνη τῶν λαῶν καί τό μέλλον τῆς ἀνθρωπότητος" (Edouard Schuré, *Les grands initiés. Esquisse de l' histoire secrète des religions*, Paris, Perrin, 1929, σ. VIII). Βλέπουμε λοιπόν πώς καί ὁ Συρέ, ὅπως καί ὅλοι οἱ ρομαντικοί, διακατέχεται ἀπό ἔντονο μυστικισμό χωρίς νά εἶναι ὀρθόδοξος καμμίας ἀπό τίς μεγάλες θρησκεῖες καί ὅτι καταδικάζει ἀπερίφραστα ὡς καταστροφική τήν Ἀναγέννηση, ἐπιμένοντας πώς τό μεγαλύτερο κακό τῆς ἐποχῆς μας εἶναι ὅτι ἐπιστήμη καί θρησκεία ἀντιμετωπίζονται ὡς δυό ἐχθρικές καί ἀσυμβίβαστες δυνάμεις. Ἁπλῶς, ὅπως οἱ περισσότεροι δυτικοί διανοούμενοι, ἀδυνατεῖ νά καταλάβει πώς τό κλῆμα τῆς Ἀναγέννησης ἦταν στραβό ἐξ ἀρχῆς καί γράφει πώς στράβωσε μόνον μέ τόν Διαφωτισμό. Ἀκόμη καί σήμερα οἱ δυτικοποιημένοι θρησκευτικοί κύκλοι τῆς ἑλληνικῆς ὀρθοδοξίας τό ἴδιο πιστεύουν, χωρίς νά καταλαβαίνουν πώς ἡ πηγή τοῦ Διαφωτισμοῦ βρίσκεται στήν ἰταλική Ἀναγέννηση τοῦ 15ου αἰώνα, τό Quatrocento, δηλαδή στόν καθολικισμό τοῦ Βατικανοῦ.

Ὁ Χίτλερ, τό πνευματικό παιδί τοῦ Βάγνερ, εἶχε σκοπό, ὅπως καί ὁ Ροβεσπιέρρος, νά ἐγκαθιδρύσει μιά καινούργια θρησκεία, τήν "βόρεια θρησκεία", ἀλλά ὁ χρόνος τοῦ ἔλειψε γιά νά μπορέσει νά τήν ἐπισημοποιήσει πλήρως, ἀφοῦ παρέμεινε στήν ἐξουσία μόνον 12 χρόνια ἀπό τά ὁποῖα τά ἕξι ἦταν αὐτά τοῦ πολέμου. Ὁ θεωρητικός τοῦ ναζισμοῦ πού παρουσίασε μιά ὁλοκληρωμένη εἰκόνα τῆς βόρειας θρησκείας, ὑπῆρξε ὁ Ἄλφρεντ Ρόζενμπεργκ στό βιβλίο του "Ὁ μῦθος τοῦ 20ου αἰῶνος" *(Der Mythus des 20. Jahrhunderts)*. Ἡ σημασία αὐτοῦ τοῦ ἔργου γιά νά κατανοήσει κανείς τήν ἰδεολογία τοῦ ναζισμοῦ εἶναι τεράστια, μεγαλύτερη ἀπό τό *Mein Kampf* τοῦ Χίτλερ. Γι' αὐτό καί ἡ ἀποναζιοποίηση πού ὀργάνωσαν οἱ Ἀμερικανοί μετά τό 1945, οὐσιαστικά τό ἐξαφάνισε, μέ ἀποτέλεσμα, ἐνῶ τό βιβλίο τοῦ Χίτλερ βρίσκεται σήμερα σέ ὅλες τίς μεγάλες βιβλιοθῆκες τῆς Δύσεως, *Ὁ μῦθος* τοῦ Ρόζενμπεργκ νά ἔχει καταστεῖ σπανιώτατο ντοκουμέντο. Βέβαια, οἱ δυτικοί ἐκφραστές τῆς ἀποναζιοποιήσεως διατείνονται πώς καί οἱ ἴδιοι οἱ κομματικοί συνάδελφοι τοῦ Ρόζενμπεργκ στό Τρίτο Ράϊχ τόν ἐχλεύαζαν, μέ τήν δικαιολογία πώς ἦταν ὑπέρμετρα θεωρητικός καί ὅτι συνεπῶς δέν εἶχε τόση πρακτική ἐπιρροή ἐπί τῆς πολιτικῆς τοῦ κόμματος, ὅσο θά μποροῦσε κανείς νά φαντασθεῖ. Παραλείπουν ὅμως νά προσθέσουν πώς ὁ ναζισμός, ὅπως ὁ κάθε φασισμός, ἔπαιρνε σαφῆ θέση κατά τοῦ διανοουμενισμοῦ καί συνεπῶς ἐχλεύαζε ὅλους τούς διανοουμένους συμπεριλαμβανομένων καί τῶν δικῶν του. Ἀλλά αὐτό δέν ἐσήμαινε πώς τά ἔργα τοῦ Ρόζενμπεργκ δέν ἐξέφραζαν τήν πεμπτουσία τῆς ναζιστικῆς ἰδεολογίας.

Ὁ Ἄλφρεντ Ρόζενμπεργκ (1893-1946) ἦταν παιδί γερμανικῆς καθολικῆς μικροαστικῆς οἰκογενείας τῆς βαλτικῆς ἀκτῆς καί γεννήθηκε στήν πρωτεύουσα τῆς Ἐσθονίας, τήν σημερινή Τάλλιν τῆς Σοβιετικῆς Ἑνώσεως, πού τότε ὀνομάζετο Ρεβάλ. Οἱ Ἐσθονοί δέν εἶναι ἰνδοευρωπαῖοι ἀλλά Φιλλανδοί οὐραλοαλταϊκοί. Τό 1346 ἡ Ἐσθονία περιῆλθε στούς Γερμανούς τοῦ τάγματος τῶν Τευτόνων Ἱπποτῶν, πού διοίκησαν τήν χώρα γιά δύο περίπου αἰῶνες, ὡς τό 1561. Οἱ Ρῶσοι κατέλαβαν τήν Ἐσθονία τό 1710, ἀλλά ἡ γῆ παρέμεινε στά χέρια τῆς γερμανικῆς ἀριστοκρατίας μέχρι τό 1878. Οἱ Γερμανοί εἶχαν προσπαθήσει νά ἐκγερμανίσουν τήν χώρα διαδίδοντας τήν γερμανική γλῶσσα, ἰδίως στίς πόλεις. Μετά τήν μπολσεβίκικη ἐπανάσταση, ἡ Ἐσθονία ἀνακηρύχθηκε ἀνεξάρτητο κράτος τό 1918. Μετά τόν πρῶτο παγκόσμιο πόλεμο, ὑπῆρχαν στήν χώρα αὐτή 87,7% Ἐσθονοί, 8,2% Ρῶσοι, 1,7% Γερμανοί καί 0,4% ἑβραῖοι. Ἀλλά στίς πόλεις ὑπερτεροῦσε τό γερμανικό στοιχεῖο, πού ἀποτελοῦσε τήν ἄρχουσα τάξη μέ περιουσίες καί μόρφωση. Γι' αὐτό καί ἡ Γερμανία πάντοτε διεκδικοῦσε τήν Ἐσθονία καί τίς ἄλλες βαλτικές χῶρες.

Ὅταν στίς 14 Ἰουλίου 1941, ὁ Ρόζενμπεργκ ἔγινε ὑπουργός τοῦ Τρίτου Ράϊχ γιά τά κατακτημένα ἀνατολικά ἐδάφη, συμπεριλαμβανομένης καί τῆς Ἐσθονίας, προσπάθησε νά ἐφαρμόσει τήν μέθοδο τοῦ γερμανικοῦ ἀποικισμοῦ πού εἶχαν διαλέξει τόν Μεσαίωνα οἱ Τεύτονες ἱππότες, δηλαδή γερμανικές πόλεις-ὀχυρά στήν μέση μιᾶς ἀγροτικῆς θάλασσας ἰθαγενῶν, Σλαύων καί Βαλτικῶν λαῶν.

Ὁ Ρόζενμπεργκ εἶχε μεγαλώσει στήν Ρωσική Αὐτοκρατορία καί εἶχε σπουδάσει ἀρχιτεκτονική στήν Μόσχα ὡς Ρῶσος πολίτης. Ἀλλά τό 1918, στήν Ἐπανάσταση, ἐγκατέλειψε τήν Ρωσία γιά τό Μόναχο τῆς Γερμανίας μαζί μέ πολλούς ἄλλους λευκορώσους. Τό Μόναχο ἔγινε ἔτσι τό κέντρο στήν Γερμανία τῶν Ρώσων ἐμιγκρέδων. Πολλοί ἀπ' αὐτούς δέν ἦσαν μόνον ἀντιμπολσεβίκοι, ἀλλά καί ἀντιεβραῖοι. Ὁ Ρόζενμπεργκ ἔγινε ἀντισημίτης τό 1917. Οἱ Ρῶσοι ἐμιγκρέδες ἦσαν πεπεισμένοι πώς ἡ μπολσεβίκικη ἐπανάσταση εἶχε χρηματοδοτηθεῖ ἀπό ἑβραίους τραπεζῖτες στήν

Νέα Ὑόρκη καί πώς εἶχε ὀργανωθεῖ ἀπό ἑβραίους γιά λογαριασμό τοῦ διεθνοῦς ἰουδαϊσμοῦ. Ἑβραῖοι καί μασόνοι ἦταν οἱ δύο στῦλοι τοῦ διεθνοῦς καπιταλιστικοῦ οἰκοδομήματος.

Ὁ μυστικισμός καί ἡ οἰκοδόμηση ἀπό τόν Ρόζενμπεργκ τῆς βόρειας θρησκείας ἤ λαϊκιστικῆς θρησκείας (τά πάντα στόν ναζισμό ἀνάγονται στό Volk, στόν λαό καί πάνω ἀπό τό κόμμα ὑπάρχει τό Κίνημα –Die Bewegung– πού εἶναι ἡ κοινότητα τῶν πιστῶν) ἔχουν τή βάση τους στόν γερμανικό μεσαιωνικό μυστικιστικό νεοπλατωνισμό τοῦ δομινικανοῦ μοναχοῦ Johann Eckhart καί στόν πολιτικό ρομαντισμό τῆς Γερμανίας τῶν ἀρχῶν τοῦ 19ου αἰῶνος. Αὐτός ὁ μυστικισμός δίνει προτεραιότητα ὄχι στήν Ἱστορία ἀλλά στόν Μῦθο, πού μπορεῖ νά ὁρισθεῖ ὡς Ἱστορία ἡ ὁποία κρύβει τήν πεζή πραγματικότητα κάτω ἀπό ἕναν μανδύα φανταστικοῦ καί ὑπερβολῆς. Δίνοντας ἀπόλυτη προτεραιότητα σέ μία μόνον πραγματικότητα εἰς βάρος ὅλων τῶν ἄλλων, καθεμιά ἀπό τίς τρεῖς πολιτικές ἰδεολογίες κατασκευάζει τόν μῦθο της: τήν πάλη τῶν τάξεων γιά τόν κομμουνισμό, τό ἄτομο γιά τόν φιλελευθερισμό, τόν λαό (Volk) γιά τόν φασισμό. Χωρίς τόν συνεχῆ προπαγανδισμό τοῦ μύθου, ἡ ἰδεολογία χάνει τήν κινητήρια δύναμή της. Γιά τόν Ρόζενμπεργκ ὁ λαός διακατέχεται ἀπό ἕνα πνεῦμα πού τόν δένει μέ τίς αἰώνιες δυνάμεις τῆς φύσεως. Αὐτό τό πνεῦμα εἶναι ἡ ψυχή τοῦ λαοῦ-ἔθνους πού ριζώνεται στήν φυλή του, δηλαδή στό αἷμα του. "Σήμερα μιά καινούργια πίστη ἀναδύεται: ὁ μῦθος τοῦ αἵματος· ἡ πίστη πώς ἡ θεϊκή οὐσία τοῦ ἀνθρώπου πρέπει νά ὑπερασπισθεῖ μέσω τοῦ αἵματος. [Blut und Boden: αἷμα καί γῆ, εἶναι τό βασικό σύνθημα τοῦ ναζισμοῦ]. Αὐτή ἡ πίστη πού περιέχει τήν πλέον καθαρή γνώση ὅτι ἡ βορεία φυλή ἀντιπροσωπεύει ἐκεῖνο τό μυστήριο πού ἀνέτρεψε καί ἀντικατέστησε τά παλιά "Ἅγια Μυστήρια" ("Φυλή καί Μῦθος" στό *Der Mythus des 20. Jahrhunderts*, Berlin, 1938, σελ. 82 τοῦ Robert Pois, ed., *Race and Race History and other Essays by Alfred Rosenberg*, New York, Harper, 1974).

Ὁ Ρόζενμπεργκ ὑπῆρξε ἀπό τοῦ πρώτους συντρόφους τοῦ Χίτλερ ἀφοῦ μπῆκε στό ναζιστικό κόμμα τό 1920. Τό δέ 1921 ἔγινε ἐκδότης τῆς ἐφημερίδας τοῦ κόμματος, τοῦ *Völkisher Beobachter* καί τό 1930 τοῦ περιοδικοῦ τοῦ κόμματος, *Nationalsozialistische Monatshefte*. Μάλιστα ὅταν τό 1924 ὁ Χίτλερ φυλακίσθηκε, ἔβαλε τόν Ρόζενμπεργκ νά τόν ἀντικαταστήσει ὡς ἀρχηγό τοῦ κόμματος. Αὐτός ἐπίσης ἔδωσε τίς ἀρχές περί τέχνης καί λογοτεχνίας, ὅταν τό 1929 ὀργάνωσε καί διηύθυνε τόν Σύνδεσμο Ἀγῶνος γιά τήν Γερμανική Κουλτούρα στό Μόναχο (Kampfbund für Deutsche Kultur). Αὐτές οἱ αἰσθητικές ἀρχές ἔγιναν νόμος τό 1934. Δημοσίευσε γιά πρώτη φορά τόν "Μῦθο τοῦ 20οῦ αἰῶνος" τό 1930. Ὅταν τό κόμμα ἦρθε στήν ἐξουσία τό 1933, διηύθυνε ἕναν ὀργανισμό μέ τίτλο Γραφεῖο Ἐξωτερικῆς Πολιτικῆς (Aussenpolitisches Amt). Σκοπός τοῦ γραφείου τούτου ἦταν νά ἐλέγχει τό κόμμα τό διπλωματικό σῶμα καί νά τό βραχυκυκλώνει μέ μυστικές διαπραγματεύσεις.

Ἄλλο ἰδεολόγος καί ἄλλο προπαγανδιστής. Ὁ Ρόζενμπεργκ ὑπῆρξε τό ἰδεολογικό μυαλό τοῦ ναζισμοῦ, ἐνῶ ὁ Γκαῖμπελς (1897-1945) ὑπῆρξε ὁ ἐκλαϊκευτής, ὁ ὑπεύθυνος τῆς προπαγάνδας. Δύο θέσεις ἐντελῶς διαφορετικές πού ἔφεραν τούς δύο ἄνδρες σέ συνεχῆ καί σκληρή ἀντιδικία. Ἕνας ἀπό τούς κύριους ἐμπνευστές τοῦ Ρόζενμπεργκ ἦταν ὁ σύζυγος τῆς κόρης τοῦ Βάγνερ, ὁ Βρεταννός Houston Stewart Chamberlain (1855-1927), λάτρης τῆς γερμανικῆς ρομαντικῆς κουλτούρας, πού εἶχε πάρει τήν γερμανική ὑπηκοότητα καί πού τό 1890-1891 εἶχε βγάλει τό βιβλίο "Οἱ βάσεις τοῦ 19ου αἰῶνος" στά γερμανικά (*Die Grundlagen des Neunzehnten Jahrhunderts*), ὅπου ἐξεθείαζε τήν "τευτονική φυλή", ἀριστοκρατία τῆς ὑφηλίου.

Τό ἔργο τοῦ Ρόζενμπεργκ, "Ὁ μῦθος τοῦ 20ου αἰῶνος" εἶχε τεράστια διάδοση. Τό 1938, ἤδη 142 ἐκδόσεις τοῦ βιβλίου εἶχαν κυκλοφορήσει καί 713.000 ἀντίτυπα εἶχαν πουληθεῖ. Πρόκειται γιά μιά ρομαντική ἱστορία τοῦ πλανήτη ἀπό καταβολῆς κόσμου, πού ἔχει ὡς ἀπαρχή ἕναν χαμένο παράδεισο: τόν καταποντισμό τοῦ ἀρχέγονου πολιτισμοῦ, τῆς γῆς τῆς Ἀτλαντίδος. Ὁ Ρόζενμπεργκ τοποθετεῖ τήν "ἤπειρο" αὐτή μεταξύ Βορείου Ἀμερικῆς καί Εὐρώπης (ἐνῶ ὅλες οἱ μελέτες τείνουν στήν τοποθέτηση τῆς Ἀτλαντίδος στό Αἰγαῖο, πού καταποντίστηκε στά τέλη τοῦ 17ου αἰῶνος π.Χ. κατόπιν τῆς πιό ἰσχυρῆς ἡφαιστιακῆς ἐκρήξεως τῆς Ἱστορίας, στήν Θήρα) καί προσθέτει πώς ἡ Γροιλανδία καί ἡ Ἰσλανδία εἶναι τά ἐναπομείναντα κομμάτια τῆς Ἀτλαντίδας. (Εἶναι ἀλήθεια πώς βρέθηκαν ἀπολιθώματα στούς παγετῶνες τῆς

Γροιλανδίας, ἀλλά προέρχονται ἀπό τήν πλανητικῶν διαστάσεων ἔκρηξη τῆς Θήρας). Ἐκείνη τήν ἐποχή δέν ὑπῆρχαν παγετῶνες διότι τό κλῖμα στόν βόρειο Ἀτλαντικό ἦταν πιό ἤπιο. Στήν Ἀτλαντίδα λοιπόν ζοῦσε ἡ βόρεια φυλή πού λάτρευε τόν ἥλιο. Ὁ ἥλιος καί ἡ Ἀπολλώνιος λατρεία εἶναι ἡ βάση τῆς "βόρειας θρησκείας" τοῦ ναζισμοῦ, διότι ὁ ἥλιος θεωρεῖται ἡ πηγή τῆς δημιουργίας καί τῆς ζωῆς. Οἱ κάτοικοι τῆς Ἀτλαντίδας ἐξαπλώθηκαν ἀπό τόν βορρᾶ μέσω θαλάσσης πρός τήν Μεσόγειο, Ἀφρική, κεντρική Ἀσία καί Κίνα, ἀκόμη καί στήν Νότιο Ἀμερική. Ἐπρόκειτο γιά τήν φυλή τῶν ἀρχόντων (Herrenvolk) μέ λευκό δέρμα καί γαλανά μάτια.

Ὁ λαός τῆς Ἀτλαντίδας στήν Ἰνδία παίρνει τό ὄνομα Ἄριος: "Ὁ Ἰνδός, γεννημένος αὐθέντης, ἔνοιωσε τήν ψυχή του νά διαστέλλεται ὡς πνοή ζωῆς πού γέμισε ὅλη τήν ὑφήλιο... Μιά ζωή δράσεως ἡ ὁποία εἶχε ἀναγνωρισθεῖ ἀπό τήν ἀρχαία διδασκαλία τῶν Οὐπάνισαντ [108 βεδικά κείμενα τοῦ 8ου αἰῶνος π.Χ.] ὡς ἀπαραίτητη προϋπόθεση ἀκόμη καί γιά τόν ἀσκητικό στοχαστή, ἄρχισε μπροστά στά μάτια τοῦ νομάδη, νά χάνεται μέσα στόν κόσμο τῆς ψυχῆς" (A. Rosenberg, *Der Mythus...*, R. Pois ed., p. 42). Ἐδῶ βλέπουμε νά παρουσιάζεται μιά βασική ἀρχή τοῦ φασισμοῦ: ἡ προτεραιότητα τῆς πράξεως, τῆς δράσεως ἐπί τῆς θεωρίας, ἐπί τοῦ στοχασμοῦ. Γιά τόν φασισμό ἡ σκέψη εἶναι ἀπόρροια τῆς δράσεως καί ὄχι τό ἀντίθετο. Ἀπό τήν πεποίθηση αὐτή προέρχεται ἡ περιφρόνηση πού ἔχει ὁ ἐθνικοσοσιαλιστής γιά τόν διανοούμενο καί πού ἐκφράζεται ἀπό τήν ἐποχή τοῦ Ρουσώ. Παρατηροῦμε ἐπίσης τόν ρομαντικό τρόπο μέ τόν ὁποῖο ἐκφράζεται ὁ Ρόζενμπεργκ.

Ἐνῶ λοιπόν ὁ Ἰνδός, ὁ κατ' ἐξοχήν Ἄριος, ἐξελίσσεται πρός ἕναν μή διαλεκτικό μονισμό ὅπου ἡ ψυχή εἶναι τό πᾶν καί τό σῶμα ὑποκατάστατο τῆς ψυχῆς, ἡ ἐπαφή μέ τήν φύση χάνεται καί δέν δίδεται πλέον σημασία στήν διαφορά τῶν φυλῶν. Ἔτσι οἱ Ἄριοι ἀναμιγνύονται μέ τούς ντόπιους, σκούρους στό χρῶμα, Δραβίδες, μπασταρδοποιοῦνται καί ξεπέφτουν στήν σημερινή τους ἀξιοθρήνητη κατάσταση "ψάχνοντας νά θεραπεύσουν τήν ἀναπηρία τους στά ὕδατα τοῦ Γάγγη" (σ. 43). Ἡ προσήλωση τῶν ναζιστῶν στόν πρωταρχικό ἰνδικό πολιτισμό τῶν Ἀρίων νομάδων ἐπιδρομέων, πού εἶχαν καταγράψει στίς Βέδες, τά ἱερά τους βιβλία, στήν γλῶσσα τους, τήν σανσκριτική, τήν βάση ὅλων τῶν ἰνδοευρωπαϊκῶν γλωσσῶν, ἦταν ἰδίως ἔντονη στό τάγμα "στρατιωτικῶν καλογήρων" SS (Schutzstaffeln=τάγματα ἀσφαλείας μελανοχιτώνων), πού τό 1938 ἐπεκτάθηκαν καί στόν στρατό μέ τήν δημιουργία τῶν Waffen-SS. Τά SS μποροῦν νά συγκριθοῦν μέ τά τάγματα τῶν Τευτόνων ἱπποτῶν καί τούς ὀθωμανικούς γενιτσάρους. Ὁ ἰνδουϊσμός τῶν Βεδῶν ἔπαιζε πρωταρχικό ρόλο καί στόν ἀρχηγό τους, τόν Χάϊνριχ Χίμμλερ (1900-1945), πού εἶχε μπεῖ στά SS ἀπό τήν χρονιά τῆς ἱδρύσεώς τους τό 1925, καί εἶχε γίνει ὁ ὕπατος Reichsführer τοῦ "μαύρου τάγματος" τό 1929 (μέ τήν πολιτική τους ἀστυνομία Γκεστάπο, τήν ὑπηρεσία πληροφοριῶν, τήν διεύθυνση τῶν στρατοπέδων συγκεντρώσεως, τήν ὑπηρεσία γιά τήν φυλή καί τόν ἀποικισμό, τό στρατό τῶν Βάφφεν- SS καί τό κόμμα τῆς ἐλίτ ὑπεράνω τοῦ κόμματος, τά Allgemeine SS). Ὁ Χίμμλερ μελετοῦσε τά σανσκριτικά καί εἶχε στραμμένη τήν προσοχή πρός τήν πηγή τῆς ἀποθηκευμένης στά μοναστήρια τοῦ Θιβέτ Βεδικῆς γνώσεως. Γιά τόν σκοπό αὐτό εἶχε ἐνσωματώσει στά SS ἕνα σύνολο πενήντα περίπου ἰνστιτούτων ἐρευνῶν ὑπό τήν γενική ὀνομασία *Ahnenerbe* (Κληρονομιά τῶν Προγόνων) καί τήν διεύθυνση τοῦ καθηγητοῦ Wurst, πού ἐδίδασκε τά σανσκριτικά κείμενα στό Πανεπιστήμιο τοῦ Μονάχου.

Ἡ *Ahnenerbe* εἶχε μεγάλο προϋπολογισμό γιά νά φέρει σέ πέρας ἐπιστημονικές καί μυστικιστικές ἔρευνες πού θά ἔριχναν φῶς στήν πνευματική ἱστορία τῶν Ἀρίων. Γενίκευσε στούς κύκλους τῶν SS τήν πρακτική τοῦ γιόγκα καί ὀργάνωσε πολλές ἐπιστημονικές ἀποστολές καί εἰδικά στά μοναστήρια τοῦ Θιβέτ, γιά τήν συλλογή σανσκριτικῶν στοιχείων. Μυστικισμός καί μαγεία ἦταν ἀλληλένδετα γιά τήν οἰκοδόμηση μιᾶς θρησκείας τοῦ Σατανᾶ.

Ἡ θρησκεία αὐτή εἶχε δύο ἐπίπεδα: τό ἐπίπεδο τῶν καλογήρων SS, πού ἦταν οἱ μύστες, οἱ γνωρίζοντες τήν ἐσωτερική μορφή τῶν μυστηρίων, καί τό ἐπίπεδο τοῦ λαοῦ πού ἔπαιρνε μέρος σέ ἐξωτερικές τελετουργίες μέ μουσική Βάγκνερ καί σκηνοθεσίες πού θύμιζαν τίς ἐπιβλητικές ὄπερες τοῦ μεγάλου Γερμανοῦ μουσικοσυνθέτη. Κάθε δέ Κυριακή, τό κόμμα ὀργάνωνε σ' ὅλην τήν Γερμανία γιορτές, ὅπως τήν γιορτή τοῦ θερισμοῦ ἤ τήν ἡμέρα τῶν ἡρώων, καί τά SS ἦταν παρόντες σάν ἱερεῖς. Στά σύμβολα πού ὀρθώνονταν σ' αὐτές τίς γιορτές, πρωταρχικό ρόλο ἔπαιζε ὁ κύκλος τοῦ ἡλίου.

Μέσα στό μυστικιστικό τάγμα τῶν SS, ὁ Χίμμλερ προσπάθησε νά ἐγκαθιδρύσει ἕνα σοσιαλιστικό πνεῦμα ἀπολύτου ἰσότητος. Ὅπως οἱ γερμανικές νομαδικές φυλές τῶν πρώτων χρόνων, τά SS ἔπρεπε νά συγκροτοῦν μιά μεγάλη οἰκογένεια ἐλευθέρων καί ἴσων μεταξύ τους ἀνδρῶν. Αὐτή ἡ ἰσότητα δέν ἐθεωρεῖτο ἀντιφατική μέ τήν ἀρχή τῆς ἀπόλυτης ἐξουσίας τοῦ Χίτλερ, ὡς πολιτικοῦ χαρισματικοῦ ἥρωος, ἀντανάκλαση τῆς λαϊκῆς θελήσεως, πού ἀπεκαλεῖτο τό Führersprinzip. Ἐπίσης αὐτή ἡ ἐλίτ πού ἦταν ὑπεράνω τοῦ κόμματος καί προστάτευε τό πλῆθος τοῦ κινήματος-λαοῦ, ἀπό τό ὁποῖο καί προέρχετο, αὐτόν τόν περιούσιο λαό τῶν Ἀρίων πού ἐξασκοῦσε ὡς ἀπόλυτος ἄρχων herrenvolk τήν ἄμεση δημοκρατία, ἦταν στήν κορυφή μιᾶς διοικητικῆς πυραμίδας, ὅπως οἱ μανδαρῖνοι τῆς κονφουκιανικῆς Κίνας, χαρακτηριστική τῆς φασιστικῆς δομῆς τῆς ἐξουσίας. Δηλαδή ὑπῆρχε διαλεκτική σχέση μεταξύ τῆς ἀπόλυτης καί ἀδιαίρετης ἐξουσίας ὁλοκλήρου τοῦ λαοῦ καί τῆς ἀκραίας ἱεραρχικῆς δομῆς τῆς ἰδίας ἐξουσίας.

Ἡ μικροαστική προέλευση τῶν SS ἦταν σαφέστατη. Ἤδη ὑπό τήν πρώτη τους μορφή τό 1923 συγκροτοῦνται ἀπό βιοτέχνες, ἐργάτες, μικρομαγαζάτορες καί ἔχουν τότε ὡς ἀρχηγό ἕναν ἐμποράκο τσιγάρων καί ἕναν χασάπη. Τά SS ἦταν 2.000 τό 1930, 50.000 τό 1933, 210.000 τό 1936. Ὁ Χίμμλερ εἶχε μεγαλώσει σέ μιά πολύ παραδοσιακή καθολική οἰκογένεια ἑνός καθηγητοῦ καί εἶχε σπουδάσει σέ σχολή ἀξιωματικῶν. Μετά τόν πρῶτο παγκόσμιο πόλεμο σπούδασε ἀγρονομία καί ἔλαβε τό δίπλωμα μηχανικοῦ-ἀγρονόμου στά 21 του χρόνια. Μπῆκε στό ναζιστικό κόμμα τό 1923. Ἡ ἀφοσίωσή του στόν Χίτλερ ἦταν ἀπόλυτη καί ὁ τελευταῖος τόν ἀποκαλοῦσε, "ὁ πιστός Χάϊνριχ" (der treue Heinrich).

Στό βιβλίο τοῦ Ρόζενμπεργκ, ἡ πορεία τῶν Ἀρίων πρός τήν παρακμή συνεχίζεται στήν ἀρχαιότητα, πρῶτα στήν Ἰνδία, μετά στήν Περσία καί τέλος στήν Ἑλλάδα. Στήν Περσία ὁ μεγάλος Ἄριος Ζαρατούστρα (περίπου 660-583 π.Χ.) ἔδωσε στήν ἰρανική θρησκεία τήν μορφή τοῦ ζωροαστρισμοῦ, ὅπου κυριαρχεῖ ὁ Θεός τοῦ φωτός Ahura Mazda, πεμπτουσία τῆς ἀρίας σκέψεως. Ἀλλά μέ τό φυλετικό τους μπαστάρδεμα οἱ Πέρσες Ἄριοι, ὅπως καί οἱ Ἰνδοί, παρήκμασαν. Τώρα ἔρχεται ἡ σειρά τῶν Ἑλλήνων Ἀχαιῶν καί Δωριέων. "Τό ὄνειρο τῆς βόρειας ἀνθρωπότητας στήν Ἑλλάδα ὑπῆρξε τό πιό ὄμορφο... Ὁ χρυσοκόμης Ἀπόλλων [ὁ θεός-ἥλιος τῶν Ἀρίων] εἶναι ὁ φύλακας καί ὁ προστάτης σέ καθετί τό εὐγενές καί τό περιχαρές... Ὁ Ἀπόλλων εἶναι τό ἀνερχόμενο φῶς τῆς αὐγῆς. [Ἡ αὐγή, ἡ ἕως, πού γιά τόν χιτλερισμό εἶναι ὁ Ἑωσφόρος]... Ὁτιδήποτε ἱερό ἀπεδόθη στόν θεό πού ἀναδύθηκε ἀπό τό πλοῖο-κύκνο τοῦ Βορρᾶ... Δίπλα στόν Ἀπόλλωνα στέκεται ἡ Παλλάς Ἀθηνᾶ... ἡ κόρη μέ τά γαλανά μάτια τοῦ Κεραυνίου Διός... Αὐτές οἱ εὐσεβέστατες δημιουργίες τῆς ἑλληνικῆς ψυχῆς ἀποκαλύπτουν τόν βίο τοῦ βορείου ἀνθρώπου... Ἀλλά ἀπό κάτω ἀπό τό δημιουργικό στρῶμα τῶν κυβερνώντων, ζοῦσαν καί ἤκμαζαν πελασγικές, φοινικικές, ἀλπικές καί ἀργότερα συριακές ἀξίες... Ἐνῶ οἱ ἑλληνικοί θεοί ἦσαν ἥρωες τοῦ φωτός καί τοῦ οὐρανοῦ, οἱ θεοί τῶν μή Ἀρίων τῆς Μικρᾶς Ἀσίας ἔφεραν ὅλες τίς γήινες ἀξίες. Ἡ Δήμητρα, ὁ Ἑρμῆς καί ἄλλοι, εἶναι οὐσιαστικές ἐκφάνσεις αὐτῆς τῆς φυλετικῆς ψυχῆς... Τό χρῆμα ἀνακατεύει τό εὐγενές αἷμα μέ τό αἷμα τοῦ μή εὐγενοῦς [ἀντίθετα μέ τόν νόμο τῆς φύσεως]... Τό χρῆμα καί μαζί του ὁ ὑπάνθρωπος [Untermensch] εἶχαν ἤδη θριαμβεύσει εἰς βάρος τοῦ αἵματος. Οἱ Ἕλληνες στερούμενοι κατευθύνσεως, ἄρχισαν νά ἀνακατεύονται μέ τό ἐμπόριο, τήν πολιτική καί τήν φιλοσοφία, ἀποκηρύσσοντας σήμερα αὐτά πού εἶχαν τιμήσει χθές. Οἱ γιοί δέν ἐσέβοντο πλέον τούς πατέρες τους, οἱ δοῦλοι ἀπό ὅλες τίς γωνιές τῆς ὑφηλίου ἀπαιτοῦσαν "ἐλευθερία". Ἡ ἰσότητα ἀνδρῶν καί γυναικῶν ἐξηγγέλθη". (A. Rosenberg, *Der Mythus...*, R. Pois ed., σσ. 47-53).

Ἐδῶ βλέπουμε καθαρά τήν δυτική προέλευση τοῦ ἐθνικοσοσιαλισμοῦ. Παρά τήν ἐπαναφορά τῆς διαλεκτικῆς ἀπό τόν πολιτικό ρομαντισμό, ἡ σύνθεση, ἡ ἁρμονία, δηλαδή τό ξεπέρασμα τῆς ἀντιφάσεως, δέν ἐπιτυγχάνεται, ὅπως δέν τό ἐπιτυγχάνει οὔτε ὁ φιλελευθερισμός οὔτε ὁ κομμουνισμός. Ἡ διαλεκτική εἶναι ἡμιτελής, κολλάει στήν ἀντίφαση. Ἔτσι ἔχουμε μιά χωρίς τέλος *πάλη*: πάλη τοῦ θεοῦ τοῦ καλοῦ κατά τοῦ θεοῦ τοῦ κακοῦ (ζωροαστρισμός, γνωστικισμός), πάλη τῶν τάξεων τῶν κομμουνιστῶν, τῶν φύλων ἀπό τούς φιλελεύθερους, τῶν φυλῶν ἀπό τούς φασιστές. Οἱ ἐθνικοσοσιαλιστές στήν ἱστορική πάλη μεταξύ νομάδων καί ἐγκατεστημένων (sédentaires), μεταξύ 'Αρίων καί Δραβιδῶν, 'Αχαιῶν καί Πελασγῶν, Τευτόνων ἱπποτῶν καί Σλαύων ἀγροτῶν, ὄχι μόνον παίρνουν τό μέρος τῶν νομάδων καί τοῦ ἠθικοῦ τους συστήματος, ἀλλά καί καταδικάζουν τήν σύνθεση νομάδων-ἐγκατεστημένων, πού ὅμως εἶναι στήν βάση τῆς οἰκοδόμησης ὅλων τῶν πολιτισμῶν. Προτιμοῦν νά βλέπουν στούς μή νομάδες ὄχι τούς ἀγρότες, ἀλλά κυρίως τούς ἐμπόρους μέ τό ἐπάρατο χρῆμα, καί θεωροῦν τήν ἀνάμιξη τῶν δύο στοιχείων, ἀνάμιξη φυλῶν, μπασταρδοποίηση ἡ ὁποία φέρνει τήν παρακμή. 'Εξ' οὗ καί ἡ ἀναγκαιότητα τῆς συνεχοῦς πάλης τῶν φυλῶν γιά νά ἐξασφαλισθεῖ ἡ καθαρότητα τῆ νομαδικῆς ἀρίας φυλῆς.

Κατά τόν Ρόζενμπεργκ, ἡ ἐμφάνιση τοῦ Χριστοῦ ὑπῆρξε θετική, διότι κατ' αὐτόν ὁ 'Ιησοῦς δέν ἦταν ἑβραῖος. Πιστεύει στόν 'Ιησοῦ ὡς ἄνθρωπο καί ὄχι "στόν θρῦλο τοῦ Χριστοῦ" (σ. 68). Ἔστω καί ἄν μεγάλωσε σέ ἑβραϊκό πνευματικό περιβάλλον, ἡ διδασκαλία του, γράφει, δέν εἶχε τίποτα τό ἑβραϊκό. Στό θέμα αὐτό πρέπει νά ποῦμε πώς ὄχι μόνον ὁ Ρόζενμπεργκ καί οἱ φυλετιστές, ἀλλά καί ἄλλοι συγγραφεῖς πού δέν ἦσαν φυλετιστές, πρόσεξαν πολλές ὁμοιότητες μεταξύ τῆς διδασκαλίας τοῦ Χριστοῦ καί αὐτῆς τῶν ἰνδουιστῶν, σέ σημεῖο μάλιστα νά διατείνονται πώς θά πρέπει νά ταξίδεψε καί νά παρέμεινε ἐπί μακρά σειρά ἐτῶν στήν 'Ινδία.

Κατά τόν "Μῦθο τοῦ 20ου αἰῶνος" ὁ χριστιανισμός πῆρε στραβό δρόμο παρά τήν θέληση τοῦ ἱδρυτοῦ του. Σ' αὐτό φταίει ὁ ἅγιος Παῦλος: "Τό χριστιανικό κίνημα... φάνηκε στόν Φαρισαῖο Παῦλο νά ὑπόσχεται πολλά καί νά τοῦ εἶναι καί χρήσιμο. Μέ αἰφνίδια ἀπόφαση ἔγινε χριστιανός καί ζωσμένος μέ ἀπεριόριστο φανατισμό κήρυξε τήν διεθνῆ ἐπανάσταση κατά τῆς Ρωμαϊκῆς Αὐτοκρατορίας... Ὅτι ὁ ἴδιος ὁ Παῦλος, παρά κάποια περιστασιακή κριτική κατά τῶν ἑβραίων, εἶχε ἀπόλυτη συναίσθηση πώς ἀντιπροσώπευε τά ἑβραϊκά συμφέροντα, μπορεῖ νά διαπιστωθεῖ σέ διάφορες εἰλικρινεῖς ἀναφορές πού κάνει στίς ἐπιστολές του... ['Αντιθέτως] ἡ εὐαγγελική διδασκαλία τοῦ 'Αγίου 'Ιωάννη πού ἐνεπνέετο ἀκόμη πέρα γιά πέρα ἀπό τό ἀριστοκρατικό πνεῦμα, προσπάθησε νά ὑπερασπίσει τόν χριστιανισμό κατά τῆς ὁμαδικῆς μπασταρδοποιήσεως, ἀνατολικοποιήσεως καί ἑβραιοποιήσεως. Γύρω στό 150 μ.Χ. ἐμφανίσθηκε ὁ Ἕλληνας Μαρκίων [γνωστικός αἱρεσιάρχης πού ἀπέρριπτε ὁλόκληρη τήν Παλαιά Διαθήκη] ὁ ὁποῖος στό ὄνομα τῆς βορείας σκέψεως, εἰσήγαγε μιά κοσμολογία πού ἦταν βασισμένη πάνω στήν ὀργανική ἔνταση καί τήν ἱεραρχία. Τό ἔκανε αὐτό σέ ἀντίθεση μέ τήν σημιτική εἰκόνα τῆς αὐθαίρετης ἐξουσίας τοῦ Θεοῦ καί τήν χωρίς ὅρια κυριαρχία του. Ἐπίσης κατεδίκασε τό "Βιβλίο τοῦ Νόμου" ἑνός τόσο ψεύτικου Θεοῦ, δηλαδή τήν λεγόμενη Παλαιά Διαθήκη. Διάφοροι γνωστικοί προσπάθησαν καί αὐτοί νά κάνουν τό ἴδιο. Ἀλλά λόγω τῆς φυλετικῆς ἀποσύνθεσης ἡ Ρώμη συμμάχησε μέ τήν Ἀφρική καί τήν Συρία, ἀπέρριψε τήν τίμια προσωπικότητα τοῦ Ἰησοῦ καί συγχώνεψε τό ἰδανικό τῆς οἰκουμενικῆς Αὐτοκρατορίας τῆς κατοπινῆς Ρώμης μέ τήν ἔννοια τῆς μή ἐθνικῆς οἰκουμενικῆς Ἐκκλησίας... Μέ τόν τρόπο αὐτό μιά δουλική θρησκεία μπῆκε στήν Εὐρώπη, καλυπτόμενη πίσω ἀπό τήν παρεξηγημένη μεγάλη προσωπικότητα τοῦ Ἰησοῦ. Ἔτσι ὁ κόσμος δέν ἐξυψώθει λόγω τῆς ζωῆς τοῦ Σωτῆρος, ἀλλά λόγω τοῦ θανάτου του καί τῶν θαυματουργῶν συνεπειῶν του. Αὐτό εἶναι τό μόνο θέμα τῆς ἁγίας γραφῆς τοῦ Παύλου. Ἀλλά ὁ Γκαῖτε, πού θεωροῦσε τήν ζωή τοῦ Χριστοῦ ὡς τήν μόνη σημαντική καί ὄχι τόν θάνατό του, ἐπιβεβαίωσε στήν ψυχή τῆς γερμανικῆς Δύσεως τήν σημασία τοῦ θετικοῦ χριστιανισμοῦ σέ ἀντίθεση μέ τόν ἀρνητικό χριστιανισμό, ὁ ὁποῖος βασίσθηκε στήν ὕπαρξη κλήρου καί τήν μανία τῆς μαγείας πού εἶχαν τίς ρίζες τους στίς ἐτρουσκικοαφρικανικές δοξασίες" (σσ. 69-72).

Ὁ Ρόζενμπεργκ καί ἡ βόρεια θρησκεία του, βλέπει λοιπόν ἕναν καλό χριστιανισμό, αὐτόν τοῦ Ἁγίου Ἰωάννου τοῦ Εὐαγγελιστοῦ, καί ἕναν κακό χριστιανισμό, αὐτόν τοῦ Ἁγίου Παύλου. Ἤδη, τό 1889, ὁ Συρέ, στούς "Μεγάλους μύστες" παρουσίαζε τόν Ἰησοῦ, ἀκόμη καί τόν Μωυσῆ, ὡς συνεχιστές μιᾶς ἐσωτερικῆς σκέψεως πού ἄρχιζε μέ τόν Ἄριο τόν Ράμα. Ἔτσι κατά τόν Συρέ ὁ Μωυσῆς ἦταν Αἰγύπτιος ἱερέας καί ὄχι ἑβραῖος. Ὁ δέ Ἰησοῦς, ὑπῆρξε ὁ ἀπελευθερωτής τῶν γυναικῶν πού ὑποδούλωσε ξανά ὁ Παῦλος, ὁ ὁποῖος παραμόρφωσε τήν σκέψη τοῦ Χριστοῦ. Ἀλλά ἡ βάση τῶν ἰδεῶν τοῦ Ρόζενμπεργκ στό σημεῖο αὐτό, βρίσκεται στόν πολιτικό ρομαντισμό τοῦ φυλετιστῆ Johann Gottlieb Fichte (1762-1814), πού ἀπέρριπτε τήν Παλαιά Διαθήκη, κατεφέρετο κατά τοῦ Παύλου καί ἠρνεῖτο τήν Γένεση.

Ὁ σατανισμός τῆς βόρειας θρησκείας φαίνεται καθαρά στήν ἀπόρριψη τῆς ἀρχῆς τῆς ἀγάπης. Γράφει λοιπόν ὁ Ρόζενμπεργκ στόν *Μῦθο*: "Δύο εἶναι οἱ ἀξίες πού ἐνσωματώνουν σχεδόν δύο χιλιάδες χρόνια πάλης μεταξύ τῆς ἐκκλησίας καί τῆς φυλῆς... Δύο ἀξίες πού εἶναι ριζωμένες στήν θέληση καί πού σήμερα μάχονται γιά ἐπικράτηση στήν Εὐρώπη: ἀγάπη καί τιμή. Ἡ καθεμία ἀγωνίζεται γιά ἀναγνώριση ὡς ὑψίστη ἀξία. Ἡ Ἐκκλησία, ὅσο καί ἄν αὐτό φαίνεται περίεργο, θέλει νά κυβερνήσει μέ τήν ἀγάπη. Οἱ βόρειοι Εὐρωπαῖοι θέλουν νά ζήσουν ἐλεύθεροι καί νά πεθάνουν μέ τιμή. Καί οἱ δύο ἰδέες βρῆκαν τούς μάρτυρές τους καί ὅμως, ὅσο καί νά εἶναι αὐτονόητη, ἡ πάλη αὐτή συχνά δέν ἀντιμετωπίσθηκε μέ σαφήνεια... Ἀγάπη καί οἶκτος, τιμή καί καθῆκον, συγκροτοῦν πνευματικές οὐσίες οἱ ὁποῖες ἀπογυμνωμένες ἀπό τίς διάφορες ἐξωτερικές ἐπιστρώσεις, ἀντιπροσωπεύουν τίς κινητήριες δυνάμεις στήν ζωή σχεδόν ὅλων τῶν φυλῶν καί ἐθνῶν, δυνάμενες νά ἔχουν κουλτούρα... Τό ἕνα ἤ τό ἄλλο ἰδανικό πρέπει νά ὑπερισχύσει... Ἡ ἔννοια τῆς τιμῆς ὡς κέντρο τοῦ ὄντος ἐπιτεύχθηκε στήν βόρεια, γερμανική Δύση. Οἱ Βίκινγκ ἐμφανίσθηκαν στό προσκήνιο τῆς Ἱστορίας μέ μιά ἱστορική μοναδική αὐτοπεποίθηση... Ἡ προσωπική τιμή τοῦ Βίκινγκ ἀξίωνε θάρρος καί αὐτοπειθαρχία. Ἀντίθετα ἀπό τούς Ἕλληνες ἥρωες, δέν ἵδρωνε ἐπί ὧρες πρίν ἀπό κάθε μάχη. Ἀντίθετα ἀπό τόν Ἕλληνα, δέν ἔκλαιγε ἄν ἐπληγώνετο... Ἀπό τήν ἄποψη αὐτή ὁ Βίκινγκ εἶναι πράγματι ὁ Kulturmensch" (σσ. 101-104).

Ἡ ἰδέα τῆς κουλτούρας (Kultur) τῶν Γερμανῶν ρομαντικῶν ἔχει ὡς ἑξῆς: ἀπό τήν ἐποχή τῆς Γαλλικῆς ἐπαναστάσεως τοῦ 1789, ὅλη ἡ γερμανική σκέψη ἐξελίχθηκε γύρω ἀπό δύο ἀντιφάσεις: Ἀνατολή-Δύση καί Κουλτούρα-Πολιτισμός. Γι' αὐτούς ἡ Δύση εἶναι ἡ Γαλλία καί οἱ ἀγγλοσαξωνικές χῶρες, δηλαδή ἡ Ἀγγλία καί ἡ βόρειος Ἀμερική, σέ ἀντίθεση μέ τήν Γερμανία. Χρειάσθηκε νά ἐκραγεῖ ἡ Γαλλική ἐπανάσταση γιά νά ἀντιληφθοῦν οἱ Γερμανοί ρομαντικοί σέ ποιό ἀδιέξοδο ἡ Ἰταλική Ἀναγέννηση τοῦ 15ου αἰώνα καί ἡ δημιουργία τῆς Δύσεως εἶχε φέρει τήν οἰκουμένη. Γι' αὐτό καί ἀρνοῦνται νά ὀνομάσουν τήν Γερμανία Δύση. Γι' αὐτούς ἡ Δύση εἶναι βάρβαρη, χωρίς κουλτούρα, ἀλλά μόνο πολιτισμό. Ἔλαχε στούς Γερμανούς, λαός κουλτούρας (ἄνθρωπος κουλτούρας-Kulturmensch), νά πραγματοποιήσουν τήν ἑνότητα τοῦ πνεύματος πού διαιρέθηκε ἀπό τούς Ἀσιάτες, λαός τῆς φύσεως, καί ἀπό τούς Δυτικούς Γάλλους, Ἄγγλους καί Γιάνκηδες, λαός πολιτισμοῦ. Δηλαδή οἱ Γερμανοί ρομαντικοί, ἐνθυμούμενοι τήν ἀνατολική προέλευση τῶν γερμανικῶν νομαδικῶν φυλῶν καί ἀντιλαμβανόμενοι τήν παρακμή τῆς ἀναγεννησιακῆς Δύσεως, ἀρνοῦνται νά συμπεριληφθοῦν στό ἔκτρωμα καί διαλέγουν γιά τόν ἑαυτό τους τήν Ἐνδιάμεση Περιοχή μεταξύ Δύσεως καί Ἀνατολῆς. Ἐάν στίς μελέτες μου δέν συμπεριέλαβα τήν Γερμανία στήν Ἐνδιάμεση Περιοχή, τήν ὁποία ὥρισα ν' ἀρχίζει ἀπό τήν Ρωσία καί ἀνατολικά τῆς Ἀδριατικῆς, αὐτό εἶναι διότι στήν πραγματικότητα ἡ Γερμανία, ἀπό τόν 15ο ἕως τόν 19ο αἰῶνα συνέβαλε ἀποφασιστικά στήν διαμόρφωση τῆς ἀναγεννησιακῆς Δύσεως, τῆς ὁποίας ὑπῆρξε μάλιστα καί κέντρο τῆς θρησκευτικῆς προτεσταντικῆς Ἀναγεννήσεως, καί διότι μόνον στόν 19ο αἰῶνα, ἀντιλαμβανόμενη πώς τό δυτικό πλοῖο ἐβούλιαζε, θέλησε νά ἀπομακρυνθεῖ καί νά εἰσχωρήσει στήν Ἐνδιάμεση Περιοχή.

Φυσικά ἡ πάλη πού παρουσιάζει ὁ Ρόζενμπεργκ μεταξύ τῆς ἔννοιας τῆς ἀγάπης καί τῆς ἔννοιας τῆς τιμῆς (πού πηγάζει ἀπό τόν ἀνθρώπινο ἐγωϊσμό), εἶναι ἡ πάλη μεταξύ τοῦ Θεοῦ καί τοῦ Σατανᾶ, αὐτή πού στόν ζωροαστρισμό παρουσιάζεται ὡς ἀέναη πάλη μεταξύ τοῦ πνεύματος τοῦ φωτός (Ἀχούρα Μάζδα) ἤ Θεοῦ τοῦ καλοῦ, πού ἔπλασε τόν κόσμο, καί τοῦ πνεύματος τοῦ σκότους (Ἄγγρα Μαϊνυού ἤ Ἀριμάν), Θεοῦ τοῦ κακοῦ, πού προσπαθεῖ νά τόν καταστρέψει. Μπορεῖ μιά τέτοια διαπίστωση νά ξενίσει, ἐφ' ὅσον ἡ βόρεια θρησκεία τῶν ναζιστῶν ὑμνεῖ τόν ἥλιο καί τό φῶς, δηλαδή τόν Ἀπόλλωνα καί τόν Μάζδα, ἀλλά στήν πραγματικότητα πρόκειται γιά ἕνα ἀναποδογύρισμα ἀξιῶν, πού θυμίζει τό πέρασμα ἀπό τόν βεδισμό στόν ζωροαστρισμό. Ἔτσι στίς Βέδες ἡ λέξη, μέ τήν ὁποία τά ἀριανά φύλα τῆς Ἰνδίας ὀνομάζουν τά ἀγαθά πνεύματα, τά Ντέβα, τοῦ φωτός, χρησιμεύει γιά νά ὀνομασθοῦν τά κακά πνεύματα τῶν ἀριανῶν φυλῶν τῆς

Περσίας, ὅπου δαίμονες ὀνομάζονται Ντέβα καί ὑπηρετοῦν τόν Ἀριμάν, Θεό τοῦ κακοῦ. Ἀντιθέτως, στό ἰνδικό πάνθεον οἱ Ἀσούρα (ἤ Ἀχούρα) εἶναι κακοποιοί δαίμονες, ἐνῶ στόν περσικό ζωροαστρισμό ὁ Ἀχούρα εἶναι ὁ Θεός τοῦ φωτός. Γνωρίζουμε δέ τήν εἰδική προσήλωση τοῦ ναζισμοῦ, μέσω τοῦ Φρειδερίκου Νίτσε καί τοῦ βιβλίου του, *Τάδε ἔφη Ζαρατούστρας* (Ζωροάστρης), στόν ζωροαστρισμό.

Ἡ παρουσία τοῦ φωτός, τοῦ ἡλίου καί τῆς αὐγῆς (ἕως), ὡς βάσεις τῆς βόρειας θρησκείας, ἡ ἀδυναμία κατανοήσεως τοῦ θανάτου τοῦ Χριστοῦ καί τῆς Ἀναστάσεως καί ἡ προτίμηση στήν ζωή τοῦ Χριστοῦ ἀντί τοῦ θανάτου του, στήν πραγματικότητα προδίδουν τήν προσήλωση τοῦ ναζισμοῦ στόν καθαρκτικό θάνατο μέσω τῆς φωτιᾶς, τοῦ ζωροαστρισμοῦ καί ἐξηγεῖ τήν "ἀπολύμανση" τῆς ὑφηλίου πού ἐπιδιώχθηκε, μέσω τῶν κρεματορίων, ἀπό τά μιάσματα τῆς φυλῆς τῶν ἑβραίων. Τά κρεματόρια, δηλαδή οἱ ἀποτεφρωτῆρες γιά τήν καύση τῶν νεκρῶν, εἶχαν γιά πρώτη φορά τεθεῖ σέ χρήση τό 1874, στό Μπρεσλάου τῆς Γερμανίας. Στίς ἀρχές τοῦ 1930, πρίν τήν ἄνοδο στήν ἐξουσία τῶν Γερμανῶν ἐθνικοσοσιαλιστῶν, τά κρεματόρια αὐτά χρησιμοποιοῦνταν εὐρέως στήν Εὐρώπη καί λειτουργοῦσαν μέ γκάζι. Ἡ καύση τοῦ πτώματος ἐπιτυγχάνετο μέσα σέ μιά ὥρα. Στόν ζωροαστρισμό, τό κέντρο τῆς λατρείας ἦταν τό φῶς πού καθίστατο αἰσθητό μέ τήν φωτιά. Ἡ ἀπεικόνιση τοῦ Θεοῦ ἀπαγορεύετο καί ἀντί ναῶν κατασκευάζοντο βωμοί πυρός. Ἀλλά καί ὅταν ἱδρύθηκαν ἀργότερα ναοί χωρίς κουφώματα, γιά νά μήν εἰσχωρεῖ τό φῶς τοῦ ἡλίου, στό ἐσωτερικό τους τοποθετοῦσαν βωμούς ὅπου ἔκαιγε ἄσβεστο τό πῦρ. Οἱ πιστοί τοῦ ζωροαστρισμοῦ εἶχαν τήν ἔμμονη φοβία τῆς μολύνσεως, σέ τέτοιο σημεῖο μάλιστα πού δέν ἔκαιγαν τούς νεκρούς τους γιά νά μή μολύνουν τήν ἴδια τή φωτιά καί τούς ἄφηναν ἄταφους νά τούς φᾶνε τά ὄρνια. Ἡ βόρεια θρησκεία τοῦ ναζισμοῦ δέν ἦταν ἀντιγραφή ἄλλης θρησκείας ἤ ἄλλης μυστικιστικῆς ἰδεολογίας. Ἐνεπνέετο ἀπό πολλές πηγές χωρίς νά τίς ἀκολουθεῖ πλήρως καί κατά γράμμα. Συνεπῶς εἶναι ἄσκοπο νά θέλουμε νά ἀποδείξουμε πώς, φερ' εἰπεῖν ὁ Ρόζενμπεργκ παραμόρφωσε τήν σκέψη τοῦ Νίτσε. Ἄντλησε ἀπό τήν σκέψη τοῦ μεγάλου Γερμανοῦ φιλόσοφου τά στοιχεῖα πού τόν ἐνδιέφεραν. Βεβαίως ὁ Νίτσε, ἀντίθετα μέ τόν Ρόζενπεργκ, δέν ἦταν ἕνας Γερμανός ἐθνικιστής καί ἡ λατρεία του γιά τόν ἑλληνικό πολιτισμό θά ὑποχρέωνε τόν ὑπεράνθρωπό του νά μιλάει ὄχι γερμανικά ἀλλά ἑλληνικά. Ἀντίθετα μέ τόν Ρόζενμπεργκ, προτιμάει τόν Διόνυσο ἀπό τόν Ἀπόλλωνα καί τήν Παλαιά Διαθήκη ἀπό τήν Καινή, λόγω τοῦ μεγάλου μίσους πού ἔτρεφε γιά τόν χριστιανισμό καί τόν ἴδιο τόν Χριστό. Ἀλλά αὐτό πού εἶναι κοινό στούς δύο ἄνδρες, εἶναι ὁ σατανισμός. Τί εἶναι ἀγαθό; διερωτᾶται ὁ Νίτσε. Ὁτιδήποτε ἐνισχύει τήν θέληση γιά δύναμη. Τί εἶναι κακό; Ὁτιδήποτε φρενάρει τήν πορεία τοῦ ἀνθρώπου πρός τήν δύναμη. Ποιό εἶναι τό χειρότερο ἐλάττωμα καί τό πιό ἐπιβλαβές; Ἡ συμπάθεια πρός τούς ἡττημένους καί τούς ἀσθενεῖς, ὁ οἶκτος, ὁ ἴδιος ὁ χριστιανισμός. Γι' αὐτόν ὁ Χριστός εἶναι ὁ Ἀντι-Νίτσε καί θεωρεῖ τόν ἑαυτό του ὡς Ἀντίχριστο. Γράφει δέ τόν *Ἀντίχριστο*. Ἡ νιτσεϊκή "θέληση δυνάμεως" (der Wille zur Macht) πού σπρώχνει τόν ὑπεράνθρωπο νά ἀντικαταστήσει τόν Θεό ("Νεκροί εἶναι ὅλοι οἱ θεοί, μόνον ὁ ὑπεράνθρωπος πρέπει νά ζήσει", γράφει) καί πού ἔγινε τό κεντρικό σύνθημα τῆς θρησκείας τοῦ ναζισμοῦ, εἶναι φυσικά τό κατ' ἐξοχήν σύνθημα τοῦ σατανισμοῦ, ἐφ' ὅσον ἡ ἐπιδίωξη τῆς ἰσχύος ἀπό τόν ἄνθρωπο πάνω στήν γῆ, εἶναι προσπάθεια τοῦ Σατανᾶ νά ἐπιβληθεῖ εἰς βάρος τοῦ Θεοῦ.

Στόν "Μῦθο τοῦ 20ου αἰῶνος", ὁ Ρόζενμπεργκ, ὅπως πρίν ἀπό ἕναν αἰῶνα ὁ λόρδος Βύρων, ὑποστηρίζει τόν δολοφόνο Κάϊν τῆς πτώσεως ἀπό τόν Παράδεισο καί δέν δέχεται πώς πρέπει νά ἔχει αἴσθημα ἐνοχῆς γιά τόν φόνο τοῦ ἀδελφοῦ του. Στήν παρηκμασμένη "Ρώμη πού εἶχε χάσει τήν συνείδηση τοῦ φυλετισμοῦ, ἦρθε ὁ χριστιανισμός... Ἕνας λαός πού θά εἶχε ἕναν μή διακεκομμένο φυλετικό χαρακτῆρα, θά ἦταν ἀνίκανος νά καταλάβει τό δόγμα τοῦ προπατορικοῦ ἁμαρτήματος, διότι ἕνας τέτοιος λαός θά εἶχε ἀπόλυτη ἐμπιστοσύνη στόν ἑαυτό του καί στήν ἐπεκφραζόμενη *Θέλησή* του πού κατανοεῖται ὡς εἱμαρμένη. Οἱ ἥρωες τοῦ Ὁμήρου ἀγνοοῦσαν τήν ἔννοια τῆς "ἁμαρτίας", ὅσο τήν ἀγνοοῦσαν οἱ ἀρχαῖοι Ἰνδοί καί οἱ Γερμανοί τοῦ Τάκιτου [55-120 μ.Χ.]... Ἀντίθετα, ἕνα διαρκές αἴσθημα ἁμαρτίας προδίδει σωματική μπασταρδοποίηση" (σ. 67). Διότι ἡ μή νοθευμένη, "ἡ βόρεια πνευματική κληρονομιά περιεῖχε τήν συνείδηση ὄχι μόνον τῆς θεότητας τῆς ἀνθρώπινης ψυχῆς, ἀλλά καί τῆς ἰσότητάς της μέ τόν Θεό" (σ. 115).

Ὁ Νίτσε (Friedrich Nietzsche, 1844-1900) ὑπῆρξε μιά ἰδιαίτερα τραγική μορφή τοῦ γερμανικοῦ ρομαντισμοῦ. Ὅπως τόσοι ἄλλοι ρομαντικοί ἔπαιξε μέ τόν σατανισμό, πούλησε σάν τόν Φάουστ τήν ψυχή του στόν Διάβολο, ἔζησε ἄρρωστος ὅλη του τήν ζωή καί τά τελευταῖα του 11 χρόνια τρελλός. Ὅπως ὅλοι οἱ ἥρωες, εἶχε τό πάθος τῆς εἰλικρίνειας (Βλ. Stefan Zweig, *Nietzche*, Paris, Stock, 1931, πού φέρει τόν ὑπότιτλο: "Ἡ πάλη μέ τόν Δαίμονα" καί συμπεριλαμβάνει ἕνα κεφάλαιο μέ τόν τίτλο: "Τό πάθος τῆς εἰλικρίνειας"). Μάλιστα, εἶχε ἀπό καιρό τήν πρόθεση νά γράψει ἕνα βιβλίο πού θά ἔφερε ἀκριβῶς αὐτόν τόν τίτλο: ("Τό πάθος τῆς εἰλικρίνειας"). Τελικά δέν τό ἔγραψε, ἀλλά τό ἔζησε ὁλοκληρωτικά μαζί μέ τό πάθος του γιά τήν μουσική τοῦ Βάγνερ. Τήν τελευταία χρονιά, 1888-1889, προτοῦ κατρακυλήσει στήν παραφροσύνη, γνωρίζοντας κάλλιστα ὅτι μέσα του ζεῖ ὁ Σατανᾶς καί ὄχι πλέον ὁ ἑαυτός του, παύει νά ὑπογράφει μέ τό ὄνομά του. Ὑπογράφει, "Ὁ Ἀντίχριστος", "Τό Τέρας", "Διόνυσος". "Δέν εἶμαι ἄνθρωπος –γράφει– εἶμαι δυναμίτης. Εἶμαι ἕνα γεγονός τῆς παγκόσμιας Ἱστορίας πού κόβει στά δύο τήν ἱστορία τῆς ἀνθρωπότητας" (St. Zweig, ἔνθ' ἀν., σ. 158). Ἀπαιτεῖ ν' ἀλλαχτεῖ τό ἡμερολόγιο καί νά μήν μετρῶνται τά χρόνια ἀπό τήν γέννηση τοῦ Χριστοῦ, ἀλλά ἀπό τήν συγγραφή τοῦ ἔργου του *Ὁ Ἀντίχριστος*!

Ἀπ' ὅλους τούς ἐραστές τοῦ Διαβόλου τῆς ρομαντικῆς-φασιστικῆς σκέψεως, περισσότερο κι ἀπό τόν λόρδο Βύρωνα, ὁ Νίτσε ὑπῆρξε ἴσως ὁ πιό ἀκραῖος σατανιστής καί ἡ πιό σκληρή τιμωρία του ὑπῆρξε πώς αὐτός ὁ γίγαντας τοῦ πνεύματος ἔζησε τά τελευταῖα ἕντεκα χρόνια τῆς ζωῆς του σάν φυτό σέ πλήρη ἀποβλάκωση. Τήν ἡμέρα πού ἔπεσε ἀνεπιστρεπτί στήν τρέλλα, εἶχε τήν ἑξῆς ὀπτασία: "Οἱ πάντες ὑποκλίνονται καί ταπεινώνονται μπροστά του, σ' αὐτόν τόν δολοφόνο τοῦ Θεοῦ, οἱ πάντες εἶναι σέ ἀγαλλίαση, ἀγαλλίαση. Γιατί; Ναί, τό γνωρίζει, τό γνωρίζει καλά, εἶναι γιατί ὁ Ἀντίχριστος ἔφθασε καί ὅλος αὐτός ὁ κόσμος ψάλλει Ὡσαννά, Ὡσαννά" (σ. 161).

Ὁ Νίτσε, ὁ ὁποῖος πέθανε ἀκριβῶς τήν χρονιά πού ξεκινοῦσε

ὁ 20ος αἰώνας, ὑπῆρξε ὁ προάγγελος τῆς ἀπίθανων διαστάσεων καταστροφῆς πού ἡ ἀναγεννησιακή Δύση, τήν ὁποία τόσο πολύ μισοῦσε, εἶχε ἐπιφέρει στόν κόσμο. Σηματοδοτεῖ τήν ἀπαρχή τῆς ἐποχῆς τῆς ἀπελπισίας. Στά τελευταῖα του γραπτά εἶχε σημειώσει: "Θά μέ καταλάβουν μετά τόν προσεχῆ εὐρωπαϊκό πόλεμο". Καί πράγματι τόν κατάλαβε ὁ Χίτλερ μετά τόν πρῶτο παγκόσμιο πόλεμο καί μαζί του ὅλη ἡ Γερμανία. Καί στήν ἀπελπισία τους θά τόν καταλάβουν κι ἄλλοι ἀκόμη μέχρι πού νά κλείσει ὁ 20ος αἰώνας. Ὁ Χίτλερ θέλησε νά βάλει σέ πράξη τόν Νίτσε, ὅπως ὁ Ροβεσπιέρρος εἶχε βάλει σέ πράξη τόν Ρουσώ. Καί θέλησε νά πεθάνει μέ τόν ἴδιο τραγικό τρόπο. Ὁ στρατηγός ντέ Γκώλ, πού ὑπῆρξε ὁ σκληρότατος ἀλλά καί ἱπποτικός ἀντίπαλός του, ἔγραψε στά Ἀπομνημονεύματά του γιά τό τέλος τοῦ Χίτλερ: "Ἡ αὐτοκτονία καί ὄχι ἡ προδοσία ἔθεσε τέλος στήν προσπάθεια τοῦ Χίτλερ. Μόνος του τήν εἶχε ἐνσαρκώσει καί μόνος του τήν τελείωσε. Γιά νά μήν ἀλυσοδεθεῖ ὁ Προμηθέας ἔπεσε στό βάραθρο... Ἡ Γερμανία γοητευμένη ὡς τό βάθος τῆς ψυχῆς της, ἀκολούθησε τόν Φύρερ της μέ μιά πνοή. Ἕως τό τέλος ὑπάκουσε σ' αὐτόν ὑπηρετώντας τον μέ θυσίες πού κανείς ἄλλος λαός, ποτέ, δέν εἶχε προσφέρει σέ κανέναν ἀρχηγό... Ἡ προσπάθεια τοῦ Χίτλερ ὑπῆρξε ὑπεράνθρωπη καί ἀπάνθρωπη... Πρός χάριν τοῦ σκοτεινοῦ μεγαλείου τοῦ ἀγώνα του καί τῆς μνήμης του, εἶχε διαλέξει ποτέ νά μήν διστάσει, νά μήν συμβιβασθεῖ ἤ νά ὀπισθοχωρήσει. Ὁ Τιτάνας πού προσπαθεῖ νά σηκώσει τόν κόσμο δέν ἐπιτρέπεται νά λυγίσει οὔτε νά μαλακώσει. Ὅταν ὅμως ἡττηθεῖ καί συντριβεῖ, ἴσως ξαναγίνεται ἄνθρωπος, γιά ἕνα λεπτό, γιά ἕνα δάκρυ κρυφό, τήν στιγμή πού εἶναι πιά ὅλα χαμένα" (Charles de Gaulle, *Mémoires de Guerre*, vol.III: *Le salut, 1944-1946*, Paris, Plon, 1959, σσ. 173-175).

Ἡ εἰκόνα τοῦ Χίτλερ πού μᾶς προυσιάζει ὁ ντέ Γκώλ, δέν ἔχει σχέση μέ τήν καρικατούρα πού μᾶς ἄφησε ὁ Σαρλώ στήν κινηματογραφική του ταινία *Ὁ Δικτάτωρ*, ἤ τήν εἰκόνα ἑνός χυδαίου γκάνγκστερ στό θεατρικό ἔργο *Ἀρτοῦρο Οὒι* τοῦ Μπέρτολντ Μπρέχτ. Ἀσχέτως ἄν ὁ ἥρωας εἶναι θετικός ἤ ἀρνητικός, μόνον ἕνας ἄλλος ἥρωας τοῦ ἀναστήματός του μπορεῖ νά τόν καταλάβει ὁλοκληρωτικά. Καί ὁ ντέ Γκώλ εἶναι σέ θέση νά περιγράψει τόν "μαῦρο ἄγγελο" Χίτλερ καί νά ὑποκληθεῖ μπροστά στό ἀρνητικό μεγαλεῖο τοῦ ἀντιπάλου του. Καί εἶναι πράγματι θλιβερό ν' ἀκούει κανείς τόν μέσο Ἕλληνα διανοούμενο νά πλέκει τό ἐγκώμιο τοῦ Νίτσε καί συνάμα νά καταδικάζει ὡς μόνο δολοφόνο τόν Χίτλερ, ἐνῶ ὁ δεύτερος ἔβαλε σέ πράξη τόν πρῶτο καί ἐάν εἶχε δοθεῖ εὐκαιρία στόν πρῶτο νά πράξει θά εἶχε ὑπερβεῖ στό ἔγκλημα τόν δεύτερο.

Ἡ δυσκολία τοῦ δυτικοῦ ἀνθρώπου νά καταλάβει τόν κόσμο τοῦ πνεύματος καί τήν σχέση Θεοῦ-Σατανᾶ ὡς καί ἡ ὑλιστική του τάση νά ἐξηγεῖ ὅλα τά φαινόμενα μέ τρόπο τετράγωνο καί ἐπιστημονικοφανῆ, καταλήγει σέ ἁπλουστεύσεις τοῦ εἴδους: ἡ σκέψη καί ἡ τρέλλα τοῦ Νίτσε ἐξηγεῖται ἀπό τή δηλητηρίαση πού ὑπέστη ὁ ὀργανισμός του ἀπό τήν καθημερινή ὑπερβολική χρήση πού ἔκανε χλωράλης γιά νά καταπραΰνει τά νεῦρα του καί νά μπορεῖ νά κοιμᾶται. Πρόσφατα, μιά Ἀμερικανίδα ἱστορικός, καθηγήτρια τοῦ Πανεπιστημίου τοῦ Μαίρυλαντ, ἡ Μαίρη Κίλμπερν Ματοσιάν, στό βιβλίο της, "Δηλητήρια τοῦ παρελθόντος", προσπάθησε νά ἐξηγήσει ἀκόμα καί κοινωνικές ἐξεγέρσεις καί ἐκρήξεις ὁμαδικοῦ δαιμονισμοῦ ὡς περιπτώσεις τροφικῆς δηλητηρίασης ἀπό σικαλένιο ψωμί. Ἡ σίκαλη, ὑποστηρίζει, μπορεῖ νά προσβληθεῖ ἀπό μύκητες πού περιέχουν μικροτοξίνες καί πού σέ μεγάλες δόσεις μπορεῖ νά ἀναπτύξουν συμπτώματα σατανισμοῦ στόν ἄνθρωπο πού θρέφεται κυρίως ἀπό σικαλένιο ψωμί. Μέ τόν τρόπο αὐτό ἐξηγεῖ τό φαινόμενο τῶν μαγισσῶν τοῦ Σάλεμ στήν Μασσαχουσέτη τῶν ΗΠΑ, τόν 17ο αἰῶνα, ἤ τήν Grande Peur (Μεγάλο Φόβο) πού συγκλόνησε τήν γαλλική ἐπαρχία ἀπό 20 Ἰουλίου μέχρι 6 Αὐγούστου 1789 καί συνέβαλε στήν ἐπικράτηση τῆς Γαλλικῆς Ἐπαναστάσεως.

Ὁ πολιτικός ρομαντισμός συνδέεται, ὅπως εἴδαμε, συχνά μέ τόν πολιτικό σατανισμό, δηλαδή μέ τήν "παραγωγή τοῦ θανάτου". Τό πολιτικό ἔγκλημα εἶναι βεβαίως συνυφασμένο μέ τήν ἐπιδίωξη τῆς πολιτικῆς ἐξουσίας, τήν ἡδονή τῆς ἰσχύος πού εἶναι σατανικῆς προελεύσεως. Μιά συστηματική μελέτη τοῦ Γερμανοῦ Klaus Theweleit, *Männerphantasien*, Verlag Roter Stern, 1977, (δηλαδή "Ἀνδρικές φαντασιώσεις"), προσπαθεῖ νά δείξει τήν σαδιστικοσεξουαλική ὄψη τοῦ ναζιστικοῦ σατανισμοῦ. Πρόκειται γιά μιά πρωτότυπη ἱστορία τῶν Freikorps (Ἐλεύθερα Σώματα) ἐθελοντικά στρατιωτικά σώματα πού χρησιμοποιήθηκαν ἀπό τόν σοσιαλιστή πρωθυπουργό τῆς Γερμανίας τοῦ 1918, τόν Φρειδερίκο Ἔβερτ (Friedrich Ebert, 1871-1925). Ὁ Ἔβερτ ἦταν γιός φτωχοῦ ράφτη καί ἐργάστηκε κι αὐτός ὡς σαμαρᾶς, ράφτης καί χανιτζῆς ἀπό τά 14 του χρόνια, ἐπειδή ἀπό τό σχολεῖο τελείωσε μόνο τό δημοτικό. Ἐνδιαφέρετο περισσότερο γιά τήν ἐξουσία παρά γιά τίς σοσιαλιστικές ἀρχές καί τελικά τό κατάφερε τό 1918. Ἡ πρώτη του μέριμνα ὑπῆρξε νά ὀργανώσει σώματα πραιτωριανῶν, τά Freikorps, μέ τά ὁποῖα, ὡς "χασάπης τοῦ Βερολίνου" κατέστειλε βίαια τήν κομμουνιστική ἐξέγερση τῶν σπαρτακιστῶν τόν Ἰανουάριο τοῦ 1919 καί κατόπιν αὐτοῦ, τόν Φεβρουάριο, ἐξελέγη πρόεδρος τῆ Δημοκρατίας. Ἡ ἄνοδος τοῦ Ἔβερτ στήν ἐξουσία εἶναι τυπική μικροαστοῦ σοσιαλιστῆ ὁ ὁποῖος προδίδει τίς ἀρχές του γιά νά γίνει καθεστώς. Ἀλλά οἱ πραιτωριανοί του προσπάθησαν τό 1920 νά τόν ἀνατρέψουν καί νά ἐγκαταστήσουν γιά λογαριασμό τους μιά στρατιωτική δικτατορία. Ἐπίσης τό 1923 ἔγινε ἄλλη προσπάθεια πραξικοπήματος, αὐτήν τή φορά τοῦ Χίτλερ καί τῶν ἐθνικοσοσιαλιστῶν του, πού κι αὐτή ἀπέτυχε.

Τά Ἐλεύθερα Σώματα συγκροτήθηκαν ἀπό μικροαστικά ἀγροτικά στοιχεῖα πού ἡ καταστροφή τοῦ πρώτου παγκοσμίου πολέμου μετέτρεψε σέ ξερριζωμένους τυχοδιῶκτες. Ἡ καπιταλιστική κοινωνία μέ τήν συνεχή ἀστικοποίηση ἀγροτικῶν μαζῶν, δημιουργεῖ αὐτήν τήν μεγάλη δεξαμενή "λαοῦ" πού χρησιμοποιεῖται ἀπό τά λεγόμενα λαϊκιστικά κινήματα, ὅπως ἔγινε πρόσφατα στήν Ἑλλάδα μέ τό ΠΑΣΟΚ καί τόν αὐριανισμό. Ὁ παραλληλισμός ἔγκειται στό ὅτι ὁ Ἔβερτ συγκρότησε τά Ἐλεύθερα Σώματα χάριν ὑψηλῶν ἀποδοχῶν, καί ὁ Ἀ. Παπανδρέου συγκρότησε στρατιά δημοσίων μικροϋπαλλήλων μέ τήν πρόσληψη καί μονιμοποίηση στόν κρατικό μηχανισμό ἑκατοντάδων χιλιάδων προσφάτως ἐγκατεστημένων στίς πόλεις μικροαστῶν ἀγροτικῆς προελεύσεως, καί στίς δύο περιπτώσεις, ἀδειάζοντας τά ταμεῖα τοῦ κράτους πρός χάριν δημαγωγικῶν σκοπῶν. Ἡ λαϊκή κουλτούρα μέ τήν ὁποία ἐθρέφοντο οἱ μᾶζες τῶν αὐριανιστῶν δημοσίων ὑπαλλήλων, εἶναι τοῦ ἰδίου ἐπιπέδου μέ τίς "ἀνδρικές φαντασιώσεις" τῶν Freikorps πού μελετᾶται στό βιβλίο· αὐτή ἡ κουλτούρα πού ἄρχισε νά ἐξαπλώνεται τό 1967 μέ τόν Γεώργιο Παπαδόπουλο. Στήν Ἑλλάδα στά τέλη τοῦ 1989 ὑπῆρχαν περίπου 700.000 δημόσιοι ὑπάλληλοι!

Τά Ἐλεύθερα Σώματα ἔγιναν ἡ βάση τῶν παραστρατιωτικῶν "Τμημάτων Ἐφόδου" SA (Sturmabteilungen) μέ καφέ πουκάμισα, πού συγκρότησε τό ναζιστικό κόμμα τό 1921, καί τῶν SS. Ἡ μελέτη μᾶς δείχνει πώς οἱ μικροαστικές μᾶζες μποροῦν νά μετατραποῦν σέ ὄργανα τοῦ Σατανᾶ, ὄχι λόγω κάποιας τροφικῆς δηλητηριάσεως, ὄχι λόγω καταπιεζομένων σεξουαλικῶν ὁρμῶν, ὅπως διάφοροι ψυχαναλυτές ἀρέσκονται νά παρουσιάζουν τό ναζιστικό φαινόμενο, ἀλλά λόγω μυστικιστικῶν ἐξάρσεων μέσω "μαύρων λειτουργειῶν": μᾶς δείχνει τήν μικροαστική μᾶζα, ὅπως παλιά στό Κολοσσαῖο τῆς Ρώμης, νά χαίρεται μπροστά στό θέαμα ἑνός κομμένου κεφαλιοῦ, ἑνός κορμιοῦ πού κεῖται βαμμένο στό πορφυρό τοῦ αἵματος, γεμάτων ποταμῶν ἀπό πτώματα. Καί ὄχι μόνον νά κοιτάζουν, ἀλλά ἰδίως νά μετέχουν μέ ἐνθουσιασμό στήν παραγωγή θανάτου. Ἐδῶ κανένα δικαιολογητικό, κανένα ἔστω ἐλαφρυντικό δέν προβάλλεται, οὔτε κἂν ἡ μαρξιστική ἐξήγηση ὅτι ὑπῆρξαν ὄργανα καλυμμένων καπιταλιστικῶν συμφερόντων. Πρόκειται γιά κάτι πολύ ἁπλό: ἡ ἀποξένωση τοῦ ἀνθρώπου, πού προτιμάει τήν ταβέρνα ἀπό τήν ἐκκλησία, ἀπό τόν Θεό, τοῦ ἀγρότη, τοῦ μικρομαγαζάτορα, τοῦ ὑπαλλήλου, πού βλασφημεῖ καθημερινά τόν Χριστό, τήν Παναγία, τήν μάνα του, ἔχοντας πιστέψει τόν ἐπιστήμονα ὅτι αὐτά πού λένε οἱ παπάδες εἶναι παραμύθια τῆς Χαλιμᾶς. Ὅτι ὁ λαός κυβερνᾶ, δέν σέβεται κανέναν καί ὅ,τι θέλει κάνει. Αὐτή ἡ ἀπομάκρυνση ἀπό τά αἰσθήματα σεβασμοῦ καί ἀγάπης, αὐτή ἡ ἐξατομίκευση καί ἡ ὑπερτροφική ἀνάπτυξη τοῦ ἐγωισμοῦ, διά μέσω τῆ δυτικῆς παραμορφώσεως τῆς ἔννοιας τοῦ ἄρχοντος λαοῦ, μέσα ἀπό τόν ὁποῖο αἰσθάνεται ὁ μικροαστός ὅτι πολλαπλασιάζεται ἡ δύναμίς του, καταλήγει στούς ἄνδρες τῶν Freikorps, στήν περιφρόνηση καί στό μῖσος τῆς γυναίκας. Ἡ ἱστορία τοῦ σατανισμοῦ στήν Δύση εἶναι πάντα συνδεδεμένη μέ ἀντιγυναικεῖο μῖσος καί αὐτό εἶναι φυσικό ἐφ' ὅσον ὅλες οἱ μεγάλες θρησκεῖες –ἀντίθετα ἀπ' ὅ,τι λέγεται– ἐδίδαξαν σεβασμό καί ἀγάπη πρός τήν γυναίκα καί ὁ Χριστός καί ὁ Μωάμεθ ὑπῆρξαν ἐλευθερωτές τῆς γυναίκας.

Μέσα ἀπό τά γράμματα καί τά ἡμερολόγια τῶν ἀνδρῶν τῶν Ἐλευθέρων Σωμάτων πού μέλετησε ὁ Theweleit, ἀναδύονται τρεῖς κατηγορίες γυναικῶν: ἡ πρώτη εἶναι τῶν συζύγων καί ἀρραβωνιαστικῶν τους, πού ἁπλῶς ἀγνοοῦνται. Ἡ δεύτερη εἶναι οἱ "λευκές νοσοκόμες" τῶν στρατιωτικῶν νοσοκομείων, πού τίς φαντάζονται σεμνές παρθένες τῆς γερμανικῆς ἄρχουσας τάξεως. Ἡ τρίτη εἶναι οἱ "ἐρυθρές γυναῖκες", πού τίς ἀντιμετωπίζουν σάν τόν ἐχθρό τους. Στίς φαντασιώσεις τους εἶναι ἐπιθετικά σεξουαλικές, ἐλευθέρων ἠθῶν, μέ ἕνα ὅπλο κρυμμένο κάτω ἀπό τήν φούστα τους τούς ὁδηγοῦν διά μέσου σκοτεινῶν στενῶν, σέ ἐνέδρες. Συνεπῶς ὅταν σκοτώνουν γυναῖκες –καί ὄχι μόνον στό ὄνειρό τους– τό κάνουν γιά νά ἀμυνθοῦν. Ἔτσι ὁ σατανισμός σπρώχνει τόν ἄνδρα νά βλέπει τήν γυναίκα σάν μάγισσα καί ὅταν αὐτή γίνεται πράγματι μάγισσα, ἀρνεῖται τόν ἑαυτό της καί μισεῖ τήν γυναίκα πού ἦταν. Καί ἐδῶ βρίσκουμε πάλι, ὅπως πάντα στόν φασισμό, τό βασικό αἴσθημα τῆς νοσταλγίας τοῦ χαμένου παραδείσου, τό φόβο τοῦ ἀφανισμοῦ λόγω τῆς πτώσεως, πού ὁ Σατανᾶς ἐκμεταλλεύεται γιά νά μετατρέψει τόν ἄνθρωπο σέ Κάϊν.

ΚΕΦΑΛΑΙΟ ΤΕΤΑΡΤΟ

ΦΑΣΙΣΤΙΚΟΣ ΣΟΣΙΑΛΙΣΜΟΣ: ΤΟ ΣΩΜΑΤΕΙΑΚΟ ΣΥΣΤΗΜΑ

Ὁ πλανήτης στήν ἐποχή τῆς ἁρμονικῆς σκέψεως, εἶχε λύσει μέ διαλεκτικό τρόπο τήν ἀντίφαση μεταξύ ἀτόμου καί κοινωνίας. Ἐάν τό ἄτομο ἦταν ἡ θέση καί ἡ κοινωνία ἡ ἀντίθεση, τό πρόσωπο ἤ ὁ ἄνθρωπος ἦταν ἡ σύνθεση. Αὐτή ἦταν ἀνέκαθεν καί ἡ ἀντίληψη τῆς Ὀρθοδοξίας. Φυσικά αὐτός ὁ ἀνθρωπισμός πού τοποθετοῦσε στό κέντρο τῆς πλάσης τόν ἄνθρωπο ὡς τόν κατ' εἰκόνα τοῦ Θεοῦ, δέν εἶχε καμμία σχέση μέ τόν δυτικό ἀναγεννησιακό οὑμανισμό πού θεωροῦσε κέντρο τό ἄτομο ἀπηλλαγμένο ἀπό τήν θεϊκή κηδεμονία. Ὁ ἄνθρωπος (ἤ πρόσωπο) ὡς σύνθεση ἦταν ἁρμονία.

Ὁ διχασμός ἀτόμου-κοινωνίας πού πραγματοποίησε ἡ Ἀναγέννηση, ἔφερε στό προσκήνιο τίς δύο ἀκραῖες ἀντιπαλαίουσες κοινωνικές θέσεις τοῦ φιλελεύθερου ἀτομισμοῦ καί τοῦ κομμουνιστικοῦ κολλεκτιβισμοῦ. Ἡ συνείδηση ὅμως πώς οἱ δύο ἀκραῖες αὐτές θέσεις ἔφερναν τόν ἄνθρωπο σέ ἀδιέξοδο ἐφ' ὅσον ἐχρειάζετο νά βρίσκεται συνάμα καί ἐκτός καί ἐντός κοινωνίας, ἀνέπτυξε στόν 19ο αἰῶνα τήν ρουσωϊκή ἐνδιάμεση θέση.

Γιά τόν φιλελεύθερο, ἡ κοινωνία εἶναι μιά ποσοτική ἔννοια πού ταυτίζεται μέ τόν ἀριθμό τῶν ἀτόμων πού τήν συγκροτοῦν. Ἔτσι μιά κοινωνία ἑνός ἑκατομμυρίου ἀτόμων διαφέρει ἀπό μιά κοινωνία δύο ἑκατομμυρίων, ἀκριβῶς κατά ἕνα ἑκατομμύριο. Γιά τόν κομμουνιστή, ἡ κοινωνία εἶναι μιά ποιοτική ἔννοια πού διαφέρει ἀπό τό σύνολο τῶν ἀτόμων πού τήν συγκροτοῦν. Ἔχει δική της ζωή, δική της ὀντότητα. Ἔτσι μιά κοινωνία μπορεῖ νά εἶναι ἡ ἴδια μέ ἕνα ἤ μέ δύο ἑκατομμύρια, ἐφ' ὅσον δέν ἐξαρτᾶται ἀπό τό ποσοτικό της μέγεθος.

Ὁ ρομαντικός ἄνθρωπος αἰσθάνεται μέ ὀδύνη νά διαμελίζεται μεταξύ τῶν δύο αὐτῶν ἄκρων χωρίς νά βρίσκει λύση. Ἔτσι διακηρύσσει πότε ἕναν ἄκρατο ἀτομισμό, πότε ἕναν ἄκρατο κολλεκτιβισμό. Ὁ ἴδιος ἄνθρωπος δηλώνει: τό ἄτομο εἶναι τό πᾶν, ἡ κοινωνία τίποτα καί ἀμέσως μετά, τό ἄτομο δέν εἶναι τίποτα, ἡ κοινωνία εἶναι τό πᾶν. Τυπική εἶναι ἡ θέση ἀναρχο-λοκληρωτισμοῦ πού ἔχουμε στόν Ρουσώ. Ὅλοι οἱ ρομαντικοί ὑπῆρξαν ἀκραῖοι ἀτομιστές καί συνάμα συνέβαλαν στήν διαμόρφωση τοῦ ὁλοκληρωτικοῦ κράτους. Τελικά ἡ πολιτική τους ἔκφραση, ὁ φασισμός, προσπάθησε νά λύσει τήν ἀντίφαση μέσω τοῦ ἀλληλεγγυϊσμοῦ (solidarisme) καί τοῦ σωματειακοῦ ἤ συντεχνιακοῦ συστήματος (corporatisme).

Ὁ φασισμός ἀναγνωρίζει τήν ὕπαρξη τῶν κοινωνικῶν τάξεων, ἀλλά δέν δέχεται τήν πάλη μεταξύ τους. Μέ τόν ἴδιο τρόπο ἀναγνωρίζει τήν ὕπαρξη δύο διαφορετικῶν φύλων, χωρίς νά δέχεται τήν πάλη τῶν φύλων πού θά ἐξαγγείλει ὁ φεμινισμός. Μόνον τήν πάλη τῶν φυλῶν καί τήν ἀέναη πάλη μεταξύ Σατανᾶ καί Θεοῦ ὑποστηρίζει μερίδα φασιστῶν, δηλαδή οἱ ναζιστές, ἀλλά ὄχι φερ' εἰπεῖν, τό φασιστικό κίνημα στήν Ἰταλία τοῦ Μουσολίνι.

Ὁ ἀλληλεγγυϊσμός εἶναι ἡ συνεργασία τῶν τάξεων, βασική ἀρχή τοῦ συνόλου τῶν τάσεων τοῦ φασισμοῦ. Ἐφ' ὅσον γιά τήν ἰδεολογία αὐτή ἡ ὑπερτάτη ἀξία εἶναι τό ἔθνος ἤ ὁ λαός

(λαός=volk=ἔθνος), ἡ συνεργασία τῶν τάξεων ἐπιβάλλεται πρός χάριν τῆς ἑνότητος τοῦ ἔθνους. Τά πάντα πρέπει νά ὑποτάσσονται στήν εὐημερία τοῦ ἔθνους. Τό ἔθνος εἶναι τό σύνολο τοῦ λαοῦ, δηλαδή τό σύνολο τῶν λαϊκῶν τάξεων ἐξαιρέσει μιᾶς ἐλάχιστης πλουτοκρατικῆς ὀλιγαρχίας ἤ ἀριστοκρατίας ἡ ὁποία καί καταργεῖται. Ἡ μάχη κατά τῆς "πλουτοκρατίας" εἶναι κοινό γνώρισμα τῆς προπαγάνδας σέ ὅλα τά φασιστικά συστήματα. Ἐπειδή ὁ "λαός" εἶναι ἡ ὑπερτάτη ἀξία, γι' αὐτό καί ὁ φασισμός ἀποκαλεῖται καί λαϊκισμός. Δηλαδή δέν εἶναι "ταξισμός" ὅπως ὁ κομμουνισμός. Γιά νά ἐπιτευχθεῖ ἡ συνεργασία τῶν τάξεων χρειάζεται ἄνωθεν ἡ δύναμις τοῦ κράτους πού θά συντονίζει, θά ἐλέγχει καί θά θέτει τίς κατευθυντήριες γραμμές. Αὐτό τό κράτος-διαιτητής θά ἀποθαρρύνει τήν μεγάλη ἰδιοκτησία καί θά ἐνισχύει τούς μικρομεσαίους, ἰδίως τίς ἐπιχειρήσεις οἰκογενειακοῦ μεγέθους πού εἶναι καί τό πρότυπο τῶν μικροαστῶν πάνω στούς ὁποίους βασίζεται ἕνα τέτοιο καθεστώς. Ὁ ἐθνικισμός καταπολεμᾶ τίς πολυεθνικές καί τά ξένα οἰκονομικά συμφέροντα. Ἀντιθέτως, ἐνθαρρύνει τήν αὐτάρκεια τῆς ἐθνικῆς οἰκονομίας. Λαός καί κράτος ἐλέγχουν τίς ἐπιχειρήσεις χωρίς νά τίς κρατικοποιοῦν ὑποχρεωτικά. Ἁπλῶς, τίς κοινωνικοποιοῦν. Τό σύστημα τῆς ἐλεγχομένης καί κοινωνικοποιημένης αὐτῆς οἰκονομίας τοῦ φασισμοῦ, ὀνομάζεται κρατισμός (étatisme). Στό σύνταγμα τῆς κεμαλικῆς Τουρκίας τοῦ 1924, ἄρθρο 2 τροποποιημένο τό 1937, ὑπάρχει ἡ ἑξῆς φράση: "Τό τουρκικό κράτος εἶναι ρεπουμπλικανικό, ἐθνικιστικό, λαϊκιστικό, κρατικιστικό, λαϊκευτικό [ἐκκοσμικευτικό] καί ἐπαναστατικό" (Δημ. Κιτσίκη, *Συγκριτική Ἱστορία Ἑλλάδος καί Τουρκίας στόν 20ο αἰῶνα*, Ἀθήνα, Βιβλιοπωλεῖο τῆς Ἑστίας, 1978, σ. 251). Μέ ἄλλα λόγια, τό κεμαλικό καθεστώς ἦταν ἐπίσημα φασιστικό, γεγονός πού ἀποσιωπήθηκε μετά τόν δεύτερο παγκόσμιο πόλεμο λόγω τῆς δυσμένειας στήν ὁποία εἶχε ὑποπέσει ἡ τρίτη ἰδεολογία.

Ὁ θεωρητικός τοῦ τουρκικοῦ ἐθνικισμοῦ καί πρόδρομος τοῦ Ἀτατούρκ, ὁ Ζιγιά Γκιόκάλπ (Ziya Gökalp), θεμελιωτής τοῦ φασισμοῦ στήν Τουρκία, πού πέθανε τό 1924 σέ ἡλικία μόλις 48 ἐτῶν, ἔγραφε τό 1923 σχετικά μέ τόν ἀλληλεγγυϊσμό (λαϊκισμό): "Δεδομένου ὅτι οἱ Τοῦρκοι ἀγαποῦν τήν ἐλευθερία καί τήν ἀνεξαρτησία δέν μποροῦν νά εἶναι κομμουνιστές. Ἀλλά ἐπειδή ἀγαποῦν ἐπίσης τήν ἰσότητα, δέν μποροῦν νά εἶναι ἀτομιστές. Τό σύστημα πού ἁρμόζει περισσότερο στήν τουρκική κουλτούρα εἶναι ὁ ἀλληλεγγυϊσμός. Ἡ ἀτομική ἰδιοκτησία εἶναι θεμιτή μόνον ὅταν ἐξυπηρετεῖ τήν κοινωνική ἀλληλεγγύη. Οἱ ἀπόπειρες τῶν σοσιαλιστῶν καί τῶν κομμουνιστῶν νά καταργήσουν τήν ἀτομική ἰδιοκτησία, δέν εἶναι δικαιολογημένες... [Ἀλλ' ὅμως] τά ὑπερκέρδη πού δέν παράγονται ἀπό τήν ἐργασία τῶν ἀτόμων, ἀλλά προέρχονται ἀπό τίς θυσίες καί τίς ὀδύνες τῆς κοινωνίας, πρέπει ν' ἀνήκουν στήν κοινωνία. Ἡ ἰδιοποίηση τῶν ὑπερκερδῶν αὐτῶν ἀπό τά ἄτομα δέν εἶναι νόμιμη... Τό θέμα εἶναι λοιπόν ν' ἀποτραπεῖ ὁ σφετερισμός τῶν πόρων τῆς κοινωνίας ἀπό ἰδιῶτες, χωρίς νά καταλυθεῖ ἡ ἰδιωτική ἰδιοκτησία" (σ. 248).

Ὅλες οἱ προαναγεννησιακές κοινωνίες τοῦ πλανήτη εἶχαν ὀργανώσει τά ἐπαγγέλματα στίς πόλεις σέ συντεχνίες. Στήν Κίνα τό οἰκονομικό σύστημα ἦταν βασισμένο στόν κρατισμό, πού καί στή Δύση ἐπέζησε μέχρι τήν Γαλλική Ἐπανάσταση ὑπό τήν ὀνομασία μερκαντιλισμός (ἐμποροκρατισμός). Ὑπό αὐτό τό σύστημα βεβαίως, ὁ ἰδιωτικός καπιταλισμός δέν ἐνεθαρρύνετο, ἐνῶ ἀντίθετα ὑπερίσχυε ὁ κρατικός καπιταλισμός καί αὐτό πού ὀνομάζουμε σήμερα κοινωνικοποίηση. Ὁ καπιταλισμός τοῦ κράτους ἐξεδηλώνετο μέ τά κρατικά μονοπώλια. Ὑπῆρχαν μανιφατοῦρες (manufactures, ὅπως ὀνόμαζαν στήν μοναρχική Γαλλία τά ἐργοστάσια πού ἀνῆκαν στό κράτος) πού κύριος σκοπός τους ἦταν ἡ τροφοδότηση τῆς κινεζικῆς αὐλῆς καί γραφειοκρατίας: ὅπλα, ὑφάσματα, ἀγγειοπλαστική, ἐνδύματα, δερμάτινα, οἰνοπνευματώδη. Ἐπίσης τό κινεζικό κράτος εἶχε τό μονοπώλιο παραγωγῆς καί διανομῆς τοῦ ἅλατος καί τοῦ σιδήρου σέ ὅλη τήν ἐπικράτεια. Στήν προεπαναστατική Γαλλία ὑπῆρχε ἐπίσης κρατικό μονοπώλιο τοῦ ἅλατος. Τό ἴδιο φαινόμενο τοῦ κρατισμοῦ, εἴχαμε καί στήν Ὀθωμανική Αὐτοκρατορία. Ἄλλωστε ὁ Ἀτατούρκ θέλοντας νά πείσει τούς συμπατριῶτες του γιά τά ἀγαθά τοῦ κρατισμοῦ τούς ἐξηγοῦσε ὅτι οἱ Τοῦρκοι ἦταν κρατικιστές ἀπό τήν φύση τους, ἔχοντας ἀκριβῶς στόν νοῦ του τό ὀθωμανικό σύστημα βασισμένο στά κρατικά ἐργοστάσια καί μονοπώλια. Ὅταν τό 1839 ἡ ὀθωμανική κυβέρνηση, ὑπό τήν πίεση τῶν Ἄγγλων ὑποχρεώθηκε νά καταδικάσει τόν κρατισμό, ὁ ὑπουργός της τῶν Ἐξωτερικῶν διάβασε τό αὐτοκρατορικό διάταγμα τοῦ Γκϋλχανε πού ἔλεγε: "Ἡ Αὐτοκρατορία μας ἔχει τώρα ἀπό κάμποσο καιρό ἀπαλλαχθεῖ ἀπό τήν μάστιγα τῶν μονοπωλίων". Καί σέ ἄλλο μου βιβλίο παρατηροῦσα πώς "ἡ Ἀγγλία εἶχε μπεῖ στήν τροχιά τοῦ οἰκονομικοῦ φιλελευθερισμοῦ καί ἡ λέξη *κρατικό μονοπώλιο* ἠχοῦσε στ' αὐτιά της μέ τόν ἴδιο δυσάρεστο τρόπο πού ἡ λέξη *κομμουνισμός* θά ἠχήσει ἀργότερα στ' αὐτιά τῶν Ἀμερικανῶν" (Δημ. Κιτσίκης, *Ἱστορία τῆς Ὀθωμανικῆς Αὐτοκρατορίας*, Ἀθήνα, Ἑστία, 1988, σ. 172).

Ἡ κοινωνικοποίηση στίς παραδοσιακές οἰκονομίες, δηλαδή ἡ συμμετοχή τοῦ λαοῦ στήν διαχείρηση καί τόν ἔλεγχο τῶν ἐπιχειρήσεων, ἐπιτυγχάνετο μέσω τῶν σωματείων ἤ συντεχνιῶν (corporations). Μάλιστα στήν προαναγεννησιακή Δύση, οἱ συντεχνίες –πού ὀνομάζοντο guildes ὅταν ἔπαιρναν τήν μορφή ἑνώσεων συντεχνιῶν– εἶχαν ἀποκτήσει τεράστια πολιτική δύναμη, εἰδικά στήν γερμανική ἀκτή τῆς Βαλτικῆς, ὅπου ἤλεγχαν ὁλόκληρες πόλεις, τίς λεγόμενες "ἐλεύθερες πόλεις". Οἱ guildes τῶν γερμανικῶν ἐμπορικῶν συντεχνιῶν συγκρότησαν μιά ἕνωση γιά ὅλη τήν πόλη, πού ὀνόμασαν χάνσα (hansa) καί οἱ πόλεις τῆς Βαλτικῆς μεταξύ τους ἑνώθηκαν σέ μιά συνομοσπονδία μέ τήν ἐπωνυμία Hansa Teutonica. Ἡ πολιτική δύναμις αὐτῆς τῆς Χάνσα ὑπῆρξε τόσο μεγάλη, ὥστε τό 1370 ἐπέβαλε στόν βασιλέα τῆς Δανίας συνθήκη διά τῆς ὁποίας ὁ αἱρετός αὐτός μονάρχης δέν μποροῦσε νά ἐκλεγεῖ χωρίς τήν συγκατάθεσή της.

Στήν Κίνα οἱ ἑνώσεις συντεχνιῶν ἐμπόρων καί βιοτεχνῶν ὀνομάζοντο χάνγκ (hang) καί διοικοῦντο ἀπό ἀρχηγούς πού ἔπρεπε νά ἐγκρίνονται ἀπό τήν κινεζική κυβέρνηση. Οἱ σχέσεις κράτους καί συντεχνιῶν περνοῦσαν ἀπό τούς ἡγέτες τῶν χάνγκ. Ἡ πόλη τῆς Καντώνης ἐδιοικεῖτο οἰκονομικά ἀπό μιά χάνσα, δηλαδή μιά ἕνωση τῶν χάνγκ τῆς πόλεως, πού ἐλέγετο *Κό-Χόνγκ*. Ὅλοι οἱ ξένοι πού ἤθελαν νά κάνουν ἐμπόριο μέ τήν Κίνα, ἔπρεπε ὑποχρεωτικά νά τό κάνουν μέσω τοῦ *Κό-Χόνγκ*. Οἱ Ἄγγλοι πού προσπαθοῦσαν νά ἐπιβάλουν τήν φιλελεύθερη οἰκονομία, ὅπως τό εἶχαν ἐπιτύχει τό 1839 στήν Ὀθωμανική Αὐτοκρατορία, ἔκαναν πόλεμο στήν Κίνα, τόν κέρδισαν τό 1842 καί κατήργησαν αὐτό τό λεγόμενο "σύστημα τῆς Καντώνης".

Στήν 'Οθωμανική Αὐτοκρατορία οἱ βιοτέχνες καί οἱ μικρέμποροι συγκροτοῦσαν συντεχνίες πού ἀποκαλοῦντο ἐσνάφια (esnaf), σέ σημεῖο μάλιστα πού ἡ λέξη αὐτή νά σημαίνει ταυτοχρόνως καί βιοτέχνης, μικρέμπορος ἤ μικροαστός. Τά ἐσνάφια ἦταν ἤ μουσουλμανικά, ἤ χριστιανικά, ἤ ἑβραϊκά ἤ καί μικτά. Κάθε ἐσνάφι ἦταν ἐπανδρωμένο μέ μαστόρους πού ὀνομάζοντο οὐστάδες (usta). Ἡ διοίκηση ἦταν συλλογική. Ἦταν στά χέρια ἑνός συμβουλίου γερόντων πού ἐξέλεγαν οἱ οὐστάδες καί πού ἐπικύρωνε ὁ σουλτάνος. Στό συμβούλιο αὐτό προήδρευε ὁ ἀρχηγός τοῦ σωματείου πού λεγόνταν σεΐχης καί πού ἦταν ἡ πνευματική καί ἠθική κεφαλή τοῦ ἐσναφιοῦ, ἐπειδή καθένα ἀπό τά ἐσνάφια προστατευόταν ἀπό ἕναν ἅγιο. Τά ὀθωμανικά σωματεῖα συνέχιζαν ἄλλωστε σέ μεγάλο βαθμό τήν βυζαντινή παράδοση.

Ἡ οὐσιαστική διεύθυνση τῶν ἐσναφίων ἦταν στά χέρια ἑνός συνδίκου πού ὀνομαζόταν κεχαγιάς. Κάθε οὐστάς μποροῦσε νά διαλέξει τούς δικούς του μαθητευόμενους, τά τσιράκια (çırak), ἀλλά τό συμβούλιο ἔπρεπε νά ἐξετάσει καί νά πιστοποιήσει τίς γνώσεις πού εἶχαν λάβει στήν δουλειά, γιά νά τούς ἐπιτραπεῖ νά προβιβασθοῦν σέ ἐργάτες, δηλαδή καλφάδες (kalfa), καί ἀργότερα σέ οὐστάδες μέ τό δικαίωμα τότε νά ἀνοίξουν δικό τους μαγαζί. Γιά νά ἔχει τό δικαίωμα ν' ἀνοίξει δικό του κατάστημα, ὁ οὐστάς ἔπρεπε νά λάβει μιά ἄδεια, τό γκεντίκι (gedik). Γιά νά περιοριστεῖ ὁ συναγωνισμός οἱ ἄδειες αὐτές δέν δίνονταν εὔκολα. Τό γκεντίκι ἦταν ἰδιοκτησία τοῦ οὐστᾶ καί συνεπῶς μποροῦσε ἄν ἤθελε νά τό πουλήσει ἤ νά τό μεταβιβάσει στούς ἀπογόνους του, ὑπό τόν ὅρο ὅμως ὁ λαβών νά ἔχει τίς γνώσεις πού θεωροῦσε ἀπαραίτητες τό συμβούλιο. Ὁ κεχαγιάς ἦταν ὁ ἐνδιάμεσος κρίκος μεταξύ τῆς κεντρικῆς ἐξουσίας καί τῶν μελῶν τοῦ σωματείου.

Ἐπίσης, τά ἐσνάφια, σέ συνεργασία μέ τόν ἀγορανόμο, ἤλεγχαν τήν ποιότητα τῶν προϊόντων καί τό πραγματικό βάρος τους, τίς πραγματικές τους διαστάσεις, γιά νά ἀποφευχθεῖ ὁποιαδήποτε ἀπάτη. Καθώριζαν τό ὕψος τῶν τιμῶν καί τῶν μισθῶν μέ τήν σύμφωνη γνώμη τῆς κυβερνήσεως. Ἔτσι, τό σύστημα τῶν ἐσναφίων ἐπέτρεπε στήν κεντρική ἐξουσία νά ἐλέγχει ἀπό κοντά τούς βιοτέχνες καί τούς μαγαζάτορες, καί τά κέρδη τους δέν μποροῦσαν νά διαφύγουν ἀπό τήν φορολογία.

Ἀλλά ὅπως καί σέ ἄλλα μέρη τοῦ παραδοσιακοῦ προαναγεννησιακοῦ πλανήτη, ἔτσι καί στήν Ὀθωμανική Αὐτοκρατορία συγκροτοῦντο συνομοσπονδίες συντεχνιακές, εἴδους hansa, πού ἀποκτοῦσαν καί πολιτική ἰσχύ. Στόν ἑλληνικό χῶρο τῆς Αὐτοκρατορίας, ὑπῆρχαν ὁλόκληρες περιοχές, ὅπως τά Μαντεμοχώρια τῆς Χαλκιδικῆς, τά μεταλλεῖα ἀργύρου τοῦ Πόντου, τά 24 χωριά τοῦ Πηλίου, τά Ἀμπελάκια τῆς Θεσσαλίας, τά Μαστιχοχώρια τῆς Χίου, πού ἐξασφάλιζαν τήν μονοπωλιακή παραγωγή καί τήν διοικητική, φορολογική, ἀστυνομική καί δικαστική αὐτονομία.

Δύο χρόνια μετά τήν ἔναρξη τῆς Γαλλικῆς Ἐπαναστάσεως, στίς 14 Ἰουνίου 1791, ὁ βουλευτής τῆς Γαλλικῆς ἐπαναστατικῆς Συνελεύσεως Isaak Le Chapelier (1754-1794), εἰσήγαγε ἕναν νόμο πού καταργοῦσε τίς συντεχνίες. Σ' αὐτήν τήν Assemblée Constituante δέν ὑπῆρχαν κόμματα. Ὅπως ἤδη ἐξηγήσαμε, οἱ ἐπαναστάτες δέν ἐδέχοντο κατ' ἀρχήν κανενός εἴδους συσσωμάτωση. Ἀπό τήν μιά πλευρά ἦταν ἐπηρεασμένοι ἀπό τήν ρουσωϊκή ἰδέα τῆς ἄμεσης δημοκρατίας χωρίς ἐνδιάμεσα ἀντιπροσωπευτικά σώματα μεταξύ λαοῦ καί ἡγέτου (δηλαδή καθρέφτη τοῦ ἑαυτοῦ του) καί ἀπό τήν ἄλλη ἀπό τόν ἀκραῖο ἀτομισμό τῆς ἰδεολογίας τοῦ φιλελευθερισμοῦ, πού ἦταν ἀντιρουσωϊκή ἰδέα. Ἔτσι στήν ἀρχή τοῦ γαλλικοῦ ἐπαναστατικοῦ βίου, ρουσωιστές καί βολταιριανοί συναντιόντουσαν στήν μή ἀποδοχή κομμάτων στήν Βουλή. Οἱ βουλευτές ἐκαυχόντο ὅτι ἦταν ἀπόλυτα ἀνεξάρτητοι καί ὅτι ἀκουλουθοῦσαν μόνον ὅ,τι τούς ὑπαγόρευε ἡ καρδιά τους. Παρά ταῦτα, συναθροίζοντο σύμφωνα μέ τίς πολιτικές τους προτιμήσεις. Ἔτσι στήν ἀρχή εἴχαμε ἀπό τή μιά τούς "ἀριστοκράτες", ἀπό τήν ἄλλη τούς "πατριῶτες", δηλαδή τούς ἀντεπαναστάτες καί τούς ἐπαναστάτες. Ἀργότερα ὅμως οἱ πατριῶτες διαιρέθηκαν μεταξύ τους.

Ὁ "νόμος Λέ Σαπελιέ" ψηφίστηκε σ' αὐτό τό πνεῦμα. Ἀλλά ἐκεῖνοι πού τελικά ἐπωφελήθηκαν ἀπ' αὐτόν ὑπῆρξαν οἱ βολταιριανοί, δηλαδή οἱ καπιταλιστές, καί ὄχι οἱ ρουσωικοί. Διότι ὁ νόμος αὐτός ἀπηγόρευε ὅλα τά ἐπαγγελματικά σωματεῖα καί ὁποιασδήποτε μορφῆς συνδικάτα. Δηλαδή, αὐτό πού γνωρίζουμε σήμερα ὡς ἀπεργία, ἦταν ἀπολύτως ἀπηγορευμένο. Καί τελικά, ἀντί νά καλυτερεύσει, ἡ κοινωνική θέση τῶν ἐργατῶν χειροτέρευσε. Ἐπί πλέον ἡ ἐχθρότητα τῶν ἐπαναστατῶν κατά τῆς χριστιανικῆς θρησκείας, τούς ὤθησε νά καταργήσουν ὅλες τίς χριστιανικές ἑορτές, ἀκόμη καί τό χριστιανικό ἡμερολόγιο, τό ὁποῖο καί ἀντικατέστησαν στίς 5 Ὀκτωβρίου 1793 μέ τό λεγόμενο "ἐπαναστατικό ἡμερολόγιο": ἡ ἑβδομάδα καταργήθηκε καί στήν θέση της ἐπεβλήθη ἡ "δεκάδα", ἀντί δέ τῆς Κυριακῆς καθιερώθη ἡ "δεκαδική". Τό ἀποτέλεσμα γιά τούς ἐργαζόμενους ἦταν ὅτι δέν εἶχαν πλέον τίς πάμπολες χριστιανικές ἑορτές καί τίς Κυριακές γιά νά ἀναπαύονται. Ἔπρεπε νά ἐργάζονται συνεχῶς, ἐκτός τῶν δεκαδικῶν κατά τίς ὁποῖες ἑορτάζοντο οἱ γιορτές τῆς νέας θρησκείας τοῦ Ὑψίστου Ὄντος (Etre suprême).

Ἡ κατάργηση τῶν συντεχνιῶν θεωρήθηκε ἀπόδειξη τῆς ἀπάνθρωπης στάσεως τῶν ἀστῶν ἔναντι τῶν λαϊκῶν τάξεων καί σήμανε τήν ἀρχή τῆς προλεταροποιήσεως τῶν μικροαστῶν. Ἡ συντεχνία ἦταν γιά τόν ἐργάτη μιά κοινωνική ἀσφάλεια, μιά οἰκογενειακή ζεστασιά. Ἡ συστηματική ἐξατομίκευση τοῦ ἀνθρώπου πού ἐξ ἀρχῆς ἐπεδίωξε ὁ καπιταλισμός καί πού συνεχίζεται ἀκατάπαυστα καί σήμερα, ἀπομόνωσε τόν καθένα γυμνό στήν ἀπέραντη ἔρημο τοῦ Βόρειου Πόλου τῆς ἀστικῆς κοινωνίας. Ὁ Κάρλ Μάρξ ὑπῆρξε ἄφθαστος στήν πέρα γιά πέρα σωστή ἀνάλυση τῆς κοινωνίας πού δημιούργησε ὁ καπιταλισμός, στό *Μανιφέστο τοῦ κομμουνιστικοῦ κόμματος* πού ἔγραψε μέ τόν Φρῆντριχ Ἔνγκελς τό 1848. Ὅλες οἱ μεταμορφώσεις τοῦ καπιταλισμοῦ τά τελευταῖα 150 χρόνια, δέν κατώρθωσαν νά διαψεύσουν τήν εἰκόνα πού δίδεται σ' αὐτό τό μανιφέστο ἑνός καπιταλισμοῦ πού ὠθεῖ τόν ἄνθρωπο στήν πλήρη ἠθική γύμνια καί ἀπελπισία. Κάθε λέξη αὐτοῦ τοῦ μανιφέστου ἔχει μεγάλη βαρύτητα καί ἄλλωστε ὁ φασισμός πού ὑπῆρξε πολέμιος τοῦ μαρξισμοῦ, ἐπειδή διαφωνεῖ μέ τίς λύσεις πού προτείνει ὁ Μάρξ, συμφωνεῖ μέ τήν κριτική πού κάνει τῆς καπιταλιστικῆς κοινωνίας, μιᾶς κοινωνίας πού κατατρώει τήν ἀξιοπρέπεια τοῦ ἀνθρώπου πάνω στό ἄγονο ἔδαφος τῆς ἀσφάλτου τῶν μεγαλουπόλεων καί πού ὁ ἴδιος ὁ μικροαστός Χίτλερ ἔζησε μέ φρίκη στά νεανικά του χρόνια τῆς προλεταριοποιήσεως στήν Βιέννη.

Ὁ Ἰωσήφ Γκαῖμπελς, στό συνέδριο τοῦ γερμανικοῦ

ἐθνικοσοσιαλιστικοῦ κόμματος, πού συνῆλθε στήν Νυρεμβέργη τό 1936, ἔλεγε: "Ὁ μπολσεβικισμός... μόνον τό ἄγονο ἔδαφος τῆς ἀσφάλτου τῶν κοσμοπόλεων ἔδωσε εἰς αὐτόν τήν δυνατότητα ἐξαπλώσεως... Θά ἤθελα νά τονίσω ἐδῶ γιά μιάν ἀκόμη φορά κατηγορηματικῶς, ὅτι ἐάν ἐμεῖς οἱ ἐθνικοσοσιαλιστές, ἀπό τήν πρώτη στιγμή ἤδη τῆς πολιτικῆς μας δράσεως διεξήγαμε τόν ἀγῶνα κατά τοῦ παγκοσμίου τούτου κινδύνου μέ ἀπεριόριστη σφοδρότητα, καθόλου δέν ὑπερασπίζουμε διά τοῦ ἀγῶνος μας τούτου οἱαδήποτε ἀντισοσιαλιστικά εἴτε κεφαλαιοκρατικά συμφέροντα. Ὁ ἀγώνας μας κατά τοῦ μπολσεβικισμοῦ δέν εἶναι ἀγώνας ἐναντίον, ἀλλά ἀκριβῶς ὑπέρ τοῦ σοσιαλισμοῦ" (Ἰ. Γκαῖμπελς, *Μπολσεβικισμός: Θεωρία-Πρᾶξις*, Ἀθήνα, Ἐκδόσεις Ἐλεύθερη Σκέψις, 1979, σσ. 3-4). Νά παρατηρήσουμε πώς ὁ Μουσολίνι προτιμοῦσε τόν ὅρο "κοινωνισμός" ἀντί τοῦ "σοσιαλισμός" γιά νά χαρακτηρίσει τό κοινωνικό καθεστώς του.

Τήν πτώχευση τοῦ μικροαστοῦ πού ξεπέφτει στό ἐπίπεδο τοῦ προλεταρίου λόγω τῆς ἀνάπτυξης τῆς μεγαλοβιομηχανίας, τήν περιγράφει στό Mein Kampf ὁ ζωγράφος Χίτλερ, ὅπως τήν ἔζησε τό 1909-1913 στήν Βιέννη. Συχνά ἄνεργος κοιμόταν καί ἔτρωγε σέ πτωχοκομεῖα, ἀλλά ὁ ἴδιος αἰσθανόταν ἀνώτερος ἀπό τήν ἐργατική τάξη ἐπειδή εἶχε συνείδηση πώς ἦταν μικροαστός. Γι' αὐτόν ἡ ἐργατική τάξη ἦταν τό θῦμα τῶν μαρξιστῶν πού τῆς μάθαιναν νά περιφρονεῖ ὅλες τίς ἠθικές ἀξίες τῆς παραδόσεως. Ἡ νοσταλγία τοῦ χαμένου μικροαστικοῦ παραδείσου ἦταν ἔντονη στόν Χίτλερ. Ἤθελε νά μείνει ἠθικός καί νά μήν κυλίσει στόν βοῦρκο τῶν μεγαλουπόλεων. Δέν κάπνιζε καί δέν ἔπινε. Ἦταν πολύ ντροπαλός μέ τίς γυναῖκες. Ἄκουγε τίς συζητήσεις τῶν συντρόφων του ἐργατῶν καί ἔφριττε. Δέν ἐσέβοντο τίποτα: τό ἔθνος ἦταν δημιουργία τῆς καπιταλιστικῆς τάξεως, ἔλεγαν. Ἡ πατρίδα ἦταν ὄργανο τῆς μπουρζουαζίας γιά τήν ἐκμετάλλευση τῆς ἐργατικῆς τάξεως. Οἱ νόμοι ἦταν μέσον καταπιέσεως τοῦ προλεταριάτου. Ἡ θρησκεία ἦταν μέσον γιά τήν ἐξασθένιση τοῦ λαοῦ, μέ σκοπό νά τόν ἐκμεταλλευθοῦν κατόπιν πιό ἀποτελεσματικά. Ἡ ἠθική ἐδίδασκε ἠλίθια ὑπομονή πρός χρῆσιν προβάτων. Τίποτα τό ἁγνό δέν ἀπέμενε πού νά μήν εἶχε συρθεῖ στήν λάσπη.

Ὁ Μάρξ εἶχε γράψει πώς μόνη ὑπεύθυνη γιά τήν ἠθική

ἀπογύμνωση τοῦ ἀνθρώπου ἦταν ἡ ἀστική τάξη: "Παντοῦ ὅπου κατέλαβε τήν ἀρχή, καταπάτησε τίς εἰδυλλιακές, πατριαρχικές, φεουδαλικές σχέσεις. Ὅλους τούς ποικίλους δεσμούς πού ἕνωναν τόν φεουδαρχικό ἄνθρωπο μέ τούς φυσικούς ἀνωτέρους του, τούς θρυμμάτισε χωρίς οἶκτο, ἀφήνοντας μονάχα μεταξύ τῶν ἀνθρώπων ὡς μόνο δεσμό τό ψυχρό συμφέρον, τίς σκληρές πληρωμές τοῖς μετρητοῖς. Ἔπνιξε τήν θρησκευτική ἔκσταση, τόν ἱπποτικό ἐνθουσιασμό, τήν μικροαστική συναισθηματικότητα στά παγερά νερά τῶν ἐγωιστικῶν ὑπολογισμῶν. Μετέτρεψε τήν ἀνθρώπινη ἀξιοπρέπεια σέ μιά ἁπλή μεταπρατική ἀξία. Ἀντικατέστησε τίς ἀκριβοπληρωμένες πολλές ἐλευθερίες μέ τήν μοναδική σκληρή ἐλευθερία τοῦ ἐμπορίου... Ἡ μπουρζουαζία ἀπογύμνωσε ἀπό τό φωτοστέφανό της ὅλα τά ἐπαγγέλματα πού ἐθεωροῦντο μέχρι τότε σεβαστά καί πού ἀντιμετωπίζοντο μέ θρησκευτική προσήλωση. Τόν γιατρό, τόν νομομαθῆ, τόν παπά, τόν ποιητή, τόν σοφό, τούς στρατολόγησε μαζί μέ τούς μισθωτούς. Ἡ μπουρζουαζία ἔσκισε τό πέπλο τῆς αἰσθηματικότητας πού σκέπαζε τίς οἰκογενειακές σχέσεις καί τίς ὑποβίβασε στό ἐπίπεδο ἁπλῶν χρηματικῶν συναλλαγῶν". (Karl Marx, Friedrich Engels, *Manifeste du parti communiste*, Paris, Editions sociales, 1947, σ. 13).

Αὐτό τί σημαίνει; Ὅτι ὁ Χίτλερ κατάλαβε στραβά τόν μαρξισμό; Πράγματι, διαβάζοντας τά παραπάνω θά νόμιζε κανείς πώς ὁ Μάρξ καταδικάζει τήν ἀστική τάξη γιά τήν καταστροφή ὅλων τῶν ἠθικῶν ἀξιῶν. Ἀλλά ὄχι. Χίτλερ καί Μάρξ συμφωνοῦν στήν διαπίστωση, ἀλλά διαφωνοῦν στήν λύση. Ὁ Μάρξ εἶναι κυνικός. Μέ τό σκληρό χιοῦμορ του πού θυμίζει Βολταῖρο, ἐξυμνεῖ τόν ἀστό, δολοφόνο τῶν ἠθικῶν ἀξιῶν. Γράφει πώς σωστά ἔκανε: "Στήν θέση τῆς συγκαλυμμένης ἐκμετάλλευσης μέσω θρησκευτικῆς καί πολιτικῆς αὐταπάτης [ἡ ἀστική τάξη] ἔβαλε τήν ἀνοιχτή, ξεδιάντροπη, ἄμεση, βίαιη ἐκμετάλλευση... Ἡ μπουρζουαζία ἀπέδειξε μέ ποιό τρόπο ἡ βίαιη ἐκδήλωση τῆς ἰσχύος στόν Μεσαίωνα, πού τόσο πολύ θαυμάζεται ἀπό τήν ἀντίδραση, εἶχε βρεῖ τό φυσικό της συμπλήρωμα στήν πιό χονδροειδῆ τεμπελιά. Ὑπῆρξε ἡ πρώτη πού ἀπέδειξε τί μπορεῖ νά πραγματοποιήσει ἡ ἀνθρώπινη δραστηριότητα. Δημιούργησε πολύ μεγαλύτερα καί θαυματουργά ἔργα ἀπό τίς πυραμίδες τῆς

Αἰγύπτου... Ἡ μπουρζουαζία ἔχει παρασύρει στό ρεῦμα τοῦ πολιτισμοῦ ἀκόμη καί τά πιό βάρβαρα ἔθνη [τοῦ Τρίτου Κόσμου]... Ὑπέταξε τήν ὕπαιθρο στήν πόλη. Κατασκεύασε τεράστιες πόλεις. Αὔξησε σέ ἀπίστευτο βαθμό τόν πληθυσμό τῶν πόλεων εἰς βάρος τῆς ὑπαίθρου καί μέ τόν τρόπο αὐτό ἀπέσπασε ἕνα μεγάλο μέρος τοῦ πληθυσμοῦ ἀπό τήν ἀποβλάκωση τῆς ἀγροτικῆς ζωῆς. Μέ τόν ἴδιο τρόπο πού ὑπέταξε τήν ὕπαιθρο στήν πόλη, τά βάρβαρα ἤ ἡμιβάρβαρα ἔθνη στά πολιτισμένα, ἐξήρτησε τίς χῶρες τῶν ἀγροτῶν ἀπό τίς χῶρες τῶν ἀστῶν, δηλαδή τήν Ἀνατολή ἀπό τήν Δύση" (σσ. 13-14).

Ἐπίσης ὁ Μάρξ θεωρεῖ ὅτι ἡ παγκόσμια ἐξάπλωση τοῦ καπιταλισμοῦ εἶναι καί ἀναπόφευκτη καί ἐπιθυμητή. α) *Ἀναπόφευκτη* διότι ὁ καπιταλισμός εἶναι ἕνας οἰκονομικός καρκίνος: δέν θεραπεύεται προτοῦ ἀγγίξει τά ὅρια τοῦ πλανήτη πού εἶναι καί τό κορμί του. Ὅσο ὑπάρχει θέση στό κορμί αὐτό καί λειτουργοῦν ἀκόμη ὄργανα ἄθικτα ἀπό τόν καπιταλιστικό καρκίνο, αὐτός θά τά μολύνει καί θά ἐξαπλωθεῖ. Ἐμεῖς θά μπορούσαμε νά προσθέσουμε πώς ἐάν στήν αὐγή τοῦ 21ου αἰώνα, ὁ καπιταλισμός δέν ἀποικήσει ἄλλους πλανῆτες τοῦ ἡλιακοῦ μας συστήματος γιά νά ἐκχυλίσει τήν ἀκατάπαυστη παραγωγική καί καταναλωτική του δράση, ὁ καρκίνος ἐγκλωβισμένος πλέον στά ὅρια τοῦ κορμιοῦ-πλανήτη καί ἀσφυκτιώντας, θά τοῦ ἐπιφέρει ἀναπόφευκτο θάνατο. β) *Ἐπιθυμητή* διότι ὑποχρεωτικά ἡ ἀστική καπιταλιστική τάξη, παντοῦ ὅπου βρίσκεται, δημιουργεῖ τήν ἄρνησή της πού εἶναι ἡ ἐργατική τάξη. Δηλαδή ὁ καπιταλισμός ἐργάζεται γιά νά ἀνδρώσει τόν δολοφόνο του. Ἀλλά νά πῶς ἐκφράζεται ὁ Μάρξ στό θέμα αὐτό:

"Ἡ ἀστική τάξη ὑπάρχει ὑπό τόν ὅρο νά δημιουργεῖ συνεχεῖς ἐπαναστάσεις στά μέσα ἐργασίας... καί παραγωγῆς... Ὅλες οἱ κοινωνικές σχέσεις πού ἦταν παραδοσιακές καί ἀκινητοποιημένες μέ ὅλα τά σεβάσμια στό παρελθόν πιστεύω, διαλύονται. Αὐτές πού τίς ἀντικαθιστοῦν γερνᾶν προτοῦ ἀκόμη φτιάξουν κόκκαλα. Ὁτιδήποτε στέρεο καί μόνιμο ἐξατμίζεται... Ἡ ἀνάγκη ὅλο καί νέων ἀγορῶν σπρώχνει τήν ἀστική τάξη νά ἐξαπλωθεῖ σ' ὅλη τήν ὑφήλιο... Μέ τήν ἐκμετάλλευση τῆς παγκόσμιας ἀγορᾶς, ἡ ἀστική τάξη προσδίδει κοσμοπολιτικό χαρακτῆρα στήν παραγωγή καί τήν κατανάλωση ὅλων τῶν χωρῶν. Παρά τήν ἀντίθεση τῶν ἀντιδραστικῶν, κατώρθωσε νά ἀφαιρέσει ἀπό τήν βιομηχανία τήν ἐθνική της βάση. Οἱ παλιές ἐθνικές βιομηχανίες κατατρέφονται ἤ κατεστράφησαν ἤδη... Στήν θέση τῆς παλαιᾶς ἀπομόνωσης τῶν ἐπαρχιῶν καί τῶν ἐθνῶν πού εἶχαν αὐτάρκεια, ἀναπτύσσεται ἕνα παγκόσμιο ἐμπόριο, μιά ἀλληλεξάρτηση τῶν ἐθνῶν... καί ἀπό ὅλες τίς ἐθνικές καί τοπικές λογοτεχνίες δημιουργεῖται μιά παγκόσμια λογοτεχνία... Ὅσο λιγότερη δύναμη καί ἱκανότητα χρειάζεται ἡ δουλειά, δηλαδή ὅσο ἡ μοντέρνα βιομηχανία προοδεύει, τόσο πιό πολύ ἡ ἐργασία τοῦ ἀνδρός ἀντικαθίσταται μέ αὐτήν τῶν γυναικῶν καί τῶν παιδιῶν [φεμινισμός, δικαιώματα τοῦ παιδιοῦ στήν κατανάλωση μέσω τῶν διαφημίσεων, ἀπελευθέρωση τῆς οἰκογενείας ἀπό τά δεσμά τοῦ γάμου καί τήν ὑπακοή τῶν παιδιῶν]. Οἱ διαφορές ἡλικίας καί φύλου δέν ἔχουν πλέον κοινωνική σημασία γιά τήν ἐργατική τάξη... Ὁ δουλοπάροικος στήν διάρκεια τῆς φεουδαρχίας κατώρθωνε νά γίνει μέλος μιᾶς κοινότητας [ἀντίθετα ὁ ἐργάτης στόν 19ο αἰῶνα, μετά τήν κατάργηση τῶν συντεχνιῶν, ἦταν τελείως ἀπομονωμένος. Ἀλλά] ἡ πρόοδος τῆς βιομηχανίας... ἀντικαθιστᾶ τήν ἀπομόνωση τῶν ἐργατῶν, λόγω τοῦ ἀνταγωνισμοῦ μεταξύ τους, μέ τήν ἐπαναστατική τους ἕνωση διά τῶν συνδικαλιστικῶν ἑνώσεων [γέννηση τῶν συνδικάτων στόν 19ο αἰῶνα]" (σσ. 13-20).

Ὁ κυνισμός αὐτός τοῦ Μάρξ πού τόν σπρώχνει νά χαίρεται γιά τήν ἀπανθρωπιά τοῦ καπιταλιστικοῦ συστήματος ἐπειδή ἐπιταχύνει τήν ἄνοδο στήν ἐξουσία τοῦ προλεταριάτου ("ἡ μπουρζουαζία παράγει τούς δικούς τῆς νεκροθάφτες", γράφει) αὐξήθηκε σημαντικά στόν Λένιν καί ἀκόμη περισσότερο στόν Στάλιν, φθάνοντας στό σημεῖο νά δώσει στό κομμουνιστικό ἐπαναστατικό κίνημα ἕναν ἀμοραλισμό πού συνοψίζεται στήν φόρμουλα: ὁ σκοπός ἁγιάζει τά μέσα. Ἀντίθετα ὅπως εἴδαμε ἤδη ἀπό τήν ἐποχή τοῦ Ρουσώ, ἡ ὑφή τοῦ φασιστικοῦ σοσιαλισμοῦ εἶναι ἠθικοῦ περιεχομένου καί ὄχι οἰκονομικοῦ. Ἐνῶ ὁ μαρξισμός χαίρεται γιά τήν ἐξαφάνιση τῆς προαναγεννησιακῆς ἁρμονίας, ὁ φασισμός τήν νοσταλγεῖ. Καί οἱ δύο ἰδεολογίες ἔχουν τόν ἴδιο ἐχθρό, τό ἀστικό κράτος, ἀλλά ὁ πρῶτος τό θεωρεῖ πρόοδο σέ κάποια ἱστορική φάση καί ἁπλῶς τό ξεπερνάει στήν ἑπόμενη, ἐνῶ ὁ δεύτερος τό μισεῖ, τοῦ φορτώνει μόνον ἀρνητικά καί κανένα θετικό στοιχεῖο καί θά προτιμοῦσε νά μήν εἶχε ποτέ ἐμφανισθεῖ. Μέ ἄλλα λόγια, τουλάχιστον αἰσθηματικά, ὁ φασισμός εἶναι μεγαλύτερος ἐχθρός τοῦ φιλελευθερισμοῦ-καπιταλισμοῦ ἀπό τόν κομμουνισμό, διότι ἡ τελευταία αὐτή ἰδεολογία μέ τόν Μάρξ ἔχει μέ τόν ἀστικό φιλελευθερισμό τήν ἴδια ρίζα, πού εἶναι τό πνεῦμα τοῦ Διαφωτισμοῦ τοῦ 18ου αἰῶνος.

Ὁ Μάρξ, τό 1848, διαπιστώνει τήν ὕπαρξη δύο διαφορετικῶν μικροαστικῶν τάξεων. Ἡ ἀνάλυσή του εἶναι πράγματι ἐκπληκτική ὡς πρός τήν ὀρθότητά της, ἐφ' ὅσον παραμένει ἔγκυρη ἀκόμα καί σήμερα. Ἡ πρώτη μικροαστική τάξη ἐκφράζεται μέ τόν φασισμό, ἡ δεύτερη μέ τήν ἀριστερή τάση τοῦ ἀστικοῦ φιλελευθερισμοῦ, πού ὀνομάζεται σοσιαλδημοκρατία. "Οἱ μικροαστοί καί οἱ μικροαγρότες τοῦ μεσαίωνος ὑπῆρξαν οἱ πρόδρομοι τῆς μοντέρνας ἀστικῆς τάξεως. Στίς χῶρες ὅπου ἡ βιομηχανία καί τό ἐμπόριο καθυστεροῦν, ἡ τάξη αὐτή συνεχίζει νά φυτοζωεῖ δίπλα στήν ἀκμάζουσα ἀστική τάξη. Στίς χῶρες ὅπου ἀνθεῖ ὁ σύγχρονος πολιτισμός, μιά νέα τάξη μικροαστῶν διαμορφώθηκε, πού ταλαντεύεται μεταξύ τοῦ προλεταριάτου καί τῆς ἀστικῆς τάξεως. Ὡς συμπληρωματικό τμῆμα τῆς ἀστικῆς κοινωνίας αὐτή ἡ τάξη συνεχῶς ἀνασυσταίνεται" (σ. 29).

Γιά τήν πρώτη μικροαστική τάξη γράφει: "Στίς χῶρες σάν τήν Γαλλία ὅπου οἱ ἀγρότες σχηματίζουν πολύ παραπάνω ἀπό τό ἥμισυ τοῦ πληθυσμοῦ, εἶναι φυσικό πώς συγγραφεῖς πού ὑποστήριζαν τό προλεταριάτο κατά τῆς ἀστικῆς τάξεως, ἐπέκριναν τό ἀστικό καθεστώς καί ὑποστήριξαν τό ἐργατικό κόμμα ἀπό μικροαστική καί ἀγροτική σκοπιά. Ἔτσι δημιουργήθηκε ὁ μικροαστικός σοσιαλισμός... Αὐτός ὁ σοσιαλισμός ἀνέλυσε μέ πολύ διεισδυτικότητα τίς ἀντιφάσεις συμφυεῖς μέ τό καθεστώς τῆς σύγχρονης παραγωγῆς... Ἀπέδειξε μέ ἀναντίρρητο τρόπο τά καταστρεπτικά ἀποτελέσματα τῆς μηχανοποιήσεως καί τοῦ καταμερισμοῦ τῆς ἐργασίας, τῆς συγκέντρωσης τῶν κεφαλαίων καί τῆς ἔγγειας ἰδιοκτησίας, τῆς ὑπερπαραγωγῆς, τῶν κρίσεων, τῆς ἀναπόφευκτης παρακμῆς τῶν μικροαστῶν καί ἀγροτῶν, τῆς ἀθλιότητας τοῦ προλεταριάτου, τῆς ἀναρχίας στήν παραγωγή, τῆς σκανδαλώδους δυσαναλογίας στήν διανομή τοῦ πλούτου, τοῦ πολέμου βιομηχανικῆς ἐξόντωσης μεταξύ τῶν ἐθνῶν, τῆς διάλυσης τῶν παλαιῶν ἐθίμων, τῶν παλαιῶν οἰκογενειακῶν σχέσεων, τῶν παλαιῶν ἐθνοτήτων. Κρινόμενος ὅμως σέ σχέση μέ τό πραγματικό του περιεχόμενο, αὐτός ὁ σοσιαλισμός εἶτε σκοπεύει νά ἐπαναφέρει τά παλαιά μέσα παραγωγῆς καί ἐμπορικῶν ἀνταλλαγῶν, τό παλαιό καθεστώς ἰδιοκτησίας καί ὅλη τήν παλαιά κοινωνία, εἶτε σκοπεύει νά εἰσάγει βίαια τά σύγχρονα μέσα παραγωγῆς καί ἐμπορικῶν συναλλαγῶν, μέσα στό στενό πλαίσιο τοῦ παλαιοῦ καθεστῶτος ἰδιοκτησίας πού θρυμματίσθηκε –καί θρυμματίσθηκε ἀναπόφευκτα– ἀπό τά σύγχρονα αὐτά μέσα. Καί στίς δύο περιπτώσεις αὐτός ὁ σοσιαλισμός εἶναι συνάμα ἀντιδραστικός καί οὐτοπικός. Γιά τήν βιομηχανία τό σωματειακό [συντεχνιακό] καθεστώς, γιά τήν γεωργία τό πατριαρχικό καθεστώς. Τελικά αὐτό ἐπιδιώκει." (σσ. 29-30).

Εἶναι σαφές πώς ὁ μικροαστικός σοσιαλισμός πού περιγράφει μέ τόν τρόπο αὐτό ὁ Μάρξ τό 1848, εἶναι ὁ φασισμός, ἄν καί βέβαια ἡ λέξη δέν ὑπῆρχε στήν ἐποχή του. Ἐξηγεῖ δέ πῶς ἕνας τέτοιος φασισμός βρίσκει πρόσφορο ἔδαφος στίς ἀναπτυσσόμενες καί ὄχι στίς ἀνεπτυγμένες χῶρες, αὐτές πού σήμερα ὀνομάζουμε χῶρες τοῦ Τρίτου Κόσμου. Οἱ ἀνεπτυγμένες χῶρες, ἀντιθέτως, προσφέρονται γιά τήν ἀνάπτυξη τῆς ἀποκαλουμένης σήμερα σοσιαλδημοκρατίας, πού ταιριάζει μέ τίς ἀνάγκες τῶν ἀστικοποιημένων ἐργατῶν καί τῆς νέας μικροαστικῆς τάξεως πού γέννησε ἡ βιομηχανική κοινωνία, στίς χῶρες τῆς Δύσεως "ὅπου ἀνθεῖ ὁ σύγχρονος πολιτισμός". Τόν σημερινό ἀριστερό φιλελευθερισμό τῆς σοσιαλδημοκρατίας, τόν ἀποκαλεῖ ὁ Μάρξ "ἀστικό σοσιαλισμό" καί γράφει πώς σκοπός του εἶναι νά ὑπάρξει "ἀστική τάξη χωρίς προλεταριᾶτο" (σ. 32).

Ὁ φασιστικός σοσιαλισμός, λόγω τῆς ἠθικιστικῆς καί μυστικιστικῆς του χροιᾶς, συνδέθηκε ἐξ ἀρχῆς μέ τόν χριστιανικό σοσιαλισμό, γιά τόν ὁποῖο ὁ Μάρξ ἔγραψε: "Εἶναι πολύ εὔκολο νά καλύψει κανείς μέ σοσιαλιστικό βερνίκι τόν χριστιανικό ἀσκητισμό. Μήπως ὁ χριστιανισμός δέν πῆρε κι αὐτός θέση κατά τῆς ἀτομικῆς ἰδιοκτησίας, τοῦ γάμου καί τοῦ κράτους; Καί στήν θέση τους δέν κήρυξε τήν ἐλεημοσύνη καί τό ράσο, τήν ἀγαμία καί τόν ἀσκητισμό, τήν μοναχική ζωή καί τήν Ἐκκλησία;" (σ. 29).

Ἐδῶ πρέπει νά παρατηρήσουμε πώς ὁ Μάρξ δέν ἔπεσε θῦμα τοῦ μύθου πού παρουσιάσθηκε κατά κόρον, ὅτι δῆθεν ὁ Χριστός ὑπῆρξε ὁ πρῶτος κομμουνιστής. Διότι φυσικά ὁ Χριστός εἶναι ὁ Θεός καί δέν ἵδρυσε οὔτε ὑπεραμύνθηκε καμιᾶς ἰδεολογίας, ἀλλά καί ὡς ἄνθρωπος μόνον τήν θρησκεία ἐβίωνε. Ἡ σύγχυση μεταξύ θρησκείας καί ἰδεολογίας εἶναι καθαρά δυτικό ἀναγεννησιακό φαινόμενο, κατ' ἀρχήν τῆς καθολικῆς ἐκκλησίας, πάλι λόγω ἐλλείψεως διαλεκτικῆς σκέψεως. Ὁ δέ θρησκευτικός αὐτός κοινωνισμός, ἐξαπλώθηκε ἀπό τόν καθολικισμό, διά μέσου τῆς δυτικοποιήσεως, σέ ὅλες τίς θρησκεῖες τοῦ πλανήτη, σέ σημεῖο μάλιστα νά γνωρίσουμε στόν 20ο αἰῶνα ἀκόμη καί ἰνδουιστικό σοσιαλισμό.

Ὁ κοινωνικός χριστιανισμός ὡς ἰδεολογία γεννήθηκε τόν 19ο αἰῶνα ὑπό τήν ἐπιρροή τῆς ἠθικολογίας τῶν λεγομένων "οὐτοπικῶν σοσιαλιστῶν", εἰδικά ὑπό τήν ἐπιρροή τοῦ πατέρα τοῦ τεχνοκρατικοῦ ἰδανικοῦ, τοῦ κόμητος τοῦ Σαίν-Σιμόν (Henri de Saint-Simon, 1760-1825). Τήν χρονιά τοῦ θανάτου του, ἕνα μῆνα πρίν σβήσει, δημοσιεύθηκε τό ἔργο του, *Le nouveau christianisme* ("Ὁ Νέος Χριστιανισμός"). Ὁ Σαίν-Σιμόν δέν ἀρέσκεται σ' ἕναν μυστικισμό: θέλει νά βάλει τόν χριστιανισμό στήν ὑπηρεσία τῆς πολιτικῆς, νά ἱδρύσει κοινωνικό χριστιανικό κόμμα μέ σκοπό τήν ὑλική καλυτέρευση τοῦ ἀνθρώπου. Στά τελευταῖα του λόγια προτοῦ πεθάνει, συμπεριλαμβάνεται καί ἡ ἑξῆς δήλωση: "Τό τελευταῖο μέρος τοῦ ἔργου μου ἴσως νά μήν κατανοηθεῖ σωστά. Κτυπώντας τό θρησκευτικό σύστημα τοῦ Μεσαίωνα ἀποδείχθηκε στήν πραγματικότητα μονάχα ἕνα πρᾶγμα: πώς δέν ἐναρμονίζετο πλέον μέ τήν πρόοδο τῶν θετικῶν ἐπιστημῶν. Ἀλλά ἦταν λάθος νά συμπεράνει κανείς, πώς τό θρησκευτικό σύστημα ἔτεινε πρός τήν ἐξαφάνιση. Πρέπει μονάχα νά ἐναρμονισθεῖ μέ τήν πρόοδο τῶν ἐπιστημῶν. Σᾶς τό ἐπαναλαμβάνω, τό φροῦτο εἶναι γινομένο. Πρέπει νά τό κόψετε. Σαράντα ὀκτώ ὧρες μετά τήν δεύτερη δημοσίευσή μας θά εἶμαστε κόμμα" (H. de Saint-Simon, Le nouveau christianisme et les écrits sur la religion, Paris, Seuil, 1969, σ. 8).

Ὁ Σαίν-Σιμόν στό κείμενο αὐτό κατακρίνει τήν ἐποχή τοῦ φεουδαλικοῦ καθολικισμοῦ καί τήν ἐποχή τοῦ ἀστικοῦ προτεσταντισμοῦ πού τήν διαδέχθηκε. Ζητεῖ νά περάσει σέ μιά τρίτη ἐποχή, αὐτήν τοῦ νέου χριστιανισμοῦ. Αὐτός ὁ νέος χριστιανισμός θά πρέπει νά εἶναι κοινωνικός, διότι θά βασίζεται πρωτίστως στήν ἠθική. Θά εἶναι δηλαδή ὠφελιμιστικός.

Ἡ βασική ἀρχή τοῦ χριστιανισμοῦ κατά τόν Σαίν-Σιμόν, εἶναι πώς οἱ ἄνθρωποι πρέπει νά φέρονται μεταξύ τους σάν ἀδέλφια. Συνεπῶς πρέπει νά ὀργανώσουν τήν κοινωνία ἔτσι ὥστε νά εἶναι χρήσιμη γιά τούς περισσοτέρους. Πρέπει νά καλυτερεύσουν τήν ζωή τοῦ προλεταριάτου. Αὐτή εἶναι καί ἡ κυρία θεϊκή ἐπιταγή. Ὁ Σαίν-Σιμόν συνοψίζει ὡς ἑξῆς τήν βασική του ἰδέα: "Ἡ θρησκεία πρέπει νά ἡγηθεῖ τῆς κοινωνίας πρός τόν μεγάλο στόχο τῆς ὅσο τό δυνατόν πιό γρήγορης καλυτέρευσης τῆς θέσεως τῆς πιό φτωχῆς τάξεως". (σ. 149). Προσθέτει δέ ὅτι αὐτός εἶναι καί ὁ μοναδικός στόχος τοῦ χριστιανισμοῦ. Καί τελειώνει μέ μιά ἐπίκληση: "Πρίγκιπες, ἀκοῦστε τήν φωνή τοῦ Θεοῦ πού μιλάει ἀπό τό στόμα μου, ξαναγίντε καλοί χριστιανοί... Χρησιμοποιῆστε ὅλες τίς δυνάμεις σας γιά νά αὐξήσετε ὅσο τό δυνατόν πιό γρήγορα τήν κοινωνική εὐτυχία τοῦ φτωχοῦ!" (σ. 184).

Ἐνῶ ὅμως ὁ Σαίν-Σιμόν ἦταν σφόδρα ἀντικληρικός καί κατηγοροῦσε τόν ἴδιο τόν πάπα πώς ἦταν ἐχθρός τῶν λαϊκῶν τάξεων, οἱ μετάπειτα θεωρητικοί τοῦ χριστιανικοῦ σοσιαλισμοῦ ὑπῆρξαν μέλη, ἀκόμα καί κληρικοί, τῆς καθολικῆς ἐκκλησίας. Τέτοιος ὑπῆρξε ὁ Λαμενναί (Lamennais, 1782-1854), Γάλλος παπάς, ὁ ὁποῖος εἶχε διαβάσει ὁλόκληρο τό ἔργο τοῦ Ρουσώ ἤδη ἀπό τά δώδεκά του χρόνια! Εἶχε ὑποστηρίξει στό Παρίσι τήν ἐπανάσταση τοῦ 1830 καί αὐτό εἶχε ἀνησυχήσει τό Βατικανό. Ὁ Λαμενναί τότε ἀποφάσισε νά πάει στήν Ρώμη νά συναντήσει τόν πάπα καί νά τοῦ ἐξηγήσει τήν θέση του. Ὄχι μόνον δέν ἔπεισε τόν ποντίφικα, ἀλλά καί καταδικάσθηκε ἀπ' αὐτόν τό 1832 μέ τήν Ἐγκύκλιο Mirari Vos. Ὁ Λαμενναί ὑπέκυψε καί ὑπάκουσε. Ἔκλεισε τήν ἐπαναστατική ἐφημερίδα του *L' Avenir* (Τό Μέλλον). Ἀλλά τό 1834 κυκλοφόρησε τό βιβλίο του *Paroles d' un croyant* ("Λόγια ἑνός πιστοῦ"), πού διαδόθηκε ἀστραπιαῖα σχεδόν σέ ὅλες τίς γλῶσσες τῆς δυτικῆς Εὐρώπης. 200.000 ἀντίτυπα πουλήθηκαν σέ δύο μῆνες μόνο στήν Γαλλία. Ἐπονομάσθηκε δέ, ἡ "Μασσαλιώτιδα τοῦ χριστιανισμοῦ". Γιά πρώτη φορά ἡ Ἁγία Γραφή ἐχρησιμοποιεῖτο ὡς θεωρητικό βιβλίο πολιτικῆς ἰδεολογίας.

Ἀμέσως, μιά καινούργια Ἐγκύκλιος τοῦ πάπα, ἡ Singulari Nos, κατεδίκασε τό ἐπαναστατικό αὐτό ἔργο. Ἀλλά τούτη τήν φορά ὁ Λαμενναί δέν ὑπέκυψε. Μπῆκε μέ πάθος στόν σοσιαλιστικό ἀγῶνα. Τό 1839 δημοσίευσε τό *L' esclavage moderne* ("Ἡ σύγχρονη δουλεία"), πού περιεῖχε τό σύνθημα: "Δοῦλοι, σηκωθεῖτε, σπάστε τά δεσμά σας!" Ἡ γαλλική κυβέρνηση τόν συλλαμβάνει καί μένει τό 1840 ἕνα χρόνο φυλακή. Βγαίνοντας γράφει τό *Une voix de prison* ("Μιά φωνή ἀπό τήν φυλακή"). Παρά ταῦτα οἱ σοσιαλιστές δέν τόν θεωροῦσαν πραγματικά δικό τους, διότι τούς ἐξενεύριζε μέ τήν χριστιανική του ἠθικολογία. Μέ τήν γαλλική ἐπανάσταση τοῦ 1848, ἐξελέγη βουλευτής παρά τό γεγονός ὅτι εἶχε διαγραφεῖ ἀπό τήν σοσιαλιστική λίστα. Προτοῦ πεθάνει τό 1854, ἔγραψε στήν διαθήκη του: "Θέλω νά μέ θάψουν μέ τούς φτωχούς καί ὅπως οἱ φτωχοί. Νά μήν βάλουν τίποτα στόν τάφο μου, οὔτε μιά ἁπλή πέτρα. Τό σῶμα μου νά μεταφερθεῖ ἀπ' εὐθείας στό νεκροταφεῖο χωρίς νά περάσει ἀπό καμμία ἐκκλησία". ("Centenaire de la mort de Lamennais", *Europe*, Paris, 32e année, no. 98-99, février-mars 1954, σ. 14). Αὐτό ἦταν τό δρᾶμα τοῦ ἱερέα Λαμενναί: νά καταλήξει τελικά στήν ἴδια ἀντικληρική στάση μέ τόν Σαίν-Σιμόν καί μάλιστα νά ἀρνηθεῖ ἀκόμη καί νά βάλουν σταυρό στόν τάφο του. Διότι αὐτός πού στό πρῶτο μέρος τῆς ζωῆς του καί μέχρι τό 1829 ὑπῆρξε φανατικός παπικός, δικαιολογώντας ἀκόμα καί τήν Ἱερά Ἐξέταση καί τήν συμμαχία καθολικισμοῦ καί μοναρχίας, ἔφθασε στό σημεῖο, ἀκατανόητο γιά ἕναν μή δυτικοποιημένο ἑλληνορθόδοξο, ὄχι μόνον νά καταδικάσει τήν σήψη τῆς Ἐκκλησίας (κάτι γνωστό καί στήν Ὀρθοδοξία) καί τήν ἀποκλειστική συμμαχία της μέ τήν ἄρχουσα τάξη, ἀλλά ἀπό τό 1835 νά πάψει νά πιστεύει στήν θεότητα τοῦ Χριστοῦ! Πρέπει δηλαδή τό μέγεθος τῆς σήψεως τῆς παπικῆς ἐκκλησίας ἐπί μακρούς αἰῶνες, νά ξεπερνᾶ κάθε ἀνθρώπινο παραλογισμό τῶν ἄλλων ἐκκλησιῶν τοῦ πλανήτη, γιά νά μπόρεσε ἡ Δύση νά γνωρίσει, ἀπό τίς ἀρχές τῆς Ἀναγεννήσεως τέτοια μεγάλη στρατιά ἀποσχισθέντων ἀγνῶν χριστιανῶν. Ὁ Λαμενναί κατέγραψε μέ τά ἑξῆς φοβερά λόγια σέ μιά ἐπιστολή του τῆς 1ης Νοεμβρίου 1832, τό σόκ πού δοκίμασε στό ταξίδι του στό Βατικανό: "Ὁ καθολικισμός ἦταν ἡ ζωή μου... Ἡ Ρώμη: πῆγα κι εἶδα ἐκεῖ τόν πιό δύσοσμο βόθρο πού μόλυνε ποτέ τό ἀνθρώπινο βλέμμα.... Ἐκεῖ δέν ὑπάρχει ἄλλος Θεός ἀπό τό συμφέρον. Θά πουλοῦσαν τούς λαούς, θά πουλοῦσαν τήν ἀνθρωπότητα: θά πουλοῦσαν τά τρία πρόσωπα τῆς Ἁγίας Τριάδος" (σ. 26).

Ἡ σχέση μεταξύ χριστιανικοῦ καί φασιστικοῦ σοσιαλισμοῦ στήν περίπτωση τοῦ Félicité de Lamennais, ἔγινε ἔντονη συνείδηση τοῦ φιλοαξονικοῦ καθεστῶτος τοῦ στρατάρχη Πεταίν, στήν Γαλλία τοῦ Βισύ, στά χρόνια τοῦ δευτέρου παγκοσμίου πολέμου. Μιά διδακτορική διατριβή πού παρουσιάστηκε στήν Γαλλία τό 1942 γιά τίς κοινωνικές διδαχές τοῦ Λαμενναί, ἔγραφε: "Ὁ δρόμος πού χάραξε μοιάζει σέ ὅλα τά σημεῖα μέ αὐτόν πού ὑπέδειξε ὁ στρατάρχης Πεταίν (maréchal Pétain)... Γι' αὐτόν... ἡ Ἐργασία, ἡ Οἰκογένεια καί ἡ Πατρίδα εἶναι οἱ ἀπαραβίαστες βάσεις τῆς κοινωνίας... Θεωρεῖ τήν ἰδιοκτησία δικαίωμα σύμφυτο μέ τήν ἀνθρώπινη προσωπικότητα καί ἀπαραβίαστο. [Ἀλλά συνάμα] ὑποστηρίζει πλήρως τήν ἀρχή τοῦ συνεταιρισμοῦ σ' ἕνα ἀρκετά γενικό πλαίσιο, ὥστε νά ὑποδηλώνει τήν προσχώρησή του στό σωματειακό σύστημα. Κηρύσσει μέ τόν τρόπο του... τήν βιομηχανική ἀποκέντρωση καί τήν ἐνίσχυση τῆς βιοτεχνίας" (Claude Carcopino, *Les doctrines sociales de Lamennais*, 1942, σσ. 8-9).

Ὁ Λαμενναί δέν ὑπῆρξε ποτέ φιλελεύθερος, ποτέ ἄνθρωπος τοῦ Διαφωτισμοῦ. Πέρασε ἀπό τήν ἀπόλυτη μοναρχία στόν σοσιαλισμό μέ τό αἴσθημα τοῦ χαμένου παραδείσου, μπροστά στήν φρικιαστική εἰκόνα τῆς προλεταριοποιήσεως τῆς κοινωνίας, πού εἶχε ἐπιφέρει ὁ θρίαμβος τῶν πόλεων καί τοῦ καπιταλισμοῦ. Τήν ἴδια ἀκριβῶς πορεία εἶχε διανύσει ὁ Βίκτωρ Οὐγκώ, ἀπό τόν μοναρχισμό στόν σοσιαλισμό, ὁ ὁποῖος ἄλλωστε εἶχε γιά ἐξομολογητή τόν ἱερέα Λαμενναί. Ἤδη τό 1822, ὁ τελευταῖος ἐξέφραζε σέ ἄρθρο του τήν νοσταλγία τῆς ἐποχῆς τῶν συντεχνιῶν. Τό 1823 ἔγραφε κατά τῆς καπιταλιστικῆς ἐλευθερίας τοῦ ἀτόμου: οἱ ἐλεύθεροι ἐργάτες ἦταν σέ χειρότερη κατάσταση ἀπό τούς δούλους. "Ξέρω τί θα μοῦ ἀπαντήσουν: τουλάχιστον εἶναι [οἱ ἐργάτες] ἐλεύθεροι... Ὄχι... οἱ ἀνάγκες τους τούς τοποθετοῦν ὑπό τήν ἐξάρτησή σας. Ἡ ἀνάγκη τούς μετατρέπει σέ σκλάβους σας. Καί ἄν πῆτε πώς πάντως δέν εἶναι ἰδιοκτησία σας, θά τό δεχθοῦμε μετά λύπης. Διότι ἐάν ἦσαν ἰδιοκτησία σας θά εἴχατε συμφέρον νά τούς προσέξετε περισσότερο. Δέν θά τούς πέρνατε καί τήν μέρα γιά ξεκούραση. Θά θέλατε γιά τήν ἀσφάλειά σας νά εἶχαν ἠθικές ἀρχές καί θρησκεία νά τούς παρηγορεῖ μέ τίς ἀθάνατες ἐλπίδες της, ὥστε νά τούς μαθαίνει νά φέρουν ὑπομονετικά τόν ζυγό σας. Ἀλλά τώρα πού ἡ ἀνηθικότητα ἤ ἡ σπάθη τῆς δικαιοσύνης συντομεύουν τήν ζωή τους, τί σᾶς νοιάζει; Ἄλλοι θά τούς ἀντικαταστήσουν. Τίποτα δέν χάσατε" (Jean Bruhat, "Lamennais et le mouvement ouvrier francais", *Europe*, février-mars 1954, σσ. 81-82).

Ὁ σοσιαλισμός τοῦ Λαμενναί εἶναι σαφῶς μικροαστικῆς χροιᾶς γι' αὐτό καί εἶναι ἀντικομμουνιστικός. Ὁ Λαμενναί καταφέρεται μέ μεγάλη σφοδρότητα κατά τοῦ κομμουνισμοῦ πού τόν χαρακτηρίζει ὡς σύστημα δουλείας. Ὁ ἴδιος ὥρισε τόν σοσιαλισμό του ὡς ἑξῆς, τό 1848: "Μᾶς ρωτήσανε: Εἶσθε ναί ἤ ὄχι σοσιαλιστές; Ἐάν ἐννοοῦμε μέ σοσιαλισμό ἕνα ἀπό τά συστήματα πού ἀπό τήν ἐποχή τοῦ Σαίν-Σιμόν καί τοῦ Φουριέ πολλαπλασιάσθηκαν παντοῦ καί πού τό γενικό τους χαρακτηριστικό εἶναι ἡ ἄρνηση –κατηγορηματική ἤ ἔμμεση– τῆς ἰδιοκτησίας καί τῆς οἰκογενείας, τότε ὄχι, δέν εἴμαστε σοσιαλιστές... Ἐάν ἐννοοῦμε μέ σοσιαλισμό, ἀπό τήν μιά πλευρά τήν ἀρχή τοῦ συνεταιρισμοῦ πού ἔχει ἀναγνωρισθεῖ σάν μιά ἀπό τίς κύριες βάσεις τῆς τάξεως πού θά πρέπει νά ἐγκαθιδρυθεῖ καί, ἀπό τήν ἄλλη πλευρά, ἡ ἀπόλυτη πεποίθηση... πώς ἡ τάξη αὐτή θά ἀποτελέσει μιά νέα κοινωνία [ordre nouveau] μέ τήν ὁποία καμμία μορφή τοῦ παρελθόντος δέν θά μπορέσει νά συγκριθεῖ, τότε ναί, εἴμαστε σοσιαλιστές καί περισσότερο ἀπό κάθε ἄλλον" (σ. 91).

Ὁ χριστιανικός σοσιαλισμός πού εἶχε ἀναπτυχθεῖ, ὅπως εἴδαμε, καί στήν Γερμανία μέ καθολικούς ρομαντικούς τοῦ τύπου τοῦ Adam Müller, ὁ ὁποῖος πέθανε τό 1829, ἐπαναδραστηριοποιήθηκε στήν χώρα αὐτή μετά τό 1864, μέ τήν συνεργασία ἀνωτέρων κληρικῶν καί ἀριστοκρατῶν. Τήν χρονιά ἐκείνη ὁ ἀρχιεπίσκοπος τῆς Μαγεντίας (Mainz) βαρῶνος W.I. von Ketteler δημοσίευσε ἕνα μικρό βιβλίο, πού εἶχε μεγάλη ἀπήχηση μέ τίτλο "Τό ἐργατικό ζήτημα καί ὁ χριστιανισμός", στά γερμανικά. Ὑποστήριζε πώς τό κράτος ἔπρεπε νά ἐπεμβαίνει γιά νά προστατεύει τούς ἐργαζόμενους. Οἱ ἐργάτες ἀπό τήν πλευρά τους ἔπρεπε νά συναθροίζονται μέ πρότυπο τό σωματειακό σύστημα καί νά ὀργανώνουν συνεταιρισμούς παραγωγῆς. Δηλαδή, ὅπως παρατηρεῖται καί γιά τόν Λαμενναί, "Στόχος τοῦ Λαμενναί, ὅπως καί τοῦ Louis Blanc [1811-1882] καί τοῦ Proudhon [1809-1865] ἦταν νά ἀνασυντάξουν τήν βιοτεχνία –ἤ νά ἐμποδίσουν νά ἐξαφανισθεῖ– μέ τήν δημιουργία ἐργατικῶν συνεταιρισμῶν παραγωγῆς... καί τόν ρόλο τοῦ κράτους γιά νά θέτει τό κεφάλαιο ἀπ' εὐθείας στήν διάθεση ὅλων [κρατικά δάνεια στούς ἐργατικούς συνεταιρισμούς παραγωγῆς]" (σ. 90). Μέ ἄλλα λόγια, ἡ ἐργατική αὐτή πολιτική ἦταν νοσταλγική τοῦ παρελθόντος πού εἶχε ἐκλείψει μέ τόν νόμο Λέ Σαπελιέ τοῦ 1791 καί τήν κατάργηση τῶν συντεχνιῶν.

Ὁ Βόν Κέττελερ, τό 1871 ἐξελέγη βουλευτής τοῦ καθολικοῦ κόμματος "Κέντρου" στό γερμανικό Ράϊχσταγκ καί μέχρι τόν θάνατό του τό 1877 συνέχισε νά διαδίδει τόν συντεχνιακό σοσιαλισμό. Ἡ ἀπήχηση τῶν ἰδεῶν του ὑπῆρξε μεγάλη στούς καθολικούς κύκλους διανοουμένων τῆς Γερμανίας, τῆς Αὐστρίας καί τῆς Γαλλίας, εἰδικά στόν Γερμανό καθολικό ἱερέα Franz Hitze, ἀπό τούς ἱδρυτές τοῦ κόμματος τοῦ Κέντρου καί στόν βαρῶνο Karl von Vogelsang, ἀπό τούς ἐμπνευστές τοῦ κοινωνικοῦ χριστιανικοῦ κινήματος στήν Αὐστρία. Τό πρόγραμμα καί τῶν δύο ἦταν ἡ ὑποχρεωτική σύσταση τῶν Stände, ἐπαγγελματικῶν σωματείων πού θά συμπεριλάμβαναν καί τά ἀφεντικά καί τούς ἐργάτες μαζί, θά ἦσαν ὀργανωμένα ἱεραρχικά καί κατοχυρωμένα νομικά. Ἐπί πλέον τά ἐπαγγελματικά μικτά αὐτά σωματεῖα θά συμμετεῖχαν στήν πολιτική ἐξουσία μέ τήν δυνατότητα νά νομοθετοῦν στόν οἰκονομικό τομέα καί νά γίνουν ἰδιοκτῆτες τῶν μέσων παραγωγῆς. Τό ἀποτέλεσμα θά ἦταν ἡ μείωση τῆς ἀτομικῆς ἰδιοκτησίας καί ἡ ἀποπρολεταριοποίηση τοῦ προλεταριάτου.

Ἐπειδή αὐτή ἡ προσπάθεια συνδυάστηκε μέ τήν ὑποστήριξη τῆς μεγάλης ἀγροτικῆς ἰδιοκτησίας, ἰδιαίτερα στήν Αὐστρία ἡ τάξη τῶν εὐγενῶν ἀκολούθησε σέ μεγάλο ποσοστό τό κίνημα, τό ὁποῖο καί ἐπωνομάσθη ἀπο τούς ἀντιπάλους του Sozialaristokratismus. Ἐπί πλέον τό σωματειακό αὐτό κίνημα εἶχε σαφῶς ἀντισημιτικό χαρακτῆρα.

Στήν Γαλλία, οἱ Κέττελερ καί Βόγκελσανγκ, ἐπηρέασαν τόν

μαρκήσιο René de La Tour du Pin καί τόν κόμητα Albert de Mun. Ὁ τελευταῖος (1841-1914), εἶχε ἱδρύσει τό 1871 τίς λεγόμενες "Καθολικές λέσχες ἐργατῶν". Ὡς βουλευτής ρωτοῦσε στίς 13 Ἰουνίου 1883, τό γαλλικό κοινοβούλιο, πῶς σκόπευε νά πληρώσει τό κενό πού εἶχε ἀφήσει "μιά ἐργατική ὀργάνωση –ἡ συντεχνία– τήν ὁποία εἶχαν καταστρέψει χωρίς νά τήν ἀντικαταστήσουν μέ τίποτα, μιά ἐργατική ὀργάνωση πού ἐπί αἰῶνες ἦταν ἀρκετή γιά νά ἐξασφαλίσει τήν κοινωνική εἰρήνη. Ἀντιλαμβάνομαι βέβαια, πώς ἡ νόμιμη ἐγκαθίδρυση ἐπαγγελματικῶν συνδικάτων θά μπορέσει κατά κάποιον τρόπο νά θεραπεύσει τήν ἀπομόνωση, ἀλλά δέν βλέπω μέ ποιόν τρόπο θά θεραπεύσει τήν διαίρεση μεταξύ τῶν ἀφεντικῶν καί τῶν ἐργατῶν... Θά σημάνει τήν ὁριστική διοργάνωση τοῦ πολέμου τῶν μέν κατά τῶν δέ. Αὐτό πού λείπει στά συνδικᾶτα –συνδικᾶτα ἐργοδοτῶν ἤ συνδικᾶτα ἐργατῶν ἀλλά ἀπομονωμένων, χωρισμένοι οἱ μέν ἀπό τούς δέ– εἶναι ἀκριβῶς ἡ μεγάλη ἀνάγκη, αὐτή ἡ μεγάλη κοινωνική ἀνάγκη τῆς ἐποχῆς μας καί πού ὑπῆρχε στήν βάση τῶν παλαιῶν συντεχνιακῶν θεσμῶν: Ἡ προσέγγιση τῶν προσώπων, ὁ συμβιβασμός τῶν συμφερόντων... [Πρέπει νά ἀνασυσταθεῖ] ἡ ἐπαγγελματική οἰκογένεια." (Pierre Joly, *La mystique du corporatisme*, Paris, Hachette, 1935, σ. 97). Καί ὁ Γάλλος βουλευτής ζητοῦσε ὁ νομοθέτης νά ἐπιφυλάξει εἰδική μεταχείριση στά μικτά συδικᾶτα ἐργοδοτῶν καί ἐργατῶν, δηλαδή σ' αὐτούς πού θά θελήσουν νά ἀνασυστήσουν τήν ἐπαγγελματική οἰκογένεια. Διαφορετικά: "Σέ ἀντιπαράθεση μέ τούς ἐργάτες οἱ ἐργοδότες θά ὀργανωθοῦν καί αὐτοί... Μέσα σέ τούτη τήν μάχη συμφερόντων... σέ τοῦτον τόν ἀνίερο πόλεμο, ὅλος ὁ κόσμος θά ὑποφέρει... καί τελικά ἡ γαλλική πατρίδα θά ἐξαντληθεῖ σέ ἀγῶνες χωρίς τέλος" (σ. 99).

Τό σωματειακό σύστημα πού ἐξαπλώθηκε ὡς βασική ὀργάνωση τῆς φασιστικῆς κοινωνίας καί πού λανθασμένα ἀποδίδεται στήν ἔμπνευση τοῦ Μουσολίνι, περιγράφεται τό 1883 ἀπό τόν Ἀλβέρτο ντέ Μέν ὄχι σάν καινοτομία, ἀλλά σάν ἐπιστροφή στίς ὑγιεῖς κοινωνικές δομές τοῦ συντεχνιακοῦ παρελθόντος. "Καί μή μοῦ ποῦνε –δηλώνει ὁ ντέ Μέν στήν Βουλή– πώς πρόκειται γιά χίμαιρα. Ὑπάρχει πρός χάριν τῆς ἐπανόδου στούς σωματειακούς θεσμούς ἕνα ρεῦμα κοινῆς γνώμης, πού βάζει σέ ἀναβρασμό ὅλη τήν Εὐρώπη: στήν Γερμανία, στήν Αὐστρία" (σσ. 100-101). Ἐπί πλέον γίνεται συνείδηση ὅτι ὁ σωματειακός σοσιαλισμός δέν εἶναι ἁπλῶς χριστιανικός· εἶναι καί ἐκκλησιαστικός. Αὐτό ὑποδεικνύει ἡ ἀπάντηση τοῦ βουλευτῆ Edouard Lockroy στόν ντέ Μέν: "Αὐτό πού ζητεῖται ἀπό μᾶς εἶναι ἡ ἵδρυση προνομιακῶν συνεταιρισμῶν στούς ὁποίους νά δίναμε δικαιώματα πού θά ἀρνιόμασταν νά παραχωρήσουμε στά μή θρησκευτικά (laïc) ἐπαγγελματικά συνδικᾶτα... Αὐτό πού ἀπαιτοῦν εἶναι ἡ ὑπαγωγή τῆς ἐργατικῆς τάξεως σέ μιά ἄλλη τάξη, εἶναι ἡ ὑποταγή τῶν ἐργαζομένων σέ μιά ἐκκλησιαστική ἀριστοκρατία ἡ ὁποία εὑρίσκεται ἡ ἴδια στά χέρια τῆς Ἐκκλησίας... Ὑποκαθιστᾶ τόν κρατικό σοσιαλισμό μέ τόν σοσιαλισμό τοῦ σκευοφυλακίου τῆς ἐκκλησίας" (σσ. 101-102).

Ἐπάνοδος λοιπόν στήν κοινωνική ὀργάνωση τῆς βιοτεχνίας, στά ἐσνάφια, πού εἶχε καταργήσει ὁ Λέ Σαπελιέ τό 1791. Ἕνας νόμος πού ψήφισε τό γαλλικό κοινοβούλιο στίς 21 Μαρτίου 1884, ὄχι μόνον νομιμοποιοῦσε τά ἐπαγγελματικά συνδικᾶτα, ἀλλά καί τά μικτά ἐργοδοτῶν-ἐργατῶν. Στήν Αὐστρία τό 1883 ἐπαναφέρθηκε ἡ συντεχνία στήν μικρή βιομηχανία, ὡς ὑποχρεωτικός θεσμός. Ἀκολούθησαν τό παράδειγμα τῆς Αὐστρίας ἡ Οὐγγαρία, ἡ Ρουμανία καί ἡ Βουλγαρία. Στήν Γερμανία ὅπου ἤδη τό σωματειακό σύστημα λειτουργοῦσε ἐλεύθερα γιά τήν μικρή βιομηχανία, ἕνας νόμος τοῦ 1897 ἔκανε ὑποχρεωτική τήν συντεχνία, ὅταν σέ ὁποιαδήποτε βιοτεχνία ἡ πλειοψηφία τῶν μελῶν τοῦ ἐπαγγέλματος τήν ἐπιθυμοῦσε. Παρά ταῦτα, στήν γερμανική αὐτή συντεχνία οἱ ἐργοδότες εἶχαν τόν καθοριστικό διοικητικό ρόλο, ἐνῶ οἱ ἐργάτες εἶχαν μόνο συμβουλευτική ψῆφο, παρά τήν προσπάθεια ἡ μικτή ἐπιτροπή ἐργοδοτῶν-ἐργατῶν νά ἀναγνωρθισθεῖ ὡς τό διοικητικό συμβούλιο τῆς ἐπιχειρήσεως.

Τό Βατικανό ἀποφάσισε νά ὑποστηρίξει τό σωματειακό κίνημα καί στίς 15 Μαΐου 1891 ὁ πάπας Λέων ΙΓ΄ ἐξήγγειλε τήν Ἐγκύκλιο Rerum Novarum, πού θεωρήθηκε ἔκτοτε τό βασικό κείμενο τοῦ κοινωνικοῦ χριστιανισμοῦ τῆς καθολικῆς ἐκκλησίας. Ὁ πάπας ἔγραφε στό κείμενο ἐκεῖνο: "Μέ εὐχαρίστηση βλέπουμε νά συγκροτοῦνται παντοῦ τέτοιου εἴδους ἑταιρίες, εἴτε μέ συμμετοχή ἐργατῶν καί μόνον, εἴτε μικτές μέ συμμετοχή ἐργατῶν καί ἐργοδοτῶν. Καλό θά ἦταν νά αὐξήσουν τόν ἀριθμό τους καί τήν ἀποτελεσματικότητα τῆς δράσεώς τους" (Giorgio Candeloro, "La doctrine sociale chrétienne et l' encyclique Rerum Novarum", *Recherches internationales à la lumière du marxisme*, no.6, mars-avril 1958, σ. 123).

Εἶναι σαφές πώς ὁ πάπας ἀπέφευγε μέ αὐτά τά λόγια νά πάρει θέση ὑπέρ μιᾶς ἐκ τῶν δύο λύσεων, ἐντάσσοντας τό Βατικανό στό πλευρό καί τῶν καθολικῶν πού ὑποστήριζαν τά ἐργατικά συνδικᾶτα καί τῶν ὑπολοίπων καθολικῶν πού προτιμοῦσαν τά μικτά σωματεῖα ἐργοδοτῶν-ἐργατῶν. Αὐτό πού προεῖχε γιά κεῖνον ἦταν ἡ ὀργάνωση καθολικῶν συνδικάτων μικτῶν ἤ μή, συνεχίζοντας ἔτσι τήν μακρά παράδοση πολιτικοποιήσεως τοῦ χριστιανισμοῦ τῆς καθολικῆς ἐκκλησίας. Πάντως ἡ θέση τῆς Ἐγκυκλίου ἦταν σαφῶς ὑπέρ τῆς συνεργασίας τῶν τάξεων καί ὄχι τῆς πάλης τῶν τάξεων καί τό ἔνατο ἰταλικό καθολικό Συνέδριο, πού συνῆλθε τό 1891, ἐξέφραζε σέ ψήφισμα τήν εὐχή "νά ἀντικατασταθῆ τό σύστημα τοῦ μισθοῦ μέ ἄλλα συστήματα ἀμοιβῆς... [ὅπως] τό σύστημα τῆς ἀναλογικῆς συμμετοχῆς στά κέρδη" (σ. 127), δηλαδή τοῦ ἀποκαλούμενου λαϊκοῦ κἄπιταλισμοῦ. Τό δωδέκατο Συνέδριο τοῦ 1894, συνεβούλευε τούς καθολικούς νά "συντονίσουν τό κεφάλαιο καί τήν ἐργασία πρός ἕναν κοινό στόχο... πολεμώντας τήν ἐπικίνδυνη σοσιαλιστική ἀρχή τῆς πάλης τῶν τάξεων" (σ. 130).

Ὡς τήν ἐμφάνιση τοῦ Μουσολίνι, τό σωματειακό σύστημα εἶχε ὑποστηριχθεῖ ὄχι μόνον ἀπό τούς καθολικούς ἀλλά καί ἀπό τούς βασιλικούς. Ἔτσι στήν Γαλλία ἔχουμε τήν πολιτική κίνηση τῆς "Γαλλικῆς Δράσεως" (Action Française), πού ἱδρύθηκε τό 1899 καί πού καθοδηγήθηκε ἀπό τόν μεγάλο συγγραφέα ἑλληνολάτρη Charles Maurras (1868-1952). Ἐμπνευσμένη ἀπό τόν μαρκήσιο La Tour du Pin, ἡ "Γαλλική Δράση" δηλώνει πώς τό σωματειακό σύστημα δέν εἶναι οὐτοπικό. Αὐτό πού εἶναι οὐτοπικό, παρατηρεῖ, εἶναι νά νομίσει κανείς πώς ἕνα τέτοιο σύστημα μπορεῖ νά ἐπιτευχθεῖ μέ δημοκρατικό καθεστώς καί κοινοβουλευτισμό, διότι στήν Δημοκρατία ἡ ὀργάνωση τοῦ κράτους εἶναι δέσμια ἰδιωτικῶν συμφερόντων. Ἔτσι τό σωματειακό κράτος βασίζεται στήν διαλεκτική σχέση ἑνός κράτους πού πρέπει νά εἶναι συνάμα καί ἀποκεντρωτικό (τοπική αὐτοδιοίκηση τῆς οἰκονομικῆς καί κοινωνικῆς ζωῆς) καί συγκεντρωτικό, ὥστε νά ἀποτρέπεται ἡ δικτατορία τῶν συντεχνιῶν πού ἔχουν τήν τάση νά ξεχνοῦν τό ἐθνικό συμφέρον πρός χάριν τοῦ στενοῦ τους ἐπαγγελματικοῦ συμφέροντος.

Ὁ Μουσολίνι (1883-1945) γεννήθηκε σ' ἕνα χωριό, τό Predappio, στήν Βόρειο Ἰταλία, στό ἐσωτερικό τοῦ Ρίμινι, δηλαδή ἀπό τήν πλευρά τῆς Ἀδριατικῆς Θάλασσας. Ὁ πατέρας του Ἀλεσσάντρο Μουσολίνι, πού ἦταν σιδηρουργός καί ἀναρχοσοσιαλιστής, ἐρίζωσε βαθειά μέσα στήν καρδιά τοῦ γιοῦ του πώς ἡ ἀναρχία εἶναι ὁ σκοπός καί ὁ σοσιαλισμός τό μέσον πού πρέπει νά χρησιμοποιεῖ τήν βία γιά τήν ἐπίτευξη τοῦ ἀναρχικοῦ στόχου. Τόν ὀνομάσε Μπενίτο πρός τιμήν τοῦ μεξικανοῦ ἐπαναστάτη Benito Juarez Garcia (1806-1872), πού πολέμησε τούς Γάλλους κι ἔγινε πρόεδρος τοῦ Μεξικοῦ. Ὅταν πέθανε ὁ πατέρας του τό 1910, ὁ 27χρονος Μουσολίνι ἔγραψε στήν τοπική ἐφημερίδα πού διηύθυνε στήν μικρή πόλη Φορλί βορείως τοῦ χωριοῦ του, καί πού ὀνομαζόταν "Πάλη τῶν τάξεων": ὑλικά ἀγαθά ὁ πατέρας δέν μᾶς ἄφησε παρά μόνον ἕναν ἠθικό θησαυρό, τήν ἰδέα τοῦ σοσιαλισμοῦ.

Ἡ μητέρα του ἦταν δασκάλα δημοτικοῦ καί ὁ πατέρας του τά τελευταῖα του χρόνια εἶχε ἀνοίξει μιά ταβέρνα στό Φορλί. Μέ ἄλλα λόγια ὁ Μουσολίνι εἶχε γονεῖς μικροαστούς. Ὁ ἴδιος δέ, τό 1901, εἶχε πάρει δίπλωμα δημοδιδασκάλου. Τήν προσήλωσή του στήν βία ὡς μέσο ἐπιβολῆς τῆς ἐπαναστάσεως, τήν εἶχε ἐμπνευστεῖ ὄχι μόνον ἀπό τόν πατέρα του ἀλλά καί ἀπό τόν Γάλλο ἀναρχοσυνδικαλιστῆ Γεώργιο Σορέλ (Georges Sorel, 1847-1922), ὁ ὁποῖος τό 1906-1908 εἶχε γράψει τό *Réflexions sur la violence* ("Σκέψεις ἐπί τῆς βίας"). Τό βιβλίο εἶχε ἐπίσης μεγάλη ἐπιρροή πάνω στήν Action Française τοῦ Maurras. Ὁ Σορέλ ἀπέρριπτε τήν κοινοβουλευτική δημοκρατία. Τό ἴδιο καί ὁ Μουσολίνι, πού πίστευε πώς τά ὅπλα καί τά ὁδοφράγματα εἶχαν μεγαλύτερη σημασία ἀπό τά ψηφοδέλτια. Ἐξυμνοῦσε τούς ἀναρχικούς καί θεωροῦσε πώς ὁ σοσιαλισμός μόνον μέ τήν βία μποροῦσε νά ἐπιβληθεῖ. Ἦταν προκλητικά ἄθεος. Εἶχε δημοσιεύσει καί ἕνα φυλλάδιο, στό ὁποῖο ὑποστήριζε πώς ὁ Θεός δέν ὑπάρχει καί πώς "ἡ θρησκεία εἶναι ἀνήθικη. Ἐξυπηρετεῖ μόνο τούς ἀντιδραστικούς καί πρέπει νά θεωρεῖται ἀρρώστια ἤ ψυχοπαθητικό φαινόμενο. Τό Εὐαγγέλιο καί ἡ λεγόμενη χριστιανική ἠθική εἶναι δύο πτώματα... Ἐν συγκρίσει πρός τόν κολοσσό πού ἦταν ὁ Βούδδας, πόσο μικρός καί ἀσήμαντος μᾶς φαίνεται ὁ Ἰησοῦς, ὁ ὁποῖος διέδιδε ἐπί δύο χρόνια τό Εὐαγγέλιό του σέ λίγα χωριά καί κατόρθωσε νά παρασύρει μιά δωδεκάδα ἀλῆτες, ἀμαθεῖς, τά κατακάθια τοῦ ὄχλου τῆς Παλαιστίνης. Εἶναι ἀδιανόητος παραλογισμός νά παριστάνεται ὁ Ἰησοῦς ὡς κήρυκας οἱασδήποτε ἠθικῆς" (Ἰ. Ἐ. Γκίκας, *Ὁ Μουσολίνι καί ἡ Ἑλλάδα*, Ἀθήνα, Ἑστία, 1982, σ. 25).

Ὁ Μουσολίνι ποτέ δέν ἔπαψε νά εἶναι ἄθεος, πρᾶγμα σπάνιο γιά φασιστῆ, ὁ ὁποῖος κατά κανόνα ἀπορρίπτει μέν τίς καθιερωμένες μεγάλες θρησκεῖες καί τά θρησκευτικά κατεστημένα, ἀλλά δέν παύει νά εἶναι βαθειά μυστικιστής καί νά πιστεύει σέ ὑπερφυσική δύναμη. Εἶναι σέ τέτοιο βαθμό ἄθεος, ὥστε προσπαθεῖ νά ἐπηρεάσει τόν Χίτλερ νά προχωρήσει καί μέχρι τήν κατάργηση τῶν Χριστουγέννων, "ἡ ὁποία θυμίζει ἁπλῶς τήν γέννηση ἑνός Ἑβραίου, ὁ ὁποῖος χάρισε στόν κόσμο θεωρίες πού ἀφαιροῦν τήν δύναμη καί τόν ἀνδρισμό καί ὁ ὁποῖος ἔβλαψε ἰδίως τήν Ἰταλία διά τῆς ἀποσυνθετικῆς δράσεως τοῦ Βατικανοῦ", ὅπως δήλωσε στίς 22 Δεκεμβρίου 1941 στόν γαμβρό του καί ὑπουργό Ἐξωτερικῶν Γκαλεάτζο Τσιάνο (σ. 26). Δηλαδή καί ἐνῶ δέν ὑπῆρξε ποτέ προσωπικά ἀντισημίτης, χρησιμοποιοῦσε γιά νά ἐπηρεάσει τόν Χίτλερ, τό ἐπιχείρημα ὅτι ὁ Χριστός ἦταν ἑβραῖος, τήν στιγμή πού, ὅπως εἴδαμε, οἱ ναζιστές ἀκουλουθοῦσαν τήν θεωρία τοῦ Ρόζενμπεργκ κατά τήν ὁποία ὁ Χριστός δέν ἦταν ἑβραῖος.

Ὁ Μουσολίνι πρίν ἀπό τόν πρῶτο παγκόσμιο πόλεμο ἦταν σκληροπυρηνικός κομμουνιστής (σοσιαλιστής, ὅπως ἐλέγοντο τότε οἱ κομμουνιστές). Ἔτσι τό 1912 κατώρθωσε νά ἐκδιώξει ἀπό τό κόμμα τούς μετριοπαθεῖς, νά γίνει διευθυντής τοῦ ἐπισήμου δημοσιογραφικοῦ ὀργάνου τοῦ κόμματος, *Avanti*, καί νά ἐγκατασταθεῖ στό Μιλάνο. (Τό "Ἀβάντι" ἱδρύθηκε στήν Ρώμη στίς 25 Δεκεμβρίου 1896 ἀπό τό ἰταλικό Σοσιαλιστικό Κόμμα καί στά τέλη τοῦ 1911, μεταφέρθηκε στό Μιλάνο).

Ὅταν ἐξερράγη ὁ πόλεμος, συνέβη σ' ὅλη τήν Δυτική Εὐρώπη κάτι τό καταπληκτικό: μαρξιστικά κόμματα καί μαρξιστές πού ἐξ ὁρισμοῦ ὑποστήριζαν τόν διεθνισμό καί κατεδίκαζαν ἀπερίφραστα τόν ἐθνικισμό, θεωρώντας πώς ὁ καπιταλισμός προκαλοῦσε τούς πολέμους ὅπως τά σύννεφα τήν βροχή καί πώς οἱ προλετάριοι δέν εἶχαν τίποτα νά κερδίσουν συμμετέχοντας στούς πολέμους αὐτούς μεταξύ καπιταλιστῶν, αἰφνιδίως ἐτάχθησαν ὑπέρ τοῦ πολέμου καί προπαγάνδισαν τόν πατριωτισμό. Ἐλάχιστοι ὑπῆρξαν αὐτοί, γύρω ἀπό τόν Λένιν, πού ἔμειναν πιστοί στόν διεθνισμό. Ἀκόμη στίς 29 Ἰουλίου 1914, δηλαδή τήν ἑπομένη τῆς κηρύξεως τοῦ πολέμου τῆς Αὐστρουγγαρίας κατά τῆς Σερβίας, τό Διεθνές Σοσιαλιστικό γραφεῖο στίς Βρυξέλλες, ζητοῦσε ἀπ' ὅλους τούς σοσιαλιστές τῆς Εὐρώπης νά διαδηλώσουν κατά τοῦ πολέμου. Ἡ "προδοσία" ὑπῆρξε ἄμεση καί καθολική: στίς 4 Αὐγούστου, τό σύνολο τῶν σοσιαλιστῶν τῆς Γερμανικῆς Βουλῆς τάσσεται στό πλευρό τῆς φιλοπολεμικῆς κυβερνήσεως. Τό ἴδιο καί στήν Γαλλία τήν ἴδια μέρα. Ἡ ἰταλική κυβέρνηση εἶχε ἀντιθέτως, στίς 3 Αὐγούστου 1914, κηρύξει τήν οὐδετερότητα τῆς χώρας της. Συνεπῶς οἱ Ἰταλοί σοσιαλιστές δέν εἶχαν λόγο πρός τό παρόν νά "προδώσουν" καί αὐτοί τόν διεθνισμό. Ὁ Μουσολίνι ὅμως, ἐπηρεασμένος ἀπό τήν φιλοπολεμική διάθεση τῆς πλειοψηφίας τῶν Εὐρωπαίων σοσιαλιστῶν, κάνει κι αὐτός τό πήδημα στίς 18 Ὀκτωβρίου 1914: τάσσεται ὑπέρ τοῦ πολέμου. Δύο ἡμέρες ἀργότερα παραιτεῖται ἀπό τήν διεύθυνση τῆς "Ἀβάντι" καί στίς 15 Νοεμβρίου κυκλοφορεῖ δική του ἐφημερίδα, τήν *Popolo d' Italia* (ἀπό 15/11/1914 μέχρι 24 Ἰουλίου 1943).

Τό πιό περίεργο δέν εἶναι ἡ ἀπότομη στροφή τοῦ Μουσολίνι, πού περιορίσθηκε νά κάνει ὅ,τι ἔκαναν σχεδόν ὅλοι οἱ Εὐρωπαῖοι μαρξιστές, ἀλλά ὅτι ἡ φιλελεύθερη προπαγάνδα μέχρι σήμερα παραποιεῖ τήν ἱστορία, παρουσιάζοντας τήν κίνηση τοῦ Μουσολίνι ὡς ἀπόδειξη τοῦ ἀβυσσαλέου ὀππορτουνισμοῦ του. Ἄν παραμερίσουμε τήν φιλολογία περί τοῦ ποιός πρόδωσε καί ποιός δέν πρόδωσε, μποροῦμε νά παρατηρήσουμε πώς μόνον δύο σοσιαλιστές ἡγέτες στήν Εὐρώπη ἔκαναν τότε τήν σωστή κίνηση μέ στόχο τήν βίαιη κατάληψη τῆς ἐξουσίας καί τήν ἐγκαθίδρυση στήν χώρα τους ἐπαναστατικοῦ καθεστῶτος: ὁ Λένιν πού ἀντετάχθη στόν πόλεμο καί ὁ Μουσολίνι πού τόν ὑποστήριξε. Χάριν τῆς ὀξυδέρκειάς τους, ὁ πρῶτος ὑπῆρξε ὁ θεμελιωτής τοῦ "ὑπαρκτοῦ σοσιαλισμοῦ" καί ὁ δεύτερος τοῦ "ὑπαρκτοῦ φασισμοῦ" (ἐθνικοῦ σοσιαλισμοῦ). Ἐάν τό σύστημα τοῦ ὑπαρκτοῦ σοσιαλισμοῦ ἐπέζησε μετά τόν δεύτερο παγκόσμιο πόλεμο ἐνῶ ἡττήθη ὁ ὑπαρκτός φασισμός, αὐτό δέν ἔχει καμμία σχέση μέ τό ποιό ἀπό τά δύο συστήματα ἦταν τό πιό ἀγαθό, ἀλλά μέ τό ἀποτέλεσμα ἑνός πολέμου. Μετά δέ τήν κατάρρευση τοῦ ὑπαρκτοῦ σοσιαλισμοῦ τό 1989 δέν εἶναι διόλου ἀπίθανο μετά τό 2.000 νά ἀντικατασταθεῖ παγκοσμίως ἀπό τόν νέο ὑπαρκτό φασισμό.

Στίς 24 Νοεμβρίου 1914 τό ἰταλικό σοσιαλιστικό κόμμα χαρακτήρισε τόν Μουσολίνι προδότη καί τόν διέγραψε. Ὁ Μουσολίνι διαμαρτυρήθηκε δηλώνοντας ὅτι ἦταν καί θά παρέμενε σοσιαλιστής. Καί κράτησε τόν λόγο του (ἀσχέτως ἄν ἔπαψε νά δέχεται τήν λέξη "σοσιαλισμός" γιά νά μήν γίνεται σύγχυση μέ τόν μαρξισμό), διότι σέ μερικά μόνον χρόνια ἔφερε στήν ἐξουσία τόν ἐπαναστατικό μικροαστικό σοσιαλισμό, στόν ὁποῖο ἄλλωστε ὁ ἀναρχισμός του κατά βάθος πάντοτε τόν προσκολλοῦσε. Στίς δέ 23 Μαρτίου 1919 βάφτισε τήν ἰδεολογία αὐτή πού εἶχε τόσο καθαρά παρουσιάσει τόν 18ο αἰῶνα ὁ Ζάν-Ζάκ Ρουσώ, μέ τό ὄνομα "φασισμός", συγκροτώντας στό Μιλάνο τήν πρώτη "Δέσμη Ἀγῶνος" (Fascio di Combattimento) ἀπό 141 μέλη, ἡ ὁποία καί ἐνέκρινε τό ἱδρυτικό πρόγραμμα τοῦ φασισμοῦ: ἀνακήρυξη ἀβασίλευτης δημοκρατίας, κατάσχεση περιουσιῶν ὅσων πλούτισαν στόν πόλεμο, κατάργηση ὅλων τῶν ἀριστοκρατικῶν τίτλων, συμμετοχή τῶν ἐργατῶν στήν ὀργάνωση τῶν ἐπιχειρήσεων, ἡ γῆ στούς ἀγρότες, κατάσχεση περιουσιῶν τῶν θρησκευτικῶν ὀργανώσεων, κ.λπ.

Ἡ λέξη fascio (δέσμη) εἶχε ἐπανειλημμένως χρησιμοποιηθεῖ στούς κοινωνικούς καί ἐθνικούς ἀγῶνες τῶν Ἰταλῶν. Ἐπειδή ὅμως στίς 11 Νοεμβρίου 1921 ὁ Μουσολίνι μετέτρεψε τίς "Δέσμες" του σέ "φασιστικό ἐθνικό κόμμα", ἡ λέξη αὐτή καθιερώθηκε διεθνῶς γιά νά χαρακτηρίσει τόν μικροαστικό σοσιαλισμό ὑπό τήν ὀργανωμένη πολιτική του μορφή σέ ὁποιοδήποτε μέρος τοῦ κόσμου.

Ὅταν ὁ Μουσολίνι διωρίσθηκε πρωθυπουργός ἀπό τόν Βασιλέα καί ἀνέλαβε τήν ἐξουσία στήν Ρώμη στίς 30 Ὀκτωβρίου 1922, ὑποχρεώθηκε νά ξεχάσει τό πρόγραμμά του ἐγκαθιδρύσεως ἀβασίλευτης δημοκρατίας καί δήλωσε ὅτι ὁ φασισμός δέν ἦταν ἐναντίον τῆς Δυναστείας τῆς Σαβοΐας τοῦ Βιττόριο Ἐμανουέλε Γ΄, γι' αὐτό καί τόν κράτησε πάνω στόν θρόνο του ὡς βιτρίνα τοῦ καθεστῶτος, ἐνῶ στήν οὐσία ἡ ἐξουσία ἀνῆκε στόν ἡγέτη τοῦ φασισμοῦ. (Ἡ κατάσταση αὐτή ἦταν ἀντίστροφη ἐκείνης πού θά ἐπικρατήσει στήν Ἑλλάδα τό 1936-1941, ὅπου ἀντιθέτως ὁ Μεταξᾶς ἐξαρτιόταν ἀπό τόν Γεώργιο Β΄). Τήν καθαρότητα ὅμως τῆς ἰδεολογίας τήν ἐναπόθεσε συμβολικά στούς "Σανσεπολκρίστι", δηλαδή στούς συμμετάσχοντες στήν πλατεῖα Σάν Σεπόλκρο τοῦ Μιλάνου στήν ἐξαγγελία τοῦ ἱδρυτικοῦ προγράμματος τοῦ φασισμοῦ τῆς 23ης Μαρτίου 1919. Ἐπέστρεψε ἄλλωστε στήν ἰδέα τῆς Ἀβασίλευτης, ὅταν στίς 27 Σεπτεμβρίου 1943 ἵδρυσε τήν "Ἰταλική Κοινωνική Δημοκρατία" (προτιμοῦσε τήν λέξη "κοινωνική" ἀπό "σοσιαλιστική") τήν ἀποκαλούμενη ἀπό ἕνα μικρό χωριό, "Δημοκρατία τοῦ Σαλό" (περιφρονητική ὀνομασία τῶν ἀντιπάλων του).

Τό σωματειακό σύστημα ὑπῆρξε ἡ βάση τῆς κοινωνικῆς ὀργάνωσης τοῦ μουσολινικοῦ κράτους. Ἐγκαθιδρύθηκε δέ ἐπισήμως τέσσερα χρόνια μετά τήν κατάληψη τῆς ἐξουσίας, στίς 3 Ἀπριλίου 1926. Τό 1933, στίς 14 Νοεμβρίου, ὁ Μουσολίνι ἐκφώνησε ἕναν σημαντικό λόγο στήν Ρώμη, ἐνώπιον τῆς γενικῆς συνελεύσεως τοῦ Ἐθνικοῦ Συμβουλίου τῶν Σωματείων, ὅπου μεταξύ ἄλλων εἶπε: "Σήμερα μποροῦμε νά βεβαιώσουμε ὅτι ὁ καπιταλιστικός τρόπος παραγωγῆς εἶναι ξεπερασμένος καί μαζί του ἡ θεωρία τοῦ οἰκονομικοῦ φιλελευθερισμοῦ πού τοῦ ἔδιδε ὑπόσταση καί τόν προπαγάνδιζε... Τό libre-échange (ἡ ἐλευθερεμπορία) πού δέν εἶναι παρά μιά ἐπέκταση τοῦ δόγματος τοῦ οἰκονομικοῦ φιλελευθερισμοῦ πνέει τά λοίσθια... Ὁ σουπερκαπιταλισμός ἐμπνέεται καί δικαιολογεῖται μέ μιά οὐτοπία, τήν οὐτοπία τῆς χωρίς τέλος κατανάλωσης. Τό ἰδανικό τοῦ σουπερκαπιταλισμοῦ θά ἦταν νά τυποποιήσει τήν ἀνθρωπότητα ἀπό τήν κούνια μέχρι τόν τάφο... Ἡ καπιταλιστική ἐπιχείρηση, ὅταν ἔχει δυσκολίες, ἐπιζητεῖ τήν ἀγκαλιά τοῦ Κράτους... Ἐάν, ἄς ποῦμε, θέλαμε νά πιστέψουμε σ' αὐτόν τόν καπιταλισμό τῆς ὑστάτης ὥρας, θά φθάναμε ἀπ' εὐθείας στόν κρατικό καπιταλισμό, πού δέν εἶναι τίποτα ἄλλο ἀπό τόν κρατικό σοσιαλισμό ἀλλά ἀνάποδα. Θά φθάναμε κατά κάποιον τρόπο στήν γραφειοκρατικοποίηση τῆς ἐθνικῆς οἰκονομίας. Αὐτή εἶναι ἡ κρίση τοῦ καπιταλιστικοῦ συστήματος [μετά τόν πρῶτο παγκόσμιο πόλεμο] σέ παγκόσμιο ἐπίπεδο... Εἶναι μήπως ἡ Ἰταλία ἕνα καπιταλιστικό ἔθνος;" (Benito Mussolini, *L' Etat Corporatif*, Φλωρεντία, Vallecchi, 1938, σσ. 11, 18, 20-22, 24).

Ἄς σταθοῦμε σ' αὐτήν τήν ἐρώτηση-κλειδί: ἡ Ἰταλία εἶναι ἤ δέν εἶναι καπιταλιστική; Καί ἄς δοῦμε πῶς, ὁ Μουσολίνι πού τήν ἔθεσε, ἀπαντᾶ: "Ἐάν μέ καπιταλισμό ἐννοοῦμε αὐτό τό σύνολο ἠθῶν καί ἐθίμων, τεχνικῶν προόδων πού ἔγιναν κοινά σέ ὅλα τά ἔθνη [δηλαδή ὁ δυτικός πολιτισμός], μποροῦμε νά ποῦμε πώς ἡ Ἰταλία εἶναι καί αὐτή καπιταλιστική. Ἀλλά ἐάν προχωρήσουμε στό βάθος... τά στατιστικά στοιχεῖα μᾶς ἐπιτρέπουν νά ποῦμε πώς ἡ Ἰταλία δέν εἶναι αὐτό πού συνήθως ἐννοοῦμε μέ καπιταλιστικό ἔθνος." (σσ. 24-25). Καί ὁ Μουσολίνι παραθέτει ἀριθμούς πού δείχνουν ὅτι ἡ χώρα του εἶναι μιά κοινωνία πού οἱ δυτικοί οἰκονομολόγοι ὀνομάζουν ὑπανάπτυκτη, ὅπου ὑπερισχύει τό παραδοσιακό μικροαστικό στοιχεῖο: "Οἱ βιομήχανοι πού ἀνέρχονται στόν ἐντυπωσιακό ἀριθμό τῶν 523.000, εἶναι σχεδόν ὅλοι βιομήχανοι πού ἔχουν ἐπιχειρήσεις μικροῦ ἤ μεσαίου μεγέθους" (σ. 26).

Ὁ Μουσολίνι προχωρεῖ λέγοντας πώς ἡ ἰταλική κοινωνία πρέπει νά παραμείνει μικροαστική μέ ἕνα καθεστώς μικτῆς οἰκονομίας: "Ἡ Ἰταλία, κατά τήν γνώμη μου, πρέπει νά παραμείνει ἕνα ἔθνος μέ μικτή οἰκονομία, ἔχοντας μιά ἰσχυρή γεωργία πού εἶναι ἡ βάσις τοῦ παντός... μιά ὑγιής μικρή καί μεσαία βιομηχανία, τράπεζες πού νά μήν κερδοσκοποῦν [δηλαδή ὄχι τραπεζικός καπιταλισμός], ἕνα ἐμπόριο πού νά κάνει τήν δουλειά του, πού συνίσταται στό νά διακινεῖ γρήγορα καί ἀποτελεσματικά τά ἐμπορεύματα στούς καταναλωτές" (σ. 27). Προτεραιότητα λοιπόν στούς παραγωγούς μικρούς καί μεσαίους, ἀγρότες, βιοτέχνες καί μικροβιομήχανους, ἕνα ἐξηρτημένο ἐμπόριο ἀπό τίς ἀνάγκες τῶν παραγωγῶν-καταναλωτῶν, καί μιά καταδίκη τῶν ἀνήθικων τραπεζιτῶν πού δέν παράγουν, ἀλλά βγάζουν χρήματα ἀπό χρήματα (capital financier). Κλασσικό φασιστικό μοντέλο. Ὁ Χίτλερ προσέθετε σ' αὐτό καί τήν ἀντισημιτική χροιά: τό χρηματιστικό κεφάλαιο ἦταν στά χέρια τῶν ἑβραίων, συνεπῶς διπλά βρώμικο. Τό βιομηχανικό κεφάλαιο εἶναι ἀποδεκτό ἐφ' ὅσον εἶναι ἐθνικό καί ὄχι πολυεθνικό. Τό χρηματιστικό κεφάλαιο εἶναι καταδικάσιμο διότι εἶναι κοσμοπολίτικο καί παρασιτικό. (Βλ. τήν φασιστική ἀνάλυση τοῦ Henry Coston, *Les financiers qui mènent le monde*, Paris, La Librairie française, 1955).

Ποιό εἶναι τό κοινωνικό καί οἰκονομικό σύστημα πού προσαρμόζεται σέ μιά τέτοια ἐπιθυμητή μικροαστική κοινωνία; Ἕνα σύστημα, λέει ὁ Μουσολίνι, πού ἐμπνέεται καί ἀπό τά δύο προηγούμενα μοντέλα τοῦ καπιταλισμοῦ καί τοῦ σοσιαλισμοῦ (μαρξισμοῦ), ἀλλά τά ξεπερνάει: τό σωματειακό σύστημα, ὁ "κορπορατισμός". Τά δύο προηγούμενα μοντέλα ἔχουν παρακμάσει καί πεθαίνουν καί ἐπί τῶν ἐρειπίων, μέ τίς πέτρες καί τῶν δύο κατεστραμμένων οἰκοδομῶν, ἀναγείρουμε τό σύστημα τοῦ μέλλοντος, τόν κορπορατισμό. Καί ἡ corporazione, δηλαδή τό σωματεῖο, εἶναι στό κέντρο τῆς "φασιστικῆς ἐπαναστάσεως". Γιά τόν λόγο αὐτόν τό σωματειακό σύστημα δέν εἶναι μόνον κοινωνικό καί οἰκονομικό, ἀλλά εἶναι καί πολιτικό. Τό φασιστικό κράτος ὀνομάζεται σωματειακό ἤ συντεχνιακό, lo Stato Corporativo. Ἰδού ἡ εἰκόνα πού δίνει ὁ Μουσολίνι αὐτοῦ τοῦ κράτους: "Εἶναι ἀπόλυτα λογικό τό Ἐθνικό Συμβούλιο τῶν Σωματείων νά ἀντικαταστήσει ἐντελῶς τήν σημερινή Βουλή, διότι ἡ Βουλή εἶναι πλέον ἀναχρονισμός, ἀκόμη καί ὁ τίτλος της. Πρόκειται γιά ἕναν θεσμό πού βρήκαμε καί πού εἶναι ξένος πρός τήν νοοτροπία καί τό πάθος μας ὡς φασιστές. Ἡ Βουλή ἀνταποκρίνεται σ' ἕναν κόσμο πού κατεδαφίσαμε... Ὅταν στίς 13 Ἰανουαρίου 1923 δημιουργήσαμε τό Μεγάλο Φασιστικό Συμβούλιο [ΜΦΣ]... ἐκείνη τήν ἡμέρα θάψαμε τόν πολιτικό φιλελευθερισμό... Σήμερα θάβουμε τόν οἰκονομικό φιλελευθερισμό... Τό σωματειακό σύστημα εἶναι ἡ πειθαρχημένη καί συνεπῶς ἐλεγχομένη οἰκονομία... Τό σωματειακό σύστημα ξεπερνάει τόν σοσιαλισμό καί ξεπερνάει τόν φιλελευθερισμό: δημιουργεῖ μιά νέα σύνθεση... Ὁ σύντροφος Tassinari εἶπε σωστά πώς ἡ Ἐπανάσταση γιά νά εἶναι μεγάλη... πρέπει νά εἶναι κοινωνική" (B. Mussolini, *ἔνθ' ἀν.*, σσ. 31-35).

Στό σημεῖο αὐτό ὁ Μουσολίνι ἐξηγεῖ πώς κοινωνική ἐπανάσταση δέν νοεῖται ἄν δέν εἶναι τοῦ μεγέθους τῆς Γαλλικῆς Ἐπαναστάσεως τοῦ 1789. Δέν εἶναι μιά ἁπλή ἀλλαγή πολιτικῆς ἡγεσίας: "Εἶναι κωμικό νά διαβάζουμε πώς τό 1876 ἡ ἄνοδος τῆς

Ἀριστερᾶς στήν ἐξουσία ὀνομάσθηκε ἐπανάσταση" (σ. 36).

Ἐπειδή στό μεσοπόλεμο τό σωματειακό σύστημα εἶχε μεγάλη ἀπήχηση στήν Εὐρώπη -λόγω "τῆς γενικῆς κρίσεως τοῦ καπιταλισμοῦ", παρατηρεῖ ὁ Ἰταλός ἡγέτης- θεώρησε ἀπαραίτητο νά διευκρινίσει τίς προϋποθέσεις ἐφαρμογῆς χωρίς τίς ὁποῖες δέν νοεῖται κορπορατισμός. Δηλώνει λοιπόν ὁ Μουσολίνι: "Χρειάζονται τρεῖς προϋποθέσεις. [1] Ἕνα καί μοναδικό κόμμα μέσω τοῦ ὁποίου ἐκτός τῆς οἰκονομικῆς πειθαρχίας θά δράσει καί ἡ πολιτική πειθαρχία καί χάριν τοῦ ὁποίου θά ὑπάρξει ὑπεράνω τῶν ἀντικρουόμενων συμφερόντων ἕνας σύνδεσμος πού νά ἑνώνει ὅλα τά ἄτομα, ἡ κοινή πίστη. [2]... Τό ὁλοκληρωτικό κράτος, δηλαδή ἕνα κράτος πού ἀπορροφᾶ μέσα του γιά νά τά μετασχηματίσει καί νά τά κάνει ἰσχυρά ὅλα τά συμφέροντα, ὅλη τήν ἐνέργεια, ὅλη τήν προσμονή ἑνός λαοῦ. [3]... Ἡ τρίτη καί τελευταία προϋπόθεση καί ἡ πιό σημαντική: πρέπει νά ζοῦμε σέ μιά περίοδο πολύ ὑψηλῆς ἐντάσεως [ἀνάγκη πίστεως]" (σσ. 36-37). Ἐπί πλέον δηλώνει στίς 13 Ἰανουαρίου 1934 πώς ἡ φασιστική ἐπανάσταση εἶναι διαρκής, ἔχει "ἕναν ὁλόκληρο αἰῶνα" μπροστά της (σ. 55). Ὁμοίως, τόν Σεπτέμβριο τοῦ 1933, στό συνέδριο τοῦ ναζιστικοῦ κόμματος στήν Νυρεμβέργη, ὁ Χίτλερ εἶχε πεῖ: "Ὁ γερμανικός τρόπος ζωῆς εἶναι ἐξασφαλισμένος γιά χίλια χρόνια".

Στίς 5 Φεβρουαρίου 1934, ὁ Μουσολίνι ὀργάνωσε 22 σωματεῖα, πού ὡς ἐπαγγελματικές συντεχνίες ἐκάλυπταν ὅλο τό οἰκονομικό φάσμα τῶν Ἰταλῶν παραγωγῶν: 8 συντεχνίες ἀγροτικές (δημητριακῶν, ὀπωροκηπευτικῶν, ἀμπελοπαραγωγῶν, ἐλαιοπαραγωγῶν, ζαχαροτευτλοπαραγωγῶν, ζωοτεχνῶν καί ψαράδων, δασῶν, βιομηχανικῶν φυτῶν), 8 συντεχνίες βιομηχανικές καί ἐμπορικές (δημοσίων ἔργων, μεταλλουργῶν-μηχανουργῶν, ἐνδυμάτων, ὑάλου καί κεραμικῆς, χημικῆς βιομηχανίας, χάρτου καί τυπογράφων, ὀρυχείων, νεροῦ-γκαζιοῦ-ρεύματος), 6 συντεχνίες ὑπηρεσιῶν (ἐπαγγελμάτων καί τεχνῶν, ἐσωτερικῶν συγκοινωνιῶν καί ἐπικοινωνιῶν, θαλάσσης καί ἀέρος, ξενοδοχειακῶν, τραπεζικῶν-ἀσφαλιστῶν, θεαμάτων).

Κάθε συντεχνία ἐδιοικεῖτο ἀπό ἕνα συμβούλιο. Π.χ. τό συμβούλιο τῶν δημητριακῶν ἀπετελεῖτο ἀπό τόν πρόεδρο (ὑπουργό ἤ γραμματέα τοῦ Φασιστικοῦ Ἐθνικοῦ Κόμματος) καί 36 μέλη: 3 ἀντιπρόσωποι τοῦ Φασιστικοῦ Ἐθνικοῦ Κόμματος, 7 ἀντιπρόσωποι τῶν ἐργοδοτῶν καί 7 ἀντιπρόσωποι τῶν ἐργαζομένων γιά τήν παραγωγή τῶν δημητριακῶν, 1 ἀντιπρόσωπος τῶν ἐργοδοτῶν καί 1 ἀντιπρόσωπος τῶν ἐργαζομένων γιά τήν βιομηχανία ἁλωνίσματος, 3 ἀντιπρόσωποι τῶν ἐργοδοτῶν καί 3 ἀντιπρόσωποι τῶν ἐργαζομένων γιά τίς βιομηχανίες ἀλέσματος, ρυζιοῦ, ζαχαροπλαστικῆς καί ζυμαρικῶν, 1 ἀντιπρόσωπος τῶν ἐργοδοτῶν καί 1 ἀντιπρόσωπος τῶν ἐργαζομένων γιά τήν ἀρτοποιία, 3 ἀντιπρόσωποι τῶν ἐργοδοτῶν καί 3 ἀντιπρόσωποι τῶν ἐργαζομένων γιά τό ἐμπόριο δημητριακῶν καί τῶν ἄλλων προαναφερομένων προϊόντων, 1 ἀντιπρόσωπος τῶν συνεταιρισμῶν καταναλωτῶν, 1 ἀντιπρόσωπος ἀγρονόμων, 1 ἀντιπρόσωπος βιοτεχνῶν.

Ἔχουμε δηλαδή σέ κάθε συμβούλιο σωματείου (συντεχνίας), ἰσάριθμους ἐργοδότες καί ἐργαζόμενους ὑπό τήν διαιτησία τοῦ κράτους καί τοῦ κόμματος. Αὐτή εἶναι ἡ οὐσία τοῦ σωματειακοῦ συστήματος βασισμένου στήν συνεργασία καί ὄχι στήν πάλη τῶν τάξεων. Οἱ διαφορές συμφερόντων ἐργοδοτῶν καί ἐργαζομένων λύνονται μέ τόν διάλογο τῶν δύο πλευρῶν, ὑπό τήν καθοριστική παρουσία τοῦ κράτους-κόμματος. Συνεπῶς τό σωματεῖο εἶναι τό σύνολο τοῦ λαοῦ πού ἀσκεῖ τήν ἐξουσία ἄμεσα: εἶναι τό κράτος, εἶναι τό ἔθνος. Γι' αὐτό καί τό φασιστικό κράτος ἐπονομάζεται σωματειακό. Τό κάθε σωματεῖο ἀποτελεῖται ἀπό συνδικᾶτα ἐργαζομένων καί συνδικᾶτα ἐργοδοτῶν. Μικτά συνδικᾶτα ἐργοδοτῶν-ἐργαζομένων δέν ἀναγνωρίζοντο ἀπό τήν φασιστική νομοθεσία. Π.χ. ὑπῆρχαν χωριστά τό συνδικᾶτο τῶν ἐργαζομένων στή βιομηχανία ἐνδυμάτων καί τό συνδικᾶτο τῶν ἐργοδοτῶν τῆς βιομηχανίας ἐνδυμάτων πού ὅμως συναντιώντουσαν ὡς συνεργαζόμενοι μέσα στό ἀντίστοιχο σωματεῖο. Μέ ἄλλα λόγια τό βασικό κύτταρο τοῦ σωματείου ἦταν τό συνδικᾶτο.

Στήν Ἑλλάδα τοῦ 1990 ἐπαναλαμβάνετο ὅτι εἶχε ἐγκατασταθεῖ μιά δικτατορία τῶν συντεχνιῶν, ἐννοώντας πώς ἡ κάθε ἐπαγγελματική ὀργάνωση ἀγωνίζετο νά ἐπωφεληθεῖ τά μέγιστα ἀπό ὑποχωρήσεις τοῦ κράτους, ἀδιαφορώντας γιά τό κοινωνικό σύνολο. Μερικοί μάλιστα ἀποκάλεσαν τό φαινόμενο αὐτό φασιστικό, ἀγνοώντας τήν ὑφή τοῦ `φασιστικοῦ συντεχνιακοῦ συστήματος. Διότι, ὅπως εἴδαμε, τό φασιστικό κράτος ἤλεγχε ἀπόλυτα τίς συντεχνίες, συντόνιζε τήν δράση τους καί δέν ἐπέτρεπε σ' αὐτές νά συμπεριφέρονται ἀνεύθυνα καί ἀναρχικά. Ἐπί πλέον οἱ φασιστικές συντεχνίες ἦταν μικτές ἐργαζομένων-ἐργοδοτῶν καί μέ τόν τρόπο αὐτό ἀποφεύγοντο οἱ ἀπεργίες καί τά λόκ-ἄουτ. Συνεπῶς ὄχι μόνο δέν ὑπῆρχε διάλυσις τοῦ κράτους, ἀλλά ἀντιθέτως σημαντική ἐνίσχυσίς του. Γνωρίζουμε πώς ἡ οὐσιαστική ἀπαγόρευση τῶν ἀπεργιῶν ἴσχυε καί στίς κοινωνίες τοῦ ὑπαρκτοῦ σοσιαλισμοῦ. Ἁπλῶς μέ διαφορετικό συλλογισμό: ἡ ἐργατική τάξη ἔχοντας καταλάβει τήν ἐξουσία ἦταν συνάμα ἐργοδότης καί ἐργαζόμενη. Δέν μποροῦσε συνεπῶς νά ἀπεργήσει κατά τοῦ ἑαυτοῦ της.

Ὁ Χίτλερ ἔτρεφε μεγάλο θαυμασμό γιά τόν Μουσολίνι. Μόλις ἦρθε στήν ἐξουσία ἔβαλε σέ πράξη τό σωματειακό σύστημα. Τήν 1η Μαΐου 1933 ἵδρυσε τό Deutsche Arbeitsfront ἤ D.A.F. (Γερμανικό Ἐργατικό Μέτωπο), πού συμπεριελάμβανε καί τούς ἐργαζόμενους καί τούς ἐργοδότες, ὑπό τήν διεύθυνση τοῦ Dr. Robert Ley. Τήν δέ Πρωτομαγιά, τήν καθιέρωσε ὡς ἐργατική ἐθνική ἑορτή. Στίς 20 Ἰανουαρίου 1934 ἐπισημοποίησε τό σωματειακό σύστημα, μέ "Νόμο γιά τήν Ὀργάνωση τῆς Ἐθνικῆς Ἐργασίας" (Gesetz zur Ordnung der nationalen Arbeit). Τό διάταγμα τῆς 24ης Ὀκτωβρίου 1934 ὑποχρέωνε ὅλους τούς Γερμανούς, ἐκτός τῶν δημοσίων ὑπαλλήλων καί τῶν στρατιωτικῶν, νά ἐνσωματωθοῦν στό D.A.F. μέσω σωματείων παραγωγῶν τῆς κάθε οἰκονομικῆς δραστηριότητος, συμπεριλαμβάνοντας τούς ἐργοδότες καί τούς ἐργαζόμενους. Γιά πρώτη φορά στήν μή κομμουνιστική Εὐρώπη ὀργανώνεται ὑπέρ τῶν ἐργαζομένων, μέ ἔξοδα τοῦ κράτους, λαϊκός τουρισμός καί πληρωμένες ἐργατικές διακοπές. Στίς θαλάσσιες κρουαζιέρες, ἔκπληκτοι ἀριστοκράτες καί ἀστοί τουρίστες τῆς εὐρωπαϊκῆς ἄρχουσας τάξεως, βλέπουν νά συνταξιδεύουν, νά συντρώγουν καί νά συνδιασκεδάζουν μαζί τους Γερμανοί ἐργάτες, οἱ ὁποῖοι ἦσαν ἐξοπλισμένοι μέ τίς γνωστές γερμανικές φωτογραφικές μηχανές. Ὁ λαϊκός αὐτός τουρισμός εἶχε ὀργανωθεῖ ἀπό τό Kraft durch Freude ("Ἡ Δύναμις διά τῆς Χαρᾶς"), τμῆμα τῶν κοινωνικῶν ἀσφαλίσεων τοῦ D.A.F., πού εἶχε ἱδρυθεῖ τόν χειμῶνα τοῦ 1933 (ἐμπνευσμένο ἀπό τήν μουσολινική ὀργάνωση *Dopolavoro*, "Μετά τήν Δουλειά"), δηλαδή 13 χρόνια νωρίτερα ἀπό τίς κοινωνικές ἐπιτεύξεις τοῦ ἀριστεροῦ Λαϊκοῦ Μετώπου τοῦ 1936 στήν Γαλλία, πού καί αὐτό καθιέρωσε ἐργατικές διακοπές. (Βλ. David Schoenbaum, *Hitler's Social Revolution: Class and Status in Nazi Germany, 1933-1939*, Garden City N.Y., Doubleday, 1967).

Ἀντίθετα μέ τόν μουσολινικό φασισμό πού προτιμοῦσε τήν λέξη κοινωνισμό ἀπό τήν λέξη σοσιαλισμό, ὁ ναζισμός μέ ἐπιμονή ἐπαναλάμβανε πώς ἀγωνίζετο γιά τήν ἐπικράτηση τοῦ σοσιαλισμοῦ: ἀντιδιανοουμενισμός, συνεργασία τῶν τάξεων καί ἐθνικισμός, ἦταν τά τρία βασικά συστατικά αὐτοῦ τοῦ ναζιστικοῦ σοσιαλισμοῦ. Χαρακτηριστικό εἶναι τό ἄρθρο τοῦ Dr. Ulrich Gmelin στό ναζιστικό περιοδικό πού ἐκδίδετο στό Βερολῖνο ἀπό τό 1943 καί προπαγάνδιζε σέ ὅλες σχεδόν τίς γλῶσσες τῆς Εὐρώπης, τήν ἰδέα μιᾶς ἑνωμένης Εὐρώπης. Τό περιοδικό αὐτό εἶχε τίτλο *Νέα Εὐρώπη* (*Junges Europa*) καί τό ἄρθρο "Φοιτητής καί ἐργάτης εἰς τήν Νέαν Εὐρώπην" ἔλεγε: "Οἱ καλλίτεροι σπουδασταί πού εἶχον εὕρη τόν δρόμον των εἰς τήν κίνησιν τοῦ Ἀδόλφου Χίτλερ, ἐγκατέλειπαν τάς αἴθουσας τῶν ἀκροατηρίων καί τά ἐργαστήρια διά νά ἑνωθοῦν μέ τούς ἐργάτας τῶν πόλεων... Ἐγεννήθη ἡ πίστις διά μίαν καλλιτέραν Γερμανίαν, εἰς τήν ὁποίαν θά ἐγεφυροῦτο τό χάσμα τῆς διακρίσεως τῶν κοινωνικῶν τάξεων. Ἐπί πλέον, διέβλεπον ὅτι κατ' αὐτόν τόν τρόπον ἡ κοινή θέλησις ἑνός ἡνωμένου λαοῦ θά ἠδύνατο νά μεταστρέψη καί αὐτήν τήν μοῖραν τῆς Γερμανίας... Οἱ σπουδασταί αὐτοί ἔφεραν τό φαιόν ὑποκάμισον τοῦ ἐθνικοσοσιαλιστικοῦ ἐργατικοῦ κόμματος... Ὅταν ὁ Φύρερ ἀνέλαβε τήν ἐξουσίαν, ὁ γερμανικός φοιτητικός κόσμος ἀνέλαβεν εἰς χεῖρας του τήν μεγάλην ἀποστολήν νά πρωτοστατήση εἰς τήν ἐξέλιξιν τοῦ γερμανικοῦ σοσιαλισμοῦ" (*Νέα Εὐρώπη*, Βερολῖνο, τεῦχος 1, 1943, σσ. 20-21).

Τήν ἀνάγκη νά ἐργαστοῦν στό χωράφι καί τό ἐργοστάσιο μέ τά χέρια τους οἱ διανοούμενοι καί οἱ φοιτητές, πού εἶχε ὑποστηρίξει τόν 19ο αἰῶνα ὁ ρωσικός ναροντνικισμός (λαϊκισμός) καί στόν 20ο ὁ κινεζικός μαοϊσμός, προωθοῦσε ἐπίσης ὁ ναζισμός. Ὅπως γράφει ὁ Γκμελίν στό ἄρθρο του: "Κάθε Γερμανός φοιτητής, εἰς τάς διακοπάς τοῦ πρώτου ἑξαμήνου τῆς φοιτήσεώς του εἰς τό

Πανεπιστήμιον, ἐργάζεται εἴτε εἰς τό ἐργοστάσιον, εἴτε εἰς τήν ὕπαιθρον, γνωρίζων οὕτω ἐκ τοῦ πλησίον τάς συνθήκας ζωῆς τῶν ἐργαζομένων, πρᾶγμα πού ὁδηγεῖ εἰς τήν ἐνίσχυσιν τῶν κοινῶν μεταξύ τοῦ λαοῦ δεσμῶν... Ἀπό πολλῶν ἤδη ἐτῶν αἱ Γερμανίδες φοιτήτριαι ἀντικαθιστοῦν δωρεάν εἰς τό ἔργον των τάς ἐργατρίας, ὑποβοηθοῦσαι τοιουτοτρόπως αὐτάς εἰς τό νά λαμβάνουν προσθέτους ἀδείας ὀλίγων ἑβδομάδων μέ πλήρεις ἀποδοχάς... Ἡ ἐρχομένη νέα τάξις θά ὁδηγήση... πρός νίκην τοῦ σοσιαλισμοῦ... Δρ. Οὔλριχ Γκμελίν, πληρεξούσιος ἀντιπρόσωπος τοῦ ἀρχηγοῦ τῶν Γερμανῶν φοιτητῶν [Δόκτορος Σέελ]" (σσ. 25-26).

Ἄν καί τό σωματειακό σύστημα, (πού στόν 19ο αἰῶνα εἶχε ὑποστηριχθεῖ ἀπό τόν χριστιανικό σοσιαλισμό), κατά τήν διάρκεια τοῦ 20ου πέρασε στά χέρια τῶν φασιστῶν, οἱ καθολικοί δέν ἔπαψαν παρά ταῦτα νά τό προωθοῦν. Ἔτσι τό 1931, μιά νέα Ἐγκύκλιος τοῦ πάπα, ἡ *Quadragesimo anno*, ὑποστήριξε τό συντεχνιακό ἰδανικό. Ἡ σύγκλιση αὐτή καθολικῶν καί φασιστῶν στόν τομέα τῆς κοινωνικῆς πολιτικῆς, εἶχε ὡς ἀποτέλεσμα τήν στήριξη τῶν φασιστικῶν καθεστώτων ἀπό ἕνα σημαντικό τμῆμα τῆς καθολικῆς Ἐκκλησίας, παρά τοῦ ὅτι ὁ μέν Μουσολίνι ἦταν ἄθεος, ὁ δέ Χίτλερ ἀντιχριστιανός μυστικιστής.

ΚΕΦΑΛΑΙΟ ΠΕΜΠΤΟ

ΑΝΑΡΧΙΣΜΟΣ, ΦΑΣΙΣΜΟΣ ΚΑΙ ΤΡΙΤΟΣ ΚΟΣΜΟΣ

Ὁ ἀναρχισμός, δηλαδή ἡ θέση πού ἀπορρίπτει τήν ἀρχή, ποί θεωρεῖ τήν ἐξουσία ὡς τό ὑπέρτατο κακό, ὡς τό δηλητηριασμένο μῆλο, ὡς τήν ἁμαρτία πού ἐμφανίσθηκε στόν ἄνθρωπο μετά τήν πτώση του ἀπό τόν παράδεισο, τί ἀκριβῶς εἶναι;

Εἴπαμε πώς ὁ Ρουσώ ὑπῆρξε ὁ πρῶτος χίππης τῆς ἀναγεννησιακῆς κοινωνίας. Ὑπῆρξε τό πρότυπο τῶν ἀναρχικῶν πού δέν εἶναι σέ θέση νά λύσουν τήν ἀντίφαση μεταξύ τῆς ἀδυναμίας νά ζήσει κανείς χωρίς κράτος-ἐξουσία καί τῆς πεποιθήσεως ὅτι αὐτή ἡ ἀναπόφευκτη ἐξουσία εἶναι πηγή ὅλων τῶν συμφορῶν μας. Ὁ ἀναρχικός δέν μπορεῖ νά λύσει τήν ἀντίφαση διότι ἀγνοεῖ τό μοναδικό ὅπλο πού εἶναι σέ θέση νά κόψει αὐτόν τόν γόρδιο δεσμό, τήν θρησκεία, ὅπως θά δοῦμε σέ ἄλλο κεφάλαιο. Ὁ δέ Κάρλ Μάρξ προσπάθησε, ἀνεπιτυχῶς, νά ὑπερβεῖ τήν ἀντίφαση μέ τήν θεωρία του περί σταδιακῆς ἐξαφανίσεως τοῦ κράτους μέ τό πέρασμα ἀπό τόν σοσιαλισμό στόν κομμουνισμό. Διότι ἡ δικτατορία τοῦ προλεταριάτου, ἔτσι ὅπως τήν ἐφάρμοσε ὁ λενινιστικός ὑπαρκτός σοσιαλισμός, ἰσχυρίζεται ὅτι πρῶτα πρέπει νά αὐξήσεις τήν ἐξουσία τοῦ κράτους στά χέρια τοῦ προλεταριάτου, γιά νά τοῦ ἐπιτρέψεις νά ἐξαφανίσει τίς κοινωνικές τάξεις. Σέ δεύτερη φάση, αὐτό τό ὑπερκράτος θά καταργήσει σταδιακά τό κράτος, λόγω ἀκριβῶς τῆς ἐξαφανίσεως τῶν τάξεων, πού θά τό καταστήσουν ἄχρηστο. Αὐτή εἶναι ἡ μαρξιστική διαλεκτική λογική γιά τήν ὑπέρβαση τῆς ἀντιφάσεως. Δυστυχῶς, ὅπως ἐξηγήσαμε ἤδη, ἀπεδείχθη ἐλλιπής, μονιστική, κατώτερη τῆς διαλεκτικῆς τῆς Ὀρθοδοξίας.

Σέ μιά παλιά μελέτη μου ἔγραφα: "Ὁ ἀγώνας γιά τήν ἐξουσία εἶναι μιά σταθερή ὅλων τῶν ἐκδηλώσεων τῶν ἀνθρώπων στήν κοινωνία πού καθιερώνει μιά ἱεραρχία μεταξύ τους καί μεταξύ τῶν συγκροτημένων ὁμάδων τους, σέ μιά πολιτική, κοινωνική καί διεθνῆ τάξη. Αὐτοί πού εὑρίσκονται στήν βάση τῆς κλίμακος, προσπαθοῦν μέ τίς ἐξεγέρσεις νά αὐξήσουν τήν συμμετοχή τους στήν ἐξουσία καί ἀπαιτοῦν τήν ἰσότητα ἐξουσίας [égalité de pouvoir]. Ἀλλά ἄν ἡ ἐξουσία νοεῖται ὡς δρῶσα ὑποχρεωτικά εἰς βάρος τοῦ ἄλλου, ἰσότης καί ἐξουσία μποροῦν νά θεωρηθοῦν ἔννοιες ἀντιφατικές. Πράγματι, ὁ Κάρλ Μάρξ ἔλεγε πώς "ἡ καθαυτό πολιτική ἐξουσία εἶναι ἡ ὀργανωμένη ἐξουσία μιᾶς τάξεως γιά τήν καταπίεση τῶν ἄλλων τάξεων" (K. Marx, Fr. Engels, *Manifeste du parti communiste*, Paris, Editions sociales, 1947, σ. 27). Συνεπῶς συνεβούλευε τήν ἐργατική τάξη νά μήν ζητᾶ τήν ἰσότητα ἐξουσίας, ἀλλά νά καταλάβει τήν ἐξουσία γιά νά καταπιέσει καί νά διαλύσει τήν ἀστική τάξη. Ὁ Ἔνγκελς ἔγραφε: "Ὅσον καιρό τό προλεταριᾶτο θά χρειασθεῖ τό κράτος [ὡς ἐξουσία], δέν θά τό χρησιμοποιήσει γιά τήν ἐλευθερία ἀλλά γιά νά καταστείλει τούς ἀντιπάλους του. Τήν ἡμέρα δέ, πού θά ὑπάρξει ἐλευθερία, δέν θά ὑπάρξει κράτος" (Ἐπιστολή τοῦ Ἔνγκελς πρός Μπέμπελ, πού ἀναφέρεται στόν V.I. Lénine, *L' Etat et la révolution*, Paris, Editions sociales, 1947, σ. 81). Παρά τό σόφισμα του Μάρξ... ὅλα τά κινήματα ἀπελευθερώσεως τοῦ ἀνθρώπου στόν κόσμο, ἀγωνίζονται γιά τήν ἰσότητα ἐξουσίας μέσω τῆς κατεδαφίσεως τῶν ἱεραρχιῶν, μέ τήν ἔννοια τῆς ἴσης κατανομῆς τῆς ἐξουσίας τοῦ ἀποφασίζειν [pouvoir de décision]" (Dimitri Kitsikis, "Le nationalisme", *Etudes internationales*, Québec, septembre 1971, σσ. 365-366).

Ὁ ἀναρχισμός, ὅπως καί ὁ φασισμός, δέν μπορεῖ νά θεωρηθεῖ οὔτε δεξιά οὔτε ἀριστερή ἰδεολογία. Ὄχι μόνον διότι αὐτές οἱ ἔννοιες ἔχουν πλέον σήμερα ἱστορική ἁπλῶς σημασία. Παραθέτουμε ἐδῶ μιά ἀπό τίς πολλές καταδίκες τῶν ἄκαιρων αὐτῶν ὅρων ἀπό τόν Οὔγγρο συγγραφέα, τόν γεννημένο τό 1905 στήν Βουδαπέστη, Arthur Koestler: "Ἡ ἀντινομία δεξιά ἤ ἀριστερά, σοσιαλισμός ἤ καπιταλισμός, ἔχει χάσει σήμερα σέ μεγάλο βαθμό τό νόημά της. Ὅσον καιρό ἡ Εὐρώπη θά μένει προσκολλημένη σ' αὐτό τό ψεύτικο δίλημμα, πού στέκεται ἐμπόδιο σέ κάθε σαφῆ σκέψη, εἶναι ἀδύνατη ἡ δημιουργική λύση τῶν προβλημάτων τῆς ἐποχῆς μας". (Α. Κέστλερ, "Τό ψευτοδίλημμα", στό συλλογικό βιβλίο, *Ἐλευθερία τῆς τέχνης, ἐλευθερία τῆς ἐπιστήμης καί μαρξισμός*, Ἀθήνα, Σιδέρης, 1977, σ. 38). Ἀλλά καί ἄν παραδεχτοῦμε, πώς εἶναι σωστό νά ὀνομάζεται δεξιά ὁ φιλελευθερισμός-καπιταλισμός καί ἀριστερά ὁ σοσιαλισμός-κομμουνισμός, σέ καμμία περίπτωση δέν εὐσταθεῖ νά ὀνομάζεται ὁ φασισμός ἄκρα δεξιά, ἐφ' ὅσον πρόκειται ὄχι γιά συντηρητική ἀλλά γιά ἐπαναστατική ἰδεολογία, οὔτε ὁ ἀναρχισμός ἄκρα ἀριστερά, ἐφ' ὅσον ἡ κοινωνική βάση τοῦ ἀναρχισμοῦ καί τοῦ φασισμοῦ εἶναι ἡ ἴδια: ἡ μικροαστική τάξη. Ἐάν δεχθοῦμε πώς οἱ πολιτικές ἰδεολογίες ὁρίζονται σέ σχέση μέ τήν κοινωνική τάξη πού τίς ἐκφράζει, πώς ὁ φιλελευθερισμός εἶναι ἡ ἰδεολογία τῆς ἀστικῆς ταξεως, ὁ κομμουνισμός τῆς ἐργατικῆς καί ὁ φασισμός τῆς μικροαστικῆς τάξεως, τότε ὁ ἀναρχισμός ὡς μικροαστικό φαινόμενο ὑποχρεωτικά ἐντάσσεται στό φασιστικό φάσμα, χαρακτηρισμός πού ἐπαναλαμβάνω δέν εἶναι οὔτε ὕβρις οὔτε ἔπαινος. Χαρακτηριστικός ἐπί τοῦ προκειμένου εἶναι ὁ τίτλος τῆς καλύτερης μέχρι στιγμῆς μελέτης γιά τόν φασισμό, τοῦ Ἰσραηλινοῦ καθηγητοῦ Zeev Sternhell, *Ni droit, ni gauche: l' idéologie fasciste en France* (Paris, Seuil, 1983), δηλαδή "Οὔτε δεξιά, οὔτε ἀριστερά: ἡ φασιστική ἰδεολογία στήν Γαλλία".

Ὡς παρακλάδι τοῦ φασισμοῦ θά μελετήσουμε ἐδῶ τόν

ἀναρχισμό, καί τόν ἀναρχισμό ὁποιασδήποτε ἀποχρώσεως, ἀριστερᾶς ἤ δεξιᾶς. Καί εἴδαμε στό πρόσωπο τοῦ Ρουσώ πώς στήν βάση τοῦ ἀναρχισμοῦ, ὅπως καί τοῦ φασισμοῦ, εἶναι ἡ νοσταλγία τοῦ χαμένου παραδείσου καί στόν ἀναρχικό εἶναι τό ἀντιφατικό γνώρισμα τοῦ ρομαντικοῦ-κυνικοῦ καί ἀτομιστῆ-ὁλοκληρωτιστῆ. Ἕνας Ἰνδός συγγραφέας στό βιβλίο του γιά τήν ἱστορία τῆς ἀναρχίας, εἶχε γράψει: "Ἡ ἀναρχική παράδοση ἐπικεντρώνεται γύρω στόν μῦθο τῆς ἐποχῆς τοῦ *κρίτα* [ἤ *σάτυα γιούγκα*], ἡ ὁποία ἐκτείνεται πέραν ἀπό ὁποιαδήποτε ἀναγραφόμενη ἱστορία [τό ἀντίστοιχο τοῦ βιβλικοῦ παραδείσου]... Αὐτή ἡ φανταστική κοινωνία, πού ἀποδίδετο στόν μυθικό Οὐταρακούρους, κείμενη στίς ἀναπαυτικές πλαγιές τῶν Ἱμαλαΐων, δέν διαχωρίζετο σέ κάστες καί τάξεις, δέν εἶχε ἰδιωτική ἰδιοκτησία (*ἄμαμα, ἀπαριγκράχα*), δέν κυριαρχοῦσαν οἱ ἄνδρες ἐπί τῶν γυναικῶν, ἦταν δέ φημισμένη γιά τήν εὐσέβεια καί τήν σοφία τῶν κατοίκων της" (Atindranath Bose, *A History of Anarchism*, Calcutta, The World Press Private Ltd, 1967, σ. 25).

Ἄν καί ὁ Ρουσώ εἶχε ἀναρχικές τάσεις, ὁ πρῶτος θεωρητικός τῆς ἀναρχικῆς κοινωνίας ὑπῆρξε ὁ Γάλλος Pierre Joseph Proudhon (1809-1865). Καταλάβαινε τήν ἀναρχία ὡς τήν κοινωνία χωρίς ἀφεντικά, ὄχι ὅμως καί χωρίς ὀργάνωση: "Εἶναι ἐλευθερία ἀπηλλαγμένη ἀπό ὅλα της τά δεσμά, τήν δεισιδαιμονία, τήν πρόληψη, τά σοφίσματα, τήν κερδοσκοπία, τήν ἐξουσία. Εἶναι ἀμοιβαία ἐλευθερία, ὄχι αὐτοπεριοριστική ἐλευθερία, ἐλευθερία, ὄχι ἡ κόρη ἀλλά ἡ μητέρα τῆς τάξεως". (P.J. Proudhon, *Solution du problème social*, Paris, 1848, σ. 119).

Εἶναι γεγονός πώς καί πρίν ἀπό τόν Προυντόν, ὁ Ἄγγλος William Godwin (1756-1836), στό ἔργο του *Enquiry concerning Political Justice* (1793) εἶχε ζητήσει τήν κατάλυση κάθε πολιτικῆς ἐξουσίας. Γι' αὐτόν ἡ πηγή τοῦ κακοῦ ἦταν τό κράτος. Ἀλλά στόν Προυντόν συναντᾶμε τήν πρώτη πολιτική προσπάθεια ἀναρχικῆς κινήσεως.

Ἐπειδή ἡ νοσταλγία τοῦ χαμένου παραδείσου εἶναι συνδεδεμένη μέ ἐξιδανίκευση τῆς παραδοσιακῆς ἀγροτικῆς ζωῆς καί ἀποστροφή γιά τίς ἠθικά βρώμικες μεγαλουπόλεις, ὁ ἀναρχισμός ὑποστηρίζει τήν βιοτεχνία καί ἔχει φιλαγροτικό χαρακτῆρα. Εἶναι δέ συμπτωματικό τό ὅτι ὁ Προυντόν κατάγετο ἀπό φτωχούς ἀγρότες. Μικρό παιδί φύλαγε ἀγελάδες στο χωριό, ἀργότερα δέ ἔγινε διορθωτής τυπογραφείου σέ ἐπαρχιακή γαλλική πόλη. Τό 1840 ἐξέδωσε τήν μελέτη του *Τί εἶναι ἰδιοκτησία*, στήν ὁποία κατεδίκαζε μέ δριμύτητα τήν ἀτομική ἰδιοκτησία καί ἔγραφε: "Ἡ ἰδιοκτησία εἶναι κλοπή". Συνάμα ὅμως κατεδίκαζε καί τήν κομμουνιστική κοινοκτημοσύνη. Διότι στήν πρώτη περίπτωση ὁ δυνατός ἰδιοκτήτης ἐξασκεῖ καταπιεστική ἐξουσία πάνω στόν ἀδύνατο, ἐνῶ στήν δεύτερη περίπτωση ὁ ἀδύνατος ἐξασκεῖ καταπιεστική ἐξουσία πάνω στόν εὔπορο.

Ἡ πολιτική δράση τοῦ Προυντόν ἐξεδηλώθη μέ τήν γαλλική ἐπανάσταση τοῦ 1848. Τόν Ἰούνιο τοῦ 1848 ἐξελέγη μάλιστα καί βουλευτής, ἵδρυσε καί διηύθυνε πολλές ἐφημερίδες. Αἰτία τῆς κοινωνικῆς συμφορᾶς εἶναι γι' αὐτόν ἰδίως ὁ χρηματιστικός καπιταλισμός διότι τό χρῆμα καί ὁ τόκος εἶναι βρώμικα κι ἀνήθικα καί συνεπῶς πρέπει καί τά δύο νά καταργηθοῦν. Ἐκθειάζει ὡς μόνη ἀξία τήν ἐργασία καί τήν παραγωγή πού προέρχεται ἀπ' αὐτήν μέ τόν ἴδιο τρόπο πού θά τό κάνει ἑκατό χρόνια ἀργότερα ὁ Χίτλερ.

Ὁ Προυντόν ἐπινόησε γιά τήν κατάργηση τοῦ χρήματος καί τοῦ κέρδους ἕνα σύστημα πού ὀνόμασε "Τράπεζα ἀνταλλαγῆς", στήν ὁποία θά ἔπαιρναν μέρος ὅλοι οἱ παραγωγοί-καταναλωτές τῆς Γαλλίας. Ὁ παραγωγός θά παρέδιδε τό προϊόν του στήν τράπεζα ἔναντι μιᾶς ἐπιταγῆς ἀνταλλαγῆς πού θά μποροῦσε ν' ἀνταλλάξει μέ ἄλλο προϊόν τῆς ἀντίστοιχης τιμῆς, χωρίς νά πραγματοποιεῖ κέρδος. Ἡ τιμή τοῦ προϊόντος καθωρίζετο μέ βάση τόν χρόνο παραγωγῆς καί τά ἔξοδα παραγωγῆς. Ἡ τράπεζα θά ἔδινε ἐπίσης στούς παραγωγούς δωρεάν πιστώσεις. Ἡ οἰκονομική αὐτή ὀργάνωση τῆς κοινωνίας θά καθιστοῦσε περιττή τήν ὕπαρξη πολιτικῆς ἐξουσίας.

Τό σόφισμα τοῦ Προυντόν περί καταργήσεως τῆς ἐξουσίας τό ξαναβρίσκουμε στόν Μάρξ μετατιθέμενης ἁπλῶς χρονικά. Πράγματι, ὁ Προυντόν ἐξηγεῖ πώς ἐφ' ὅσον τό κράτος ἔχει ὡς μοναδικό σκοπό νά διατηρήσει τά προνόμια τῆς ἄρχουσας τάξεως, θά ἐξαφανισθεῖ μόλις θά πάψει νά ὑπάρχει τό ἀτομικό κέρδος. Χωρίς οἰκονομική ἄρχουσα τάξη, πού συγκροτεῖται μέ τήν συσσώρευση τοῦ κέρδους, τό κράτος-ἐξουσία καθίσταται περιττό. Τότε κάθε πολίτης θά μπορεῖ νά ἄρχει ὁ ἴδιος καί στήν θέση τῆς καταναγκαστικῆς νομοθεσίας νά ὑπογράφονται ἐλεύθερες συμβάσεις μεταξύ τῶν οἰκονομικῶν σωματείων πού θά αὐτοδιοικοῦνται.

Ὁ ἴδιος ὁ Προυντόν ἀντελήφθη ὅτι ἡ ἀπόλυτη ἀναρχία ἦταν ἁπλῶς ἕνα ἰδανικό πού στήν πράξη δέν πραγματοποιεῖται. Γι' αὐτό καί στό ἔργο του *Περί τῆς ὁμοσπονδιακῆς ἀρχῆς* (1863) προτείνει τό ὁμοσπονδιακό σύστημα ὡς μέσον διακυβερνήσεως. Πάντως ἡ ἀντίθεσή του στόν κρατικό σοσιαλισμό τοῦ Louis Blanc ὑπῆρξε πλήρης, ὅπως καί στήν μαρξιστική δικτατορία τοῦ προλεταριάτου.

Ὑπό τήν ἐπιρροή τοῦ Προυντόν ἐξελίχθηκε ὁ δεύτερος μεγάλος θεωρητικός τοῦ ἀναρχισμοῦ, ὁ Ρῶσος Μιχαήλ Μπακούνιν (1814-1876), ὁ ὁποῖος ὑπῆρξε ἄθεος, ὑλιστής, σλαβόφιλος καί ἀντισημίτης. Ὁ πανσλαβικός του φανατισμός ἐβασίζετο στό μῖσος του γιά τούς Ἑβραίους καί τούς Γερμανούς. Τό 1862 ἔγραφε στήν Νατάλια, τήν γυναίκα τοῦ ἀδελφοῦ του: "Ἀσχολοῦμαι ἀποκλειστικά μέ τήν πολωνική, τήν ρωσική καί τήν πανσλαβική ὑπόθεση καί κηρύσσω συστηματικά καί μέ ἐνθουσιώδη πεποίθηση τό μῖσος κατά τῶν Γερμανῶν. Λέω, ὅπως ἔλεγε ὁ Βολταῖρος γιά τόν Θεό, πώς ἄν δέν ὑπῆρχαν Γερμανοί θά ἔπρεπε νά τούς ἐφεύρουμε, ἐφ' ὅσον τίποτα δέν ἐπιτυγχάνει καλύτερα νά ἑνώσει τούς Σλάβους ὅσο τό ριζωμένο μῖσος ἐναντίον τους." (A. Bose, *ἔνθ᾽ ἀνωτ.*, σ. 191).

Τόν φιλαγροτισμό τῆς ἀναρχίας πού συναντήσαμε στήν φτωχοαγροτική προέλευση τοῦ Προυντόν, τόν ξαναβρίσκουμε στόν Μπακούνιν, πού ἦταν γιός γαιοκτήμονος καί διπλωμάτου. Δηλαδή ὁ ἀναρχικός μπορεῖ νά εἶναι ἤ γόνος ἀγροτῶν-βιοτεχνῶν ἤ γόνος ἀριστοκρατῶν τῆς γῆς.

Ὁ ἀριστοκράτης Μπακούνιν εἰσήχθη στήν σχολή πυροβολικοῦ τῆς Πετρουπόλεως καί ἔγινε ἀξιωματικός. Μετά πῆγε στό Βερολῖνο γιά νά μελετήσει τήν γερμανική φιλοσοφία. Ἔγινε ἔνθερμος ὀπαδός τοῦ ἐπαναφέροντος τήν διαλεκτική Χέγγελ. Κατόπιν ἔζησε μερικά χρόνια στό Παρίσι, ὅπου γνωρίστηκε μέ τόν Προυντόν καί τόν Μάρξ.

Ἐπί 25 χρόνια αὐτός ὁ ὀπαδός τοῦ Προυντόν κατεφέρθη συστηματικά κατά τοῦ Μάρξ. Ἕνας ἄλλος θεωρητικός τῆς ἀναρχίας, ὁ Ρῶσος πρίγκιπας Πιότρ Κροπότκιν (1842-1921) χαρακτήρισε τήν διαμάχη Μπακούνιν-Μάρξ μέ τά ἑξῆς λόγια: "Ἦταν μιά ἀναγκαία διαμάχη μεταξύ τῆς ἀρχῆς τοῦ ὁμοσπονδισμοῦ καί τῆς ἀρχῆς τοῦ συγκεντρωτισμοῦ, μεταξύ τῆς ἐλεύθερης κοινότητας καί τῆς πατερναλιστικῆς κυριαρχίας τοῦ κράτους... Μιά διαμάχη μεταξύ τοῦ λατινικοῦ πνεύματος καί τοῦ γερμανικοῦ geist [νοῦς]" (σ. 208).

Τό 1868, σέ λόγο πού ἐξεφώνησε στό Δεύτερο Συνέδριο τοῦ *Συνδέσμου γιά τήν Εἰρήνη καί τήν Ἐλευθερία*, ἐξήγησε τόν ἔντονο ἀντικομμουνισμό του: "Μισῶ τόν κομμουνισμό ἐπειδή εἶναι ἡ ἄρνηση τῆς ἐλευθερίας... Ὁ κομμουνισμός συγκεντρώνει καί καταπίνει μέσα του πρός ὄφελος τοῦ κράτους ὅλες τίς δυνάμεις τῆς κοινωνίας, ἐπειδή ἀναπόφευκτα ὁδηγεῖ πρός τήν συγκέντρωση τῆς ἰδιοκτησίας στά χέρια τοῦ κράτους, ἐνῶ ἐγώ θέλω τήν κατάργηση τοῦ κράτους, τήν τελειωτική ἐκρίζωση τῆς ἀρχῆς τῆς ἐξουσίας... Θέλω νά δῶ τήν κοινωνία, τήν συλλογική ἤ κοινωνική ἰδιοκτησία, ὀργανωμένες ἀπό κάτω πρός τά πάνω, μέσω ἐλευθέρων συνεταιρισμῶν [ἰδέα τοῦ Προυντόν], ὄχι ἀπό πάνω πρός τά κάτω, μέσω κάποιας ἐξουσίας... Εἶμαι κολλεκτιβιστής [κατά τῆς ἀτομικῆς ἰδιοκτησίας] ἀλλά ὄχι καί κομμουνιστής" (σ. 209). Βλέπουμε πώς κεντρικό σημεῖο τοῦ ἀναρχισμοῦ εἶναι ἡ ἐλευθερία τοῦ ἀνθρώπου, ἡ ὁποία ὅμως δέν μπορεῖ νά διασφαλιστεῖ μέ τόν κοινοβουλευτισμό καί γιά τόν Μπακούνιν οὔτε μέ τήν ἐπαναστατική ταξική δικτατορία. Μεταξύ τοῦ Γερμανοῦ καγκελαρίου Μπίσμαρκ καί τοῦ Μάρξ, ἔλεγε ὁ Μπακούνιν, ὑπῆρχε ἕνα κοινό σημεῖο: ἡ ἀπόλυτη λατρεία τοῦ κράτους. Ἀλλά ἤδη μέ τόν Μπακούνιν, βλέπουμε στόν ἀναρχισμό ἕνα γλίστριμα πρός τόν ἐθνικισμό, ἀκόμη καί πρός τήν ξενοφοβία, ἀκόμη καί πρός τόν φυλετισμό καί τόν ἀντισημιτισμό. Ὁ Μπακούνιν κατηγορεῖ τόν Μάρξ ὅτι διακατέχεται ἀπό τήν γνωστή στήν ράτσα τῶν Γερμανῶν μισαλλοδοξία, ἡ ὁποία εἶναι τόσο ἀντίθετη μέ τήν ἀνεξιθρησκεία τῶν Σλάβων. Ἀλλά Μπακούνιν καί Μάρξ εἶναι ἐξ ἴσου ἄθεοι. Καί προσθέτουμε πώς στό δεύτερο συνέδριο τῆς Α΄ σοσιαλιστικῆς Διεθνοῦς, πού μέ πρωτοβουλία τοῦ Μάρξ εἶχε ἱδρυθεῖ τό 1864, ὁ

Μπακούνιν δέχθηκε νά προσχωρήσει.

Στό τέταρτο συνέδριο τῆς Α΄ Διεθνοῦς, πού ἔγινε τόν Σεπτέμβριο τοῦ 1869 στό Basel (Βασιλεία) τῆς Ἑλβετίας, ἄν καί ὅλοι σχεδόν οἱ ἀντιπρόσωποι ἐκδηλώθηκαν ὑπέρ τῆς κολλεκτιβιστικῆς ἰδιοκτησίας, ἐν τούτοις διχάσθηκαν σέ δύο ὁμάδες: οἱ ἐξουσιακοί ἤ ὀπαδοί τοῦ κρατικοῦ κομμουνισμοῦ, πού συσπειρώθηκαν γύρω ἀπό τόν Μάρξ καί οἱ ἀντιεξουσιακοί, δηλαδή οἱ ἀναρχικοί κολλεκτιβιστές τοῦ Μπακούνιν, ὁ ὁποῖος θά γράψει: "Ὁποιαδήποτε ἐξουσία, ὅσο ἐπαναστατική καί νά 'ναι, τελικά θά προδώσει τόν λαό καί θά θελήσει νά διαιωνισθεῖ". Τίς ἰδέες του αὐτές θά τίς ἐκφράσει στό βιβλίο του *Τό Κράτος καί ἡ Ἀναρχία*, τό 1873.

Συνεπῶς στόν Μπακούνιν συναντᾶμε ἕνα σταυροδρόμι: ὁ ἕνας δρόμος προχωρεῖ πρός τόν ἀντικομμουνισμό καί τόν φασισμό, ὁ ἄλλος πρός τόν κομμουνισμό. Τό ἴδιο βλέπουμε καί στούς ἀναρχικούς συνεχιστές του σάν τόν ἀναρχοσυνδικαλιστή Γεώργιο Σορέλ. Ἔτσι ἔχουμε τόν δρόμο ἀπό τόν Μπακούνιν στόν Σορέλ καί ἐπίσης ἀπό τόν Μπακούνιν στόν Λένιν. Ἄλλο τόσο ἔχουμε τόν δρόμο ἀπό τόν Σορέλ στόν Μουσολίνι καί ἀπό τόν Σορέλ στόν Λένιν. Εἴδαμε πώς ὁ Γάλλος Σορέλ ἐνέπνευσε τόν Ἰταλό ἡγέτη τοῦ φασισμοῦ, ἀλλά ὅταν ξέσπασε ἡ μπολσεβικική ἐπανάσταση τήν ὑποστήριξε μέ ἐνθουσιασμό.

Ἡ σχέση ἀναρχισμοῦ καί φασισμοῦ εἶναι λογική ἐφ' ὅσον στήν βάση καί τῶν δύο αὐτῶν ἰδεολογικῶν ρευμάτων βρίσκουμε τά ἴδια μικροαστικά καί φιλοαγροτικά στοιχεῖα. Ἀντιθέτως, περίεργη μᾶς φαίνεται ἡ σχέση ἀναρχισμοῦ καί κομμουνισμοῦ. Ὅταν ὁ κομμουνισμός παραμένει καθαρά μαρξιστικός στά πλαίσια τῆς δυτικῆς ἀναγεννησιακῆς κοινωνίας, τό πάντρεμα δέν ἐπιτυγχάνεται. Διότι εἶναι παρά φύση. Θά δοῦμε ὅμως πώς τέτοια σύγκληση παρατηρεῖται καί παίρνει μεγάλες διαστάσεις στίς χῶρες τοῦ Τρίτου Κόσμου, ὅπου ἡ δυτικοποίηση εἶναι ἀκόμη ἕνα ἐπίχρισμα καί δέν ἔχει διεισδύσει βαθειά στήν κοινωνική δομή τους. Ἔτσι ἐξηγῆται τό φαινόμενο τοῦ Λένιν, τοῦ Στάλιν καί ἀκόμη περισσότερο τοῦ Μάο καί τοῦ Κάστρο.

Ἀπό τόν ἀτομικιστικό ἀναρχισμό τοῦ Προυντόν, περνᾶμε στόν κολλεκτιβιστικό ἀναρχισμό τοῦ Μπακούνιν, τέλος στήν κυνικό τρομοκράτη Νετσάγιεφ (Serguei Guennadievich Nechaev, 1847-1882) καί στήν ἔκρηξη τοῦ μηδενισμοῦ (nihilismus). Μέ τήν ἄρνηση κάθε ἀξίας καί τήν μανία τῆς κατατροφῆς, ὁ μηδενισμός σημαδεύει, στό δεύτερο ἥμισυ τοῦ 19ου αἰῶνος, τό πέρασμα ἀπό τήν ρομαντική σκέψη στήν ἐποχή τῆς ἀπελπισίας τοῦ 20ου αἰῶνος. Γι' αὐτό καί οἱ μεγάλοι πολιτικοί ἡγέτες τῶν ὁλοκαυτωμάτων, ἀπό τόν Χίτλερ καί τόν Στάλιν ὡς τόν Μάο καί τόν Πόλ Πότ, εἶναι παιδιά τοῦ ἀναρχισμοῦ: ρομαντικοί μετουσιωμένοι σέ Νετσάγιεφ. Ἐγράφη πώς ὁ Χίτλερ ὑπῆρξε τό παράδειγμα τοῦ τρομοκράτη πού ὅταν βρέθηκε στήν κορυφή τῆς ἐξουσίας, συνέχισε νά δρᾶ σάν ἀναρχικός, καταστρέφοντας σέ δώδεκα μόνον χρόνια τό ἐντυπωσιακό του οἰκοδόμημα.

Ὁ μηδενιστικός ἀναρχισμός ὡς ἔκφραση τῆς ἐποχῆς τῆς ἀπελπισίας, ξεπερνάει λοιπόν τόν ρομαντισμό καί τήν πολιτική του ἔκφραση, τόν φασισμό. Ἀναγγέλλει, ὅπως εἴδαμε μέ τόν Νίτσε, τήν βασιλεία τοῦ Ἀντίχριστου. Ἄλλωστε τό γράφει καθαρά ὁ Νίτσε, ἤδη τό 1887-1888: "Αὐτό πού διηγοῦμαι εἶναι ἡ ἱστορία τῶν δύο προσεχῶν αἰώνων. Περιγράφω αὐτό πού θά ἔρθει, αὐτό πού ὑποχρεωτικά θά ἔρθει: τήν ἔλευση τοῦ μηδενισμοῦ". (Friedrich Nietzsche, μεγάλη γερμανική ἔκδοση Ἀπάντων σέ 19 τόμους τοῦ Kröner, Stuttgart, 1905. Τόμοι IX-XVI: *Nachgelassene Werke*, τόμος XV, σ. 137). Ὁ Νίτσε ὑπῆρξε ὁ προφήτης καί ὁ θεωρητικός τῆς πιό ἀκραίας μορφῆς τοῦ ἀναρχισμοῦ: τοῦ μηδενισμοῦ.

Ὁ Μπακούνιν εἶχε δηλώσει: "τό πάθος τῆς καταστροφῆς εἶναι πάθος δημιουργικό". Ὁ μαθητής του ὁ Νετσάγιεφ τόν ξεπέρασε. Ἦταν δημοδιδάσκαλος στήν Πετρούπολη καί ἐπαναστάτης. Κατέφυγε στήν Γενεύη ὅπου γνωρίστηκε μέ τόν Μπακούνιν. Ὑπό τήν ἐπιρροή τοῦ τελευταίου, ἔγραψε τό 1868 τήν μπροσούρα *Ἐπαναστατικό Κατηχητικό*, πού περιεῖχε συνταγές δράσεως γιά τρομοκρατικές ὁμάδες πού θά δολοφονοῦσαν ἡγέτες τοῦ κατεστημένου. Ὁ ἐπαναστάτης πρέπει νά αὐξάνει τήν δυστυχία τοῦ λαοῦ γιά νά αὐξήσει καί τίς πιθανότητες ἐξεγέρσεώς του. "Ἐπανάσταση σημαίνει πόλεμος –γράφει– καί αὐτό ὑπονοεῖ τήν καταστροφή ἀνθρώπων καί πραγμάτων... Μέχρι στιγμῆς ὁποιοδήποτε βῆμα πρός τά μπρός στήν Ἱστορία, ἐπετεύχθη μόνον ἀφοῦ βαπτίσθηκε μέσα στό αἷμα".

Ἡ ἐπιρροή τοῦ Μπακούνιν πάνω στόν Νετσάγιεφ, εἶχε ὡς ἀποτέλεσμα τήν ἔκδοση δύο ἄλλων φυλλαδίων. Τό πρῶτο, *Πῶς παρουσιάζεται τό ἐπαναστατικό πρόβλημα*, ἐπισημαίνει πώς οἱ ληστές πάντοτε ἐξυμνοῦντο στήν Ρωσία διότι ἀνιπροσώπευαν μιά ἡρωϊκή μορφή τῆς ρωσικῆς ἐθνικῆς ζωῆς. Σάν τήν κλεφτουριά, θά λέγαμε στήν Ἑλλάδα. Συνεπῶς πρέπει νά προωθεῖται γιά ἐπαναστατικούς σκοπούς τό ἀγροτικό ἀντάρτικο διαμαρτυρίας τῶν ληστῶν. Τό δεύτερο φυλλάδιο, *Ἀρχές τῆς Ἐπαναστάσεως*, δήλωνε ἀπερίφραστα, μέ μακιαβελλικό τρόπο: "Δέν ἀναγνωρίζουμε ἄλλον τρόπο δράσεως ἀπό τίς ἐπιχειρήσεις ἐξολοθρεύσεως, ἀλλά δεχόμαστε πώς οἱ μορφές μέ τίς ὁποῖες ἡ δράση αὐτή θά ἐμφανισθεῖ, θά εἶναι πολλές: δηλητήριο, μαχαίρι, σχοινί κ.λπ. Σ' αὐτόν τόν ἀγῶνα ἡ ἐπανάσταση ἁγιάζει τά πάντα".

Ἐνῶ ἔγραφα αὐτήν τήν ἀνάλυση τοῦ ἀναρχισμοῦ, ἡ Ἑλλάδα ἐδονεῖτο ἀπό τό ἀναρχικό κίνημα τῶν καταλήψεων δημοσίων κτιρίων καί οἱ Ἕλληνες διανοούμενοι, πού οὔτε στόν ἀστράγαλο τοῦ Νίτσε δέν ἔφθασαν ποτέ, φλυαροῦσαν στόν τύπο κατά τοῦ ἀναρχισμοῦ. Ἔτσι ὁ Γιῶργος Κουμάντος στήν *Ἐλευθεροτυπία* τῆς 2 Φεβρουαρίου 1990, στό ἄρθρο του "Δημαγωγία καί συντεχνιακός ἀναρχισμός", ἀφοῦ διέκρινε τούς καλούς ἀναρχικούς (λέει γιά τίς καταλήψεις: "Στή σύγχρονη Ἱστορία, ἄρχισαν μέ τήν κατάληψη τῆς Νομικῆς Σχολῆς ἀπό φοιτητές τό 1972, στόν ἀγῶνα κατά τῆς χούντας, δηλαδή σ' ἕναν ἀγῶνα γιά τήν ἀπελευθέρωση τῆς Ἑλλάδας" πού ἐπέτρεψαν τό 1975 στόν Κουμάντο νά γίνει τακτικός καθηγητής σ' ἐκείνη τήν Σχολή) ἀπό τούς κακούς πού διαταράσσουν τό μεταχουντικό κατεστημένο στό ὁποῖο εἶναι ἐντεταγμένος, δήλωνε τά ἑξῆς σοφά: "Ὁ ἀναρχισμός ἔχει μέ τήν πολιτική πράξη τήν ἴδια σχέση πού ἔχει ὁ αὐνανισμός μέ τήν ἐρωτική πράξη... Ἡ ἀνωριμότητα παρέχει βέβαια κάποια ἐξήγηση... Πιθανόν ὁ αὐνανισμός σέ ὁρισμένη ἡλικία, νά μήν εἶναι ἐπικίνδυνος... Ἀπείρως μεγαλύτεροι εἶναι οἱ κίνδυνοι ἀπό τόν ἀναρχισμό". Κατόπιν αὐτοῦ διερωτᾶται κανείς, ποιός ἀπό τούς δύο αὐνανίζεται: ὁ ἀναρχικός φοιτητής ἤ ὁ χρήστης τῆς ἐρωτικῆς πράξεως κύριος καθηγητής. Πολύ ὀρθῶς λοιπόν, ἔγραψε ὁ Ἴων Δραγούμης: "Ἄν σᾶς φταῖν οἱ δάσκαλοι πού... σᾶς μαλακίζουν, πνίχτε τους" (*Ὅσοι ζωντανοί*, Ἀθήνα, Β΄ ἔκδοση, 1926, σ. 167).

Ὁ Μπακούνιν μέ τό *Μανιφέστο πρός τούς Ρώσους φοιτητές* πού ἐξέδωσε τό 1869, ὑπῆρξε ὁ ἐμπνευστής τοῦ μεγάλου κινήματος ἐξόδου πρός τόν λαό τῆς ὑπαίθρου. Ζήτησε ἀπό τήν ρωσική νεολαία νά παρατήσει τά πανεπιστήμια καί νά πάει στά χωριά καί νά ξεσηκώσει τούς ἀγρότες κατά τοῦ καθεστῶτος. Συνάμα δέ νά ὀργανώσουν οἱ νέοι διανοούμενοι μυστικές τρομοκρατικές ὀργανώσεις ἐκτελεστῶν μέ ἀτσάλινη πειθαρχία. Μέ ἄλλα λόγια, ὁ Μπακούνιν ὑπῆρξε βασικός ἐμπνευστής τοῦ ναροντνικισμοῦ (ναρόντ=λαός), δηλαδή τοῦ ρωσικοῦ λαϊκισμοῦ.

Ἡ λέξη λαϊκισμός ὀρθῶς χρησιμοποιεῖται καί ὡς συνώνυμη τῆς λέξεως φασισμός (διότι ἡ ἰδεολογία αὐτή συσπειρώνει ὄχι τήν ἐργατική τάξη ἀλλά τό ναρόντ, τό volk, ὡς ὑπερτάτη ἀξία καί προσηλώνεται εἰδικά στόν ἀγροτικό πληθυσμό. Ὅπως καί στόν Χίτλερ, τά πάντα εἶναι völkisch). Αὐτή ἡ λέξη "λαϊκισμός" εἰσεχώρησε στό πολιτικό λεξιλόγιο χάρη στόν Μπακούνιν.

Ὅπως σέ κάθε χώρα τοῦ Τρίτου Κόσμου, δηλαδή τῆς μή Δύσεως πού ὑπέστη τήν βαθμιαία δυτικοποίηση μέσω τῆς εἰσαγωγῆς τῶν πολιτισμικῶν ἀξιῶν τῆς δυτικῆς Ἀναγεννήσεως, ἔτσι καί στήν Ρωσία –ὅπως καί στήν Ἑλλάδα– τρία βασικά ρεύματα ἐμφανίσθηκαν: ἡ δυτική παράταξη, οἱ νεωτεριστές τῆς ἀνατολικῆς παρατάξεως καί οἱ παραδοσιακοί τῆς ἀνατολικῆς παρατάξεως. (Βλ. στό βιβλίο μου *Συγκριτική Ἱστορία Ἑλλάδος καί Τουρκίας στόν 20ο αἰῶνα*, τόν πίνακα στήν σελίδα 17). Στήν Ρωσία τοῦ 19ου αἰῶνος ἔχουμε τούς δυτικιστές φιλελεύθερους, τούς λαϊκιστές, τέλος τούς σλαβόφιλους. Οἱ πρῶτοι ὡς ἀπόλυτοι δυτικιστές ἐμφανίσθηκαν μέ τόν Μέγα Πέτρο στήν ἀρχή τοῦ 18ου αἰῶνος. Ἔκτοτε καί μέχρι σήμερα, οἱ πετρικοί θεωροῦν τόν μεταρρυθμιστή Ρῶσο μονάρχη ὡς τό σύμβολο τῶν Ρώσων αὐτῶν πού στόν 18ο αἰῶνα θέλησαν νά φορέσουν περοῦκες στήν αὐλή τῆς Πετρουπόλεως καί πού σήμερα ἐπιζητοῦν ρόκ μουσική καί κόκα κόλα. Οἱ πετρικοί, στήν πολιτική τοῦ 19ου αἰῶνος, ἦσαν οἱ ἐξεγερθένες ἀξιωματικοί τῶν Δεκεμβριστῶν τοῦ 1825, ὅπου κυριαρχοῦσε ὁ μασονισμός, πού ὅπως ἤδη ἐπισημάναμε, ἐξέφρασε στόν 18ο αἰῶνα τόν δυτικό φιλεύθερο ρατσιοναλισμό. Γιά ἕναν Ρῶσο ὀρθόδοξο χριστιανό τό νά προσχωρήσει στόν μασονισμό ἐσήμαινε, στόν πολιτικό τομέα, ὑποστήριξη τοῦ ἀστικοῦ δυτικοῦ συνταγματικοῦ συστήματος διακυβερνήσεως καί καταδίκη τοῦ τσαρισμοῦ.

Ὁ γαλλικός διαφωτισμός μέσω τῆς γαλλικῆς γλώσσας, πού οἱ Ρῶσοι εὐγενεῖς μαθαίναν ἀπό τήν παιδική τους ἡλικία καί συχνά ἐγνώριζαν καλύτερα κι ἀπό τήν μητρική τους γλῶσσα, εἶχε ἐπηρεάσει πολλούς ἀριστοκράτες ἀξιωματικούς τοῦ ρωσικοῦ στρατοῦ. Μιά χούφτα ἀπ' αὐτούς θέλησε ν' ἀλλάξει τό πολιτικό καθεστώς. Συνωμοτοῦσαν μέσα σέ μυστικές ἑταιρίες καί σέ μασονικές στοές. Ἐπωφελήθηκαν ἀπό τόν αἰφνίδιο θάνατο στά 48 του χρόνια τοῦ τσάρου Ἀλέξανδρου Α΄ (1777-1825). Ὁ τσάρος αὐτός ὑπῆρξε θῦμα τῆς δυτικοποιήσεως. Μεγαλωμένος ἀπό τήν γιαγιά του, τήν Αἰκατερίνη Β΄, τήν Μεγάλη, μέσα στό πετρικό πνεῦμα τῶν Γάλλων φιλοσόφων τοῦ 18ου αἰῶνος, ἔπαθε τό 1812 μυστικιστική κρίση. Σ' αὐτό τόν εἶχε βοηθήσει καί ὁ ρουσωιστής Ἑλβετός δάσκαλος τῶν ἐφηβικῶν του χρόνων, πού τόν εἶχε κάνει ὀπαδό τοῦ Ρουσώ. Ἀλλά ἡ προσχώρησή του στόν ρομαντικό πνεῦμα καί τόν εὐρωπαϊκό μυστικισμό, ἀκόμη καί στόν μασονισμό ἦταν ἁπλῶς μιά γέφυρα πού τόν ὁδήγησε παραπέρα καί τόν ἔφερε πίσω στήν ὀρθοδοξία, τό 1822. Μετά τόν θάνατό του, ὁ ρωσικός λαός κυκλοφόρησε τήν φήμη πώς δέν εἶχε πεθάνει, ἀλλά πώς εἶχε ἀποσυρθεῖ στά δάση τῆς Ρωσίας καί εἶχε γίνει ὀρθόδοξος ἐρημίτης.

Τό 1825 λοιπόν, μέ τήν ἐξαφάνιση τοῦ ὀρθόδοξου βασιλέα, οἱ μασόνοι ἀξιωματικοί ἐπιχείρησαν στίς 14 Δεκεμβρίου 1825 ἕνα πραξικόπημα κατά τοῦ νέου τσάρου Νικολάου Α΄, τό ὁποῖον ὅμως ἀπέτυχε. Οἱ πραξικοπηματίες αὐτοί ὀνομάσθηκαν Δεκεμβριστές.

Ὁ μασονισμός ὅμως, ἄν καί φιλελεύθερος, δέν ἦταν ἄθεος. Στήν Ρωσία ἐξεδηλώθη μέ μιά δόση μυστικισμοῦ, δυτικῆς πάντα προελεύσεως. Γι' αὐτό καί οἱ Ρῶσοι μασόνοι δέν ἦσαν βολταιριανοί σάν τήν Αἰκατερίνη τήν Μεγάλη, ἡ ὁποία καί εἶχε κλείσει τίς μασονικές στοές τό 1783.

Ὁ Νικόλαος Μπερντιάεβ (1874-1948), Ρῶσος ὀρθόδοξος φιλόσοφος, ἔδωσε τόν ἑξῆς ὁρισμό τοῦ δυτικισμοῦ: "Ὁ δυτικισμός εἶναι περισσότερο ἀνατολικό προϊόν παρά δυτικό. Γιά τούς Εὐρωπαίους, ἡ Δύση εἶναι μιά πραγματικότης πολύ συχνά μισητή καί ἀπεχθής. Γιά τούς Ρώσους εἶναι ἕνα ἰδανικό, ἕνα ὄνειρο. Οἱ δυτικιστές ἦσαν ἐξ ἴσου Ρῶσοι ὅπως καί οἱ σλαβόφιλοι" (Nicolas Berdiaev, *L' idée russe: problèmes essentiels de la pensée russe au XIXe et au début du XXe siècle*, Tours, Mame, 1970, σ. 62). Γι' αὐτό καί ὁ ὀπαδός τῆς δυτικῆς σκέψεως καί τοῦ δυτικοῦ τρόπου ζωῆς πού συναντᾶμε στίς χῶρες πού ὑπέστησαν τήν δυτική ἐπιδρομή (δηλαδή σέ χῶρες τοῦ Τρίτου Κόσμου, ὅπως στήν Ἑλλάδα ἤ τήν Ρωσία), ὁ ὁποῖος γνώρισε τήν Δύση ἀπό μακριά ἤ κατόπιν μερικῶν ἐτῶν διαμονῆς ἐκεῖ ὡς ξένος (καί ὄχι ὅλην του τήν ζωή σάν τόν ὑποφαινόμενο), μπορεῖ κάλλιστα σέ μιά στιγμή νά βγεῖ ἀπό τό ὄνειρο καί νά ἐπανέλθει στίς ἀξίες τῆς χώρας του. Αὐτό συνέβει στόν 19ο αἰῶνα μέ πολλούς Ρώσους δυτικιστές. Π.χ. μέ τόν δημοσιογράφο Βησσαρίωνα Μπελίνσκι (1810-1848): "Ρῶσος ὡς τό κόκκαλο, μή μπορώντας νά ζήσει παρά μόνον στήν Ρωσία, ἦταν ἕνας μανιώδης δυτικιστής πού πίστευε στήν Δύση. Ἀλλά τό ταξίδι του στήν Εὐρώπη τόν ἀπογοήτευσε" (σ. 65).

Ὁ πιό γνωστός Ρῶσος δυτικιστής μέτα τήν ἀποτυχία τῶν Δεκεμβριστῶν, ὑπῆρξε ὁ συγγραφέας καί δημοσιογράφος Ἀλέξανδρος Χέρτσεν (1812-1870), ὁ ὁποῖος ἔζησε στό Παρίσι καί τό Λονδῖνο μετά τό 1847. Ἔβγαζε στήν ἀγγλική πρωτεύουσα τό σοσιαλιστικό περιοδικό *Κόλοκολ* (ἤ Καμπάνα) πού ἔμπαινε λαθραῖα στήν Ρωσία. Κι αὐτός ὅταν ἐγκαταστάθηκε στήν Δυτική Εὐρώπη ἀπογοητεύθηκε ἔντονα ἀπο τήν Δύση.

Νόθο παιδί μεγαλοαριστοκράτη καί πολύ πλούσιος ὑπῆρξε καί αὐτός, ὅπως καί οἱ ἄλλοι Ρῶσοι δυτικιστές τῆς γενιᾶς τῶν μεταδεκεμβριστῶν, πνευματικό τέκνο τοῦ Χέγγελ καί ὀπαδός τῆς διαλεκτικῆς του. Αὐτά τά παιδιά τοῦ Χέγγελ ὑπῆρξαν βασικά τρία: ὁ Μπελίνσκι (ἤ Μπιελίνσκι), ὁ Χέρτσεν καί ὁ Μπακούνιν. Ὁ Χέρτσεν, ὅπως καί ὁ Μπελίνσκι, ἦταν ἄθεος. Καταφέρετο μέ δριμύτητα κατά τῆς θρησκείας. Φυσικό ἦταν ὁ δυτικιστής Χέρτσεν νά γνωρίσει καί τίς δύο ὄψεις τοῦ δυτικοῦ ἀναγεννησιακοῦ πνεύματος, δηλαδή ὄχι μόνον τόν καπιταλιστικό φιλελευθερισμό, ἀλλά καί τόν σοσιαλισμό. Ἔτσι πέρασε στίς σοσιαλιστικές ἰδέες. Ἀλλά δέν εἶναι εὔκολο γιά ἕναν σοσιαλιστή τοῦ Τρίτου Κόσμου νά παραμείνει δυτικιστής. Ἄλλωστε, ὅπως θά δοῦμε καί στήν συνέχεια, αὐτό εἶναι καί τό ὅλο πρόβλημα τῆς διολίσθησης τοῦ δυτικοῦ μαρξισμοῦ πρός τίς τριτοκοσμικές μορφές τοῦ σοσιαλισμοῦ. Γιά τό θέμα αὐτό ἕνας Γάλλος ἱστορικός παρατηρεῖ: "Κάνει ἐντύπωση ὁ ἀφηρημένος χαρακτήρας τοῦ χερτσενικοῦ σοσιαλισμοῦ. Στήν ἐποχή πού ὁ Σαίν-Σιμόν μιλάει γιά σιδηρόδρομους, ὁ Χέρτσεν ἐνδιαφέρεται μόνον γιά τήν ἠθική πρόοδο τῆς ἀνθρωπότητος καί μάλιστα μέ ἕνα λεξιλόγιο ἐντελῶς χεγγελιανό". (Alain Besancon, *Etre Russe au XIXe siècle*, Paris, A. Colin, 1974, σ. 62.)

Ἀκριβῶς αὐτή ἡ διολίσθηση θά μετατρέψει τόν δυτικιστή Χέρσεν σέ λαϊκιστή: "Δανείζεται τίς προβιομηχανικές μορφές τῆς σκέψεως τοῦ Προυντόν καί τοῦ Louis Blanc, δηλαδή συγκρατεῖ ὄχι τήν κριτική τοῦ τρόπου παραγωγῆς, ἀλλά τήν ἀποσύνθεση τῶν ἀνθρωπίνων ἀξιῶν πού βαδίζει πλάι στόν καπιταλισμό. Ὅπως καί γιά ὅλους τούς Ρώσους ἐκείνης τῆς ἐποχῆς, ἡ μπουρζουαζία παραμένει μιά ἠθική κατηγορία καί ὄχι οἰκονομική, μιά αἰσθητική κατηγορία ἐπίσης, ἐφ' ὅσον ὁ σοσιαλισμός του θρέφεται ἀπό μιά περιφρόνηση μεγαλοαριστοκράτη γιά τήν μπαλζακική [τοῦ Honoré de Balzac, 1799-1850: 90 μυθιστορήματα πού περιγράφουν μιά κοινωνία πού κατατρώγεται ἀπό τό πάθος τοῦ χρήματος] ἀσχήμια τῆς ἀστικῆς ζωῆς" (σσ. 62-63). Ἔτσι θά φθάσει στό σημεῖο νά συνταυτίσει φιλελευθερισμό μέ Δύση καί σοσιαλισμό μέ Ρωσία. Μετά τίς ἀποτυχίες τοῦ σοσιαλισμοῦ στήν Εὐρώπη τό 1848, ὁ Χέρτσεν καί ὁ Μπακούνιν παύουν νά ὑποστηρίζουν τόν δυτικισμό καί ἱδρύουν τό ρεῦμα τοῦ λαϊκισμοῦ.

Παρά ταῦτα, οἱ δυτικιστές συνέχισαν τήν πορεία τους. Ἐξελίχθηκαν πρός δύο κατευθύνσεις. Ἀπό τήν μιά ἔχουμε τούς φιλελεύθερους, ὀπαδοί τοῦ καπιταλισμοῦ καί τοῦ κοινοβουλευτισμοῦ. Στίς 13 Ἰανουαρίου 1864, ὁ τσάρος εἶχε ἐγκαταστήσει σέ κάθε διαμέρισμα καί σέ κάθε ἐπαρχία τῆς χώρας, μιά τοπική συνέλευση καί ἕνα τοπικό ἐκτελεστικό γραφεῖο. Αὐτές οἱ τοπικές ἀντιπροσωπεῖες ὀνομάζοντο *ζέμστβο*, ἐκλέγοντο καί συγκροτοῦσαν τήν τοπική αὐτοδιοίκηση. Οἱ τρεῖς τάξεις πού ἦσαν παροῦσες στά *ζέμστβο*, ἦσαν οἱ γαιοκτήμονες, οἱ κάτοικοι τῶν πόλεων, καί οἱ ἀγροτικές κοινότητες. Γιατροί, δικηγόροι, καθηγητές, πού ἔπαιξαν σημαντικό ρόλο σ' αὐτά τά *ζέμστβο*, ὀργάνωσαν τό 1905 τό δυτικιστικό φιλελεύθερο "Συνταγματικό Δημοκρατικό Κόμμα" ἤ *Καντέ* (*K.D.*, ἀρχικά τοῦ Κονστιτουτιονέλ

Ντεμοκράτ). Ζητοῦσαν σύνταγμα, κοινοβουλευτισμό, κατάργηση τῆς ἀγροτικῆς κοινότητας *μίρ* καί ἀνάπτυξη τῆς μικρῆς ἀγροτικῆς ἰδιοκτησίας. Μετά τήν ἐπανάσταση τοῦ 1905 καί τήν ἵδρυση τῆς πρώτης ρωσικῆς Βουλῆς, τῆς Δούμας πού συνῆλθε στίς 10 Μαΐου 1906, οἱ *Καντέ* συγκρότησαν βουλευτική πλειοψηφία. Ὁ ἀρχηγός τους ἦταν ὁ γνωστός ἱστορικός Πάβελ Μιλιούκοβ (1859-1943). Στήν ἀστική ἐπανάσταση τοῦ Φεβρουαρίου 1917, εἶχε ἀναλάβει ὑπουργός Ἐξωτερικῶν. Μετά τήν μπολσεβίκικη ἐπανάσταση τό κόμμα διελύθη καί ὁ Μιλιούκοβ κατέφυγε στήν Δυτική Εὐρώπη.

Ἡ ἄλλη πλευρά τῶν δυτικιστῶν ἦταν οἱ μαρξιστές, δηλαδή οἱ Ρῶσοι κομμουνιστές πού τότε ὀνομάζοντο σοσιαλδημοκράτες. Τό κόμμα τους εἶχε ἱδρυθεῖ ὑπό τήν ὀνομασία "σοσιαλδημοκρατικό ἐργατικό κόμμα τῆς Ρωσίας" (ΣΔΕΚΡ), τό 1898 στό Μίνσκ, καί τό 1903, στίς Βρυξέλλες καί τό Λονδῖνο, διαιρέθηκε σέ Μενσεβίκους καί Μπολσεβίκους (Λένιν). Θεωρητικά τουλάχιστον, ἡ μπολσεβίκικη ἐπανάσταση ἔφερε στήν ἐξουσία τούς δυτικιστές.

Τό δεύτερο ρεῦμα, ἐκεῖνο τῆς τριτοκοσμικῆς ρωσικῆς κοινωνίας ἦταν, ὅπως εἴπαμε, τό ρεῦμα τῶν νεωτεριστῶν τῆς ἀνατολικῆς παρατάξεως, πού ἐπωνομάζοντο λαϊκιστές (ναρόντνικοι), ρεῦμα πού ἀντικειμενικά ἀνήκει στήν τρίτη ἰδεολογία, δηλαδή στόν φασισμό.

Ἡ καθολική ἄγνοια τῆς φύσεως τῶν ἰδεολογιῶν στήν σημερινή Ἑλλάδα, διέδωσε τήν ἄποψη πώς λαϊκισμός καί δημαγωγία ἦταν λέξεις συνώνυμες. Ἔτσι ὁ Θεόδωρος Πάγκαλος, πρώην ὑπουργός τοῦ ΠΑΣΟΚ, πού ὡς ἐγγονός τοῦ στρατηγοῦ Θεοδώρου Παγκάλου, τοῦ δικτάτορα τοῦ 1926, θά ἔπρεπε νά γνωρίζει καλύτερα τό θέμα, δήλωνε σέ συνέντευξη στήν ἐφημερίδα *Καθημερινή* τῆς 10ης Δεκεμβρίου 1989: "Λαϊκισμός εἶναι νά σύρεσαι ἀπό τόν λαό σέ κατευθύνσεις πολιτικές πού ὁ ἴδιος γνωρίζεις ὅτι δέν εἶναι σωστές ἤ εἶναι ἔξω ἀπό τά πράγματα. Εἶναι νά κάνεις κάθε φορά αὐτό πού νομίζεις ὅτι θέλει ὁ λαός". Ὅπως θά δοῦμε στήν συνέχεια, ἀκόμη καί ὁ λαϊκισμός τοῦ ΠΑΣΟΚ δέν εἶναι ἁπλῶς δημαγωγία, εἶναι φασισμός.

Ἕνα τυπικό παράδειγμα τριτοκοσμικοποιήσεως τῆς Ρωσίας, εἶναι πώς ἡ δική της ἀγροτική κοινότητα, ἡ *ὀμπστσινα (obshchina)* ἤ *μίρ*, ἀνακαλύφθηκε ἀπό τούς Ρώσους διανοούμενους στά μέσα τοῦ 19ου αἰῶνος, διαβάζοντας τόν Γερμανό περιηγητή (τό 1847) Haxthausen! Δηλαδή ἡ προσήλωση τῆς ἰντελλιγκέντσια στά φῶτα τῆς Δύσεως, δέν τούς ἐπέτρεψε νά δοῦν τί ὑπῆρχε στήν χώρα τους. Χάρη λοιπόν στόν Γερμανό αὐτό, μάθανε πώς στήν ρωσική ὕπαιθρο ὑπῆρχε μιά ἀγροτική κοινωνική ὀργάνωση πού εἶχε ἐντυπωσιάσει τούς ξένους. Ἰδιοκτησία τῆς γῆς, ἀτομική, εἴχανε μόνον οἱ εὐγενεῖς καί οἱ μεγαλέμποροι. Ὁ καλλιεργητής δέν ἦταν ἰδιοκτήτης τῆς γῆς του. Ἡ ἀγροτική γῆ ἀνῆκε στίς ἀγροτικές κοινότητες πού τήν διένεμαν στίς οἰκογένειες, μέλη τῆς κοινότητας, ἀναλόγως τῶν ἀναγκῶν τους καί τῆς δουλειᾶς πού μποροῦσαν νά προσφέρουν. Αὐτή ἡ ἐπικαρπία δέν ἦταν ἐπ' ἀόριστον καί ἀναδιανομές ἐγίνοντο περιοδικά.

Ἀπό κεῖ καί πέρα οἱ Ρῶσοι διανοούμενοι ἄρχισαν τίς θεωρίες. Οἱ περισσότεροι τήν παρουσίασαν σάν μιά ἐκπληκτική πραγματοποίηση τοῦ κομμουνιστικοῦ συστήματος. Πρῶτον, τό μίρ καθιερώνει καί διατηρεῖ, λέγανε, τήν οἰκονομική ἰσότητα μεταξύ τῶν οἰκογενειῶν. Δεύτερον, θά ἐπιτρέψει στήν Ρωσία νά κάνει τό πήδημα ἀπό τόν φεουδαλισμό ἀπ' εὐθείας στόν σοσιαλισμό χωρίς νά χρειασθεῖ νά περάσει ἀπό τόν καπιταλισμό μέ ὅλες τίς ἐπαναστάσεις πού προκαλεῖ. Τρίτον, πρόκειται γιά ἕναν θεσμό κατ' ἐξοχήν λαϊκό. Αὐτοί πού εἶχαν τό μίρ ὡς κεντρικό σημεῖο ἀναφορᾶς τοῦ προγράμματός τους, ἦταν οἱ λαϊκιστές.

Ὑπῆρχαν ὅμως καί οἱ ἐχθροί τοῦ μίρ. Κατ' ἀρχήν, ὅπως εἴδαμε, οἱ φιλελεύθεροι πού ἤθελαν νά τό ἀντικαταστήσουν μέ τήν μικρομεσαία ἀγροτική ἰδιοκτησία ἡ ὁποία θά δημιουργοῦσε μιά τάξη πλουσίων ἀγροτῶν, τούς κουλάκους, πού θά στήριζαν τό καπιταλιστικό σύστημα. Ἀλλά ὄχι μόνον αὐτοί. Ἐχθροί τοῦ μίρ ἦταν καί οἱ σοσιαλδημοκράτες, δηλαδή οἱ κομμουνιστές. Εἰδικά οἱ μπολσεβίκοι θεωροῦσαν πώς ἡ ἀγροτική κοινότητα δέν ἐπέτρεπε τήν πρόοδο τῶν καλλιεργειῶν, ἦταν ἕνα πλαίσιο συνεργασίας τῶν τάξεων μεταξύ φτωχῶν καί σχετικά πλουσίων ἀγροτῶν, ἀντί νά ὑπάρχει πάλη τῶν τάξεων. Πολιτικά ἦταν συντηρητική πού δέν προωθοῦσε τήν ἐπαναστατική πάλη. Γι' αὐτό καί τό καθεστώς τοῦ Λένιν καί τοῦ Στάλιν ἀγνόησε τό μίρ. Τό ἀντικατέστησε μέ ἕνα ἄλλου εἴδους ἀγροτική κοινότητα, τήν *κομμούνα*, πού τελικά ὁ Στάλιν κατήργησε τό 1930.

Ὅλος ὁ πολιτικός ρομαντισμός στήν Ρωσία ἐξελίχθηκε γύρω ἀπό τήν ἐνθουσιώδη ὑποστήριξη τοῦ θεσμοῦ τοῦ μίρ. Οἱ λαϊκιστές θέλησαν νά ἔχουν τήν γνώμη τοῦ Μάρξ. Ἔτσι, ἡ τρομοκράτισσα λαϊκίστρια Βέρα Ζάσσουλιτς (1849-1919), ἔθεσε τό ἐρώτημα: "Μήπως ἡ ρωσική παράδοση ἀγροτικῆς κοινοτικῆς ἰδιοκτησίας [τό μίρ] ἐπιτρέπει τό πέρασμα ἀπ' εὐθείας στόν σοσιαλισμό, χωρίς τό ἐνδιάμεσο στάδιο τοῦ καπιταλισμοῦ;" Καί ὁ Μάρξ ἀπήντησε, σέ ἀντίθεση μέ τούς δογματικούς ὀπαδούς του: "Ναί, αὐτό γίνεται". (Ἐπιστολή τοῦ Μάρξ πρός τήν Βέρα Ζάσσουλιτς τῆς 8ης Μαρτίου 1881, δημοσιευμένη στίς *Oeuvres de Karl Marx*, Paris, Gallimard, collection "La Pléiade", τόμος Β΄, σ. 1558).

Ἄς συνοψίσουμε τίς θέσεις τοῦ Μπακούνιν μετά τό 1848, ὅταν ἀπό δυτικιστής μετετράπη σέ λαϊκιστή: 1) Εἶναι ὑπέρ μιᾶς ὁμοσπονδίας τῶν σλαβικῶν ἐθνῶν μέ σοσιαλιστική βάση. 2) Πιστεύει στήν διαφορά πολιτισμοῦ μεταξύ Ρωσίας καί Εὐρώπης καί ὑποστηρίζει τήν ἀνωτερότητα τῶν Σλάβων. 3) Εἶναι ὑπέρ τῆς ἀγροτικῆς κοινότητας μίρ. 4) Πιστεύει στόν ἐπαναστατικό αὐθορμητισμό διότι τελικά οἱ ἐπαναστάσεις δέν γίνονται οὔτε ἀπό ἄτομα οὔτε ἀπό μυστικές ὀργανώσεις. Ἐκρήγνυνται αἰφνίδια σάν λαϊκή θύελλα. 5) Ἀντίθετα ἀπό τόν Μάρξ, ὁ Μπακούνιν δέν ἀπευθύνεται στό ἐργατικό προλεταριᾶτο τῶν ἀνεπτυγμένων γερμανο-αγγλοσαξωνικῶν χωρῶν, ἀλλά στίς ἀγροτικές μᾶζες τῶν τριτοκοσμικῶν χωρῶν, σάν τήν Ρωσία, ἤ τῶν ὀλιγώτερον ἀνεπτυγμένων χωρῶν τῶν Λατίνων τῆς Μεσογείου. Πιστεύει πώς ἡ ὑπανάπτυκτη ἀγροτιά δέν ἔχει ἀκόμη μολυνθεῖ ἀπό τόν βρωμερό ἀστικό πολιτισμό. Οἱ Στένκα Ραζίν καί Πουγκατσώβ, πού στόν 17ο καί 18ο αἰῶνα ξεσήκωσαν τίς ἀγροτικές μᾶζες κατά τῶν εὐγενῶν, εἶναι οἱ ἥρωές του. 6) Δίνει ἡγετικό ρόλο στήν ἰντελλιγκέντσια καί τούς φοιτητές, ἐφ' ὅσον αὐτοί εἶναι περιθωριακοί σέ σχέση μέ τό κατεστημένο. Διότι ἡ ρωσική ἰντελλιγκέντσια δέν εἶχε καμμία σχέση μέ τούς βολεμένους διανοούμενους τοῦ σημερινοῦ ἑλληνικοῦ κράτους, πού προπαγανδίζουν τήν ἐθνική του πολιτική. "Ἡ ἄρνηση, ἡ ἄρνηση ὄχι μόνον τῆς ρωσικῆς πολιτικῆς ἀλλά ὁλόκληρης τῆς ρωσικῆς πραγματικότητος, εἶχε γίνει τό κριτήριο εἰσόδου στούς κόλπους τῆς ἰντελλιγκέντσιας καί τό κύριο ἑνωτικό του στοιχεῖο" (Alain

Besançon, *ἔνθ' ἀνωτ.*, σ. 139). Αὐτή ἡ μειοψηφία τῶν περιθωριακῶν διανοούμενων καί φοιτητῶν, εἶναι γιά τόν Μπακούνιν ἡ ἐπαναστατική ἐλίτ πού θά κατευθύνει τίς ἐξεγέρσεις τῶν ἀγροτῶν.

Τό μπόλιασμα τοῦ λενινισμοῦ ἀπό τόν λαϊκισμό ἔγινε διά μέσου τῆς προσωπικότητος τοῦ Τσερνυσέβσκι. Ὁ Nikolai Chernyshevski (1828-1889), γιός ὀρθοδόξου παπᾶ καί μέ ὀρθόδοξη ἀνατροφή, ἐμφανίσθηκε στήν δεκαετία τοῦ 1860 ὡς ἰδεολόγος τῶν μηδενιστῶν. Τό 1861 προέτρεψε τού ἀγρότες νά ἐξεγερθοῦν καί κατόνιν αὐτοῦ ἐξορίστηκε στήν Σιβηρία. Τό 1863 ὁ δεσμώτης Τσερνυσέβσκι ἔγραψε τό μυθιστόρημα "Τί πρέπει νά κάνουμε" *(Chto delats)*, πού ἔγινε τό βιβλίο ἀναφορᾶς τῆς ρωσικῆς ἰντελλιγκέντσιας. Ἐκεῖ μέσα περιγράφετο ὁ τύπος τοῦ ἐπαγγελματία ἐπαναστάτη ἀσκητῆ, ἔτσι ὅπως ἀργότερα θά παρουσιαστεῖ ὁ Λένιν. Ἄλλωστε ὁ ἴδιος ὁ Λένιν δήλωσε γιά τό βιβλίο αὐτό: "Μέ ἐπηρέασε βαθειά. Εἶναι ἕνα ἔργο πού σοῦ δίνει δύναμη γιά ὁλόκληρη τήν ζωή".

Τά πέντε χαρακτηριστικά τοῦ λαϊκισμοῦ τοῦ Τσερνυσέβσκι ἦταν: 1) Ὑπέρ τῆς ἐγκαταστάσεως δικτατορίας πού θά ἐξασφάλιζε τήν κοινωνική ἰσότητα. Πολέμιος τοῦ τσάρου. 2) Γιά τό πέρασμα ἀπ' εὐθείας στόν σοσιαλισμό χωρίς τήν μεταβατική περίοδο τοῦ καπιταλισμοῦ. 3) Μετά ἀπό μιά φάση ὑποστηρίξεως τῶν διανοουμένων, μετετράπη σέ ἀντιδιανοούμενος. 4) Ὑπέρ τῆς ἀγροτικῆς κοινότητας τοῦ μίρ. 5) Ὑπέρ ἑνός ἄκρατου παρεμβατικοῦ κράτους καί συνεπῶς πολέμιος τῆς ἐλεύθερης οἰκονομίας.

Ὁ Τσερνυσέβσκι ἀργότερα ἐξελίχθηκε πρός κάποια μορφή δυτικισμοῦ: "Ἔπρεπε –ἔλεγε– νά ἀναζωογονηθεῖ τό μίρ, νά μετασχηματισθεῖ μέσω τοῦ σοσιαλισμοῦ τῆς Δύσεως καί ὄχι νά παρουσιάζεται σάν τό μοντέλο καί τό σύμβολο κάποιας ρωσικῆς ἀποστολῆς". (Franco Venturi, *Les intellectuels, le peuple et la révolution: Histoire du populisme russe au XIXe siècle, Paris*, Gallimard, 1972, τόμος Α΄, σ. 342). Παρά ταῦτα παρέμεινε στά μάτια τῶν θαυμαστῶν του ὡς εἶδος ἁγίου καί διάβαζαν τά γραπτά του γονατιστοί σάν ἁγία γραφή, δηλαδή τό ἴδιο φαινόμενο πού εἶχε παρατηρηθεῖ μέ τόν Ρουσώ. Ὁ λαϊκιστής τρομοκράτης Ishutin, γεννημένος τό 1840, γιός ἐμπόρου καί μητέρας εὐγενοῦς, ὀρφανός ἀπό τά δύο του χρόνια, πού εἶχε βάλει τάμα νά ἐλευθερώσει τόν Τσερνυσέβσκι ἀπό τά κάτεργα τῆς Σιβηρίας καί πού ἦταν ἔντονα ἀντιδιανοούμενος, ἐπανελάμβανε: "Τρεῖς μεγάλοι ἄνδρες ὑπῆρξαν στόν κόσμο: Ὁ Ἰησοῦς Χριστός, ὁ ἀπόστολος Παῦλος καί ὁ Τσερνυσέβσκι" (σ. 587).

Τό 1898 οἱ λαϊκιστές ἵδρυσαν ἕνα ἀγροτικό κόμμα πού ὑποστήριζε τήν τρομοκρατική δράση ὡς μέσο προωθήσεως τῶν πολιτικῶν του στόχων, τό ὁποῖο ὀνόμασαν "Σοσιαλιστικό Ἐπαναστατικό Κόμμα" (Sotsialisticheskaia Revolioutsionnaia Partiia) ἤ S.R. Συσπείρωνε φοιτητές, ἀγρότες καί ἐργάτες καί μέ σειρά δολοφονιῶν ὑπουργῶν καί διοικητῶν ἐπαρχιῶν ἀποσταθεροποιοῦσε τό τσαρικό καθεστώς. Ἡ ρωσική ἐπανάσταση τοῦ 1917 βρῆκε ἀντιμέτωπους τούς μπολσεβίκους καί τούς S.R. (ἐσέρους). Στίς 30 Αὐγούστου 1918 προσπάθησαν νά δολοφονήσουν τόν Λένιν καί τόν τραυμάτισαν βαρειά μέ δύο δηλητηριασμένες σφαῖρες. Τήν ἴδια μέρα δολοφόνησαν στήν Πετρούπολη δύο ἄλλους μπολσεβίκους. Στίς 2 Σεπτεμβρίου 1918 ἡ Σοβιετική Ρωσία ἀνακηρύχθηκε ἑνιαῖο πολεμικό στρατόπεδο καί ἀνακήρυξε κατά τῶν ἐσέρων καί τῶν ὑπολοίπων ἀντιφρονούντων τήν ἐπισήμως ἀποκαλούμενη κόκκινη τρομοκρατία. Οἱ S.R. διαλύθηκαν.

Τό τρίτο ρεῦμα τῆς τριτοκοσμικῆς ρωσικῆς κοινωνίας ἦταν οἱ καθαυτό σλαβόφιλοι καί πιό συγκεκριμένα οἱ πανσλαβιστές. Αὐτοί οἱ παραδοσιακοί τῆς ἀνατολικῆς παρατάξεως δέν ἐδέχοντο κανέναν νεωτερισμό, θεωροῦσαν τήν κοινωνία τῶν Σλάβων καλύτερη καί πάντως ἀνώτερη τῆς δυτικῆς καί στήριζαν τούς δύο στύλους τοῦ ρωσικοῦ καθεστῶτος: τήν Ὀρθοδοξία καί τόν τσάρο. Οἱ περισσότεροι τῶν σλαβοφίλων ὑποστήριζαν τήν ἐπεκτατική πολιτική τοῦ τσάρου στήν διεθνῆ πολιτική, πού στήν δεκαετία τοῦ 1880 εἶχε ἐνστερνισθεῖ τόν σλαβικό σωβινισμό καί τόν χρησιμοποιοῦσε ὑπό μορφή πανσλαβισμοῦ. Εἴδαμε πώς καί οἱ ναρόντνικοι ἦταν σλαβόφιλοι, ἀλλά αὐτό πού τούς ἔκανε νά διαφέρουν ἀπό τούς καθαυτό σλαβόφιλους καί τούς πανσλαβιστές, ἦταν ἡ ἀντίθεσή τους στό τσαρικό καθεστώς, ἡ ἀντίθεσή τους καί στόν τσάρο καί στήν ὀρθοδοξία.

Οἱ σλαβόφιλοι ἦταν σφόδρα ἀντιπετρικοί. Τόν ἐξευρωπαϊσμό τῆς Ρωσίας πού εἶχε ἐπιχειρήσει ὁ Πέτρος τόν θεωροῦσαν προδοτικό. Ἔδιναν προτεραιότητα στήν θρησκεία, τήν παραδοσιακή ὀρθοδοξία καί ὁ τσάρος ὑπεστηρίζετο ἐπειδή ἐξέφραζε πολιτικά τήν ὀρθοδοξία. Ἀλλά ὅπως ὁ πανγερμανισμός, ὅπως καί ὁ πανισλαμισμός, ὁ πανσλαβισμός ἦταν δυτικό προϊόν πού ἐπήγαζε ἀπό τήν σκέψη τοῦ Χέγγελ. Ἡ θρησκεία ἐχρησιμοποιεῖτο γιά νά τονίσει τήν ἰδιαιτερότητα ἑνός λαοῦ ἤ μιᾶς ὁμάδας λαῶν. Ὁ σλαβόφιλος Γεώργιος Σαμάριν (1819-1876) εἶχε φθάσει στό σημεῖο νά δηλώνει πώς τό μέλλον τῆς Ὀρθόδοξης Ἐκκλησίας ἐξηρτᾶτο ἀπό τό μέλλον τῆς φιλοσοφίας τοῦ Χέγγελ! Ὁ Μπερντιάεβ ἀποκάλεσε τούς σλαβόφιλους "θρησκευτικούς λαϊκιστές".

Οἱ σλαβόφιλοι εἶχαν ὡς πρότυπο κοινωνίας τήν Ρωσία, τήν Μοσκοβία τήν προπετρική, ὅπως σήμερα οἱ ἑλληνικοί παραδοσιακοί ὀρθόδοξοι κύκλοι ἔχουν γιά πρότυπο τό Βυζάντιο, τήν Ρωμανία. Γιά τόν πατέρα τῆς σλαβοφιλίας, τό φιλόσοφο καί ποιητῆ Ἀλέξη Χομιάκοβ (1804-1860), ἡ Ὀρθοδοξία ἦταν τό καταφύγιο τῆς ἐλευθερίας. Οἱ σλαβόφιλοι κατεδίκαζαν τήν ἀναγεννησιακή διχοτομική σκέψη τῆς "Εὐρώπης" (δηλαδή τῆς Δύσεως) τόν ρατσιοναλισμό της πού ἐβασίζετο στήν σχολαστική τῆς καθολικῆς ἐκκλησίας, διότι σχολαστικισμός ἦταν ἡ ὑποταγή τῆς θρησκείας στήν φιλοσοφία σέ ἀντίθεση μέ τά διδάγματα τῶν πατέρων τῆς Ἐκκλησίας. "Αὐτός ὁ ἀγώνας κατά τοῦ δυτικοῦ ρατσιοναλισμοῦ ὑπῆρχε ἤδη στούς Γερμανούς ρομαντικούς. Ὁ Friedrich Schlegel (1772-1829, θεμελιωτής τοῦ γερμανικοῦ ρομαντισμοῦ], ἔλεγε γιά τήν Γαλλία καί γιά τήν Ἀγγλία, τίς ὁποῖες ἡ Γερμανία θεωροῦσε ὡς Δύση, ὅ,τι λέγανε οἱ σλαβόφιλοι γιά τήν Δύση, συμπεριλαμβανομένης καί τῆς Γερμανίας" (N. Berdiaev, *ἔνθ' ἀνωτ.*, σ. 49).

Ὁ σλαβόφιλος Ἰβάν Κιρεέβσκι (1803-1856) ἔγραφε πώς ὁ δυτικός ρατσιοναλισμός ὑπῆρξε ἡ δεύτερη πτώση τοῦ ἀνθρώπου μετά τήν πτώση ἀπό τόν Παράδεισο. Ὅσο γιά τήν κοινωνική καί πολιτική ὀργάνωση, οἱ σλαβόφιλοι ὑποστήριζαν τό παραδοσιακό τσαρικό σωματειακό σύστημα, τό ἀντίστοιχο τῶν ἑλληνικῶν συσσωματώσεων τῆς Ὀθωμανικῆς Αὐτοκρατορίας, δηλαδή τήν ἀποκέντρωση καί τήν τοπική αὐτοδιοίκηση βασισμένες στίς δύο κοινοτικές ὀργανώσεις τῆς obshchina (mir) καί τῆς zemshchina. Ἡ *ζέμστσινα* (ἀπό τή λέξη *ζεμλιά* πού σημαίνει γῆ) ἦταν ἡ ὀργάνωση τῆς τοπικῆς συναθροίσεως πού ἐξασφάλιζε τήν ἐλευθερία τοῦ ἡγεμόνος λαοῦ ὑπό τήν συγκεντρωτική ἐξουσία τοῦ τσάρου, ἐξουσία πού ὅμως ἦταν ἀμαυρωμένη ἀπο τό προπατορικό ἁμάρτημα. Διότι ἀντίθετα μέ τήν δυτική λατρεία τῆς ἔννοιας τοῦ κράτους, ἡ ὀρθόδοξη παράδοση προβάλλει τήν ἐλεύθερη αὐτοδιοίκηση τοῦ λαοῦ. Δυστυχῶς ὁ Πέτρος ὁ μέγας ἀπομάκρυνε τόν τσάρο ἀπό τόν λαό, τήν ἐλίτ ἀπό τήν μᾶζα. Ἔτσι ὁ Πέτρος εἶχε ὑπουδουλώσει τήν ὀρθόδοξη ἐκκλησία.

Ὁ ὀρθόδοξος τσάρος εἶναι ἀπόλυτος αὐτοκράτωρ, ἀλλά δέν εἶναι τίποτα ὡς ἄτομο. Εἶναι ἡ θέληση τοῦ λαοῦ, ἡ *σομπόρνοστ* (ἡ γενική θέληση τοῦ χριστιανικοῦ λαοῦ ὅπως τῆς *οὔμμα* τοῦ λαοῦ τοῦ Ἰσλάμ) πού κατευθύνεται ἀπό τό Ἅγιον Πνεῦμα. Αὐτό σημαίνει πώς ὁ τσάρος πρέπει νά συναθροίζει ἕνα *ζέμσκι σομπόρ* ("συνέδριο τῆς γῆς"), δηλαδή μιά συνέλευση ὁλοκλήρου τοῦ λαοῦ πού νά συμπεριλαμβάνει ὅλες τίς τάξεις. Αὐτό τό συμβουλευτικό συνέδριο μεταφέρει στόν τσάρο τήν γνώμη τῆς κοινωνίας καί αὐτός, φωτισμένος μέ τό Ἅγιον Πνεῦμα θά πάρει τήν σωστή ἀπόφαση, μέ τόν ἴδιο τρόπο πού οἱ πατέρες τῆς Ἐκκλησίας ἔπαιρναν τίς ἀποφάσεις στίς οἰικουμενικές συνόδους. Ἡ Ὀρθοδοξία δίνει στήν γενική θέληση τοῦ Ρουσώ τήν σωστή της διάσταση.

Στό τρίπτυχο τῶν σλαβοφίλων: ὀρθοδοξία-μοναρχία-λαός, ὁ μοναρχισμός τῆς Ἐνδιάμεσης Περιοχῆς εἶχε ἐντελῶς διαφορετικό νόημα ἀπό τόν μοναρχικό ἀπολυταρχισμό τῆς Δύσεως τοῦ τύπου τοῦ Λουδοβίκου ΙΔ΄. Τήν πρώτη θέση καί τό κεντρικό σημεῖο τά ἐκάλυπτε ἡ ὀρθοδοξία. Μέ ἄλλα λόγια ἡ πολιτική ἐξουσία, ὑπό τήν δυτική της μορφή, κατεδικάζετο ἀπό τούς σλαβόφιλους καί ἀπό τήν ἄποψη αὐτή θά μποροῦσαν νά θεωρηθοῦν ὡς ἀναρχικοί. Τήν ἔννοια τῆς ἐξουσίας τήν ἐδέχονταν μόνον ὑπό τήν ὀρθόδοξή της μορφή. Ὁ Χομιάκοβ ἔγραφε: "Δέν ἀναγνωρίζουμε κανέναν ἡγέτη τῆς Ἐκκλησίας· οὔτε πνευματικό οὔτε ἐγκόσμιο. Ὁ Χριστός εἶναι ὁ ἀρχηγός της καί δέν γνωρίζει ἄλλον ἀπ' Αὐτόν [Χριστοκρατία]. Ἡ Ἐκκλησία δέν εἶναι ἐξουσία καί οὔτε ὁ Θεός [πατέρας], οὔτε ὁ

Χριστός δέν εἶναι, διότι ἡ ἐξουσία εἶναι μιά ἔννοια ἔξω ἀπό ἐμᾶς. (σσ. 171-172).

Μετά τήν μπολσεβικική ἐπανάσταση, ἡ ἀνατολική παράταξη τῶν λαϊκιστῶν καί σλαβοφίλων πέρασε στήν ἀφάνεια. Ὁ σταλινισμός εἶχε δώσει μιά ἀπόχρωση ἀνατολική στόν κομμουνισμό καί αὐτό ἱκανοποιοῦσε τήν "ρωσική ψυχή". Ἀλλά μέ τόν θάνατό του τό 1953 καί τήν ἀποσταλινοποίηση ἀπό τό 1956, ἡ ἀνατολική ρωσική παράταξη ξεφύτρωσε πάλι καί ἡ διαμάχη μεταξύ τῶν δυτικιστῶν καί ἀνατολιστῶν φούντωσε στό σημεῖο πού ἔφερε σέ βαθειά κρίση τό ὅλο οἰκοδόμημα τῆς Σοβιετικῆς Ἑνώσεως. Οἱ δυτικιστές εἶχαν σύμβολο τόν φυσικό νομπελίστα ἐπιστήμονα Ἀντρέϊ Σαχάροβ καί εὑρίσκοντο σέ μειονεκτική θέση σέ σχέση μέ τούς ἀνατολιστές, πού εἶχαν σύμβολο τόν μεγάλο συγγραφέα Ἀλέξανδρο Σολζενίτσιν. Ἀλλά ἡ ἄνοδος στήν ἐξουσία τοῦ Μιχαήλ Γκορμπατσώβ, ἀκραίου δυτικιστοῦ, ἄλλαξε τόν συσχετισμό δυνάμεων πρός χάριν τῶν θαυμαστῶν τῆς Δύσεως. Συνάμα ὅμως, κατεδαφίζοντας τό γραφειοκρατικό κατεστημένο πού δέν ἦταν οὔτε δυτικιστικό οὔτε ἀνατολικιστικό, ἀλλά εἶχε ὡς μοναδικό σκοπό τήν διαιώνησή του στήν ἐξουσία, ὁ Γκορμπατσώβ ἄνοιξε τούς ἀσκούς τοῦ Αἰόλου καί ἑτοίμασε γιά τό μέλλον τήν μεγάλη διαμάχη μεταξύ τῶν δύο αὐτῶν πολιτισμικῶν ρευμάτων.

Ὁ ὁρισμός πού ἔδωσε ὁ Μπερντιάεβ τοῦ ρωσικοῦ δυτικισμοῦ ὡς "ἀνατολικό προϊόν" ἰσχύει πλήρως καί σήμερα. Ὅπως καί στόν 19ο αἰῶνα πού ἡ ἀφόρητη τσαρική γραφειοκρατία εἶχε σπρώξει πολλούς Ρώσους νά δοκιμάσουν τόν δυτικό "παράδεισο"καί γρήγορα ἀπογοητεύθηκαν, ἔτσι καί τώρα οἱ ἀτελείωτες οὐρές μπροστά στό μοσχοβίτικο φαστφουντάδικο τοῦ Μακντόναλντς θά ἔχουν ὡς ἀποτέλεσμα νά ἀνακαλύψουν ὅτι πίσω ἀπό τό περίφημο σάντουιτς "Μπίγκ Μάκ" ὑπάρχει ἕνα ἀβυσσαλέο πνευματικό κενό. Ἀκόμη καί ὁ πνευματικός πατέρας τοῦ Γκορμπατσώφ, ὁ Ἀντρέϊ Σαχάροβ, λίγο πρίν πεθάνει τό 1989, στά 67 του χρόνια, εἶχε δηλώσει στόν Καναδᾶ: "Ἡ ἐπιστήμη καί ἡ βιομηχανία ἔφεραν τήν ἀνθρωπότητα στό χεῖλος τῆς καταστροφῆς". (*Le Devoir*, Μοντρεάλ, 17 Φεβρουαρίου 1989).

Ὁ ἄλλος νομπελίστας, ὁ ἀνατολιστής Σολζενίτσιν, ἐξόριστος στήν Δύση ἀπό τό 1974 φθάνοντας στίς Ἡνωμένες Πολιτεῖες τό

1975, γιά νά ζητήσει βοήθεια ἀπό τούς Ἀμερικανούς κατά τοῦ ὑλισμοῦ πού μάστιζε τήν χώρα του, ἀνεκάλυψε (διότι κι αὐτός ἔβλεπε τήν Δύση ἀπό μακριά σέ ὄνειρο) πώς ἐκεῖ ἦταν ἀκόμη χειρότερα: "Ἔβλεπε μέ αὐξανόμενο θυμό τήν παρακμή τῆς δυτικῆς κοινωνίας, ὅπως ἔλεγε. Μισεῖ τά αὐτοκίνητα καί τίς πόλεις... Ἀλλά τό χειρότερο, ἀνεκάλυψε πώς οἱ προειδοποιήσεις του συχνά ἔφθαναν στοῦ κουφοῦ τ' αὐτί [στίς ΗΠΑ]". (*Newsweek*, 28 Ἰουλίου 1975, σ. 41). Ὁ ἀντιδιανοουμενισμός του ἐξεφράζετο μέ ἔντονο τρόπο, ὅταν δήλωνε πώς οἱ λεγόμενοι διανοούμενοι καταλάβαιναν λιγώτερο ἀπό τόν ἁπλό ἄνθρωπο τίς μεγάλες πνευματικές ἀλήθειες. Ἄλλωστε, σάν νά ἤθελε νά μᾶς ἀποδείξει πώς εἶχε δίκαιο, ἡ διανοουμενίστικη ἐφημερίδα τῆς Ἀθήνας, *Ἡ Αὐγή*, τῆς "σκεπτόμενης Ἀριστερᾶς", ἔγραφε στίς 5 Ἰουνίου 1975: "Κατεβαίνοντας ἀκόμα ἕνα σκαλί στοῦ κακοῦ τή σκάλα ὁ Ἀλέξανδρος Σολτζενίτσιν, πού ὡστόσο εἶχε κάποτε κερδίσει τή συμπάθεια τῶν προοδευτικῶν ἀνθρώπων [θαυμᾶστε τήν μεστότητα τῆς λέξεως "προοδευτικός"] μέ τό σπαρακτικό ντοκουμέντο του ἀπό τά σταλινικά στρατόπεδα συγκέντρωσης, "Μιά μέρα τοῦ Ἰβάν Ντενίσοβιτς", γίνεται πιά ἀπροσχημάτιστος ὑπερασπιστής τοῦ ἰμπεριαλισμοῦ... Ἔτσι λύνεται πιά όριστικά τό θέμα Σολτζενίτσιν, πού κράτησε γιά ἕνα διάστημα σ' ἀμφιβολία τούς προοδευτικούς ἀνθρώπους. Ὁ ἄνθρωπος καθάρισε τό στρατόπεδο πού ἀνήκει: τό στρατόπεδο τοῦ ἰμπεριαλισμοῦ καί τοῦ φασισμοῦ". Ἀντίθετα, ἕνας λιγώτερο "προοδευτικός", ἀλλά Ρῶσος ἱστορικός, εἶχε δηλώσει στήν Μόσχα: "Ἐμεῖς οἱ Ρῶσοι ἔχουμε συνηθίσει νά ἔχουμε ἁγίους πού εἶναι λίγο τρελλοί. Ὁ Σολζενίτσιν μπορεῖ νά λέει μερικά πράγματα πού φαίνονται ἀνορθολογικά στήν Δύση, ἀλλά αὐτό δέν μειώνει καθόλου τό ἀνάστημά του γιά μᾶς". (*Newsweek*, 28 Ἰουλίου 1975, σ. 41).

Τόν Ἰούνιο 1978, ὁ Σολζενίτσιν μίλησε στό Πανεπιστήμιο τοῦ Χάρβαρντ τῶν ΗΠΑ. Εἶπε ὅτι ἡ Δύση καταρρέει ἐπειδή ἡ Ἀναγέννηση καί ὁ Διαφωτισμός τῆς ἐδίδαξαν πώς σκοπός τῆς ζωῆς πρέπει νά εἶναι ἡ ἀναζήτηση τῆς εὐτυχίας. Ἀλλά "ἀκόμη καί ἡ βιολογία γνωρίζει ὅτι συνεχής ὑπέρμετρη ἀσφάλεια καί εὐπορία δέν ὠφελοῦν ἕναν ζωντανό ὀργανισμό... Ἐάν ὁ οὐμανισμός εἶχε δίκαιο δηλώνοντας ὅτι ὁ ἄνθρωπος γεννήθηκε γιά νά εἶναι εὐτυχισμένος, τότε δέν θά εἶχε γεννηθεῖ γιά νά πεθαίνει... δέν εἶναι δυνατόν νά περιορίζεται ὁ ἀπολογισμός τοῦ ἔργου τοῦ Προέδρου [τῶν ΗΠΑ] στό ζήτημα τοῦ ὕψους τῶν ἀποδοχῶν τῶν πολιτῶν ἤ στήν ἐξασφάλιση ἀπεριόριστης παροχῆς βενζίνης" (*The Citizen*, Ὀττάβα 13 καί 14 Ἰουνίου 1978, σ. 7). Καί ὁ Σολζενίτσιν ἐξηγοῦσε στούς Δυτικούς μαζί μέ ἄλλους σοβιετικούς συγγραφεῖς πού εἶχαν διωχθεῖ στήν χώρα τους, τήν βασική ἀλήθεια τῆς Ὀρθοδοξίας, ἀκατανόητη γιά τούς Δυτικούς, πώς μέσα στήν φυλακή ὁ ἄνθρωπος μπορεῖ νά φθάσει στήν ὑπέρτατη (ἐσωτερική) ἐλευθερία. (Βλ. Olivier Clément, *L' esprit de Soljenitsyne*, Paris, Stock, 1974).

Τό 1978 κυκλοφόρησε στίς ΗΠΑ ἕνα πολύ σημαντικό βιβλίο γραμμένο ἀπό ἕναν Σοβιετικό πρόσφυγα, πού παρουσίαζε τήν δράση στά χρόνια ἐκεῖνα τῶν ἀνατολιστῶν στήν Σοβιετική Ἕνωση. Γιά τόν Σολζενίτσιν ἔλεγε: "Γιά τόν λαό στήν Ρωσία, ὁ Σολζενίτσιν ἦταν –καί γιά πολλούς παραμένει– ἡ συνείδηση τοῦ ἔθνους. Νομίζω πώς σχεδόν κάθε ἄνθρωπος στήν Ρωσία ἔχει κάπου βαθειά μέσα στήν ψυχή του, τόν δικό του Σολζενίτσιν, ἀκριβῶς ὅπως στόν 19ο αἰῶνα κάθε Ρῶσος εἶχε τόν δικό του Χέρτσεν, ὅσα φοβερά λάθη καί νά ἔκανε αὐτός ὁ ἄνθρωπος στήν ἐποχή του". (Alexander Yanov, *The Russian Right: Right-Wing Ideologies in the Contemporary USSR*, Berkeley, Institute of International Studies, University of California, 1978, σ. 85).

Ἡ ἄποψη τοῦ Γιάνοβ ὅπως παρουσιάζεται σ' αὐτό τό βιβλίο ἤδη τό 1978, δηλαδή 11 χρόνια πρίν ἀπό τίς ἀλλαγές τοῦ Γκορμπατσώβ, εἶναι πώς τό μέλλον στήν Ρωσία ἀνήκει στήν "δεξιά" καί ἐννοεῖ μέ δεξιά τούς λαϊκιστές καί σλαβόφιλους, πού μποροῦμε νά ὀνομάσουμε ρωσικό φασισμό. Ἐάν ἐπαληθευθεῖ ἡ πρόβλεψη τοῦ Γιάνοβ, τότε κάποτε οἱ δυτικιστές τοῦ Γκομπατσώβ θά ἀνατραποῦν ὄχι ἀπό τούς γραφειοκράτες τοῦ καθεστῶτος πού κατήργησε, ἀλλά ἀπό τούς ἀνατολιστές τύπου Σολζενίτσιν. Εἶναι χαρακτηριστικό πώς ἐνῶ ὁ Γκορμπατσώβ ἀπελευθέρωσε καί στηρίχθηκε πάνω στόν δυτικιστή μακαρίτη Σαχάροβ, ἀπέφυγε νά κάνει μνεία τοῦ Σολζενίτσιν καί τήν ἐποχή πού ἀπελευθέρωνε τόν δυτικιστή δέν κάλεσε τόν ἀνατολιστή νά ἐπιστρέψει στήν πατρίδα του.

Ὁ Γιάνοβ προσθέτει: "ἡ τραγική πλευρά τοῦ φαινομένου Σολζενίτσιν εἶναι πώς μπῆκε στίς γραμμές τῆς Δεξιᾶς. Αὐτή καθ' ἑαυτή ἡ παρατήρηση εἶναι ἔνδειξη τῆς τεράστιας δύναμης πού ἡ δεξιά παράδοση κατέχει στήν ρωσική κουλτούρα" (σ. 85). Καί ὁ Σολζενίτσιν –ὅπως καί ὅλοι οἱ λαϊκιστές καί σλαβόφιλοι τοῦ παρελθόντος– εἶναι βασικά ἀναρχικός: ἡ πολιτική καί ἡ ἐξουσία εἶναι ἠθικά καταδικάσιμες. "Ὁ Γκόγκολ, ὁ Ντοστογιέβσκυ, ὁ Τολστόϊ, ὁ Σολζενίτσιν –παρά τίς διαφορές στά πιστεύω τους–ξεκίνησαν ἀπό μιά καί μόνη προϋπόθεση. Ὅλοι τους χρησιμοποίησαν ἀπόλυτα ἠθικά κριτήρια γιά νά κρίνουν τήν πολιτική πραγματικότητα... Φθάσανε στό συμπέρασμα πώς βασικά δέν ὑπῆρχε διαφορά μεταξύ αὐταρχισμοῦ καί δημοκρατίας... Ὑποστήριξαν πώς ἡ πολιτική εἶναι ἀμοραλισμός καί ἐξ ὁρισμοῦ ἀπάτη πού ἐπιβάλλεται ἀπό μιά κάστα πολιτικάντηδων. Γιά τόν λόγο αὐτό, ὁ εἰδικός "ρωσικός" δρόμος σωτηρίας τῆς ἀνθρωπότητος πού οἰκοδόμησαν, πάντοτε συνίστατο ὄχι στόν ἔλεγχο τῆς κοινωνίας ἐπί τῆς πολιτικῆς, ἀλλά στήν ἀποξένωση τῆς κοινωνίας ἀπό τήν πολιτική" (σσ. 86-87).

Ἀντιλαμβανόμαστε λοιπόν πώς τό τρίτο ρεῦμα τῆς τριτοκοσμικῆς ρωσικῆς κοινωνίας (σλαβοφίλων) καί τό δεύτερο ρεῦμα (τῶν λαϊκιστῶν), ἔχουν κοινό παρανομαστή τήν ἀναρχία. Ὅπως παρατηρεῖ ἕνας Ἀμερικανός μελετητής: "Αὐτό πού διέκρινε τούς σλαβόφιλους ἦταν ἡ ἔλλειψη ἐμπιστοσύνης καί ἡ περιφρόνηση ὅλων τῶν νόμων τῆς ἔννομης τάξης. Πίστευαν στήν παράδοση, στίς ρωσικές συνήθειες καί πώς ἦταν ἀρκετός ὁ ἠθικός δεσμός τῆς Ὀρθοδοξίας γιά νά ἐξασφαλισθεῖ ἡ ἐλευθερία τοῦ ἀτόμου στίς σχέσεις του μέ τόν τσάρο." (Leonard Shapiro, "Some afterthoughts on Solzhenitsyn", *The Russian Review*, Ὀκτώβριος 1974, σ. 420). Παρά ταῦτα ὁ Ἀμερικανός αὐτός συγγραφέας ἀδυνατοῦσε νά καταλάβει τόν Ρῶσο Σολζενίτσιν.

Τό φαινόμενο τοῦ ἀντισημιτισμοῦ πού εἶναι συχνά παρόν στήν ἰδεολογία τοῦ φασισμοῦ, εἶχε πάρει διαστάσεις στήν Ρωσία στό δεύτερο ἥμισυ τοῦ 19ου αἰῶνος. Ὅπως στά τέλη τοῦ 15ου αἰῶνος οἱ ἑβραῖοι τῆς Ἱσπανίας εἶχαν βρεῖ καταφύγιο στήν ἀνεξίθρησκη Ὀθωμανική Αὐτοκρατορία, φέρνοντας μαζί τους τήν ἱσπανοεβραϊκή διάλεκτο, τήν λεγόμενη λαντινό (ladino), ἔτσι καί οἱ ἑβραῖοι τῆς Γερμανίας εἶχαν φύγει, ἤδη ἀπό τόν Μεσαίωνα, ἀπό τήν Δύση καί εἶχαν βρεῖ καταφύγιο σέ μιά ἄλλη χώρα τῆς Ἐνδιάμεσης

Περιοχῆς, τήν Ρωσία, φέρνοντας μαζί τους μιά γερμανοεβραϊκή διάλεκτο, τήν λεγόμενη γίντις (yiddish).

Μέ τήν ἀπελευθέρωση τῶν ἑβραίων στήν Δύση, τόν 19ο αἰῶνα καί τόν θρίαμβο τοῦ καπιταλιστικοῦ φιλελευθερισμοῦ, οἱ ἑβραῖοι τῆς Ἐνδιάμεσης Περιοχῆς ἄρχισαν νά ἐπιστρέφουν στήν Δύση. Ἐφ' ὅσον ἦσαν ἰδίως ἀστοί, ἦταν φυσικό νά προτιμοῦν τά ἀστικά καθεστῶτα τῆς δυτικῆς Εὐρώπης τοῦ 19ου αἰῶνος, παρά τόν φεουδαλισμό πού συνέχιζε νά ἐπιβιώνει στήν Ὀθωμανική Αὐτοκρατορία καί τήν Ρωσία. Τότε ὅμως οἱ ἑβραῖοι σέ ὅλη τήν Εὐρώπη –δυτική καί ἀνατολική– ὑπῆρξαν θύματα τῆς διαμάχης πού φούντωσε τόν 19ο αἰῶνα μεταξύ τοῦ φιλελεύθερου καπιταλισμοῦ καί τοῦ σοσιαλισμοῦ ἀπό τήν μιά, καί τῶν νοσταλγῶν τῆς παραδοσιακῆς κοινωνίας βασισμένης στήν γῆ, ἀπό τήν ἄλλη. Οἱ ἑβραῖοι, λόγω τῆς κοινωνικῆς τους θέσεως, ἦταν φυσικό νά εὑρίσκοντο στό στρατόπεδο τῶν καπιταλιστῶν καί τῶν σοσιαλιστῶν. Οἱ παραδοσιακοί τῆς γῆς, κτυπώντας τούς ἀντιπάλους τους τῆς καπιταλιστικῆς βιομηχανίας, φυσικό ἦταν νά κτυπήσουν συνάμα καί τούς ἑβραίους.

Τό 1881, ὁ τσάρος τῆς Ρωσίας Ἀλέξανδρος Β΄ δολοφονήθηκε ἀπό ἐπαναστάτες πού ἔτυχε νά εἶναι ἑβραῖοι. Ὁ γιός του Ἀλέξανδρος Γ΄ κατεφέρθη τότε κατά τῶν φιλελευθέρων ἰδεῶν, χαρακτηρίζοντάς τις ὡς ἑβραϊκές ἰδέες. Λαϊκές ἐξεγέρσεις –τά λεγόμενα πογκρόμ– ὀργανώθηκαν κατά τῶν Ρώσων ἑβραίων ἀπό τό τσαρικό καθεστώς, τό 1881-1882.

Ἀπό ἐκείνη τήν στιγμή διαμορφώθηκε ὁ μῦθος πώς οἱ ἑβραῖοι εἶχαν κλείσει συμφωνία μέ τόν Σατανᾶ γιά νά καταστρέψουν τήν ἱερά Ρωσία τῆς Ὀρθοδοξίας. Αὐτοί εὐθύνονταν γιά τίς ἐπαναστάσεις τοῦ 1905 καί 1917. Ἀκόμη καί ἐπί Στάλιν ὁ μῦθος αὐτός ξαναζωντάνεψε ὑπό τήν μορφή ἑβραϊκῆς συνωμοσίας κατά τοῦ κομμουνιστικοῦ καθεστῶτος τῆς Σοβιετικῆς Ἑνώσεως. Χαρακτηριστική εἶναι ἡ παρακάτω ἀνταπόκριση ἀπό τήν Μόσχα, πού δημοσιεύθηκε στήν ἀθηναϊκή ἐφημερίδα *Νέα*, τῆς 24ης Ὀκτωβρίου 1989: "Ἔχει ἀναστατώσει ἐδῶ καί μερικούς μῆνες τό Λένινγκραντ καί ταράζει συνειδήσεις. Τό ὄνομα της, Νίνα Ἀλεξάντροβα Ἀντρέγιεβα. Τό πιστεύω της: ὁ Στάλιν δέν ἦταν τελικά τόσο κακός... Ἡ Ἀντρέγιεβα ἔγινε διάσημη. Ἀπό ἀφανής καθηγήτρια τῆς χημείας ἔγινε πρόσωπο δημόσιο, πολυσυζητημένο. Στό διαμέρισμά της ἔχει ντοσιέ μέ 7.000 ἐπιστολές πού ἔχει λάβει μέχρι στιγμῆς: μερικές ὑβριστικές, ἄλλες ἐπαινετικές. Ὑπερισχύουν οἱ δεύτερες... Γεννήθηκα στίς 12 Ὀκτωβρίου 1938, λέει ἡ Ἀντρέγιεβα περιγράφοντας τήν σκληρή ζωή της... Ἀνοίγεις τήν τηλεόραση σήμερα καί τί βλέπεις; λέει ἡ Ἀντρέγιεβα. Ὅλο ἑβραίους! Τούς ἀποκαλοῦν Ρώσους, ὅπως ὅλον τόν κόσμο, ἀλλά αὐτός ὁ χαρακτηρισμός δέν πιάνει παρά μόνο στούς ἀφελεῖς. Αὐτή δέν τήν ξεγελᾶ κανείς. Τόν ἑβραῖο τόν ξεχωρίζει ἀπο ἕνα μίλι μακριά. Καί τόν Τύπο, λέει, τόν ἐλέγχουν σήμερα οἱ ἑβραῖοι. Πάντως, λέει σέ κάποια στιγμή, ὑπάρχουν καί καλοί ἑβραῖοι, ἔξυπνοι, σωστοί, πού δέν συμφωνοῦν μέ ὅλες αὐτές τίς ἀλλαγές τοῦ Γκορμπατσώβ".

Ὁ Σολζενίτσιν ἔγραψε ἕνα βιβλίο μέ τίτλο "Ὁ Λένιν στήν Ζυρίχη", πού κυκλοφόρησε τό 1975 στό Παρίσι στά ρωσικά καί τό 1976 στήν Νέα Ὑόρκη σέ ἀμερικανική μετάφραση. Παρουσίαζε σάν τόν Ἀντίχριστο τόν Ρωσογερμανό ἑβραῖο Ἀλέξανδρο Χέλφαντ (Al. Helphand), τόν ἀποκαλούμενο Πάρβους (Parvus), μαρξιστή καί θεωρητικό τῆς διαρκοῦς ἐπαναστάσεως, πού εἶχε ἐπηρεάσει καί τόν Τρότσκυ καί τόν Λένιν. Αὐτός ὁ ἑβραῖος εἶχε ἕναν μοναδικό στόχο: νά καταστρέψει τήν Ρωσία, ἔλεγε τό βιβλίο. Γεγονός εἶναι πάντως πώς ὁ Λένιν εἶχε κατηγορήσει τόν Πάρβους ὅτι εἶχε πλουτίσει μέ γερμανικά χρήματα κατά τήν διάρκεια τοῦ πρώτου παγκοσμίου πολέμου καί ὁ Τρότσκυ εἶχε κόψει τούς δεσμούς του μέ τόν Πάρβους στήν ἀρχή τοῦ πολέμου, ἐπειδή ὁ τελευταῖος εἶχε ὑποστηρίξει τήν συμμετοχή τῆς Ὀθωμανικῆς Αὐτοκρατορίας στόν πόλεμο, στό πλευρό τῆς Γερμανίας. Βασίζοντας τό βιβλίο του σ' αὐτά τά γεγονόντα, ὁ Σολζενίτσιν φαντάζεται τόν Πάρβους νά χρησιμοποιεῖ στήν ἐπανάσταση τοῦ 1905 τόν ἑβραῖο Τρότσκυ γιά νά καταποντίσει τήν Ρωσία. Εἶχε ὅμως κάνει λάθος στό πρόσωπο καί ἡ Ρωσία τό 1905 ἐπέζησε. Αὐτήν τήν φορά ὅμως ἡ Ρωσία ἔπρεπε μέ μιά καινούργια ἐπανάσταση νά θανατωθεῖ σίγουρα καί γι' αὐτό ἐπέλεξε τόν Λένιν, ὁ ὁποῖος ἄλλωστε –κατά τόν Σολζενίτσιν πάντα– εἶχε μόνον ἕν τέταρτο ρωσικοῦ αἵματος στίς φλέβες του καί μισοῦσε τήν Ρωσία. Ὁ Πάρβους "μέ τόν Λένιν στά δεξιά του (ὅπως εἶχε τόν Τρότσκυ στήν ἄλλη ἐπανάσταση), εἶχε ἐξασφαλίσει τήν ἐπιτυχία του". (A. Solzhenitsyn, *Lenin v Tsiurikhe*, Paris, YMCA Press, 1975. Ἀγγλική μετάφραση: *Lenin in Zurich*, New York, Bantam Books, 1976, σ. 134).

Ἡ ἰδέα αὐτή δέν ἦταν καινούργια στήν Ρωσία καί ὁ Σολζενίτσιν δέν ἦταν ὁ πρῶτος πού τήν εἶχε ἐκφράσει. Πρίν ἀπ' αὐτόν ὁ Κωνσταντῖνος Λεόντιεβ (1831-1891), γνωστός σλαβόφιλος, ἄν καί στήν οὐσία δέν μπορεῖ νά τόν κατατάξει κανείς σέ καμιά πνευματική ὁμάδα τῆς Ρωσίας, καί συγγενεύει περισσότερο μέ τόν Νίτσε, εἶχε προφητεύσει μιά ἐπικείμενη ἐπανάσταση πού θά ἔφερνε στήν ἐξουσία τόν Ἀντίχριστο. Ἀλλά μέ τήν διαφορά πώς δέν ἦταν πολέμιος τοῦ Ἀντίχριστου. Διεκήρυττε τήν ὀμορφιά τοῦ Διαβόλου καί πίστευε πώς ἡ ὀμορφιά ἐσχετίζετο πάντα μέ τήν ἀνισότητα, τήν ἀδικία, τήν βία καί τήν σκληρότητα. Ἡ ὀμορφιά στόν κόσμο αὐτόν, ἔλεγε, χρειάζεται τό κακό καί τόν πόνο. Μισοῦσε τόν εὐδαιμονισμό καί τήν ἀστική τάξη πού στόχο ἔχει τό χρῆμα. Μισοῦσε τήν πλευρά τοῦ χριστιανισμοῦ πού ἐδίδασκε τήν ἀγάπη καί τόν οἶκτο. Ἀντίθετα ἀπολάμβανε τήν κρατική ἰσχύ. Μιά κυβέρνηση "ἀνθρωπίνων δικαιωμάτων" ἦταν γι' αὐτόν κυβέρνηση παρακμῆς. Ἡ ὀμορφιά εἶχε μεγαλύτερη σημασία ἀπό τήν ἀγαθότητα. Ἡ ἀριστοκρατική του αὐτή θέση τόν ἔκανε νά μισεῖ τίς λεγόμενες μικροαστικές ἀξίες, ἐπειδή ἦταν αἰσθητικά ἄσχημες, κακόγουστες. Καί αὐτός ὁ ἀριστοκρατικός αἰσθητισμός θά περάσει στόν Λένιν καί τόν ποιητή τῆς Ὀκτωβριανῆς Ἐπανάστασης, Βλαντίμιρ Μαγιακόβσκυ (1894-1930), ὅπως στό θεατρικό ἔργο τοῦ τελευταίου, *Κλόπ* (κοριός, ὁ βρωμερός καί ἄσχημος μικροαστός). Ὁ ἐργάτης ἦταν ὁ ἀριστοκράτης τῶν νέων καιρῶν πού περιφρονοῦσε τήν θολούρα τοῦ ἐπίγειου ἀστικοῦ παραδείσου. Τέτοιος ἦταν ὁ ρομαντισμός τῆς μπολσεβίκικης ἐπανάστασης.

Ἡ ξενοφοβία καί ὁ ἀντισημιτισμός τοῦ Σολζενίτσιν ἦταν ἐπίσης κτῆμα πολλῶν κορυφαίων Ρωσων διανοουμένων, ὅπως φέρ' εἰπεῖν τοῦ Ντοστογιέβσκυ πού ἦταν σλαβόφιλος (1821-1881) καί ἐπηρεασμένος ἀπό τόν βιολογικό ἐθνικισμό τοῦ Ντανιλέβσκυ (1822-1885) καί τοῦ βιβλίου του *Ἡ Ρωσία καί ἡ Εὐρώπη* (1869). Ὁ Ντοστογιέβσκυ εἶχε ἀπέχθεια πρός τούς ἑβραίους, ἀλλά καί πρός τούς Πολωνούς καί τούς Γάλλους. Ἀντίθετα, ὁ ρωσικός λαός ἦταν "θεοφόρος". Ἀλλά συνάμα αἰσθανόταν καί δυτικοευρωπαῖος διότι ἦταν διαλεκτικός καί ἔλεγε πώς μόνον ὁ Ρῶσος μπορούσε νά ξεπεράσει διαλεκτικά τήν ἀντίφαση Δύση-Ἀνατολή σέ μιά σύνθεση πού ἦταν ἡ ρωσική Ὀρθοδοξία.

Εἴδαμε μέχρι στιγμῆς πώς ὁ ρωσικός φασισμός, ὑπό τήν ναρόντνικη καί σλαβόφιλή του μορφή, μέ τόν ἀναρχισμό του καί τίς τρομοκρατικές μεθόδους, ὑπῆρξε τό βασικό ρεῦμα σκέψεως τῶν διανοουμένων στήν αὐτοκρατορία τῶν τσάρων, στόν 19ο αἰῶνα καί πώς ἐπηρέασε τόν Λένιν καί τούς μπολσεβίκους, ὡς πού νά ἐπανεμφανισθεῖ ἐπί τῶν ἡμερῶν μας μέ τήν παρακμή τοῦ κομμουνισμοῦ στήν Σοβιετική Ἕνωση. Ὁ Λεόντιεβ, ὁ "Ρῶσος Νίτσε", εἶχε προβλέψει τήν πολυπόθητη ἔλευση τοῦ Ἀντιχρίστου ὑπό τήν μορφή ἑνός σοσιαλιστικοῦ κωνσταντινισμοῦ, δηλαδή ἑνός πανορθοδοξισμοῦ τοῦ τύπου τοῦ πανισλαμισμοῦ, ὅπως θά τόν γνωρίσει τό Ἰράν μέ τόν Χομεϊνί, στά τέλη τοῦ ἑπόμενου αἰώνα. Ἐκεῖ πού ἔπεσε ἔξω, τουλάχιστον προσωρινά, ἦταν πώς αὐτός ὁ σοσιαλιστικός κωνσταντινισμός θά ἐπιβάλλετο μέ τούς Λένιν καί Στάλιν, χωρίς τήν βοήθεια τῆς χριστιανικῆς Ὀρθοδοξίας. Τό 1890, σέ μιά ἐπιστολή του, εἶχε ξεκαθαρίσει τήν σκέψη ὡς ἑξῆς: "Μοῦ ἔρχεται νά δῶ ἕναν Ρῶσο τσάρο νά ἡγεῖται τοῦ ρωσικοῦ [ἐργατικοῦ] κινήματος καί νά τό ὀργανώνει λίγο πολύ ὅπως ὁ αὐτοκράτωρ Κωνσταντῖνος ἔπραξε μέ τήν ὀργάνωση τοῦ χριστιανισμοῦ. Ἀλλά τί σημαίνει "ὀργάνωση"; Τίποτα παραπάνω ἀπό τόν ἐξαναγκασμό, τόν δεσποτισμό ἑδραιωμένο πάνω στήν σύνεση, τήν νομιμοποίηση μιᾶς χρόνιας βίας πού νά ἐξασκεῖται ὑπό μορφή καλῶς μελετημένου καί ἐπιδέξιου μίγματος πάνω στήν προσωπική θέληση τῶν πολιτῶν... Ἐάν μετά ἀπό τήν προσάρτηση [ἀπό τήν Ρωσία] τῆς Κωνσταντινουπόλεως, ἕνας ὑπερσυγκεντρωτισμός τῆς ὀρθόδοξης ἐκκλησιαστικῆς γραφειοκρατίας –μέ τό Πατριαρχεῖο καί τίς Συνόδους– μπορούσε νά συμπέσει μέ τήν ἀνάπτυξη τοῦ μυστικισμοῦ ἀπό τήν μιά, καί τό ἀναπόφευκτο καί μοιραῖο ἐργατικό κίνημα ἀπό τήν ἄλλη, τότε λέω πώς θά μπορούσαμε νά ἐξασφαλίσουμε γιά καιρό τά πολιτικά καί οἰκονομικά θεμέλια τοῦ κράτους." (N. Berdiaev, *Constantin Leontieff*, Paris, χωρίς ἡμερ., γαλλ. μετάφρ., σσ. 283-284). Ἕνας τέτοιος σοσιαλιστικός πανορθοδοξισμός βασισμένος στόν δεσποτισμό, ἦταν τό μόνο μέσο γι' αὐτόν νά ἀποτρέψει τούς

Σλάβους "νά πέσουν στήν ἀγκαλιά τῆς μισητῆς δυτικῆς μπουρζουαζίας ὅπως ἔγινε μέ τίς ἄλλες φυλές" καί νά μπορέσουν νά ἀντισταθοῦν στήν ἐπικείμενη "κινεζική εἰσβολή".

Τό δυτικό προϊόν τοῦ μαρξισμοῦ γνώρισε μιά πρώτη τριτοκοσμικοποίηση μέ τόν Λένιν καί τήν ἐπιβολή τοῦ πολιτικοῦ ρομαντισμοῦ στήν διακυβέρνηση τῆς ἀχανοῦς πρώην αὐτοκρατορίας τῶν τσάρων. Ἔτσι ἡ τρίτη ἰδεολογία τοῦ φασισμοῦ ξέβαψε στόν χῶρο τοῦ Τρίτου Κόσμου πάνω στόν ψυχρό μαρξισμό. Ἤδη τό 1874, ὁ Ἔνγκελς προειδοποιοῦσε πώς στήν Ρωσία, "ἡ Ἐπανάσταση μετατρέπεται σέ κάτι σάν τήν Παρθένο Μαρία, ἡ θεωρία γίνεται θρησκεία καί ἡ δράση μέσα στό κίνημα μιά λατρεία". (Kostas Papaïoannou, *L' idéologie froide. Essai sur le dépérissement du marxisme*, Paris, Jean-Jacques Pauvert, 1967, σ. 27). Γι' αὐτό καί ὅταν πέθανε ὁ Λένιν, οἰκοδομήθηκε ἕνα "ἐπιτάφιο μνημεῖο πού θύμιζε τά μαυσωλεῖα τῶν Μογγόλων Χάν καί τῶν Τούρκων σουλτάνων καί ἐπετεύχθη ἡ ἁγιοποίηση τοῦ λενινισμοῦ" (σ. 62). Εἶναι συνεπῶς ἐντελῶς ἀνακριβές πώς ὁ σταλινισμός ἔφερε μαζί του τόν δογματισμό καί τήν προσωπολατρεία. Αὐτές οἱ δύο βασικές παρεκκλίσεις ἀπό τόν μαρξισμό ἑδραιώθηκαν ἤδη ὅταν ζοῦσε ὁ Λένιν. Τυχόν καταδίκη τοῦ σταλινισμοῦ δέν ἔχει νόημα χωρίς παράλληλη καταδίκη καί τοῦ λενινισμοῦ.

Ὁ Λένιν ὡς ἡγέτης τριτοκοσμικῆς χώρας εὐθύς ἐξ ἀρχῆς ἐξήγγειλε μιά πολύ σημαντική ἀρχή: ὁ δυτικός καπιταλισμός ἔπρεπε νά κτυπηθεῖ ἀπό τήν προλεταριακή ἐπανάσταση σέ στενή συμμαχία μέ τά ἐθνικοαπελευθερωτικά κινήματα τοῦ Τρίτου Κόσμου. Ὁ ἀγώνας τοῦ Τρίτου Κόσμου ἐθεωρεῖτο ἀπό τόν Λένιν μιά σημαντική συμβολή στήν ἐργατική ἐπανάσταση, διότι κατ' αὐτόν, ὁ Τρίτος Κόσμος ἔπρεπε νά παίξει τόν ἴδιο ρόλο, ὅπως καί ἡ ἀγροτιά, στήν συμμαχία της μέ τήν ἐργατική τάξη. Ἀντιθέτως ὁ Μάρξ, ναί μέν ἀνεγνώριζε τήν ὕπαρξη ἑνός Τρίτου Κόσμου σέ προκαπιταλιστική κατάσταση, πού ἀναστέναζε ὑπό τό πέλμα τῆς ἀποικιακῆς ἤ καί ἡμιαποικιακῆς ἐξουσίας τῆς καπιταλιστικῆς καί ἰμπεριαλιστικῆς Δύσεως, ἀλλά αὐτός ὁ Τρίτος Κόσμος αὐτομάτως θά ἀπελευθερώνετο ὅταν ἡ βιομηχανική Δύση θά ἐκυβερνᾶτο ἀπό τό προλεταριᾶτο. Μέ ἄλλα λόγια, ἡ ἀνατολική λενινιστική σχολή ἔδινε πρωτοβουλίες στόν Τρίτο Κόσμο τίς ὁποῖες ἠρνεῖτο νά δώσει ἡ δυτική μαρξιστική σχολή.

Ὁ Μάρξ εἶχε προσπαθήσει νά ἐπιβάλει ἕναν "ἐπιστημονικό σοσιαλισμό" καταδικάζοντας τόν ρομαντισμό πού ὅμως στόν 19ο αἰῶνα ἦταν τό ὑπερισχύον ρεῦμα τῆς ἐποχῆς. Ἄν μιά τέτοια προσπάθεια ἦταν πολύ δύσκολο νά ἐπιτύχει στήν δυτική Εὐρώπη, στήν Ρωσία ἀπεδείχθη φύσει ἀδύνατον καί ἐξ ἴσου στόν ὑπόλοιπο Τρίτο Κόσμο. Ἄν δεχθοῦμε πώς ἡ δυτική σοσιαλδημοκρατία δέν εἶναι μαρξισμός, τότε ὁ καθαυτό μαρξισμός δέν ἐφαρμόστηκε ποτέ πουθενά, μέ ἐξαίρεση στήν Γαλλία, στό Παρίσι γιά ἐλάχιστους μῆνες, ἀπό τίς 18 Μαρτίου ὡς τίς 27 Μαΐου 1871, μέ τήν ἐπικράτηση τῆς Κομμούνας. Ὁ ἴδιος ὁ Ἔνγκελς εἶχε πεῖ: "Κοιτάξτε τήν Κομμούνα τοῦ Παρισιοῦ. Αὐτό ἦταν ἡ δικτατορία τοῦ προλεταριάτου". (Kostas Papaïoannou, *Marx et les marxistes*, Paris, Flammarion, 1972, σ. 223). Ὁ ὑπαρκτός σοσιαλισμός ὑπῆρξε ἕνας τριτοκοσμικός κομμουνισμός μέ ἔντονη φασιστική χροιά πού ὀνομάστηκε λενινισμός (μέ τήν ἐπέκτασή του, τόν σταλινισμό) ὡς πρώτη παρεκτροπή, καί μαοϊσμός ὡς δεύτερη παρεκτροπή.

Αὐτή ἡ δεύτερη παρεκτροπή –ὁ μαοϊσμός– ὑπῆρξε πολύ πιό μεγάλη ἀπό τήν πρώτη τοῦ Λένιν. Ἐδῶ πλέον ὁ "κομμουνισμός" τοῦ Μάο εἶναι τόσο ἀπομακρυσμένος ἀπό τόν Μάρξ, ὅσο ἦταν ὁ "σοσιαλισμός" τῶν ναρόντνικων καί σλαβοφίλων. Ὁ μαοϊσμός, ὅπως θά δοῦμε παραπέρα εἶναι οὐσιαστικά φασισμός, καί αὐτό εἶναι ἐντελῶς φυσικό διότι σημαίνει ὅτι ὁ Μάο εἶχε τήν εὐφυΐα νά προσαρμόσει τόν κομμουνισμό στίς εἰδικές συνθῆκες τῆς χώρας του, ἐφ' ὅσον γνωρίζουμε πώς ἡ φασιστική ἰδεολογία εἶναι ἀπό τίς τρεῖς δυτικές ἰδεολογίες αὐτή πού πηγαίνει καλύτερα στίς ἀντικειμενικές συνθῆκες τῶν χωρῶν τοῦ Τρίτου Κόσμου. Γι' αὐτό καί ὁ τριτοκοσμικός φασισμός ὀνομάζεται πιό ἁπλά τριτοκοσμισμός ἤ τριτοκοσμική ἰδεολογία. Ἀλλά ἄς δοῦμε τί ἀκριβῶς εἶναι ὁ μαοϊσμός:

Ὁ Μάο Τσέ-τούνγκ (1893-1976) γεννήθηκε στίς 26 Δεκεμβρίου 1893 στό χωριό Shaoshan, κοντά στήν πρωτεύουσα τῆς κεντρικῆς ἐπαρχία τοῦ Χουνάν, τήν Changsha. Ὁ ἴδιος εἶχε πεῖ πώς ὅταν ἦταν δέκα χρονῶν ὁ πατέρας του εἶχε ἤδη γίνει μεσαῖος ἀγρότης μέ καλή οἰκονομική ἐπιφάνεια καί ἀργότερα αὔξησε τό εἰσόδημά του χάρη στό μικρό ἐμπόριο. Πάντα κατά τά λεγόμενα τοῦ Μάο, ὁ πατέρας του ἀργότερα ἐξελίχθηκε σέ πλούσιο ἀγρότη καί σιτέμπορο, παρά τό γεγονός ὅτι εἶχε πάει σχολεῖο μόνον δύο χρόνια καί ἡ μητέρα τοῦ Μάο ἦταν ἐντελῶς ἀγράμματη. Λόγω τῆς βαθειᾶς βουδδιστικῆς πίστεως τῆς μητέρας του, ὁ Μάο ἦταν βουδδιστής μέχρι πού νά ἐνηλικιωθεῖ. Ὅταν ἔγινε 14 χρονῶν ἡ οἰκογένειά του τόν πάντρεψε, ὅπως τό ἤθελε ἡ παράδοση, μέ μιά κοπέλλα πού δέν ἐγνώριζε. Αὐτό ἔγινε τό 1907. Ὁ Μάο σπούδασε στήν ἐπαρχιακή πρωτεύουσα ἀπό τό 1913 ὡς τό 1918, δηλαδή ἀπό τό 20 του χρόνια μέχρι τά 25 σέ μιά σχολή δημοδιδασκάλων καί ἔτσι τό 1918 πῆρε τό δίπλωμα τοῦ δασκάλου. Τόν Ἰούνιο τοῦ 1920 διωρίσθηκε διευθυντής δημοτικοῦ σχολείου στήν Changsha. Στά 27 του παντρεύτηκε γιά δεύτερη φορά μέ τήν κόρη ἑνός καθηγητοῦ του τοῦ διδασκαλείου. Ὁ πεθερός του αὐτός ἦταν καθηγητής τῆς φιλοσοφίας καί τό 1918 εἶχε μεταπηδήσει στό Πεκῖνο ὅπου εἶχε διωρισθεῖ καθηγητής στό Πανεπιστήμιο. Ὀνομάζετο Yang Chang-chi καί ἡ γυναίκα τοῦ Mao Yang Kai-hui (ἐφ' ὅσον στήν Κίνα τό ἐπώνυμο μπαίνει πάντα πρῶτο καί μετά τά δύο ὀνόματα).

Τά παραπάνω βιογραφικά στοιχεῖα μᾶς δείχνουν πώς τό 1920, ἕνα χρόνο πρίν ἀπό τήν ἵδρυση τοῦ κινεζικοῦ κομμουνιστικοῦ κόμματος, ὁ Μάο ἦταν ἕνας "βολεμένος" μικροαστός στό παραδοσιακό περιβάλλον τῆς κονφουκιανικῆς Κίνας, μικροδιανοούμενος μέ ἀγροτικές ρίζες. Ἐπί πλέον ὁ καθηγητής καί πεθερός του τοῦ εἶχε μεταδώσει ἕναν ἀριστερό δυτικισμό καί μιά προσήλωση πρός τήν ἀναγέννηση τῆς πληγωμένης ἀπό τήν Δύση κινεζικῆς παραδόσεως. Βλέπουμε ἐδῶ τό τυπικό πορτραῖτο τριτοκοσμικοῦ ἡγέτου.

Τό 1918, μέ τό δίπλωμα τοῦ δημοδιδασκάλου στήν τσέπη, ὁ Μάο ἀνέβηκε γιά μισό χρόνο στό Πεκῖνο, ὅπου ἔφθασε τόν Ὀκτώβριο. Χάρη στήν βοήθεια τοῦ μελλοντικοῦ του πεθεροῦ βρῆκε μιά δουλειά βοηθοῦ βιβλιοθηκαρίου στό Πανεπιστήμιο. Ἐπληρώνετο μόνο τό ἀντίστοιχο τῶν 8 δολλαρίων τόν μῆνα (ἐνῶ ἕνας τακτικός καθηγητής τοῦ ἰδίου Πανεπιστημίου ἔπαιρνε 300 δολλάρια τόν μῆνα). Ζοῦσε σέ ἕνα δωμάτιο μαζί μέ ἑπτά ἄλλους φοιτητές, ὅλοι τους ἀπό τήν ἐπαρχία του τοῦ Χουνάν. Ἀλλά εἶχε τό προνόμιο νά τόν καλεῖ συχνά σπίτι του ὁ καθηγητής του, ὅπου μπόρεσε νά γνωρισθεῖ καλύτερα μέ τήν μελλοντική γυναίκα του.

Ὡς βοηθός βιβλιοθηκάριος ἔμαθε νά περιφρονεῖ τούς διανοούμενους, διότι ἐνῶ προσπαθοῦσε νά πιάσει κουβέντα μέ πολλά κορυφαῖα μυαλά πού σύχναζαν στήν βιβλιοθήκη, αὐτοί –ὅπως εἶπε ἀργότερα ὁ Μάο– "δέν εἶχαν καιρό νά ἀκούσουν ἕναν βοηθό βιβλιοθηκάριο πού μιλοῦσε τήν νότια διάλεκτο". (Edgar Snow, *Red Star over China*, London, Gollancz, 1938, σ. 148). Εὐτυχῶς πού μπόρεσε νά ἐκτονωθεῖ στίς συνεδριάσεις μιᾶς "ὁμάδας μαρξιστικῶν μελετῶν", πού εἶχε μόλις συγκροτήσει ὁ διευθυντής τῆς βιβλιοθήκης καί καθηγητής πολιτικῶν ἐπιστημῶν, ἀγροτοκομμουνιστής (δηλαδή ναρόντνικων τάσεων), πού θά γίνει ἕνας ἀπό τούς ἱδρυτές τοῦ Κινεζικοῦ ΚΚ τό 1921, ὁ Li Da-zhao (1888-1927). Ὁ Μάο ἦταν τότε θαυμαστής τοῦ μεγάλου κονφουκιανοῦ μανδαρίνου τοῦ 19ου αἰῶνος, Zeng Guo-fan (1811-1872), πού ἦταν συμπατριώτης του τῆς ἐπαρχίας Χουνάν, δηλαδή Χουνανέζος. Ἐπρόκειτο γιά τό μοντέλο τοῦ ἔντιμου, ἀδιάφθορου, ἠθικοῦ ὑπηρέτη τοῦ κράτους, ἀπό γονεῖς φτωχούς ἀγρότες, κονφουκιανός διδάκτωρ, ἕνας ἀπό τούς τρεῖς θεμελιωτές τῆς δυτικοεμπνευσμένης κινεζικῆς βιομηχανίας καί φημισμένος στρατηγός. Ὁ Μάο στίς συνεδριάσεις τῆς ὁμάδας παρουσίαζε προτάσεις γιά μιά σύνθεση σοσιαλισμοῦ καί κινεζικῆς παραδοσιακῆς σκέψεως.

Τόν Φεβρουάριο τοῦ 1919, ὁ Μάο ἐγκατέλειψε τό Πεκῖνο καί πῆγε στήν Σαγγάη γιά νά ξεπροβοδίσει φίλους του πού ἀναχωροῦσαν γιά τήν Γαλλία (Λυώνη καί Παρίσι), γιά νά σπουδάσουν καί συνάμα νά ἐργασθοῦν γιά νά πληρώσουν τίς σπουδές τους. Μεταξύ αὐτῶν ἦταν ὁ Τσού Ἐν-λάι, ὁ Τένγκ Σιάο-πίνγκ καί ὁ μελλοντικός στρατάρχης τοῦ Κόκκινου Στρατοῦ Τσέν Γί (Chen Yi). Χαρακτηριστικό τῆς νοοτροπίας τοῦ Μάο εἶναι πώς ἐδήλωσε στούς φίλους του ὅτι αὐτός ἠρνεῖτο νά ξενιτευτεῖ ἐπειδή δέν ἐγνώριζε ἀκόμη καλά τήν χώρα του. Καί πράγματι ποτέ δέν ἔμαθε μιά ξένη γλῶσσα καί πάντα ἐφοβεῖτο μήν δυτικοποιηθεῖ. Ἀπό τήν Σαγγάη ἐπέστρεψε στήν Changsha.

Ὁ λαϊκισμός τοῦ Μάο τοῦ μεταδόθηκε ἀπό τόν ἰδεολογικό του δάσκαλο, τόν ναρόντνικο διευθυντή τῆς βιβλιοθήκης Li Da-zhao, ὁ ὁποῖος ἐδίδασκε τήν ἠθική ἀνωτερότητα τῆς ἀγροτικῆς τάξεως. Ἔτσι ὁ Μάο, ἀντί νά σκέφτεται ἀπόλυτα ταξικά, εἶχε τήν τάση νά διαχωρίζει ἀπό τήν μιά τίς λεγόμενες "λαϊκές μᾶζες" μέ τήν λαϊκιστική ὁρολογία "ὁ λαός" καί ἀπό τήν ἄλλη μιά μικρή "ὀλιγαρχία". Πάντως τό 1920 ὁ Μάο ἐδήλωσε πώς θεωροῦσε τόν ἑαυτό του μαρξιστή καί τήν 1η Ἰουλίου 1921, στό πρῶτο ἐθνικό συνέδριο, στήν Σαγγάη, ὅπου ἱδρύθηκε τό ΚΚΚ, ὁ Μάο ἀντιπροσώπευε τήν ἐπαρχία του τοῦ Χουνάν.

Ὁ ἀρχηγός τῆς κινεζικῆς ἐπαναστάσεως τοῦ 1911, ὁ Σούν Γιάτ-σέν, πού εἶχε καταργήσει τήν μοναρχία καί ἐγκαθιδρύσει τήν Ἀβασίλευτη, ἐθεωρεῖτο ἀπό τόν Λένιν καί τούς Μπολσεβίκους ὡς τριτοκοσμικός ἡγέτης ἐθνικοαπελευθερωτικοῦ κινήματος. Καί ἔτσι ἦταν. Ὁ Σούν Γιάτ-σέν ἦταν λαϊκιστής, φυλετιστής πού προπαγάνδιζε τόν πανασιατισμό καί τόν πόλεμο κατά τῶν λευκῶν τῆς Εὐρώπης. Ἦταν θαυμαστής τῶν Γιαπωνέζων νεωτεριστῶν. Στίς 28 Νοεμβρίου 1924 εἶχε ἐκφωνίσει λόγο στό Τόκιο ὅπου ἔλεγε: "Σήμερα ἡ Ἀσία ἔχει μόνον δύο ἀνεξάρτητα κράτη, τήν Ἰαπωνία στήν Ἀνατολή καί τήν Τουρκία στήν Δύση. Μέ ἄλλα λόγια Ἰαπωνία καί Τουρκία εἶναι τά ἀνατολικά καί δυτικά ὀδοφράγματα τῆς Ἀσίας... Ὑποστηρίζουμε τόν Πανασιατισμό γιά νά ἐπαναφέρουμε τήν αἴγλη τῆς Ἀσίας... Ἐάν ὅλοι οἱ ἀσιατικοί λαοί ἑνωθοῦν καί παρουσιάσουν κοινό μέτωπο κατά τῶν Δυτικῶν, θά νικήσουν τήν τελευταία μάχη... Σήμερα ὑπάρχει μιά νέα χώρα στήν Εὐρώπη, τήν ὁποία οἱ λευκές φυλές ὁλοκλήρου τῆς Εὐρώπης περιφρονοῦν... αὐτή ἡ χώρα εἶναι ἡ Ρωσία. Σήμερα ἡ Ρωσία... ἑνώνεται μέ τήν Ἀνατολή καί διαχωρίζει τήν θέση της ἀπό τήν Δύση". (Tang Leang-li, *China and Japan: Natural Friends, Unnatural Enemies*, Shanghai, China United Press, 1941, σσ. 145 καί 149-150).

Μετά τόν θάνατό του τό 1925, συνεχιστής του ὑπῆρξε ὁ στρατηγός Τσιάνγκ Κάι-σέκ πού ὅμως δέν εἶχε πολιτική σκέψη. Ἄν καί τό 1923 εἶχε πάει στήν Μόσχα γιά μετεκπαίδευση, εἶχε ἀποκομίσει ἐκεῖ μόνον στρατιωτική γνώση. Ὡς πρόεδρος τῆς στρατιωτικῆς ἀκαδημίας τῆς Whampoa δίπλα στήν Καντώνα εἶχε κοντά του, ὡς πολιτικό κομμισάριο τῆς ἀκαδημίας, τόν κομμουνιστή Τσού Ἐν-λαί. Ἡ στρατιωτική αὐτή ἀκαδημία εἶχε ἱδρυθεῖ τό 1924 μέ τήν βοήθεια τῆς Σοβιετικῆς Ἑνώσεως καί ἐλέγχετο ἀπό Σοβιετικούς συμβούλους.

Ἕνα βασικό λάθος τῶν ἁπανταχοῦ δημοσιογράφων εἶναι νά

ἀποκαλοῦν φασιστικά καθεστῶτα τίς στρατιωτικές δικτατορίες, ἐνῶ καί στήν μουσολινική Ἰταλία καί στήν ναζιστική Γερμανία οἱ στρατιωτικοί εὑρίσκοντο ὑπό τόν πλήρη ἔλεγχο τοῦ κόμματος. Εἰδικά δέ ὁ Χίτλερ ἔτρεφε ἀπέχθεια πρός τούς ἐπαγγελματίες στρατιωτικούς. Κατά κανόνα οἱ στρατιωτικοί δέν ἔχουν καμιά πολιτική σκέψη, οὔτε φιλελεύθερη, οὔτε κομμουνιστική, οὔτε φασιστική, ὅταν δέ νομίζουν πώς ἔχουν τότε συχνά γελοιοποιοῦνται. Οἱ στρατιωτικές δικτατορίες εἶναι ἰδεολογικά ἀκέφαλες καί δηλώνουν κάποια ἰδεολογία ἁπλῶς καί μόνον γιά νά καλύψουν τό κενό. Αὐτό συνέβη μέ τόν στρατηγό Τσιάνγκ Κάι-σέκ πού ἡ δικτατορία του ἔμεινε στήν Ἱστορία ὡς "ἐθνικιστική" καί "φασιστική". Ἐθνικιστής καί φασιστής ὑπῆρξε μέ τόν τρόπο του ὁ Σούν Γιάτ-σέν, ἀκόμη καί ὁ Μάο ὅπως θά δοῦμε. Ἐπ' οὐδενί λόγω ὁ Τσιάνγκ Κάι-σέκ. Εἶναι χαρακτηριστικό πῶς τοῦ ἦρθε νά ἐμφανισθεῖ ὡς φασιστής. Τόν Δεκέμβριο τοῦ 1931 εἶχε ὑποχρεωθεῖ νά παραιτηθεῖ ἀπό τήν ἐξουσία καί στό σπίτι του ὅπου εἶχε ἀποτραβηχθεῖ ἔψαχνε τρόπο νά ἐπανέλθει. Τότε διάβασε μιά μελέτη ἑνός νεαροῦ μέλους τοῦ Κουομιντάνγκ, τοῦ κόμματος πού εἶχε ἱδρύσει ὁ Σούν Γιάτ-σέν. Ἐπρόκειτο γιά ἕνα χειρόγραφο 87 σελίδων μέ τίτλο "Μερικές ἰδέες γιά μιά ἀναμόρφωση τοῦ Κουομιντάνγκ". Ὁ νεαρός Liu Chien-chun ἔγραφε σ' αὐτό πώς τό κόμμα εἶχε ἠθικά καταρρεύσει καί εἶχε χάσει τήν ἐπαναστατική του ὁρμή. Ἔπρεπε νά ἀναγεννηθεῖ χάρη σέ μιά παραστρατιωτική ὀργάνωση πού θά ὀνομάζετο τῶν "κυανοχιτώνων". (Βλ. Lloyd E. Eastman, "Fascism in Kuomintang China: the Blue Shirts", *The China Quarterly*, January-March 1972, no. 49, σσ. 1-31).

Μόλις διάβασε ἐκείνη τήν μελέτη ὁ Τσιάνγκ Κάι-σέκ κάλεσε μιά μικρή ὁμάδα νεαρῶν ἀξιωματικῶν, τούς εἶπε νά ἔρθουν σέ ἐπαφή μέ τόν συγγραφέα καί νά ὀργανώσουν μιά τέτοια ἐλιτιστική ὀργάνωση μέ τίς ἑξῆς προδιαγραφές: α) Ὁ Τσιάνγκ Κάι-σέκ θά ἀνεκηρύττετο ὁ ὕπατος ἀρχηγός. β) Οἱ ἀξιωματικοί τῆς στρατιωτικῆς ἀκαδημίας τῆς Whampoa θά συγκροτοῦσαν τόν κεντρικό κορμό τῆς ὀργανώσεως. γ) Οἱ "Τρεῖς Ἀρχές τοῦ Λαοῦ" τοῦ Σούν Γιάτ-σέν θά ἔπρεπε σαφῶς νά ἑρμηνευθοῦν μέ τό πνεῦμα τοῦ φασισμοῦ καί νά ἐφαρμοσθοῦν μέ κομμουνιστικές μεθόδους. Χάρη στούς κυανοχιτῶνες ὁ Τσιάνγκ ξαναπῆρε τήν ἀρχή ἄν καί ποτέ δέν κατάλαβε τίποτα οὔτε γιά τόν φασισμό, οὔτε γιά καμιά ἰδεολογία. Δέν ἄφηνε ὅμως εὐκαιρία νά δηλώνει, "Ὁ φασισμός εἶναι αὐτό πού ἡ Κίνα σήμερα χρειάζεται", καί στήν πρωτεύουσά του στό Νανκῖνο εἶχε οἰκοδομήσει ἕνα τεράστιο μαυσωλεῖο ὅπου εἶχε τοποθετήσει τήν σορό τοῦ Σούν Γιάτ-σέν σάν Κινέζο αὐτοκράτορα.

Ὁ Λένιν εἶχε βάλει ἀμέσως σέ πράξη τήν συμμαχία ἐργατικῆς τάξεως-Τρίτου Κόσμου ὑπογράφοντας συμφωνίες συντροφικές μέ τήν Τουρκία καί τήν Κίνα. Ὁ τουρκικός πόλεμος τῆς ἀνεξαρτησίας τοῦ 1919-1922 πέρασε στήν Ἱστορία ὡς ὁ πρῶτος τριτοκοσμικός ἐθνικοαπελευθερωτικός πόλεμος κατά τῆς Δύσεως πού κερδίθηκε μέ τήν συμπαράσταση τῆς Σοβιετικῆς Ἑνώσεως. Στήν διάρκεια τοῦ πολέμου, στίς 16 Μαρτίου 1921, ὑπεγράφη ἡ τουρκοσοβιετική συνθήκη πού εἶναι ἡ πρώτη ἐφαρμογή τῆς λενινιστικῆς θεωρίας σχέσεων μέ τόν Τρίτο Κόσμο. Ἡ δεύτερη ἐφαρμογή ἦρθε δύο χρόνια ἀργότερα μέ τήν Κίνα, ὅταν μιά κοινή δήλωση ὑπεγράφη στήν Σαγγάη, στίς 26 Ἰανουαρίου 1923, θέτοντας τίς βάσεις τῆς φιλίας μεταξύ τοῦ κόμματος τοῦ Κουομιντάνγκ τοῦ Σούν Γιάτ-σέν καί τῆς Σοβιετικῆς Ἑνώσεως. Κατόπιν τούτου, τόν Ἰανουάριο τοῦ 1924, στό πρῶτο συνέδριο τοῦ ἀναμοφωμένου Κουομιντάνγκ στήν Καντώνα, οἱ κομμουνιστές μέσω τῶν ἀντιπροσώπων τους Li Da-zhao καί Μάο Τσέ-τούνγκ ἔγιναν μέλη τοῦ Κουομιντάνγκ, ἀποκτώντας ἔτσι τήν διπλῆ ἰδιότητα τοῦ κομμουνιστῆ καί τοῦ ἐθνικιστῆ. Ἔτσι ὁ Μάο ἔγινε ἀπό τά βασικά στελέχη καί τῶν δύο κομμάτων.

Μετά τήν ρήξη μεταξύ κομμουνιστῶν καί ἐθνικιστῶν πού ὁλοκληρώθηκε τό 1927, ὁ Μάο κατώρθωσε σταδιακά νά ἐξουδετερώσει τούς ὀρθόδοξους δυτικιστές κομμουνιστές τοῦ ΚΚΚ, κατηγορώντας τους γιά τήν ἀδυναμία τους νά καταλάβουν τήν ἀρχή καί ἐπέβαλε τίς δικές του ἀνορθόδοξες θεωρίες περί ἀγροτικῆς ἐπαναστάσεως. Αὐτό ὅμως πῆρε 8 χρόνια ἀπό τό 1927 ὡς τό 1935 καί ὁλοκληρώθηκε μέ τήν Μεγάλη Πορεία τοῦ 1934-1935.

Νά ὑπενθυμίσουμε πώς στόν 19ο αἰῶνα ὁ Μάρξ εἶχε ἀναπτύξει τήν θεωρία τῆς σοσιαλιστικῆς ἐπαναστάσεως, πού ἔβλεπε τήν κατάληψη τῆς ἀρχῆς ἀπό τούς ἐργάτες σάν ἀποτέλεσμα ὑπαρχόντων ἀντικειμενικῶν, οἰκονομικῶν καί κοινωνικῶν συνθηκῶν. Ἡ προϋπόθεση μιᾶς δυτικοῦ τύπου μοντέρνας καπιταλιστικῆς κοινωνίας ἐθεωρεῖτο ἀναγκαία γιά τήν ἐκκίνηση μιᾶς τέτοιας ἐπαναστάσεως. Ἤδη μιά παρεκτροπή ἀπό τό θεωρητικό αὐτό πλαίσιο εἶχε διαπιστωθεῖ ὅταν ὁ Λένιν μέσα σέ μιά νύχτα, μέ τήν συνδρομή μιᾶς μικρῆς μειονότητας, εἶχε καταλάβει τήν ἐξουσία μέ πραξικόπημα σέ μιά καθυστερημένη Ρωσία καί εἶχε ἐπιβάλει ἕνα ἐργατικό καθεστώς. Στά μέσα τῆς δεκαετίας τοῦ 1930, στήν Κίνα, ἐξεδηλώθη μιά δεύτερη παρεκτροπή ἀπό τό μαρξιστικό πρότυπο, πολύ πιό σημαντική, ἐφ' ὅσον ἡ Κίνα ἦταν ἀκόμη πιό καθυστερημένη ἀπό τήν Ρωσία τοῦ 1917. Ὁ Μάο μέ τήν Μεγάλη Πορεία τοῦ 1934-1935, ἔθεσε τίς βάσεις ἑνός μοντέλου κομμουνιστικῆς ἐπαναστάσεως πού θά ἐπαναληφθεῖ κατά τήν διάρκεια τοῦ δευτέρου παγκοσμίου πολέμου σέ ἄλλες καθυστερημένες χῶρες, μέ ἐπιτυχία στήν Γιουγκοσλαβία καί ἀποτυχία στήν Ἑλλάδα, καί ἀργότερα στήν Καμπότζη καί τό Περού, μέ τούς Ἐρυθρούς Χμέρ καί τό Φωτεινό Μονοπάτι.

Τό μοντέλο τῆς Μεγάλης Πορείας ὡς ἐπανάσταση, συνίσταται στό νά συνδυάζει κοινωνική ἐπανάσταση μέ ἐθνική ἀπελευθέρωση ἀπό τόν ξένο δυνάστη, ἐνῶ τά στρατιωτικά τμήματα τῆς ἐπαναστάσεως συγκροτοῦνται κυρίως ἀπό ἀγρότες. Ἡ Μεγάλη Πορεία ὑπῆρξε πρωτίστως μιά ἐθνική ὑπόθεση διασώσεως τῆς Κίνας ἀπό τήν ἰαπωνική ἐπιδρομή, γι' αὐτό καί ἐπωνομάσθηκε "ἡ μετανάστευση τοῦ ἔθνους". Ὁ Μάο ἔγραψε πώς "ἡ Μεγάλη Πορεία ἦταν ἕνα προπαγανδιστικό ὅπλο. Ἔκανε γνωστό σέ περίπου 200 ἑκατομμύρια ἀνθρώπους τῶν ἕντεκα ἐπαρχιῶν πού διέσχισε, πώς ἡ γραμμή πού ἀκολουθοῦσε ὁ Κόκκινος Στρατός ἦταν ἡ μόνη γραμμή γιά τήν ἀπελευθέρωσή τους. Χωρίς ἐκείνη τήν Μεγάλη Πορεία πῶς θά μποροῦσαν οἱ πλατειές λαϊκές μᾶζες νά μάθουν τόσο γρήγορα τήν ὕπαρξη τῆς μεγάλης ἀλήθειας πού εἶχε ἐνσωματωθεῖ στόν Κόκκινο Στρατό;" (Mao Tse-tung, *Oeuvres choisies*, Pékin, tome 1 σ. 177). Ἐπί πλέον ἡ ἐπανάσταση αὐτή ἦρθε σέ ἄμεση ἐπαφή καί βοηθήθηκε ἀπό πολλές μή κινεζικές ἐθνότητες, ὅπως τούς Μιάο, τούς Γί, τούς Γιάο καί τούς Θιβετιανούς καί ἔτσι συνετέλεσε στήν ἀλληλεγγύη μεταξύ τῶν διαφόρων ἐθνοτήτων τῆς ἀχανοῦς αὐτῆς χώρας. Τελικά, ἡ Μεγάλη

Πορεία συνεδύασε τήν κομμουνιστική κατάληψη τῆς ἐξουσίας, ὄχι μέ ἐργατική ἐξέγερση στίς πόλεις ἤ πραξικόπημα, ἀλλά μέ τό ἀντάρτικο στήν ὕπαιθρο. (Βλ. *Ἡ Μεγάλη Πορεία ὅπως τήν ἀφηγοῦνται αὐτόπτες μάρτυρες*, Ἀθήνα, Γ. Φέξη, 1964, 234 σελίδες).

Ἀπό τό 1927 ὥς τήν κατάληψη τῆς ἐξουσίας τό 1949, ὁ Μάο ἔζησε ἀντάρτης στά βουνά. Ὅταν μετά ἀπό 22 ὁλόκληρα χρόνια ὁ Κινέζος αὐτός γκεριλλέρο μπῆκε στό Πεκῖνο κι ἐγκατεστάθηκε σέ μιά πολυθρόνα, πολλοί συναγωνιστές του ἐνόμισαν πώς ἡ ἐπανάσταση εἶχε τελειώσει. Λάθος, ἀπήντησε ὁ Μάο, μόλις τώρα ἀρχίζει. Μέχρι στιγμῆς ἔπρεπε νά ἀποφεύγουμε τίς σφαῖρες ἀπό μολύβι. Τώρα θά μᾶς περιμένουν οἱ σφαῖρες καλυμμένες μέ ζάχαρη. Δηλαδή οἱ ἀστοί θά προσπαθοῦσαν νά διαφθείρουν τούς γκεριλλέρος καλώντας τους στά σαλόνια τους καί ἐξυμνώντας τους. Θυμόταν τί εἶχε συμβεῖ στόν πρώην συναγωνιστῆ του Τσιάνγκ Κάι-σέκ, πού εἶχε καταντήσει ὑπηρέτης τῶν Κινέζων κομπραδόρων καί γαιοκτημόνων.

Μέσα σέ ἑπτά χρόνια, ἀπό τό 1949 ὥς τό 1956, τά θεμέλια τοῦ ὑπαρκτοῦ σοσιαλισμοῦ εἶχαν στερεωθεῖ σ' ὅλη τήν Κίνα. Ἀλλά φυσικά ἡ πλειοψηφία τῶν διανοουμένων δέν ἀκολουθοῦσε. Ὁ Μάο σκέφθηκε νά τούς φέρει στό πλευρό του ἐγκαινιάζοντας τό σύνθημα, "Ἄς ἀνθίσουν ἑκατό λουλούδια, ἄς συναγωνιστοῦν ἑκατό σχολές!" (2 Μαΐου 1956). Καί τότε ἄνοιξαν οἱ ἀσκοί τοῦ Αἰόλου. Ἀπό παντοῦ ἐξαπολύθηκε μιά καμπάνια σφοδρότατης κριτικῆς κατά τοῦ ὁλοκληρωτισμοῦ τοῦ κομμουνιστικοῦ κράτους. Ἡ ἀντικομμουνιστική κριτική ἔδινε καί ἔπαιρνε. Ὁ Μάο πού πάντα αἰσθανόταν ἀπέχθεια γιά τούς διανοούμενους, ὅπως τόσοι ἄλλοι... διανοούμενοι ἀπό τήν ἐποχή τοῦ Ρουσώ, βλέποντας τήν ἀντίδραση αὔξησε ἀκόμη περισσότερο τήν δυσπιστία του ἐναντίον τους. Κι ἦρθε ἀμέσως ἡ καταστολή καί τά ἑκατό λουλούδια ἀποκεφαλίστηκαν καί ὁ Τένγκ Σιάο-πίνγκ χρησιμοποίησε τό μαῦρο του χιοῦμορ δηλώνοντας: "Στήν μεγάλη διαμάχη τῶν Ἑκατό Λουλουδιῶν ἀνάψαμε μιά μεγάλη φωτιά γιά νά κάψουμε μαζί τούς ἐχθρούς μας καί τίς δικές μας ἀδυναμίες!" (Jacques Guillermaz, *Le Parti communiste chinois au pouvoir*, 1949-1979, Paris, Payot, volume 1, σ. 186).

Ἀλλά ἄν Μάο καί Τένγκ συμφωνοῦσαν στήν καταστολή, ὁ μέν πρῶτος εἶχε στόχο τήν νίκη τῶν ἰδεῶν του, ἐνῶ ὁ Deng Xiao-ping πού ἦταν γενικός γραμματέας τοῦ κόμματος ἀπό τό 1956 ὡς τό 1966, εἶχε στόχο τήν διατήρηση τῶν προνομίων τοῦ γραφειοκρατικοῦ κομματικοῦ κατεστημένου. Σ' αὐτά ἄλλωστε τά δύο πρόσωπα, ὅπως θά δοῦμε τώρα, θά συγκεντρωθεῖ ἡ μεγάλη διαμάχη μεταξύ μαοϊσμοῦ (ἑνός κινεζικοῦ ναροντνικισμοῦ) καί τοῦ ὀρθόδοξου σοβιετικοῦ κομμουνισμοῦ. Τό ἄδοξο τέλος τοῦ Τένγκ ὡς χασάπη τῆς πλατείας Τιέν-Ἀν-Μέν τοῦ Πεκίνου, τόν Ἰούνιο τοῦ 1989, τοῦ ἥρωα αὐτοῦ, ἐπί 13 χρόνια (1976-1989), τῶν δυτικῶν μέσων ἐνημερώσεως, εἶναι ἴσως ἡ καλύτερη μεταθανάτιος δικαίωση τοῦ Μάο.

Τόν Φεβρουάριο τοῦ 1958, τό Ἐθνικό Κονγκρέσο τοῦ Λαοῦ ἐξήγγειλε, μαζί μέ τό δεύτερο πενταετές οἰκονομικό σχέδιο, ἕνα "Μεγάλο Ἅλμα πρός τά Ἐμπρός" γιά μιά περίοδο τριῶν ἐτῶν. Ἐπρόκειτο γιά μιά προσπάθεια ἐπιταχύνσεως τῆς Ἱστορίας χωρίς προηγούμενο, πού ἀπεκάλυψε τό ἕνα ἀπό τά δυό κύρια χαρακτηριστικά τῆς προσωπικότητος τοῦ Μάο, τόν θεληματισμό (βολονταρισμό). Τό ἄλλο χαρακτηριστικό ἦταν ὁ ἀναρχισμός, πού θά ἐκδηλωθεῖ ὀκτώ χρόνια ἀργότερα, τό 1966, μέ τήν πολιτιστική ἐπανάσταση. Θεληματισμός καί ἀναρχισμός εἶναι βεβαίως μή κομμουνιστικές ἀξίες καί ἀνήκουν σαφῶς στήν τρίτη ἰδεολογία, καί προσωπικά τῆς ἔζησα ἔντονα κατά τήν διάρκεια τῆς παραμονῆς μου στήν Κίνα, τό 1958 καί τό 1974.

Ὁ ἄκρατος θεληματισμός τοῦ Μάο τό 1958, εἶχε ὡς ἀποτέλεσμα νά ἀναθεωρηθοῦν ἐπανειλημμένως οἱ στόχοι παραγωγῆς πού εἶχαν προσδιορισθεῖ γιά τήν τριετῆ περίοδο τοῦ Ἅλματος, ὥστε ἡ κινεζική οἰκονομία νά ἐπιταχύνεται ὅλο καί περισσότερο. Τό σύνθημα ἦταν: "Νά φθάσουμε καί νά ξεπεράσουμε τήν βιομηχανική παραγωγή τῆς Μεγάλης Βρεταννίας σέ 15 χρόνια", δηλαδή τό 1972. Μόνο γιά τό 1958, ἀπεφασίσθη τόν Φεβρουάριο, ὁ στόχος νά εἶναι 6,2 ἑκατομμύρια τόννους παραγωγῆς χάλυβος. Τόν Μάϊο, ὁ στόχος εἶχε ἀναθεωρηθεῖ σέ 8,5 ἑκατομμύρια τόννους. Τόν Αὔγουστο, σέ 10,7 ἑκατομμύρια. Τελικά ἐξεφράζετο ἡ πεποίθηση πώς ἦταν δυνατόν μέχρι τέλους τοῦ 1958, νά αὐξηθεῖ ἡ ὅλη βιομηχανική παραγωγή κατά 33%! (Βλ. Δημήτρη

Κιτσίκη, "Τά μεγάλα ἔργα τῆς Κίνας", *Τεχνικά Χρονικά*, Ἀθήνα, 15 Φεβρουαρίου 1959, σσ. 54-58). Γιά νά ἐπιτευχθεῖ αὐτός ὁ καταπληκτικός στόχος ὅλοι ἀνεξαιρέτως –δημόσιοι ὑπάλληλοι, καθηγητές, φοιτητές, ἀγρότες, στρατιῶτες, ἐργάτες– ἔπρεπε νά γίνουν προλετάριοι. Τό φθινόπωρο τοῦ 1958 εἶχαν στηθεῖ στά χωράφια τῆς ὑπαίθρου 600.000 μικροί χωριάτικοι ὑψικάμινοι πού παρῆγαν χυτοσίδηρο, φυσικά κακῆς ποιότητος.

Τό δεύτερο χαρακτηριστικό τοῦ Μεγάλου Ἅλματος, ἐκτός ἀπό τό βιομηχανικό ξεπέρασμα τῆς Μεγάλης Βρεταννίας, ὑπῆρξε ἡ ἵδρυση τῶν λαϊκῶν κοινοτήτων. Καί στίς δύο αὐτές προσπάθειες ὁ λαϊκισμός εἶναι ἐμφανής: στήν πρώτη πρόκειται γιά βιομηχανοποίηση *χωρίς* ἀστικοποίηση. Ἡ προσπάθεια νά ἐξαφανισθεῖ ἡ διαφορά πόλεως καί ὑπαίθρου δέν γίνεται μέ τήν μετανάστευση τῶν ἀγροτῶν στήν πόλη, ἀλλά μέ τήν ἐγκατάσταση βιομηχανίας στήν ὕπαιθρο σέ χωριάτικα μέτρα. Στήν δεύτερη πρωτοβουλία ὁ Μάο δείχνει τήν ἀπόλυτη ἐμπιστοσύνη πού τρέφει πρός τήν ἀγροτική κοινωνία βασισμένη σέ πολυχιλιετῆ παράδοση. Ἀναμφίβολα ἡ μαοϊκή λαϊκή κοινότητα θυμίζει τό ρωσικό μίρ τῶν ναρόντνικων καί τῶν ἐσέρων (Σ.Ρ.). Συνεπῶς ἦταν φυσικό οἱ ὀρθόδοξοι κομμουνιστές (μπολσεβίκοι) καί τῆς Σοβιετικῆς Ἑνώσεως καί τῆς Κίνας νά ἀντιδράσουν καί νά ἐκφράσουν τήν ἀποδοκιμασία τους.

Ἀλλά ὁ Μάο δέν ἔλεγε πώς ἀντέγραφε τό ρωσικό μίρ, ἁπλούστατα διότι ὑπῆρχε ἀντίστοιχη κινεζική λαϊκή κοινότητα πολύ πιό παλιά ἀπό τό μίρ. Στήν Κίνα ἐλέγετο *τσίνγκ τιάν* (ching tian) καί ὑπῆρχε ἤδη στήν ἐποχή τῆς δυναστείας τῶν Δυτικῶν Τζόου (Zhou), 1027-771 π.Χ. Τό *τσίνγκ τιάν* ἦταν μιά κοινότητα μέ ἐννέα συμβολικά χωράφια καί ἐγράφετο μέ ἕναν κινεζικό χαρακτῆρα πού εἶχε ὀκτώ τετραγωνάκια γύρω ἀπό ἕνα ἔνατο κεντρικό τετραγωνάκι πού εἶχε τό πηγάδι καί τόν δράκοντα, δηλαδή τήν ἐξουσία, τό κράτος (παλαιά τόν ἄρχοντα). Τό κεντρικό αὐτό χωράφι τό ἐργάζονταν οἱ ἀγρότες ἄμισθα (τό ἀντίστοιχο τῆς κρατικῆς φορολογίας). Τά ἄλλα χωράφια δέν ἦταν ἀτομικά, ἀλλά ἀνῆκαν στήν κοινότητα πού τά διένεμε περιοδικά στά μέλη της σχετικά μέ τίς ἀνάγκες κάθε οἰκογενείας. Τό σύστημα αὐτό τῆς κινεζικῆς κοινότητας χρησιμοποιήθηκε καί πάλι ἀπό τήν μεγαλύτερη ἀγροτική ἐπανάσταση τοῦ 19ου αἰῶνος, τήν ἐπανάσταση τῶν Τάϊπινγκ πού εἰσήγαγαν ἕναν "νόμο περί γῆς" τό 1853. Ὁ Σούν Γιάτ-σέν καί ὁ Μάο εἶχαν πολύ ἐπηρεασθεῖ ἀπό τούς Τάϊπινγκ. Δύο βασικά χαρακτηριστικά τῆς κοινότητας τῶν Τάϊπινγκ θά ξαναεμφανισθοῦν στήν μαοϊκή κοινότητα: ἡ ὀργάνωση τῶν ἀγροτῶν σέ ταξιαρχίες παραγωγῆς μέ στρατιωτική πειθαρχία καί ἡ ἀρχή τῆς τοπικῆς αὐτάρκειας, διότι ἡ κοινότητα ἔπρεπε νά παράγει ὄχι μόνον ἀγροτικά ἀλλά καί βιομηχανικά προϊόντα, ἔτσι ὥστε νά μπορεῖ νά αὐτοσυντηρηθεῖ χωρίς ἐξωτερική βοήθεια.

Ἡ κινεζική κοινότητα εἶχε ἐπίσης ἐπηρεάσει, στά τέλη τοῦ 19ου αἰώνα, τόν μεγάλο πολιτικό μεταρρυθμιστή καί φιλόσοφο Κάνγκ Γιού-οὐέϊ (Kang Yu-wei) στό βιβλίο του *Datong shu* ("Βιβλίο τῆς Μεγάλης Ἑνότητας"). Ἐκεῖ περιέγραφε τήν τέλεια κομμουνιστική κοινωνία τοῦ μέλλοντος: Οἱ ἄνθρωποι θά ζοῦσαν σέ κοινές ἐγκαταστάσεις ὅπως σέ ὑπνωτήρια καί καντίνες. (Τό 1958, στίς μαοϊκές κοινότητες ἔχουμε τό ἴδιο φαινόμενο). Τά πάντα ἔπρεπε νά εἶναι ἄψογα ὀργανωμένα γιά μεγίστη ἀπόδοση. Π.χ. θά ἔπρεπε νά ἀνακυκλώνονται ὅλα τά ἀπορρίμματα, ἀκόμη καί νά κτισθοῦν ἀποτεφρωτήρια ὅπου ὅλοι οἱ νεκροί θά ἐκαίγοντο καί δίπλα σ' αὐτά θά ἀνεγείροντο ἐργοστάσια λιπασμάτων πού θά χρησιμοποιοῦσαν τήν ἀνθρώπινη τέφρα. Καί ὁ Μάο εἶχε δηλώσει ἐνώπιον τῆς κεντρικῆς ἐπιτροπῆς τοῦ κόμματος, στίς 19 Δεκεμβρίου 1958: "Οἱ πεθαμένοι ἔχουν κάτι καλό: μποροῦν νά δώσουν λίπασμα". (Mao Zedong, *Le Grad Bond en Avant: inédits 1958-1959*, Paris, Le Sycomore, 1980, σ. 113). Γνωρίζουμε πώς καί ἕνας ἄλλος λαϊκιστής, ὁ Χίτλερ, εἶχε βρεῖ τήν ἰδέα πολύ ἐνδιαφέρουσα καί τήν εἶχε βάλει σέ πράξη.

Ἡ περιφρόνηση τῶν λαϊκιστῶν γιά τούς διανοούμενους εἶχε ὁδηγήσει τόν Χίτλερ στήν καύση βιβλίων. Ὁμοίως ὁ Μάο στίς 8 Μαΐου 1958 εἶχε τήν παρακάτω συζήτηση μέ τόν Λίν Πιάο, πού τοῦ ἦταν ἀπόλυτα ἀφοσιωμένος, στήν δεύτερη σύνοδο τοῦ 8ου συνεδρίου τοῦ κόμματος: "-*Λίν Πιάο:* Ὁ πρῶτος αὐτοκράτωρ τῆς Κίνας [ὁ Chin Shih Huang-ti, 221-210 π.Χ.] ἔκαψε τά βιβλία καί ἔθαψε ζωντανούς τούς κονφουκιανούς σοφούς. -*Μάο:* ...Ὁ πρῶτος αὐτοκράτωρ τῆς Κίνας περιωρίσθηκε νά θάψει ζωντανούς 460 κονφουκιανούς σοφούς. Ἐμεῖς θάψαμε 46.000. Σάμπως δέν ἀποκεφαλίσαμε μερικούς ἀντιεπαναστάτες διανοούμενους κατά τήν διάρκεια τῆς "Καταστολῆς τῆς 'Αντίδρασης"; Συζήτησα τό θέμα μέ δημοκρατικές προσωπικότητες. 'Εάν μᾶς κατηγορεῖτε [εἶπα] πώς εἴμαστε ὁ πρῶτος αὐτοκράτωρ τῆς Κίνας, κάνετε λάθος διότι ἐμεῖς ξεπεράσαμε τόν πρῶτο αὐτοκράτορα τῆς Κίνας κατά πολύ! 'Εάν μᾶς κατηγορεῖτε πώς εἴμαστε ὁ πρῶτος αὐτοκράτωρ τῆς Κίνας, πώς εἴμαστε ἕνας δικτάτωρ, σᾶς δίνουμε ἀπόλυτα δίκαιο, ἀλλά δυστυχῶς δέν τό ἔχετε ἀκόμη ἀποδείξει ἐπαρκῶς. Γι' αὐτό ἐμεῖς πρέπει νά τό ὑπογραμμίσουμε ἀκόμη περισσότερο" (Mao Tse-toung, *Le Grand Livre Rouge: Écrits, discours et entretiens, 1949-1971*, traduit de l' allemand, Paris, Flammarion, 1975, σσ. 306-307). Τό γνωστό χιοῦμορ τοῦ Μάο πού χρησιμοποιοῦσε συνεχῶς, δέν ἀφαιροῦσε τίποτα ἀπό τήν σοβαρότητα παρομοίων δηλώσεων.

Ποιά ἦταν τά ἀποτελέσματα τοῦ Μεγάλου "Αλματος; Ἡ κυβέρνηση εἶχε ἀναγγείλει στό τέλος τοῦ 1958, πώς ἡ βιομηχανική παραγωγή τῆς χρονιᾶς σέ σχέση μέ τό 1957 δέν εἶχε αὐξηθεῖ κατά 33% ὅπως εἶχε προβλεφθεῖ, ἀλλά κατά 65%! Ἔστω καί ἄν λάβουμε ὑπ' ὄψη κάποια ὑπερβολή, δέν χωροῦσε ἀμφιβολία πώς ἡ ἄνοδος ἦταν ἐκπληκτική. 'Αλλά ἡ ποιότητα εἶχε θυσιαστεῖ πρός χάριν τῆς ποσότητος, ὅπως ἄλλωστε τό ἀνεγνώρισε ἡ ἴδια ἡ κυβέρνηση. Τόν Αὔγουστο τοῦ 1959 ἀποφασίσθηκε ὅτι στά 11 ἑκατομμύρια τόννους χάλυβος πού εἶχαν παραχθεῖ τό 1958, τά 3 ἑκατομμύρια ἦταν ἀκατάλληλα γιά βιομηχανική χρήση. Ὁ θεληματισμός εἶχε ὅσο νά 'ναι καί ὅρια.

Παρά ταῦτα, τό κεντρικό σύνθημα τοῦ Μεγάλου "Αλματος πρός τά 'Εμπρός, πού εἶχε ρίξει ὁ ἴδιος ὁ Μάο, "Νά τολμᾶς νά σκεφτεῖς, νά τολμᾶς νά μιλήσεις, νά τολμᾶς νά δράσεις" (Mao Zedong, *Le Grand Bond en Avant*, σ. 15), εἶχε θετικά ἀποτελέσματα. Διότι τό "Αλμα ὑπῆρξε ἰδίως μιά καταπληκτική λαϊκή σχολή, ὅπου οἱ ἀγρότες μπόρεσαν νά ἐξοικειωθοῦν μέ τήν βιομηχανία καί οἱ ἐργάτες νά ἐξοικειωθοῦν μέ τήν γεωργία. Ἦταν ἡ ἀρχή τῆς λύσεως τῶν ἀντιφάσεων μεταξύ πόλεων καί ὑπαίθρου κατά τήν μαρξιστική φιλοδοξία. Τό "Αλμα ὑπῆρξε ἐπίσης μιά ἀπελευθέρωση τῆς λαϊκῆς σκέψεως. (Βλ. Δημήτρη Κιτσίκη, "Ἡ ἐφευρετικότης τοῦ σημερινοῦ Κινέζου", *Τά Νέα*, 'Αθήνα, 27 καί 28 'Ιανουαρίου 1959.) Ἑκατομμύρια Κινέζοι κάθε μέρα, ἐργάτες καί ἀγρότες, στόν χῶρο τῆς δουλειᾶς, ἐπινοοῦσαν μικρές ἐφευρέσεις γιά νά καλυτερεύσουν τήν παραγωγή. Οἱ ἐφημερίδες ἦταν γεμάτες παραδείγματα αὐτῶν τῶν καθημερινῶν λαϊκῶν ἐφευρέσεων. Ἔτσι, οἱ ἐμπειρογνώμονες ἔχασαν τό μονοπώλιο τῆς σκέψεως. Ὁ ἁπλός ἐργάτης καί ὁ ἁπλός ἀγρότης εἶχαν "τολμήσει νά σκεφτοῦν".

Ἡ κεντρική ἰδέα τοῦ θεληματισμοῦ (ἡ ξένη λέξη "βολονταρισμός" πρέπει νά ἀποφεύγεται) πού εἶναι "ἄν θέλω μπορῶ", εἶναι ἡ κινητήριος δύναμις ἑνός ὁλοκληρωτικοῦ καθεστῶτος –κομμουνιστικοῦ ἤ ἐθνικοσοσιαλιστικοῦ– σέ ἀντίθεση μέ τήν δικτατορία ὅπου ὁ πολίτης ἀπαιτεῖται νά κρατεῖ στάση ἐντελῶς παθητική. (Γιά τήν διαφορά δικτατορίας καί ὁλοκληρωτισμοῦ, βλ. στό ἑπόμενο κεφάλαιο). Γι' αὐτό καί ὁ ὁλοκληρωτισμός εἶναι ξένος πρός τόν μή λενινιστικό μαρξισμό. Ἄν καί στήν θεωρία ὁ μαρξισμός-λενινισμός πάντοτε κατεδίκασε τόν θεληματισμό ὡς ἀνορθολογικό στοιχεῖο, στήν ἐποχή τοῦ Στάλιν πῆρε μεγάλες διαστάσεις καί ἡ παρακμή τοῦ θεληματισμοῦ στήν Σοβιετική Ἕνωση μετά τήν ἀποσταλινοποίηση (ἐνῶ διετηρῆτο συγχρόνως ὁ ὁλοκληρωτισμός) ἐξάπλωσε τόν γραφειοκρατισμό. Τυπικό παράδειγμα ἀποτελεῖ ἡ ζωή τοῦ συμβόλου τοῦ θεληματισμοῦ τῆς σταλινικῆς περιόδου, τοῦ ἀνθρακωρύχου Ἀλεξέι Σταχάνοβ πού ἔδωσε τό ὄνομά του στόν σταχανοβισμό. Τόν Αὔγουστο τοῦ 1935 στό ἀνθρακωρυχεῖο τοῦ Ντόνμπας, ἐπί τοῦ ποταμοῦ Ντόνετς, ὁ ἐργάτης αὐτός ἄσκησε τήν ἐφευρετικότητά του καί κατέπληξε τόν κόσμο αὐξάνοντας τήν ἀπόδοση τοῦ μέσου ἀνθρακωρύχου κατά 14 φορές. Ἔκτοτε ἡ ἐφευρετικότητα τοῦ ἐργάτη γιά νά αὐξήσει τήν παραγωγή πρός χάριν τῆς οἰκοδομήσεως τοῦ σοσιαλισμοῦ, ὀνομάσθηκε σταχανοβισμός. Μετά ὅμως ἀπό τόν θάνατο τοῦ Στάλιν τό 1953, ὁ Χρουστσώβ τό 1956 κατέστρεψε βίαια τόν μῦθο κι ἔτσι δέν ἀπέμεινε στόν ρομαντικό ἐργάτη παρά νά γίνει γραφειοκράτης, δηλαδή νά ἀστικοποιηθεῖ, μέ σβησμένη τήν φλόγα τοῦ ὀνείρου του. Βέβαια, ἤδη ἀπό τήν ἐποχή τοῦ Στάλιν εἶχε μεταφερθεῖ στά γραφεῖα τῆς πρωτεύουσας γιά νά συντονίσει τόν σταχανοβισμό, ἀλλά μέ τήν ἄνοδο τοῦ ἀντιπροσώπου τοῦ σοβιετικοῦ γραφειοκρατικοῦ κατεστημένου στήν ἐξουσία, Νικήτα Χρουστσώβ, ὁ Σταχάνοβ ἔχασε κάθε ὄρεξη γιά ἐργασία, τό ἔριξε στό ποτό καί πέθανε ἀλκοολικός. Ἡ ἀντίδραση τῆς λεγόμενης "ρωσικῆς ψυχῆς", πού φθάνει πάντα στά ἄκρα, εἶχε βρεῖ στήν βότκα τήν λύση στό ἠθικό ἀδιέξοδο τῆς Ρωσίας πρίν ἀπό τήν ἐπανάσταση τοῦ 1917 καί ὅταν πίστεψε στήν ἐπανάσταση ἔπαψε νά πίνει, ὅπως μᾶς τό διηγεῖται στά ἔργα του ὁ Γκόρκι. Μιά στατιστική μελέτη τῆς ἀπότομης ἀνόδου τοῦ ἀλκοολισμοῦ στήν Ρωσία μετά τό 1956, πού ἔφθασε στά προεπαναστατικά ὕψη μέ τήν ὁλοκλήρωση τῆς κατάρρευσης ἐπί Γκορμπατσώβ, θά εἶχε ἰδιάζουσα σημασία. Παράλληλο φαινόμενο γνώρισε ἡ Κίνα μετά τόν θάνατο τοῦ Μάο, μέ τήν ἐντυπωσιακή ἄνοδο τῆς ἐγκληματικότητος ἐπί βασιλείας τοῦ γραφειοκρατικοῦ κατεστημένου τοῦ Τένγκ Σιάο-πίνγκ.

Ὁ ἄκρατος θεληματισμός τοῦ Μεγάλου Ἅλματος ἐφόβισε τούς ὀρθόδοξους τοῦ ΚΚΚ. Κατ' αὐτούς δέν ἐπρόκειτο πλέον γιά κάποια προσαρμογή τοῦ μαρξισμοῦ-λενινισμοῦ στίς εἰδικές συνθῆκες μιᾶς ὑπανάπτυκτης χώρας ὅπως ἦταν ἡ Κίνα, ἀλλά γιά πολιτικό ρομαντισμό ἑνός ἀθεράπευτου ποιητῆ πού ἔχανε σταδιακά ἐπαφή μέ τήν ἀντικειμενική πραγματικότητα. Ἄλλωστε, ἡ ἔντονη καλλιτεχνική φύση τοῦ Μάο ἐξενεύριζε τούς γραφειοκράτες τοῦ κόμματος. Βέβαια, ὁ Μάο εἶχε κάνει τήν αὐτοκριτική του, ἀλλά τήν εἶχε κάνει καί πάλι ἀφ' ὑψηλοῦ, χωρίς συνέπειες γιά τόν ἑαυτό του. Στίς 23 Ἰουλίου 1959 εἶχε δηλώσει στό πολιτικό γραφεῖο τοῦ κόμματος: "Σέ σχέση μέ τά θέματα οἰκοδομήσεως [τῆς οἰκονομίας] εἶμαι ἐντελῶς ἄξεστος. Δέν καταλαβαίνω ἀπολύτως τίποτα στόν βιομηχανικό σχεδιασμό... Τό πρῶτο σημεῖο ἀφορᾶ τά δέκα ἑκατομμύρια ἑπτακόσιες χιλιάδες τόννους χάλυβος [στόχος παραγωγῆς γιά τό τέλος του 1958 πού εἶχε ἀποφασίσει τόν Αὔγουστο τοῦ ἰδίου ἔτους]. Ἐγώ εἶμαι πού ἔδωσα τήν συμβουλή νά φορτσάρουμε τήν παραγωγή χάλυβος... Ἀποτέλεσμα... Δέν ἄξιζε τόν κόπο. Τό δεύτερο σημεῖο τώρα: οἱ λαϊκές κοινότητες... Ἀρκέσθηκα νά ἐπωφεληθῶ τοῦ κύρους μου γιά νά κάνω τήν πρόταση... Ἀναλαμβάνω τήν εὐθύνη γιά τά δύο τοῦτα λάθη... Αὐτοί οἱ μικροί ὑψικάμινοι πού δημιουγήθηκαν σέ μεγάλη κλίμακα: Δέν μπορῶ νά ἀπαλλαχθῶ ἀπ' αὐτά ἔτσι εὔκολα. Ἐγώ φέρω τήν κυρία εὐθύνη. Ἔπειτα οἱ λαϊκές κοινότητες: Ὁλόκληρη ἡ οἰκουμένη ἐξέφρασε τήν ἀποδοκιμασία της, ἀκόμα καί ἡ Σοβιετική Ἕνωση ἦταν κατά". (Τό κείμενο αὐτό ἀναδημοσιεύθηκε στό βιβλίο τοῦ Jean Chesneaux, *Histoire de la Chine, 1840-1976*, Paris, Hatier, volume 4, σ. 105).

Ἡ τελευταία φράση μποροῦσε νά ἑρμηνευθεῖ ὡς ἑξῆς: ἐφ' ὅσον ὅλη ἡ οἰκουμένη ἦταν κατά, ἀκόμη καί ἡ Σοβιετική Ἕνωση, οἱ λαϊκές κοινότητες πρέπει νά ἦταν σωστές! Ἄλλωστε, αὐτό πού μετράει γιά τόν Μάο δέν εἶναι τόσο τά ὑλικά ἀποτελέσματα, ὅσο ἡ ἐκπαίδευση τῶν μαζῶν χάρη στήν ἐπιστράτευση ἑνός ὁλοκλήρου λαοῦ. Ὁ ἴδιος τό δηλώνει στό τέλος τῆς αὐτοκριτικῆς του: "Ἀλλά ἡ ἐπιστράτευση ὑπῆρξε καθολική καί οἱ πάντες ἦσαν ἕτοιμοι νά ἀναλάβουν εὐθύνες: αὐτά ἦταν τά θετικά στοιχεῖα. *Καί κάτι τέτοιο ἔχει ὅσο καί νά 'ναι μεγαλύτερη ἀξία*" (σ. 105).

Ὁ ποιητής Μάο Τσέ-τούνγκ εἶχε ἐνθαρρύνει τούς ἀγρότες καί τούς ἐργάτες, στήν διάρκεια τοῦ Μεγάλου Ἅλματος πρός τά Ἐμπρός, νά ἐκφράσουν τόν ἐνθουσιασμό τους γράφονας ποιήματα πού κυκλοφοροῦσαν σ' ὅλην τήν χώρα. (Βλ. Michèle Loi, *Poètes du peuple chinois*, Paris, P.J. Oswald, 1969). Κι ἄς μήν ἔφερνε πολλά ἀποτελέσματα ἕνα τέτοιος ἐθουσιασμός. Κι ἀκόμα καλύτερα ἐάν ἡ κριτική κατά τῶν μέτρων ἦταν γενική. Ὁ Μάο ἐδήλωνε στίς 2 Φεβρουαρίου 1959: "Νά γράφουμε ποιήματα στίς ἐφημερίδες, ναί, συμφωνῶ. Χρειάζεται αἰσιοδοξία, ἀκόμη καί χωρίς ἀπόλυτη ἐπιτυχία, γιατί μποροῦμε ἔτσι νά μάθουμε... Κι ἄς μᾶς βρίζει ὁ κόσμος. Ἡ Γενική Γραμμή μας δέν πρέπει νά ἀλλάξει". (Mao Zedong, *Le Grand Bond en Avant*, ἔνθ' ἀνωτ., σ. 130).

Ἀλλά αὐτό πού φόβισε ἀκόμη περισσότερο μεταξύ τῶν στελεχῶν τοῦ κόμματος τούς ὀρθόδοξους κομμουνιστές, ἦταν ὁ ἀντιδιανοουμενισμός καί ὁ ἀντιγραφειοκρατισμός τοῦ Μάο, πού ἔφθανε μέχρι καί τήν ἀναρχία. Ὁ Μάο εἶχε πεῖ τόν Μάρτιο τοῦ 1959: "Ἐντελῶς πρόσφατα, σέ ὅλες τίς ἐπαρχίες, στελέχη ἀνεχώρησαν γιά τήν ὕπαιθρο γιά νά γίνουν μέλη τῶν κοινοτήτων: αὐτή ἡ μέθοδος εἶναι πολύ καλή. Προτείνω τά στελέχη ὅλων τῶν ἐπιπέδων νά πᾶνε κι αὐτοί, κατά περιόδους καί κατά ὁμάδες, γιά ἕνα μῆνα τουλάχιστον, ἤ τό πολύ γιά ἑνάμισυ μῆνα. Ἕνα μέρος ἀπό τά στελέχη πρέπει νά πᾶνε στά ἐργοστάσια γιά νά γίνουν μεταλλωρύχοι καί ἐργάτες" (σ. 144).

Γιά νά συνοψίσουμε λοιπόν, τά ἰδεολογικά στοιχεῖα τοῦ Μεγάλου Ἅλματος, ὑπῆρξαν τά ἑξῆς: 1) Ἀντιδιανοουμενισμός. 2)

Θεληματισμός. 3) Ἀπόλυτη ἐμπιστοσύνη στήν ἀγροτική κοινωνία. 4) Νά ἐξαφανισθεῖ ἡ διαφορά πόλεως-ὑπαίθρου. 5) Πίστη πρός τήν παράδοση. 6) Ἐγκαλιταρισμός (ἰσοτισμός: ἡ ἀναρχική μορφή τῆς ἀρχῆς τῆς ἰσότητος). 7) Ἀντιατομισμός. 8) Οἰκονομική αὐτάρκεια. (Ἡ ἀρχή τοῦ νά περπατᾶς, ἔλεγε ὁ Μάο, καί μέ τά δυό σου πόδια).

Τό 1959 λοιπόν δημιουργήθηκαν οἱ δύο ἀντίθετες ἰδεολογικές γραμμές πού συγκρούσθηκαν μέχρι τῶν ἡμερῶν μας: ἡ μαοϊκή γραμμή κατά τῆς ὀρθόδοξης κομμουνιστικῆς (φιλοσοβιετικῆς) γραμμῆς. Σκέψη μαοτσετούνγκ κατά μαρξισμοῦ-λενινισμοῦ· ἡ διαμάχη ὑπῆξε φοβερή καί αἱματηρή. Συνεπῶς εἶναι ἐντελῶς λανθασμένη ἡ ἄποψη πώς ἡ πολιτιστική ἐπανάσταση τοῦ 1966-1976 προῆλθε ἀπό τήν ἀπεγνωσμένη προσπάθεια ἑνός γηρασμένου ἡγέτη νά ξανακατακτήσει τήν χαμένη ἐξουσία του.

Τό καινούργιο κατατατικό τοῦ κόμματος, τό 1956, καθιέρωνε τήν συλλογική ἡγεσία, κατόπιν τῆς χρουστσοβικῆς καταδίκης τῆς σταλινικῆς προσωπολατρείας. Ὡς τό 1956, ὁ Μάο συγκέντρωνε στά χέρια του τίς θέσεις τοῦ προέδρου τῆς κεντρικῆς ἐπιτροπῆς τοῦ κόμματος, τοῦ προέδρου τοῦ πολιτικοῦ γραφείου καί τοῦ προέδρου τῆς γραμματείας τοῦ κόμματος. Τό καταστατικό τοῦ κόμματος τοῦ 1956, δημιούργησε τέσσερις ἀντιπροεδρίες τῆς κεντρικῆς ἐπιτροπῆς (καί μιά πέμπτη τό 1958), μιά μόνιμη ἐπιτροπή τοῦ πολιτικοῦ γραφείου (ὅπως τό σοβιετικό πρεζίντιουμ) καί μιά γενική γραμματεία τοῦ κόμματος. Συνεπῶς τό 1956, ὁ Μάο ἄρχισε νά χάνει τήν δύναμή του πρός ὄφελος τῆς γραφειοκρατίας τοῦ κόμματος, ὅπου ἡγοῦντο δύο ἄνδρες: ὁ Λιού Σάο-τσί (Liu Shao-chi), πού τό 1956 ἔγινε πρῶτος ἀντιπρόεδρος τῆς κεντρικῆς ἐπιτροπῆς, καί ὁ Τένγκ Σιάο-πίνγκ, πού ἔγινε γενικός γραμματέας. Ὁ Μάο παρέμεινε πρόεδρος τῆς Δημοκρατίας μέχρι τό 1959, ὁπότε τόν διαδέχθηκε ὁ Λιού Σάο-τσί. Ἔτσι, ὅταν τό 1959 ἐξερράγη ἡ διαμάχη μεταξύ τῶν δύο γραμμῶν, ἡ πρώτη γραμμή κατευθύνετο ἀπό τόν Μάο, ἐνῶ ἡ δεύτερη γραμμή ἀπό τόν Λιού καί τόν Τένγκ.

Ἡ δυσμένεια τοῦ Μάο καί ὁ θρίαμβος τῶν Λιού καί Τένγκ πραγματοποιήθηκαν στίς 10 Δεκεμβρίου 1958, στήν 6η ὁλομέλεια τῆς κεντρικῆς ἐπιτροπῆς τοῦ κόμματος. Δύο ἀποφάσεις πάρθηκαν. Ἡ πρώτη ἀναδιοργάνωνε τίς λαϊκές κοινότητες γιά νά ἐξαλείψει τίς ἐγκαλιταριστικές ὑπερβολές καί τήν παραγωγή τοῦ χωριάτικου χάλυβος πού εἶχε ἐπιτευχθεῖ εἰς βάρος τῆς ἀγροτικῆς παραγωγῆς. Ὁ Μάο, τόν Μάρτιο τοῦ 1959, ὑποχρεώθηκε νά ἀναγνωρίσει τίς δύο αὐτές παρεκτροπές. Δήλωσε: "Μετά τήν ἵδρυση τῶν κοινοτήτων, τό φθινόπωρο τοῦ 1958, ἔπνευσε κομμουνιστικός ἄνεμος... Ἐκείνη ἡ κοινοκτημοσύνη ὅλων τῶν ἀγαθῶν... Δέν εἶναι σωστό νά ἰσοπεδώνεις μέ τήν βία φτωχούς καί πλούσιους... Ἐκτός τῶν τάσεων στόν ἰσοτισμό (ἐγκαλιταρισμό) καί στόν ὑπέρμετρο συγκεντρωτισμό, ἡ σημερινή κατανομή τοῦ ἐργατικοῦ δυναμικοῦ στά χωριά εἶναι ἐπίσης, σέ διάφορα μέρη, ὄχι πολύ ὀρθολογική" (σσ. 142-143).

Ἡ δεύτερη ἀπόφαση τῆς 6ης ὁλομέλειας ἐδέχετο τήν ὑποχρεωτική παραίτηση τοῦ Μάο ἀπό τήν προεδρία τῆς Δημοκρατίας, μέ τήν δικαιολογία ὅτι χρειαζόταν περισσότερο ἐλεύθερο χρόνο γιά νά μελετᾶ τόν Μάρξ καί τόν Λένιν! Ἦταν ἡ ἀρχή τῆς ἀπομαοποιήσεως, ζῶντος τοῦ Μάο. Ὁ ἴδιος ἀνεγνώρισε τόν Ὀκτώβριο τοῦ 1966: "Εἶχα πάρα πολύ δυσαρεστηθεῖ μέ ἐκείνη τήν ἀπόφαση, ἀλλά δέν μποροῦσα νά κάνω τίποτα γιά νά τήν ἀλλάξω". Καί πρόσθεσε πώς τοῦ εἶχαν συμπεριφερθεῖ σάν "πεθαμένο πού παρακολουθεῖ τήν ἴδια του τήν κηδεία". (Gene T. Hsiao, "The Background and Development of the Proletarian Cultural Revolution", *Asian Survey*, VII (6), June 1967, σ. 395, & J.P. Harrison, *The Long March to Power*, New York, 1972, σ. 477).

Οἱ ἀντιμαοϊκοί –πού τούς ἀποκάλεσαν οἱ ἀντίπαλοί τους οἰκονομιστές, δηλαδή ἐκεῖνοι πού στό σύνθημα "νά εἶσαι κόκκινος καί ἐμπειρογνώμων" δίνανε προτεραιότητα στήν ἰδιότητα τοῦ ἐμπειρογνώμονος– κατηγόρησαν τούς μαοϊκούς ὡς ὑπεύθυνους τῆς πτώσεως τοῦ Ἀκαθαρίστου Ἐθνικοῦ Προϊόντος (GNP). Τό 1958 ἦταν 95 δισεκατομμύρια ἀμερικανικά δολλάρια, 92 δισεκατομμύρια τό 1959, 89 δισ. τό 1960, 72 δισ. τό 1961. Δέν ἦταν δυνατόν, ἔλεγαν, νά διοικεῖ ὁ Μάο τήν Κίνα μέ νοοτροπία γκεριλλέρου, ἐκτός τοῦ ὅτι εἶχε γεράσει καί ἡ διανοητική του διαύγεια εἶχε ἀρχίσει νά πέφτει.

Στήν συνδιάσκεψη τοῦ Λούσαν (Lushan) τῆς κεντρικῆς ἐπιτροπῆς, τόν Αὔγουστο τοῦ 1959, οἱ οἰκονομιστές ἐπιτέθηκαν ἀνοικτά κατά τῶν μαοϊκῶν καί παρά τίς πολύ κακές σχέσεις πού εἶχε ὁ Μάο μέ τούς Σοβιετικούς, ἐπρότειναν νά συνεχισθεῖ ἡ συνεργασία μέ τήν Μόσχα. Ἦταν καθαρό πώς σ' αὐτήν τήν ἐσωτερική διαμάχη, ἡ Σοβιετική Ἕνωση ὑποστήριζε τούς ἀντιμαοϊκούς. Ὁ ὑπουργός Ἐθνικῆς Ἀμύνης, στρατάρχης Πένγκ Τέ-χουάϊ (Peng De-huai), εἶχε πάει στήν Ἀνατολική Εὐρώπη καί εἶχε συναντήσει τόν Χρουστσώβ στά Τίρανα. Οἱ δυό τους κατέστρωσαν ἕνα σχέδιο γιά νά ρίξουν τόν Μάο. Μόλις ὁ Πένγκ ἐπέστρεψε στό Πεκῖνο, ὁ Χρουστσώβ ἀνεκοίνωσε πώς ἀκύρωνε μιά συμφωνία πυρηνικῆς τεχνικῆς βοήθειας πρός τήν Κίνα, πού εἶχε ὑπογραφεῖ τό 1957. Ποιός ἔφταιγε γιά τήν ἀπώλεια τῆς σοβιετικῆς βοηθείας; Ὁ Μάο βέβαια εἶπαν οἱ ἐχθροί του. Στό Λούσαν, ὁ ὑπουργός Πένγκ κυκλοφόρησε ἕνα ὑπόμνημα μέ τό ὁποῖο ἐπιτήθετο δριμύτατα κατά τοῦ Μάο, ἀλλά χωρίς νά τόν ὀνομάζει. Ἔλεγε: "Τό σύνθημα, *ἡ πολιτική στήν πρώτη θέση*, δέν εἶναι δυνατόν νά ἀντικαταστήσει τίς ἀρχές τῆς οἰκονομίας καί ἀκόμη λιγώτερο τά οἰκονομικά μέτρα". (Stanley Karnow, *Mao and China. From Revolution to Revolution*, New York, 1972, σσ. 117-119). Προσέθετε πώς τό Μεγάλο Ἅλμα εἶχε σημαδευτεῖ μέ "μικροαστικό φανατισμό", πού στήν κομμουνιστική ὁρολογία ἐσήμαινε "φασισμός". Καί βέβαια σ' αὐτό εἶχε δίκαιο, μόνον πού ἡ λέξη φανατισμός εἶναι ὑποκειμενική καί χρησιμοποιεῖται πάντα ἀπό τόν ἀντιφρονοῦντα γιά νά ἐκφράσει μιά πραγματικότητα πού ὁ ὀπαδός θά χαρακτηρίσει ἐνθουσιασμό. Ὁ Πένγκ στό ὑπόμνημά του ἄφηνε νά ἐννοηθεῖ πώς ἡ λύση ἦταν ἡ σύσφιγξη τῶν σχέσεων μέ τήν Σοβιετική Ἕνωση.

Ἀλλά ὁ Μάο εἶχε ἀκόμη τεράστια ἐπιρροή πάνω στόν κινεζικό λαό. Ἀντέδρασε βίαια καί δήλωσε πώς ἄν μειοψηφοῦσε μέσα στό κόμμα θά ἐπέστρεφε στήν ὕπαιθρο, θά ὀργάνωνε μιά καινούργια στρατιά ἀγροτῶν καί θά ξανάρχιζε τό ἀντάρτικο. Μιά τέτοια ἀπειλή πάγωσε τούς οἰκονομιστές πού διηύθυνε ὁ Λιού Σάο-τσί, οἱ ὁποῖοι παράτησαν τόν Πένγκ Τέ-χουάϊ καί ἐπέτρεψαν τήν ἀπομάκρυνσή του καί τήν ἀντικατάστασή του ἀπό τόν στρατάρχη Λίν Πιάο (Lin Biao) ὡς ὑπουργό Ἀμύνης, στίς 17 Σεπτεμβρίου 1959. Ὁ Λίν Πιάο ἦταν ἐνθουσιώδης ὀπαδός τοῦ Μάο. Μέ τόν τρόπο αὐτό ὁ Κόκκινος Στρατός περνοῦσε ὑπό τόν ἔλεγχο τοῦ Μάο. Ἡ ἀντισοβιετική γραμμή εἶχε θριαμβεύσει. Ἀλλά στό ἐσωτερικό μέτωπο ὁ Μάο εἶχε ὑποχρεωθεῖ νά ἀφήσει τήν θέση του στούς οἰκονομιστές.

Ἡ ἀπειλή τοῦ Μάο νά ξαναπάρει τά βουνά ἦταν πολύ σοβαρή. Πώς τό ἐννοοῦσε καί τό μποροῦσε, αὐτό τό ἀπέδειξε ἡ πολιτιστική ἐπανάσταση πού ὀργάνωσε κατά τῶν οἰκονομιστῶν τό 1966. Ἀλλά μετά τόν θάνατό του, ἡ σκέψη μαοτσετούνγκ πού εἶχε ἐξαπλωθεῖ στίς μᾶζες δέν ἦταν ἀρκετή γιά νά πυροδοτήσει μιά καινούργια μαοϊκή ἐπανάσταση.

Μετά ἀπό ἐκείνη τήν κατά τό ἥμισυ νίκη, ὁ Μάο ἀποτραβήχτηκε γιά νά περιορισθεῖ στίς "μελέτες" του. Ἀπό τό σπίτι του κατώρθωσε νά ἐξαποστείλει κατά τῶν οἰκονομιστῶν τόν λεγόμενο "Συνταγματικό χάρτη τοῦ χαλυβουργείου τοῦ Anshan", τό 1960. Τό Ἀνσάν εἶναι τό φημισμένο μεταλλουργικό σύμπλεγμα (κομπινάτ) τῆς Μαντσουρίας, πού εἶχαν ἀξιοποιήσει οἱ Ἰάπωνες στήν περίοδο τῆς κατοχῆς τους. Μέ τό "κομπινάτ" τοῦ Wuhan, στήν κεντρική Κίνα, τό Ἀνσάν ἔχει τίς μεγαλύτερες μεταλλουργικές ἐγκαταστάσεις τῆς Κίνας. Τά πέντε σημεῖα τοῦ "Συνταγματικοῦ χάρτη" ἀντετίθεντο α) Στό σοβιετικό πρότυπο (γραφειοκρατική διοίκηση τοῦ ἐργοστασίου, πρωταρχική θέση τοῦ ἐμπειρογνώμονα, ἐπιδίωξη τοῦ κέρδους μέσω "ὑλικῶν κινήτρων") ὅπως εἶχε καθορισθεῖ μέ τόν Κανονισμό τοῦ χαλυβουργείου Κάρλ Μάρξ στό Μαγνιτογκόρσκ τῶν Οὐραλίων. β) Στό γιουγκοσλαβικό πρότυπο αὐτοδιαχειρήσεως, ἐπειδή οἱ Γιουγκοσλάβοι παρέλειπαν τήν βασική κινεζική ἀρχή τοῦ "προβαδίσματος στήν πολιτική" καί τῆς μαζικῆς κινητοποιήσεως ὑπό τήν ἡγεσία τοῦ κόμματος.

Ὁ μαοϊκός ὑπουργός Ἀμύνης Λίν Πιάο ἔστειλε μέ τήν σειρά του μιά ἄλλη ὀβίδα στό ἐχθρικό στρατόπεδο τῶν οἰκονομιστῶν, τήν ἴδια ἐκείνη χρονιά τοῦ 1960. Ἐπρόκειτο γιά τίς λεγόμενες τέσσερις βασικές ἀρχές πάνω στίς ὁποῖες ἔπρεπε νά θεμελιώνεται ἡ δράση τοῦ Κόκκινου Στρατοῦ καί οἱ ὁποῖες ἦταν: α) Στόν συσχετισμό ἄνθρωπος-ὅπλο, ὁ ἄνθρωπος πρωτεύει. β) Στόν συσχετισμό πολιτική δουλειά-ἄλλη δουλειά, πρωτεύει ἡ πολιτική δουλειά. γ) Στόν συσχετισμό ἰδεολογική δουλειά-γραφειοκρατική δουλειά, πρωτεύει ἡ ἰδεολογική. δ) Στόν συσχετισμό θεωρητική γνώση-πρακτική σκέψη, ἡ πρακτική πρωτεύει.

Τό 1962, ὁ Μάο ἦταν 69 χρονῶν. Ὑπέφερε ἀπό τήν ἀσθένεια

τοῦ Πάρκινσον. Γιά νά ἀποδείξει πώς ἦταν σέ θέση νά ἀνακαταλάβει τήν ἀρχή, τόν Ἰούλιο τοῦ 1966 διέσχισε κολυμπώντας τό μεγαλύτερο ποτάμι τῆς Κίνας, τό Γιάγκ-Τσέκιάνγκ καί μετέτρεψε τό ἀθλητικό του ἐπίτευγμα σέ παράδειγμα γιά τήν κινεζική ἐπαναστατική νεολαία. Ἀλλά ἡ τέταρτη γυναίκα του, ἡ Τσιάνγκ Τσίνγκ (Jiang Qing ἤ Chiang Ching, γεννημένη τό 1914), ἦταν στήριγμά του. Ἀποφάσισε νά τῆς ἀναθέσει μιά ἡγετική θέση στήν ὀργάνωση τῆς πολιτιστικῆς ἐπανάστασης.

Οἱ διανοούμενοι εἶχαν σηκώσει καί πάλι κεφάλι. Δέν ἤθελαν νά πηγαίνουν νά ἐργάζονται στά χωράφια. Μέ τήν ἔγκριση τῶν οἰκονομιστῶν πού κυβερνοῦσαν, δημοσίευαν γραπτά πού περιεῖχαν ἱστορικές ἀλληγορίες γιά νά κατακρίνουν τόν Μάο. Τότε, τόν Σεπτέμβριο 1962, ὁ Μάο ἐξήγγειλε τήν συγκρότηση ἑνός "κινήματος σοσιαλιστικῆς παιδείας", πού στόχο εἶχε νά ἀποτρέψει τήν ἐπιστροφή ἑνός ἀστικοῦ ἐλιτισμοῦ. Γιά τόν λόγο αὐτό ἦταν ἐπιτακτικό οἱ διανοούμενοι νά σταλοῦν στά χωράφια καί νά γράφουν λογοτεχνικά ἔργα μέ σοσιαλιστικό πνεῦμα. Τίς ὁδηγίες αὐτές τίς ἐπανέλαβε πολλές φορές καί τίς βρίσκουμε καί πάλι στήν ὁμιλία του στήν πόλη Χάνγκτζόου (Hangzhou) στίς 21 Δεκεμβρίου 1965: "Εἶπα στό παιδί μου: πήγαινε στήν ὕπαιθρο καί πές στούς φτωχούς καί μικρομεσαίους ἀγρότες, πώς ὁ πατέρας μου λέει ὅτι ἔπειτα ἀπό λίγα χρόνια σπουδῶν γινόμαστε ὅλο καί πιό ἠλίθιοι. Σᾶς παρακαλῶ θεῖοι καί θεῖες, ἀδελφοί καί ἀδελφές, γίνετε δάσκαλοί μας. Θέλω νά μέ μάθετε σεῖς." (Stuart Schram, editor, *Mao Tse-tung Unrehearsed. Talks and Letters, 1956-971*, London, Penguin Books, 1974, σ. 236).

Στίς 13 Φεβρουαρίου 1964 ὁ Μάο εἶχε δηλώσει σέ μιά συνεδρίαση τοῦ κόμματος: "Ἄς ἀφήσουμε τούς φοιτητές νά μελετοῦν μέ ἀνοιχτά βιβλία. Π.χ. ὅταν ἑτοιμάζουμε εἴκοσι ἐρωτήσεις πάνω στό [μυθιστόρημα] *Τό ὄνειρο τοῦ ἐρυθροῦ δωματίου* [κλασσικό κινεζικό λογοτεχνικό ἔργο]. Ἐάν ἕνας φοιτητής μπορεῖ νά ἀπαντήσει σωστά σέ μερικές ἐρωτήσεις καί ἄν μερικές ἀπ' αὐτές εἶναι καλές καί δημιουργικές, τότε μπορεῖ νά τοῦ βάλουν 100 [στά 100]. Ἐάν ἀπαντήσει καί στίς εἴκοσι καί οἱ ἀπαντήσεις του αὐτές εἶναι σωστές μέν ἀλλά κοινές καί χωρίς δημιουργικό μυαλό, τότε πρέπει νά τοῦ δώσουν 50 ἤ 60. Στίς ἐξετάσεις οἱ φοιτητές θά πρέπει νά ἔχουν τό δικαίωμα νά ψιθυρίζουν ὁ ἕνας στόν ἄλλο καί νά χρησιμοποιοῦν ἄλλους γιά νά δίνουν ἐξετάσεις στήν θέση τους. Ἄν ἡ ἀπάντησή σου εἶναι σωστή θά τήν ἀντιγράψω. Τό νά ἀντιγράφεις εἶναι ἐπίσης καλό... Πρέπει νά βάλουμε μπροστά αὐτό τό σύστημα". Καί πρόσθετε: "Δέν πρέπει νά παραδιαβάζουμε βιβλία... Ἐάν παραδιαβάζουμε βιβλία, τότε ὑποστηρίζουμε ἀντιφατικές θέσεις, γινόμαστε βιβλιοπόντικες, δογματικοί καί ρεβιζιονιστές". (David Milton & al. editors. *The China Reader: People's China, 1966-1972*, New York, Vintage Books, 1974, σσ. 246-247).

Ὁ ἀναρχισμός τοῦ Μάο εἶναι σ' αὐτά τά κείμενα ἀναμφισβήτητος. Εἶναι δέ χωρίς προηγούμενο, ἕνας ἡγετης ἑνός δισεκατομμυρίου ἀνθρώπων νά ἐκφράζεται δημόσια μέ τέτοιο ποιητικό χιοῦμορ, σάν νά ἦταν στήν ἐξουσία ὁ Σαλβαντόρ Ντάλι. Τέτοιου εἴδους κείμενα τοῦ Μάο εἶναι πολλά, διότι ἔτσι συνήθιζε νά ἐκφράζεται.

Ἕνα χαρακτηριστικό τῆς τρίτης ἰδεολογίας εἶναι ἡ θεοποίηση τοῦ νεολαίου. Τά νειάτα θεωροῦνται δημιουργικά καί εἶναι πάντα ἀνώτερα ἐφ' ὅσον ἀντιπροσωπεύουν τό πρότυπο τῆς ἁγνότητας τοῦ ἀνθρώπου πρίν ἀπό τήν πτώση του ἀπό τόν παράδεισο. Οὔτε στό θέμα αὐτό δέν διαφέρει ὁ Μάο. Δηλώνει: "Οἱ γνωστοί ἄνθρωποι συχνά εἶναι οἱ πιό πρωτόγονοι, οἱ πιό δειλοί. Δέν ἔχουν δημιουργικό πνεῦμα. Γιατί; Ἐπειδή γίνονται γνωστοί ὅταν γεράσουν καί ἔχουν ἀποκτήσει μιά κοινωνική θέση. Δέν εἶναι πλέον καταπιεζόμενοι, εἶναι πολύ ἀπησχολημένοι καί συνεπῶς δέν κάνουν πιά ἔρευνες". (Mao Zedong, *Le grand bond en avant*, ἔνθ'. ἀνωτ., σ. 11. Δεύτερη σύνοδος τοῦ 8ου συνεδρίου τοῦ ΚΚΚ, 8 Μαΐου 1958). Συνεχίζει δίνοντας πολλά παραδείγματα ἀγνώστων νέων πού ἔφεραν μεγάλη πρόοδο στήν ἱστορία τῆς ἀνθρωπότητος. Καί καταλήγει: "Ἐάν ἔδωσα τόσα παραδείγνατα ἦταν γιά νά ἐξηγήσω πώς οἱ νέοι πρέπει νά ξεπεράσουν τούς γέρους, πώς οἱ λιγώτερο μορφωμένοι μπορεῖ νά εἶναι ἀνώτεροι τῶν περισσότερο μορφωμένων... Πρέπει νά τολμᾶς νά σκεφτεῖς, νά τολμᾶς νά μιλήσεις, νά τολμᾶς νά δράσεις". (σ. 15).

Σ' αὐτούς πού θά τοῦ ἀπαντοῦσαν πώς γιά ἕναν μαρξιστή ἡ κοινωνική καταπίεση δέν ἐξαφανίζεται μέ τήν ἡλικία, ὁ Μάο δηλώνει ἀπερίφραστα: Τόν Μάρξ "ὁ Λένιν τόν ξεπέρασε μέ τήν Ὀκτωβριανή ἐπανάσταση. Ἐμεῖς [οἱ μαοϊκοί] τόν ξεπεράσαμε μέ τήν δική μας ἐπανάσταση" (σ. 10).

Ἡ θεοποίηση τοῦ νέου ἦταν τό ἀντικείμενο ὅλων τῶν δημοσιεύσεων τῶν "νεοφασιστῶν" πού κυκλοφόρησαν στά γαλλικά πανεπιστήμια, εἰδικά τήν ἐποχή τῆς σπουδαστικῆς ἐξεγέρσεως, τόν Μάϊο τοῦ 1968, ὅπου ἕνα φυλλάδιο μέ τίτλο *Essai de synthèse pour un néo-fascisme* ("Δοκίμιο συνθετικό γιά ἕναν νεοφασισμό"), ἔργο σπουδαστῶν τοῦ Πανεπιστημίου τοῦ Μονπελλιέ, ἀποκαλοῦσε τόν γαλλικό Μάη τοῦ 1968, "πρωτοφασιστική ἐπανάσταση".

Ἡ κινεζική πολιτιστική ἐπανάσταση καί προσωπικά ὁ Μάο ὑπεστήριξαν μέ ἐνθουσιασμό τήν ἐξέγερση τοῦ "Μάη 68". Στίς 4 Ἰουνίου 1968, τό ἐπίσημο κινεζικό πρακτορεῖο εἰδήσεων Xinhua (Σινχουά), μετέδιδε ἀπό τό Πεκῖνο, γιά νά χαιρετήσει τόν μεγάλο ξεσηκωμό τῶν Γάλλων φοιτητῶν, τήν φράση τοῦ Μάο: "Οἱ νέοι εἶναι ἡ μεγαλύτερη ζωτική δύναμη τῆς κοινωνίας", ἐνῶ ἀπό τίς 21 ὡς καί τίς 26 Μαΐου τοῦ ἰδίου ἔτους, εἴκοσι ἑκατομμύρια Κινέζοι ἔπαιρναν μέρος σέ διαδηλώσεις σ' ὅλη τήν Κίνα γιά νά συμπαρασταθοῦν στόν ἀγῶνα τῆς γαλλικῆς νεολαίας. Στούς τοίχους τοῦ Παρισιοῦ εἶχαν γράψει τό μεγάλο οὐτοπιστικό σύνθημα τοῦ Μάο: "Ἡ φαντασία στήν ἐξουσία" καί τήν φράση: "Νά εἶσθε ρεαλιστές. Νά ζητᾶτε τό ἀδύνατον". Καί δέν ἦταν μόνον τό Παρίσι καί ἡ Γαλλία, ἀλλά καί ἡ Δυτική Εὐρώπη καί ἡ Βόρεια Ἀμερική πού ἐξεγείροντο καί ἐδέχοντο τόν χαιρετισμό τοῦ ποιητῆ τῆς παγκόσμιας πολιτιστικῆς ἐπαναστάσεως. Τό γαλλικό περιοδικό *Le Nouvel Observateur* διεπίστωνε στίς 3 Ἰουλίου 1968: "Στά περισσότερα σπίτια τό ρῆγμα ἀνάμεσα στίς γενεές διευρύνθηκε, ἀλλά ὄχι ὅπως θά τό περίμενε κανείς. Μέσα σέ πέντε ἑβδομάδες τά παιδιά ὡρίμασαν τρία μέ τέσσερα χρόνια. Ὅσο γιά τούς γονεῖς, ἄν πιστέψει κανείς τίς μαρτυρίες τῶν προέδρων τῶν συλλόγων τῶν γονέων καί τῶν μαθητῶν, αὐτοί ἔδειξαν ἀντίθετα, πώς εἶχαν πνευματική ἡλικία δέκα ὡς δώδεκα χρονῶν". (Μπεάτα Κιτσίκη, *Γνώρισα τούς κόκκινους φρουρούς*, Ἀθήνα, Κέδρος, 1982, σσ. 336-337. Ἀπό τόν ἐπίλογο αὐτοῦ τοῦ βιβλίου τῆς μητέρας μου, πού τόν ἐγράψαμε μαζί).

Ἡ ἐξάπλωση τοῦ ναροντνικισμοῦ στόν Τρίτο Κόσμο καί ἡ

ἐπάνοδός του στήν Εὐρώπη τόν Μάη τοῦ '68 χάρη στήν μαοϊκή ἐπιρροή, ἐνισχύθηκαν μέσω τοῦ διαμένοντος στίς Ἠνωμένες Πολιτεῖες Γερμανοῦ φιλοσόφου Herbert Marcuse. Ὁ Μαρκοῦζε πού γεννήθηκε στό Βερολῖνο τό 1898 (καί ἔφυγε ἀπό τήν Γερμανία τό 1933 γιά νά ἐγκατασταθεῖ στίς ΗΠΑ τό 1934), ὅπως καί ὁ Μπακούνιν ἕναν αἰῶνα ἐνωρίτερα, ἔδινε ἡγετικό ρόλο στούς φοιτητές καί σέ μιά περιθωριακή ἰντελλιγκέντσια. Εἶχε δέ καθοριστική ἐπιρροή στόυς Γάλλους φοιτητές τοῦ 1968. Σέ μιά μελέτη του μέ τίτλο "Ὁ παρωχημένος μαρξισμός" ὑποστήριζε πώς τό βιομηχανικό προλεταριᾶτο εἶχε πάψει νά εἶναι ἡ ἀντίθεση τοῦ καπιταλιστικοῦ συστήματος, ἐπειδή τό σύστημα αὐτό, χάρη στήν ἐπιστημονική ὀργάνωση τῆς κατανάλωσης, εἶχε καταφέρει νά εὐνουχίσει τήν ἐπαναστατική ὁρμή. Παράδειγμα: ἀμέσως μετά τήν δολοφονία τοῦ Τσέ Γκουεβάρα, τό πτῶμα του ἔγινε καταναλωτικό ἀγαθό ἀπό τούς ἴδιους τούς δολοφόνους του. Ὁ ἀμερικανικός καπιταλισμός πούλησε ἀφίσες καί μπλουζάκια με τό κεφάλι τοῦ ρομαντικοῦ ἥρωος, σάν νά ἦταν βεντέτα τοῦ ρόκ κι ἔτσι κατώρθωσε νά ἐξουδετερώσει τό ἐπικίνδυνο ἐπαναστατικό μήνυμά του.

Ὁ Μαρκοῦζε ὑποστήριζε πώς ἦταν λάθος νά μιλᾶμε γιά ἐργατική ἀριστοκρατία στήν Δύση ὡς βολεμένη μειονότητα σέ σχέση μέ τό ὑπόλοιπο δυτικό προλεταριᾶτο. Στήν πραγματικότητα ὁλόκληρη ἡ δυτική ἐργατική τάξη εἶχε ἀστικοποιηθεῖ καί ἐκπορνευθεῖ ἀπό τήν καταναλωτική κοινωνία. Λάθος ἐπίσης τό νά μιλᾶμε γιά σχετική πτώχευση μεγάλων μαζῶν τῆς δυτικῆς κοινωνίας, ἡ ὁποία περιέχει δυνατότητες κοινωνικῆς ἐπαναστάσεως. Διότι τό νά ἔχει κανείς μαυρόασπρη τηλεόραση ἐνῶ ἄλλοι ἔχουν ἔγχρωμη, δέν ἐπαρκεῖ γιά νά μετατρέψει αὐτούς τούς "φτωχούς" τῶν δυτικῶν χωρῶν σέ ἐπαναστάτες.

Τελικά τί χρειάζεται, ἔγραφε ὁ Μαρκοῦζε. Νά ξυπνήσει ἡ συνείδηση τοῦ ἀνθρώπου γιά νά μπορέσει νά ὑπερνικήσει τό ναρκωτικό τῆς κατανάλωσης πού τήν ἀποκοιμίζει. Δέν πρόκειται ἐδῶ περί ταξικῆς συνειδήσεως, ἀλλά περί συνειδήσεως ἀφ' ἑαυτῆς. Ἡ ἔννοια αὐτή τῆς αὐξημένης συνειδήσεως ὡς μέσον ἀπελευθερώσεως εἶναι καθαρῶς θρησκευτική ἔννοια καί περιέχεται σέ ὅλες τίς θρησκεῖες, ὅπως ἐπί παραδείγματι στόν βουδδισμό.

Βούδδας σημαίνει ὁ ἀφυπνισθείς στήν ἀνώτατη κλίμακα τῆς συνειδήσεως. "Ἐάν ἡ ἐργατική τάξη γίνει ἐπαναστατική –δήλωνε ὁ Μαρκοῦζε τό 1973– αὐτό θά μπορέσει νά γίνει [πρᾶγμα ἀπίθανο] μόνον λόγω τῆς ζωτικῆς ἀνάγκης ἑνός τρόπου ζωῆς ἐντελῶς διαφορετικοῦ, ἀπελευθερωμένου ἀπό τίς καπιταλιστικές ἀξίες, ἑνός τρόπου ζωῆς βασισμένου στήν αὐτοδιάθεση καί στήν ἀξιοποίηση τῆς ζωῆς ὡς αὐτοσκοπό... [Παρά ταῦτα] ἡ ἄρνηση τῆς καπιταλιστικῆς ἠθικῆς καί τοῦ πνεύματος τοῦ καπιταλισμοῦ... ἀρχίζει νά διαμορφώνεται ἀκόμη καί μέσα στήν ἐργατική τάξη, ἰδίως στούς νέους. Ἀρνοῦνται τήν ἐργασία, σαμποτάρουν τήν δουλειά τους, δέν ταυτίζονται μ' αὐτήν. Τό νά ἐργάζεσαι, δηλαδή τό νά ἐργάζεσαι μέ αὐτόν τόν τρόπο καί γιά χρήματα, δέν τούς φαίνεται καθόλου σάν μιά φυσική ἀνάγκη, οὔτε κἄν σάν μιά κοινωνική ἀνάγκη. Ὑπάρχει ἐκεῖ τό σπέρμα μιᾶς ἀπελευθερώσεως" (Herbert Marcuse, "Socialisme ou barbarie", *Le Nouvel Observateur*, Paris, 8 janvier 1973, σ. 65).

Γιά τόν Μαρκοῦζε οἱ ἀγῶνες ἐθνικῆς ἀπελευθερώσεως τῶν χωρῶν τοῦ Τρίτου Κόσμου, "ὅπου οἱ κυριαρχούμενες τάξεις δέν εἶναι ἕνα βιομηχανικό ἀλλά ἕνα ἀγροτικό προλεταριᾶτο", εἶναι καθοριστικές γιά τήν κοινωνική ἀπελευθέρωση. (Herbert Marcuse, The Obsolescence of Marxism", in N. Lobkowicz, *Marx and the Western World*, University of Notre Dame Press, USA, 1967, σ. 415). Ἀπό τήν μιά πλευρά ἔχουμε τόν καπιταλισμό, ὁ ὁποῖος ἐάν σταματήσει νά ἐπεκτείνεται ἐπί ὅλου τοῦ πλανήτου θά πεθάνει καί τοῦ ὁποίου ἡ παρακμή μπορεῖ νά ἐπιβραδυνθεῖ "μόνον μέ τό νά παράγει ὅλο καί περισσότερα ἄχρηστα ἀγαθά καί παρασιτικές ὑπηρεσίες" (σ. 416), καί ἀπό τήν ἄλλη τίς χῶρες τοῦ Τρίτου Κόσμου ὅπου "ὑπάρχει ἡ δυνατότης νά βραχυκυκλωθεῖ τό στάδιο τῆς κατασταλτικῆς καπιταλιστικῆς ἐκβιομηχανοποιήσεως... Οἱ καθυστερημένες χῶρες μπορεῖ νά ἔχουν τήν εὐκαιρία τεχνολογικῆς ἀναπτύξεως πού νά ἐναρμονίζει τό βιομηχανικό οἰκοδόμημα μέ τίς ζωτικές ἀνάγκες καί τίς ἐλεύθερα ἀναπτυσσόμενες ἱκανότητες τῶν ἀνθρώπων" (σ. 415).

Ἡ οὐτοπία καί τό ὄραμα εἶναι γιά τόν Μαρκοῦζε θετικά στοιχεῖα στήν ἐπαναστατική δράση καί ὑποστηρίζει τούς σουρρεαλιστές σάν τόν André Breton, *Les manifestes du surréalisme* (Paris, Editions du Sagittaire, 1956), πού ἀπαίτησαν "τό ὅραμα νά μετουσιωθεῖ σέ πραγματικότητα χωρίς νά θέσει σέ κίνδυνο τό περιεχόμενό του. Ἡ τέχνη εἶχε συμμαχίσει μέ τήν ἐπανάσταση. Μιά χωρίς παραχωρήσεις προσχώρηση στήν ἀπόλυτη ἀλήθεια τῆς φαντασίας, συλλαμβάνει τήν πραγματικότητα πιό συνολικά". (Hervert Marcuse, *Eros et Civilisation. Contribution à Freud,* Paris, Les Editions de Minuit-Arguments, 1963, σ. 135). Μονάχα ἡ φαντασία στήν ἐξουσία καί ἡ ἀρχή τῆς ἀπαγορεύσεως τοῦ ἀπαγορεύειν ἐξασφαλίζει τήν ἀπόλυτη ἐλευθερία, μακριά ἀπό κάθε καταπίεση, ἔτσι ὅπως τήν φαντάζονται οἱ ἀναρχικοί. Ὁ ἐπαναστατικός αὐθορμητισμός εἶναι θετικός ὡς ἄρνηση τοῦ κατεστημένου, ἀλλά γιά νά ἐπιτευχθεῖ ἐπανάσταση πρέπει –ὅπως τό πίστευε καί ὁ Μπακούνιν– νά συνδυαστεῖ μέ τήν ἐπαναστατική ἐλίτ τῶν φοιτητῶν καί τῆς περιθωριακῆς ἰντελλιγκέντσιας πού ἡγοῦνται τῆς ἐξεγέρσεως.

Τελικά ἡ τρίτη ἰδεολογία ὑπό τίς διάφορες μορφές της, εἰσχωρώντας καί στόν κομμουνισμό, ὡς μαοϊσμό στόν Τρίτο κόσμο καί ὡς ἀριστερισμό στίς δυτικές κοινωνίες, ἔχει πάντα ὡς κύριο χαρακτηριστικό τήν νοσταλγία τῆς προβιομηχανικῆς ἐποχῆς. Γι' αὐτό καί τό ἀδυσώπητο μῖσος τῆς τρίτης ἰδεολογίας κατά τοῦ καπιταλιστικοῦ συστήματος εἶναι πρῶτα ἀπ' ὅλα τό μῖσος κατά τοῦ χρήματος καί τῆς τεχνοκρατίας πού ὑποδουλώνει πνευματικά τόν ἄνθρωπο. Ἡ ἀπέχθεια γιά τόν ρατσιοναλισμό καί ὁ ἔντονος θεληματισμός κυριαρχοῦν. (Βλ. Richard Gombin *Les origines du gauchisme,* Paris, Seuil, 1971, 189 σελίδες καί Richard Lowenthal, "Unreason and Revolution. On the Dissociation of Practice from Theory", *Encounter,* London, vol. 33, no.5, November 1969, σσ. 22-34). Τό μῖσος κατά τῆς δυτικῆς ἀναγεννησιακῆς κοινωνίας ἐκφράζεται μέ τήν ἐξιδανίκευση τοῦ Τρίτου Κόσμου. Τυπικό παράδειγμα, τό ἔργο τοῦ μαύρου θεωρητικοῦ τῆς ἐπαναστατικῆς βίας Frantz Fanon (1925-1961), Γάλλου ἀποικισμένου ἀπό τήν Μαρτινίκη, τοῦ ὁποίου τό βιβλίο, *Les damnés de la terre* (Οἱ κολασμένοι τῆς γῆς), εἶναι τό πιό ἀντιπροσωπευτικό κείμενο τοῦ τριτοκοσμικοῦ φασισμοῦ. Πρόκειται γιά ἕναν ὕμνο στήν βία ὡς καθαρκτική καί ἐξαγνιστική δύναμη τοῦ καταπιεσμένου ἀνθρώπου. Διότι αὐτή ἡ κοινωνική καί ἀποικιακή καταπίεση δημιουργεῖ στό θῦμα του φρενοβλάβεια, πού μόνον μέσω τῆς βίας θά μπορέσει νά θεραπευτεῖ. (Βλ. τό 5ο κεφάλαιο πού φέρει τόν τίτλο: "Ἀποικιακός πόλεμος καί ψυχικές διαταραχές"). Ὁ Φανόν εἶχε μελετήσει αὐτό τό πρόβλημα στήν Ἀλγερία ὅταν ὑπηρετοῦσε ὡς διευθύνων γιατρός τοῦ νοσοκομείου τῆς πόλεως Μπλιντά τό 1953-1957 καί εἶχε συνεργασθεῖ μέ τό FLN, τό Ἐθνικό Ἀπελευθερωτικό Μέτωπο τῆς Ἀλγερίας.

Ἡ πολιτική διάσταση τῆς ψυχιατρικῆς, ἐτέθη ἐπί τάπητος στήν Ἑλλάδα μέ τήν ἐκτέλεση τοῦ ψυχιάτρου Μάριου Μαράτου, διευθυντοῦ τοῦ ψυχιατρείου τῶν φυλακῶν τοῦ Κορυδαλλοῦ στήν Ἀθήνα, στίς 19 Φεβρουαρίου 1990, ἀπό τήν ὀργάνωση "Ἐπαναστατική Ἀλληλεγγύη". Ἡ προκήρυξη τῆς ὀργανώσεως αὐτῆς ἔλεγε: "Ἡ ψυχιατρική ἀποτελοῦσε καί ἀποτελεῖ ἕνα μέσον, γιά νά μπορεῖ τό καθεστώς νά ἐλέγχει τήν ἀνθρώπινη συμπεριφορά καί νά ἑδραιώνεται ὡς τά ἄδυτα τῆς ψυχῆς τοῦ ἀνθρώπου. "Νωθρή σχιζοφρένεια", "ἀποσυναρμολόγηση τῆς προσωπικότητας", "μεταρρυθμιστική μανία", λοβοτομές, χάπια, ἱδρύματα, βασανιστήρια, εἶναι ἐφαρμογές τῆς ψυχιατρικῆς γιά τήν πλήρη καθυπόταξη τοῦ ἀτόμου στήν κυρίαρχη κάθε φορά ἰδεολογία καί ἠθική. Γι᾽ αὐτό ἡ ψυχιατρική εἶναι ἀπαραίτητη σέ κάθε καθεστώς... Στήν σημερινή γενικευμένη ἀλλοτρίωση τοῦ ἀνθρώπου, ἡ ἀποδοχή τῆς ψυχιατρικῆς ἴσως ἀποτελέσει καί τό τέλος τοῦ ἀνθρώπου ὡς φορέα ἐπιθυμιῶν, σκέψεων, συλλογισμῶν, ἀφ᾽ ὅτου θά τίθεται πλέον στόν ἀσφυκτικό ἔλεγχο τῶν τεχνικῶν τῆς χειραγώγησης τοῦ ἀτόμου". (Ὁλόκληρο τό κείμενο τῆς προκηρύξεως ἐδημοσιεύθη στήν *Ἐλευθεροτυπία*, Ἀθήνα, 21 Φεβρουαρίου 1990, σσ. 22-23).

Γιά τήν θεραπευτική ἰδιότητα τῆς βίας, ὁ Φανόν ἔγραφε: "Στό ἐπίπεδο τοῦ ἀτόμου ἡ βία ἀποτοξινώνει. Ἀποδεσμεύει τόν ἀποικισμένο ἀπό τό σύμπλεγμα κατωτερότητος... Ἡ βία ἀναβιβάζει τόν λαό στό ἐπίπεδο τοῦ ἀρχηγοῦ... Φωτισμένη ἀπό τήν βία ἡ συνείδηση τοῦ λαοῦ ἐξεγείρεται κατά πάσης εἰρηνεύσεως". (Frantz Fanon, *Les damnés de la terre*, Paris, Maspero, 1978, σσ. 51-52). Ὁ Γάλλος φιλόσοφος Jean-Paul Sartre, πού ὑποστήριζε τήν ἀναρχία καί τήν ἀτομική τρομοκρατική δράση, σέ μιά εἰσαγωγή του στήν ἔκδοση τοῦ βιβλίου τοῦ Φανόν τό 1961, ἐνῶ ὑβρίζει τόν Georges Sorel ἐγκωμιάζει τόν Φανόν ἀκριβῶς γιά τό ἴδιο πρᾶγμα, πού ἀποδεικνύει πώς κάποια ἐποχή ἡ μαγική λέξη "ἀριστερός" ἀρκοῦσε στόν διανοούμενο γιά νά ἁγιάσει ὁποιαδήποτε θέση. Γράφει λοιπόν ὁ Σάρτρ: "Ἐάν ἐξαιρέσετε τίς φασιστικές πολυλογίες τοῦ Σορέλ [*Réflexions sur la violence* τοῦ 1908] θά βρεῖτε πώς ὁ Φανόν εἶναι ὁ πρῶτος ἀπό τήν ἐποχή τοῦ Ἔνγκελς πού ἐπανέφερε στό φῶς [τήν βία], αὐτήν τήν μαμμή τῆς Ἱστορίας" (σ. 14 τῆς εἰσαγωγῆς τοῦ Σάρτρ στήν ἔκδοση Μασπερό τῶν *Damnés de la terre* τοῦ 1961).

Ἡ καταδίκη ἀπό τόν Σάρτρ τοῦ δυτικοῦ πολιτισμοῦ εἶναι χαρακτηριστικό τοῦ τριτοκοσμικοῦ φαινομένου. Διότι ὁ τριτοκοσμισμός ἔχει δύο σκέλη: αὐτόν πού διακατέχει διανοούμενους στήν Δύση, ὅπως τόν Σάρτρ, καί αὐτόν πού ἔχει ριζώσει ὡς κύρια ἰδεολογία στίς χῶρες τοῦ Τρίτου Κόσμου: "Γνωρίζετε καλά –γράφει ὁ Σάρτρ– ὅτι πήραμε τό χρυσό καί τά μέταλλα καί κατόπιν τό πετρέλαιο ἀπό "τίς νέες ἠπείρους" καί πώς τά μεταφέραμε στίς παλιές μητροπόλεις μέ ἐξαιρετικά ἀποτελέσματα: παλάτια, καθεδρικούς ναούς, βιομηχανικές πρωτεύουσες... Ἕνας ἄνθρωπος σέ μᾶς σημαίνει συνένοχος ἐφ' ὅσον ὅλοι μας ἐπωφεληθήκαμε ἀπό τήν ἀποικιακή ἐκμετάλλευση. Αὐτή ἡ ἤπειρος [ἡ Εὐρώπη] λιπαρή καί ὠχρή... Καί αὐτό τό σουπερευρωπαϊκό τέρας, ἡ Βόρειος Ἀμερική; Τί πολυλογία! Ἐλευθερία, ἰσότητα κ.λπ.... Ὁ Εὐρωπαῖος κατώρθωσε νά γίνει ἄνθρωπος μόνον ἀφοῦ δημιούργησε δούλους καί τέρατα... Ἡ ἐλίτ [τῆς Δύσεως] ἀποκαλύπτει τό πραγματικό της πρόσωπο: μιά συμμορία... Ἄλλοτε ἡ ἤπειρός μας εἶχε ἄλλες σημαδοῦρες: τόν Παρθενώνα, τόν καθεδρικό ναό τῆς Chartres, τά δικαιώματα τοῦ ἀνθρώπου, τόν ἀγκυλωτό σταυρό. Γνωρίζουμε σήμερα τί ἀξία ἔχουν... Τό τέλος ἦρθε. Ὅπως βλέπετε ἡ Εὐρώπη κάνει νερά ἀπό παντοῦ... Ὁ οὐμανισμός μας παρέμεινε ἀνέπαφος. Ἑνωμένοι χάρη στό κέρδος οἱ κάτοικοι τῶν μητροπόλεων ἐβάφτιζαν μέ τίς λέξεις ἀδελφοσύνη καί ἀγάπη τά ἀπό κοινοῦ ἐγκλήματά τους" (σσ. 22-24).

Ὅσο ἐκπληκτική καί νά φαίνεται ἡ δριμύτητα τοῦ ἀντιδυτικοῦ κατηγορητηρίου τοῦ Σάρτρ, ξεπερνιέται ἀπό ἕναν ἄλλο Γάλλο ἐπιφανῆ φιλόσοφο, τό Roger Garaudy. Αὐτός ὁ πρώην θεωρητικός τοῦ γαλλικοῦ κομμουνιστικοῦ κόμματος, μέλος τοῦ πολιτικοῦ του γραφείου, ὁ ὁποῖος σταδιακά ἀπορροφήθηκε ἀπό τήν θρησκευτική σκέψη, πρῶτα ἀπό τόν καθολικισμό καί ἀργότερα ἀπό τόν ἰσλαμισμό, σέ σημεῖο νά γίνει ὁ ἴδιος μουσουλμάνος (ὅπως ὁ Toynbee εἶχε γίνει βουδδιστής), ἔγραψε σειρά βιβλίων ἀπιθάνου ἀντιδυτικοῦ πάθους. Παράδειγμα, τό βιβλίο πού κυκλοφόρησε τό 1977, μέ τίτλο "Γιά ἕναν διάλογο τῶν πολιτισμῶν. Ἡ Δύση εἶναι μιά παρένθεση". Γράφει ὁ Γκαρωντύ: "Ἡ Ἀναγέννηση ἡ ὁποία δέν εἶναι μόνον ἕνα πολιτιστικό κίνημα, ἀλλά ἡ σύγχρονη γέννηση τοῦ καπιταλισμοῦ καί τοῦ ἀποικισμοῦ, ὄχι μόνον δέν ὑπῆρξε ὁ κολοφώνας τοῦ "οὐμανισμοῦ", ἀλλά κατέστρεψε πολιτισμούς ἀνώτερους ἀπό τούς πολιτισμούς τῆς Δύσεως, στίς σχέσεις τους τοῦ ἀνθρώπου μέ τήν φύση, μέ τήν κοινωνία, μέ τό θεῖο". (Roger Garaudy, *Pour un dialogue des civilisations. L' Occident est un accident*, Paris, Denoël, 1977, σ. 7). Καί συνεχίζει: "Μόνον ἡ Δύση, αὐτή ἡ μικρή χερσόνησος τῆς Ἀσίας, ταμπουρωμένη πίσω ἀπό τά Οὐράλια καί τόν περίβολο τῆς Μεσογείου, μέ τόν δυϊσμό της, τόν ἀτομισμό της, τόν μονοδιάστατο ρατσιοναλισμό της, ἐμφανίζεται σάν μιά ἀποτυχημένη ἐξαίρεση στήν ἀνθρώπινη ἐποποιΐα, ἡ ὁποία ἄρχισε πρίν ἀπό τρία ἑκατομμύρια χρόνια στήν Ἀφρική καί συνεχίστηκε ἐπί ἑξήντα αἰῶνες πάνω σ' ὅλες τίς ἠπείρους, ὡς πού ἡ δυτική Ἀναγέννηση, χάριν ὁπλισμοῦ ἀπείρως πιό καταστρεπτικοῦ ἀπ' αὐτόν πού εἴχαμε γνωρίσει στό παρελθόν, νά ὑποδουλώσει καί νά κυριαρχήσει στόν κόσμο, πνίγοντας ὅλες τίς ἄλλες κουλτοῦρες" (σ. 20).

Φυσικά ὅπως ὅλοι οἱ ἀντιδυτικοί, ὁ Γκαρωντύ ἐξυμνεῖ τόν Μάο καί τήν πολιτιστική του ἐπανάσταση: "Οἱ μεγάλες δημιουργικές ἐμπειρίες στόν οἰκονομικό, πολιτικό καί θρησκευτικό τομέα, ἐμφανίζονται σήμερα στίς χῶρες τοῦ Τρίτου Κόσμου καί πηγάζουν ἀπο τίς μή δυτικές κουλτοῦρες. Τό πιό κτυπητό παράδειγμα εἶναι αὐτό τῆς κινεζικῆς πολιτιστικῆς ἐπαναστάσεως, ἡ μόνη σοσιαλιστική ἐπανάσταση πού δέν παίρνει τίς βάσεις της στόν ἀτομισμό τῶν ἀστικῶν ἐπαναστάσεων τῆς Δύσεως... Ἕνας ἐπισκέπτης πού ἐπέστρεφε ἀπό τήν Κίνα, ἔλεγε πώς εἶχε δεῖ ἕνα μοναστήρι 700 ἑκατομμυρίων παντρεμένων καλογήρων, πού ὅλοι τους εἶχαν κάνει τάμα νά παραμείνουν φτωχοί, ὑπάκουοι καί ἁγνοί"... Στήν ἐπιστροφή του ἀπό τήν Κίνα, ἕνας δομινικανός μοναχός, ὁ πατήρ Cardonel εἶχε διαπιστώσει: "Θαρρῶ πώς εἶδα αὐτό πού ὁ χριστιανικός κόσμος μποροῦσε νά εἶχε γίνει, ἐάν εἶχε πάρει στά σοβαρά τήν διδασκαλία τοῦ Χριστοῦ" (σ. 210, 214, 217).

Στίς 30 Ἰουλίου 1983 ὁ Γκαρωντύ δημοσίευσε στήν γαλλική ἐφημερίδα *Le Monde*, ἕνα ἄρθρο πού ἔφερε τόν τίτλο "Γιατί εἶμαι μουσουλμάνος" ("Pourquoi je suis musulman") καί πού προκάλεσε σάλο στήν Γαλλία.Ἐπί πλέον ἡ συμβολή του στόν ἀγῶνα κατά τῶν ἀξιῶν τῆς Δύσεως σημειώθηκε ἀπό τήν πρωτοβουλία πού πῆρε ὡς διευθυντής τοῦ Διεθνοῦς Ἰνστιτούτου γιά τόν Διάλογο τῶν Πολιτισμῶν, νά βοηθήσει τόν πρόεδρο τῆς Δημοκρατίας τῆς Σενεγάλης, Léopold Sédar Senghor, νά ἱδρύσει στήν ἀφρικανική αὐτή χώρα ἕνα ἀντιδυτικό καί τριτοκοσμικό πανεπιστήμιο, ὑπό τήν περίεργη ὀνομασία Université des Mutants (Πανεπιστήμιο τῶν Μεταβαλλομένων), τό 1978. Σχετικά ὁ Γκαρωντύ εἶχε δηλώσει: "Τό στοίχημα πού κάνουμε μ' αὐτήν τήν προσπάθεια εἶναι ριψοκίνδυνο. Ἀλλά ἄς μιλήσουμε καθαρά. Τό μοντέλο ἀναπτύξεως πού ὁρίζεται μέ μιά χωρίς τέλος ποσοτική αὔξηση τῆς παραγωγῆς καί τῆς καταναλώσεως, αὐτό τό μοντέλο ἀναπτύξεως, πού προῆλθε ἀπό τό μοντέλο τῆς δυτικῆς κουλτούρας τῆς ἐποχῆς τῆς Ἀναγεννήσεως, μᾶς ὁδηγεῖ σήμερα στήν αὐτοκτονία τοῦ πλανήτη. Οἱ οἰκονομολόγοι μας, οἱ πολιτικοί μας, οἱ θετικιστές μελλοντολόγοι μας συνεχίζουν νά χρησιμοποιοῦν τήν γλῶσσα τῆς πρώτης μέθης τῆς ἐκβιομηχανίσεως τοῦ 18ου αἰῶνος καί τοῦ Διαφωτισμοῦ, τήν γλῶσσα τοῦ Μάρξ ἤ τήν γλῶσσα τῆς φιλελεύθερης αἰσιοδοξίας, λές καί ὁ βασικός νόμος τοῦ κόσμου μας ἦταν ὁ νόμος τῆς προόδου, ὁ νόμος κατά τόν ὁποῖο ἐπιστήμη καί τεχνολογία εἶναι σέ θέση νά ἐξασφαλίσουν τήν εὐτυχία τοῦ ἀνθρώπου, ἱκονοποιώντας τίς ἀπεριόριστες ἀνάγκες του... Σήμερα εἶναι ἴσως ἡ Δύση πού ἔχει τά λιγότερα πράγματα νά μᾶς πεῖ πάνω στό μέλλον τοῦ ἀνθρώπου... Ἡ Ἱστορία θέτει τά προβλήματα... Οἱ προφῆτες δίνουν τίς ἀπαντήσεις... Ὁ Νίτσε τό κατάλαβε ὅταν ἔγραψε: "Ζαρατούστρα εἶσαι σάν καί μένα, ἕνας ἀπ' αὐτούς τούς ἀνθρώπους τοῦ πεπρωμένου πού δημιουργοῦν ἀξίες γιά χιλιετηρίδες". Ὁ Ζαρατούστρα ἦταν γι' αὐτόν ὁ προφήτης τῆς αὐγῆς καί ὁ Νίτσε θεωροῦσε τόν ἑαυτό του τόν προφήτη τῶν τελευταίων καιρῶν, σ' ἕναν δυτικό κόσμο ἀφοσιωμένο στήν θέληση τῆς δυνάμεως". (Roger Garaudy, "Les mutants portent en eux un monde encore à naître", in *Université des Mutants: Guide*, 1978, σ. 16, 18).

Ἕνας ἀπό τούς πιό χαρακτηριστικούς πολιτικούς ἡγέτες τοῦ τριτοκοσμικοῦ φασισμοῦ, περισσότερο κι ἀπό τόν Ἀργεντινό ἡγέτη Χουάν Περόν, εἶναι ἀναμφισβήτητα ὁ ἀρχηγός τῆς Λιβύης Μουάμαρ ἄλ Καντάφι. Ἄν καί ποτέ δέν ἀναφέρεται στόν Ζάν-Ζάκ Ρουσώ, παρά μόνον στό Κοράνι, τό *Πράσινο Βιβλίο* του παρουσιάζει οὐσιαστικά ἕνα ρουσωϊκό σύστημα. Οἱ βασικές του θέσεις εἶναι: Καταδίκη τοῦ κοινοβουλευτισμοῦ. Γράφει: "Ὄχι ἀντιπροσώπευση στήν θέση τοῦ λαοῦ. Ἡ ἀντιπροσώπευση εἶναι παραποίηση καί ἄρνηση τῆς συμμετοχῆς". Καταδίκη τοῦ πολυκομματισμοῦ ἀλλά καί τοῦ μονοκομματισμοῦ. Ἡ θέση του εἶναι ἕνα σύστημα χωρίς κόμματα. Γράφει: "Τό κομματικό σύστημα ἀποβάλλει τήν δημοκρατία. Ὁ σχηματισμός κομμάτων διασπᾶ τίς κοινωνίες". Καταδίκη τῆς πάλης τῶν τάξεων. Γράφει: "Τό ταξικό πολιτικό σύστημα εἶναι τό ἴδιο μέ τό κομματικό, τό φυλετικό ἤ τό αἱρετικό σύστημα, δηλαδή μιά τάξη κυριαρχεῖ στήν κοινωνία μέ τόν ἴδιο τρόπο πού κυριαρχεῖ ἕνα κόμμα, μιά φυλή ἤ μιά αἵρεση... Ὁ λαός δέν εἶναι οὔτε ἡ τάξη, οὔτε τό κόμμα... αὐτά δέν εἶναι τίποτα παραπάνω ἀπό ἕνα τμῆμα τοῦ λαοῦ καί ἀποτελοῦν μιά μειοψηφία. Ἄν μιά τάξη, ἕνα κόμμα... κυριαρχεῖ σέ μιά κοινωνία, ὁλόκληρο τό σύστημα γίνεται μιά δικτατορία... Μέ τήν γνήσια δημοκρατία δέν δικαιολογεῖται μιά τάξη νά συντρίβει ἄλλες τάξεις γιά δικό της ὄφελος". Μόνη παραγματικότητα εἶναι ὁ λαός, ὁ ὁποῖος δέν εἶναι δυνατόν νά ἀντιπροσωπευθεῖ παρά ἀπό τόν ἑαυτό του: ὁ λαός-ἡγεμών. Γράφει: "Ἡ ἄμεση δημοκρατία εἶναι ἡ ἰδανική μέθοδος... Τά ἔθνη ἀπομακρύνθηκαν ἀπό τήν ἄμεση δημοκρατία γιατί, ὅσο μικρός κι ἄν ἦταν ἕνας λαός, ἦταν ἀδύνατον νά συγκεντρωθεῖ ὁλόκληρος μιά ὁρισμένη στιγμή γιά νά συζητήσει, νά μελετήσει καί νά ἀποφασίσει γιά τήν πολιτική του... Τό Πράσινο Βιβλίο ἀναγγέλλει στόν λαό τήν εὐτυχῆ ἀνακάλυψη τοῦ δρόμου γιά τήν ἄμεση δημοκρατία, μέ μιά πρακτική μορφή... Ἡ ἐξουσία τοῦ λαοῦ ἔχει μόνον ἕνα πρόσωπο καί μπορεῖ νά πραγματοποιηθεῖ μόνον μέ μιά μέθοδο, δηλαδή τά λαϊκά συνέδρια καί τίς λαϊκές ἐπιτροπές. Πρῶτα, ὁ λαός χωρίζεται σέ βασικά λαϊκά συνέδρια. Κάθε βασικό λαϊκό συνέδριο διαλέγει τήν δική του ἐπιτροπή ἐργασίας. Οἱ ἐπιτροπές ἐργασίας μαζί, ἀποτελοῦν τά λαϊκά συνέδρια γιά κάθε περιοχή, τά ὁποῖα εἶναι διαφορετικά ἀπό τά βασικά συνέδρια. Μετά οἱ μᾶζες αὐτῶν τῶν βασικῶν λαϊκῶν συνεδρίων διαλέγουν τίς διοικητικές λαϊκές ἐπιτροπές, γιά νά ἀντικαταστήσουν τήν κυβερνητική διοίκηση. Ἔτσι ὅλες οἱ δημόσιες ὑπηρεσίες διευθύνονται ἀπό λαϊκές ἐπιτροπές οἱ ὁποῖες θά εἶναι ὑπεύθυνες ἀπέναντι στά βασικά λαϊκά συνέδρια καί αὐτά ὑπαγορεύουν τήν πολιτική πού πρέπει νά ἀκολουθοῦν οἱ λαϊκές ἐπιτροπές καί ἐλέγχουν τήν ἐφαρμογή της. Ἔτσι καί ἡ διοίκηση καί ὁ ἔλεγχος γίνονται λαϊκά καί ὁ ξεπερασμένος ὁρισμός τῆς δημοκρατίας –δημοκρατία εἶναι ὁ ἔλεγχος τῆς κυβέρνησης ἀπό τόν λαό– καταργεῖται. Θά ἀντικατασταθεῖ ἀπό τόν σωστό ὁρισμό: δημοκρατία εἶναι ὁ ἔλεγχος τοῦ λαοῦ ἀπό τόν λαό.

Ὅλοι οἱ πολίτες πού εἶναι μέλη αὐτῶν τῶν λαϊκῶν συνεδρίων ἀνήκουν, ἐπαγγελματικά καί λειτουργικά, σέ διάφορες κατηγορίες καί τομεῖς, ὅπως ἐργάτες, ἀγρότες, σπουδαστές, ἔμποροι, τεχνῖτες, ὑπάλληλοι καί ἐπαγγελματίες. Πρέπει, συνεπῶς, νά ἱδρύσουν τίς δικές τους ἑνώσεις καί τά συνδικᾶτα, ἐκτός ἀπό τό γεγονός ὅτι εἶναι σάν πολίτες μέλη τῶν βασικῶν λαϊκῶν συνεδρίων ἤ τῶν λαϊκῶν ἐπιτροπῶν. Τά θέματα πού συζητοῦνται ἀπό τά βασικά λαϊκά συνέδρια ἤ τίς λαϊκές ἐπιτροπές, τά συνδικᾶτα καί τίς ἑνώσεις, θά πάρουν τήν τελική τους μορφή στό Γενικό Λαϊκό Συνέδριο... τό ὁποῖο συνέρχεται μιά φορά τόν χρόνο... [καί πού] δέν εἶναι μιά συνάθροιση μελῶν ἤ ἁπλῶν ἀνθρώπων, ὅπως συμβαίνει μέ τά κοινοβούλια. Εἶναι μιά συγκέντρωση τῶν βασικῶν λαϊκῶν συνεδρίων, τῶν λαϊκῶν ἐπιτροπῶν, τῶν ἑνώσεων, τῶν συνδικάτων καί ὅλων τῶν ἐπαγγελματικῶν σωματείων" (Μουάμαρ ἄλ Καντάφι, *Τό Πράσινο Βιβλίο.* Μέρος πρῶτο: *Ἡ λύση τοῦ προβλήματος τῆς δημοκρατίας. Ἡ ἐξουσία τοῦ λαοῦ*, Ἀθήνα, 1978, σσ. 9-10, 13, 18-19, 26-29). Τό κανταφικό γενικό λαϊκό συνέδριο εἶναι ἕνα εἶδος σωματειακῆς βουλῆς, χαρακτηριστικῆς τῶν φασιστικῶν συστημάτων. Ἐπί πλέον, μόνον ὁ λαός θεωρεῖται ἡγέτης τῆς Λιβύης καί ὄχι ὁ Καντάφι.

Τό κανταφικό σύστημα δέν μπορεῖ νά βασίζεται σέ σύνταγμα, ἀλλά μόνον στόν θρησκευτικό νόμο καί τήν παράδοση. "Ὁ γνήσιος νόμος κάθε κοινωνίας εἶναι εἴτε ἡ παράδοση –τό ἔθιμο– εἴτε ἡ θρησκεία. Κάθε ἄλλη προσπάθεια νά συνταχθεῖ νόμος γιά ὁποιαδήποτε κοινωνία, ἔξω ἀπό αὐτές τίς δύο πηγές, εἶναι ἄκυρη καί παράλογη. Τά συντάγματα δέν εἶναι ὁ νόμος τῆς κοινωνίας. Τό σύνταγμα εἶναι ἕνας βασικός νόμος φτειαγμένος ἀπό τόν ἄνθρωπο... Ἐπειδή ὁ ἀνθρώπινος νόμος ἀντικατέστησε τόν φυσικό νόμο, τά κριτήρια ἔχουν χαθεῖ... Ὁ νόμος τῆς κοινωνίας [βασισμένος στόν φυσικό νόμο] εἶναι μιά αἰώνια ἀνθρώπινη κληρονομιά, πού δέν εἶναι ἀπόκτημα τῶν ζωντανῶν μόνο... Ἐγκυκλοπαίδειες τῶν ἀνθρώπινων νόμων πού πηγάζουν ἀπό ἀνθρώπινα συντάγματα, εἶναι γεμάτες ἀπό ὑλικές τιμωρίες ἐνάντια στόν ἄνθρωπο, ἐνῶ ὁ παραδοσιακός νόμος σπάνια ἔχει τέτοιες ποινές. Ὁ παραδοσιακός νόμος ἐπιβάλλει ἠθικές, ὄχι ὑλικές ποινές, πού ταιριάζουν στόν ἄνθρωπο. Ἡ θρησκεία ἀγκαλιάζει καί ἀπορροφᾶ τήν παράδοση. Οἱ περισσότερες ὑλικές τιμωρίες στήν θρησκεία ἀναβάλλονται μέχρι τήν Ἡμέρα τῆς Κρίσεως... Ἡ θρησκεία ἀγκαλιάζει τήν παράδοση, πού εἶναι μιά ἔκφραση τῆς φυσικῆς ζωῆς τῶν λαῶν. Ἔτσι, ἡ θρησκεία, ἀγκαλιάζοντας τήν παράδοση, εἶναι μιά ἐπιβεβαίωση τοῦ φυσικοῦ νόμου. Οἱ μή θρησκευτικοί, οἱ μή παραδοσιακοί νόμοι ἐφευρέθηκαν ἀπό τόν ἄνθρωπο γιά νά χρησιμοποιηθοῦν κατά τοῦ ἄλλου. Συνεπῶς εἶναι ἄκυροι γιατί δέν οἰκοδομήθηκαν πάνω στήν φυσική πηγή τῆς παραδόσεως καί τῆς θρησκείας... Κάθε ἀξίωση ἀπό ὁποιοδήποτε ἄτομο ἤ ὁμάδα ὅτι εἶναι ὑπεύθυνο γιά τόν νόμο, εἶναι δικτατορία. Δημοκρατία σημαίνει τήν εὐθύνη ὁλόκληρης τῆς κοινωνίας, καί ἡ ἐπίβλεψη πρέπει νά γίνεται ἀπό ὁλόκληρη τήν κοινωνία" (σσ. 31-35).

Ἡ μικροαστική νοσταλγία μιᾶς προβιομηχανικῆς κοινωνίας, τῆς νομαδικῆς κοινωνίας τῆς ἐρήμου, εἶναι ἔντονη στό κανταφικό σύστημα. Στόχος του ἡ ἐπιστροφή στό φυσικό δίκαιο. Στό δεύτερο βιβλίο του ὁ Καντάφι γράφει σχετικά: "Ὁ ὀρθός κανόνας εἶναι: Αὐτός πού παράγει εἶναι αὐτός πού καταναλώνει. Οἱ μισθωτοί ἐργάτες εἶναι ἕνα εἶδος σκλάβων, ὅσο βελτιωμένοι κι ἄν εἶναι οἱ μισθοί τους... Ἡ τελική λύση εἶναι ἡ κατάργηση τοῦ συστήματος τῶν μισθῶν... καί ἡ ἐπιστροφή στόν φυσικό νόμο πού καθώριζε τίς σχέσεις πρίν ἀπό τήν ἐμφάνιση τῶν τάξεων, τῶν μορφῶν διακυβερνήσεως καί τῶν νόμων πού ἔφτιαξε ὁ ἄνθρωπος. Τό φυσικό δίκαιο ὁδήγησε στόν φυσικό σοσιαλισμό [πρωτόγονος κομμουνισμός], πού βασίζεται στήν ἰσότητα ἀνάμεσα στούς οἰκονομικούς συντελεστές τῆς παραγωγῆς, καί σχεδόν ἐπέβαλε ἀνάμεσα στά ἄτομα, μιά κατανάλωση ἴση μέ τήν παραγωγή τῆς φύσης. Ἀλλά ἡ ἐκμετάλλευση ἀνθρώπου ἀπό ἄνθρωπο καί ἡ κατοχή ἀπο ὁρισμένα ἄτομα παραπάνω ἀπ' ὅ,τι χρειάζονται τοῦ γενικοῦ πλούτου, εἶναι μιά φανερή ἐγκατάλειψη τοῦ φυσικοῦ δικαίου καί ἡ ἀρχή τῆς παραμόρφωσης καί διαφθορᾶς στήν ζωή τῆς ἀνθρώπινης κοινότητας. Εἶναι ἡ ἀρχή τῆς ἐμφάνισης τῆς ἐκμεταλλευτικῆς κοινωνίας". (Μουάμαρ ἄλ Καντάφι, *Τό Πράσινο Βιβλίο.* Μέρος δεύτερο: *Ἡ λύση τοῦ οἰκονομικοῦ προβλήματος*, Ἀθήνα, 1978, σσ. 9-11).

Ὁ μικροαστικός σοσιαλισμός τοῦ κανταφισμοῦ εἶναι καταφανής καί ὡς πρός τήν θέση του ἔναντι τῆς μικρῆς ἰδιοκτησίας: "Τό σπίτι εἶναι μιά βασική ἀνάγκη καί γιά τό ἄτομο καί γιά τήν οἰκογένεια. Συνεπῶς δέν πρέπει νά εἶναι ἰδιοκτησία ἄλλων. Δέν ὑπάρχει ἐλευθερία γιά ἕναν ἄνθρωπο πού ζεῖ στό σπίτι κάποιου ἄλλου, εἴτε πληρώνει νοῖκι, εἴτε ὄχι" (σ. 16). Συνεπῶς κατάργηση τῶν ἐνοικίων, ὅπως καί τῶν μισθῶν. "Ἡ ἀναγνώριση τῆς ἰδιωτικῆς παραγωγῆς μέ σκοπό τήν ἀπόκτηση ἀποθεμάτων πού ξεπερνοῦν τήν ἱκανοποίηση τῶν ἀναγκῶν, ἰσοδυναμεῖ μέ τήν ἴδια τήν ἐκμετάλλευση" (σ. 20). Στήν ὀθωμανική παράδοση ὅλη ἡ γῆ ἀνῆκε στόν σουλτάνο, δηλαδή στό κράτος, ἀλλά στήν πράξη ἡ ἀγροτική οἰκογένεια εἶχε τήν αἰώνια ἐπικαρπία τοῦ ἀγροῦ της: "Κάθε ἀρχηγός οἰκογενείας ραγιάδων ἐδικαιοῦτο ἕνα τσιφλίκι ἀρκετά μεγάλο γιά νά θρέψει τήν οἰκογένειά του, ἀλλά δέν μποροῦσε νά λάβει παραπάνω. Ἔτσι ὁ σχηματισμός μιᾶς τάξης μεγαλοαγροτῶν, κουλάκων, καθίστατο ἀδύνατος. Ὅταν πέθαινε ὁ ἀρχηγός τῆς οἰκογενείας, τό τσιφλίκι περνοῦσε στά χέρια τῶν γιῶν του", διότι ἡ ἐπικαρπία του ἦταν κληρονομική. (Δ. Κιτσίκης, *Ἱστορία τῆς Ὀθωμανικῆς Αὐτοκρατορίας, 1280-1924*, Ἀθήνα, Βιβλιοπωλεῖο τῆς Ἑστίας, 1988, σ. 113). Ὁμοίως ὁ Καντάφι δηλώνει: "Ἡ γῆ δέν εἶναι ἰδιοκτησία κανενός. Ἀλλά καθένας ἔχει τό δικαίωμα νά τήν χρησιμοποιεῖ, γιά νά ἐπωφελεῖται ἀπό αὐτήν δουλεύοντας, καλλιεργώντας ἤ βόσκοντας. Αὐτό θά γίνεται σέ ὁλόκληρη τήν διάρκεια τῆς ζωῆς τοῦ ἀνθρώπου καί τῆς ζωῆς τῶν κληρονόμων του, καί θά γίνεται μέ τήν δική του προσπάθεια, χωρίς τήν χρησιμοποίηση ἄλλων, μέ ἤ χωρίς μισθούς, καί μόνον στόν βαθμό πού θά ἱκανοποιεῖ τίς δικές του ἀνάγκες... Ὁ νόμιμος σκοπός τῆς οἰκονομικῆς δραστηριότητος τοῦ ἀτόμου εἶναι μόνον νά ἱκανοποιήσει τίς ἀνάγκες του". (Μ. ἄλ Καντάφι, *Τό Πράσινο Βιβλίο*, μέρος Β΄, ἔνθ' ἀν., σσ. 18-20). Πρόκειται δηλαδή σαφῶς περί ρουσωικοῦ συστήματος κομμένο στά μέτρα μιᾶς παραδοσιακῆς καί θρησκευτικῆς κοινωνίας μικροϊδιοκτητῶν.

Τό γεγονός ὅτι ὁ Καντάφι ἀπευθύνεται σέ μιά ἀγροτονομαδική καί μικροαστική κοινωνία πού πολύ ἀπέχει ἀπό τήν μεταβιομηχανική δυτική κοινωνία, ἀποδεικνύεται καί ἀπό τήν σημασία πού δίνει στό Πράσινο Βιβλίο, στήν τάξη τῶν ὑπηρετῶν πού εἶναι πάντα πολυπληθής στίς παραδοσιακές κοινωνίες. Στό τελευταῖο κεφάλαιο τοῦ δεύτερου μέρους, πού φέρει τόν τίτλο "Οἰκιακοί βοηθοί", γράφει: "Τό Πράσινο Βιβλίο προδιαγράφει λοιπόν τόν δρόμο τῆς σωτηρίας γιά τίς μᾶζες τῶν μισθωτῶν ἐργατῶν καί οἰκιακῶν βοηθῶν... Ἀγωνίζεται γιά τήν ἀπελευθέρωση τῶν οἰκιακῶν βοηθῶν ἀπό τήν κατάσταση δουλείας καί τήν μεταμόρφωσή τους σέ συμμέτοχους ἔξω ἀπό τά σπίτια... Τό σπίτι πρέπει νά ἐξυπηρετεῖται ἀπό τούς κατοίκους του" (σ. 31). Τό κομμάτι αὐτό σίγουρα θά εἶχε ἀρέσει στόν Ρουσώ, ὁ ὁποῖος εἶχε κάνει στά νειάτα του καί ὑπηρέτης.

Ἡ ἐθνικοσοσιαλιστική ἐφημερίδα τῶν Ἀθηνῶν *Στόχος*, τοῦ Γιώργου Καψάλη, στά φύλλα της 89 καί 90 (χρόνος Η΄) τοῦ Σεπτεμβρίου καί Ὀκτωβρίου 1981, δηλαδή τήν ἐποχή τῆς ἀνόδου στήν ἐξουσία τοῦ λαϊκιστῆ Ἀνδρέα Παπανδρέου (ὁ Γ. Καψάλης ἔγινε συνάμα καί συντάκτης τῆς πασοκικῆς ἐφημερίδας *Αὐριανή* καί φίλος τῶν ἰδιοκτητῶν της, τῶν ἀδελφῶν Κουρῆ) εἶχε δημοσιεύσει, μέ φωτογραφία τοῦ Λίβυου ἡγέτη, ὁλόκληρα τά δύο μέρη τοῦ *Πράσινου Βιβλίου*, μέ μοναδική ἐξαίρεση τό ἄσχετο γιά τήν ἑλληνική πραγματικότητα κεφάλαιο περί οἰκιακῶν βοηθῶν. Στήν παρουσίασή του ὁ Καψάλης ἔγραφε ἐπαινετικά γιά τήν σκέψη τοῦ Καντάφι: "Κάτι ἰδιαίτερο γιά τόν διεθνῆ χῶρο καί τήν παγκόσμια πολιτική σκέψη ἀποτελεῖ τό

Πράσινο Βιβλίο τοῦ ἐπαναστάτη συνταγματάρχη Μουάμαρ ἄλ Καντάφι".

Ὁ Τρίτος Κόσμος εἶναι ὁ κύριος φορέας τῆς ἰδεολογίας τοῦ φασισμοῦ κατά τῆς ὁποίας μάχονται οἱ δύο ὑπερδυνάμεις. Γι' αὐτό καί ἡ ἧττα τοῦ φασισμοῦ στό τέλος τοῦ δευτέρου παγκοσμίου πολέμου, περιορίστηκε στήν χερσόνησο τῆς Εὐρώπης, ἐνῶ ἡ ἰδεολογία αὐτή συνέχισε τήν πορεία της στόν ὑπόλοιπο πλανήτη, ὥστε νά ἐμφανίζεται σήμερα σαφῶς ὡς ἡ ἰδεολογία τοῦ μέλλοντος. Ὁ δυτικός ἀναλυτής ἀγνοώντας τήν οὐσία τοῦ φασισμοῦ καί δίνοντας ἀποκλειστική σημασία στήν ὁρολογία καί τά σύμβολα (ἀγκυλωτός σταυρός, φασιστικός χαιρετισμός κ.λπ.), ἀδυνατοῦσε νά ἀναγνωρίσει τόν φασισμό ἐκεῖ πού ἔλειπαν τά ἐξωτερικά γνωρίσματα. Ἔτσι ὁ φασιστής Καντάφι, ὁ ὁποῖος φραστικά κατεδίκαζε μετά βδελυγμίας τόν φασισμό καί συμμαχοῦσε μέ τήν Σοβιετική Ἕνωση κατά τῶν ΗΠΑ, ἐθεωρεῖτο "προοδευτικός καί ἀριστερός", ἐφ' ὅσον εἶχε καθιερωθεῖ στήν ὁρολογία ὅτι ὁ φασιστής ἔπρεπε ὑποχρεωτικά νά εἶναι "ἀντιδραστικός καί ἀκροδεξιός". Γιά τόν δυτικό ἀναλυτή, φασιστής ἦταν ὁ Ἀμερικανός νεοναζιστής ἤ ὁ Ἰταλός νεοφασίστας, ὁ ὁποῖος χρησιμοποιοῦσε τόν ἀγκυλωτό σταυρό ἤ τόν ρωμαϊκό χαιρετισμό, δηλαδή ἐλάχιστοι καί ἀνυπόληπτοι "νοσταλγοί τοῦ παρελθόντος".

Ἐλάχιστοι ἦταν αὐτοί πού ἐπεσήμαναν τό φαινόμενο τοῦ τριτοκοσμικοῦ φασισμοῦ, ὅπως ὁ Robert Martin, πού ἐδίδασκε στόν Καναδᾶ, στό Πανεπιστήμιο τοῦ Western Ontario (London, Ontario), καί πού τό 1976 ἐπιστρέφοντας ἀπό μιά περίοδο διδασκαλίας στήν ἀνατολική Ἀφρική, εἶχε ἐπισημάνει τό φαινόμενο αὐτό μέ τά ἑξῆς λόγια: "Ἡ μικροαστική τάξη ὁδηγεῖ τήν ἰδεολογία τοῦ ἐθνικισμοῦ ἕως τά λογικά της ἄκρα: ἡ μικροαστική τάξη γίνεται φασιστική. Ὁ φασισμός στόν Τρίτο Κόσμο γρήγορα αὐξάνει τήν δύναμή του. Πρόκειται γιά σίγουρη ἀπειλή γιά τήν ἐπιβίωση τῆς Δύσεως, ἐπειδή βλέπει τούς ἐχθρούς τοῦ Τρίτου Κόσμου ὄχι σάν ἀστικές τάξεις τῶν μητροπόλεων, ἀλλά ἁπλῶς σάν Δύση... Αὐτός ὁ φασισμός ἔχει ὁλοκάθαρους στόχους. Ζητᾶ τήν ἐξαφάνιση τῆς Δύσεως. Καί δέν ἀστειεύεται... Μέχρι στιγμῆς λίγα εἶναι ἀκόμη τά ξεκάθαρα φασιστικά καθεστῶτα στόν Τρίτο Κόσμο: Ὁ [Ἰντί] Ἀμίν [Νταντά, τῆς

Οὐγκάντα] καί ὁ Καντάφι εἶναι οἱ πλέον ἐξέχοντες φασιστές ἡγέτες... Ὁ Καναδᾶς πρέπει νά ἐπισημάνει τούς κινδύνους πού προέρχονται ἀπό τίς φασιστικές τάσεις στόν Τρίτο Κόσμο καί νά δώσει σάρκα καί ὀστά σ' αὐτήν τήν ἐπισήμανση μέσα στήν πολιτική του. Αὐτό ἀπαιτεῖ τήν λήξη ὅλων τῶν μορφῶν βοηθείας σέ καθεστῶτα πού δείχνουν αὐτές τίς τάσεις". (Robert Martin, "Who Suffers Whom? Notes on a Canadian Policy Towards the Third World", *Canadian Forum*, April 1976, σ. 17, 19).

ΚΕΦΑΛΑΙΟ ΕΚΤΟ

ΤΟ ΜΟΝΤΕΛΟ ΤΗΣ ΤΡΙΤΗΣ ΙΔΕΟΛΟΓΙΑΣ

Τό μοντέλο πού παρουσιάζω ἐδῶ καί πού ἀποτελεῖται ἀπό 13 σημεῖα, εἶναι δική μου ἐπινόηση καί ἀποτέλεσμα 20 ἐτῶν πανεπιστημιακῆς διδασκαλίας τῆς ἰδεολογίας τοῦ φασισμοῦ. Μπορεῖ νά χρησιμοποιηθεῖ γιά νά μετρηθεῖ ἐπακριβῶς τό ποσοστό φασιστικοποιήσεως ὁποιουδήποτε καθεστῶτος, εἰδικά τῶν χωρῶν τοῦ Τρίτου Κόσμου, ἀλλά καί ὁποιασδήποτε ἄλλης χώρας. Ἔτσι ἐάν τό καθεστώς ὑπό μελέτη ἀπαντᾶ καταφατικά καί στά 13 σημεῖα, τότε πρόκειται γιά καθεστώς 100% φασιστικό. Ἐάν τό καθεστώς ἐναρμονίζεται μέ τά χαρακτηριστικά τῶν μισῶν σημείων τοῦ μοντέλου, τότε θά ποῦμε πώς εἶναι κατά 50% φασιστικό καί οὕτω καθεξῆς. Φυσικά ἐξ ὁρισμοῦ ἕνα μοντέλο εἶναι ἰδεατό καί δέν εἶναι δυνατόν καί τό πιό ἀκραιφνές φασιστικό καθεστώς νά βρεθεῖ 100% σύμφωνο μέ αὐτό. Μερικά σημεῖα μπορεῖ νά εἶναι ὅμοια μέ τά ἀντίστοιχα σημεῖα τοῦ κομμουνιστικοῦ μοντέλου καί ἐπί πλεόν ἕνα ποσοστό κάτω τοῦ 50% δέν ἀποδεικνύει φασιστικές τάσεις. Π.χ. ἕνα καθεστώς πού συμμορφοῦται κατά 25% μέ τό φασιστικό μοντέλο, μπορεῖ συνάμα νά ἐναρμονίζεται σέ ποσοστό 75% μέ τό φιλελεύθερο μοντέλο, συνεπῶς τό καθεστώς αὐτό δέν μπορεῖ νά ὀνομασθεῖ φασιστικό ἀλλά σαφῶς φιλελεύθερο. Ἡ χρησιμοποίηση λοιπόν τοῦ μοντέλου πρέπει νά γίνεται μέ προσοχή. Μιά ὅμως σωστή χρησιμοποίησή του μπορεῖ νά βοηθήσει στήν αὐτογνωσία ἀκόμη καί τῶν στελεχῶν ἑνός καθεστῶτος, πού μπορεῖ νά ἀγνοοῦν πώς τό ἔργο τους παρουσιάζει φασιστικές τάσεις.

Ἀλλά ἄς ἀρχίσουμε μέ τόν ὁρισμό μερικῶν λέξεων:

Φασισμός= ἐθνικοσοσιαλισμός=λαϊκισμός=τρίτη ἰδεολογία.

Τριτοκοσμισμός: προσαρμογή τοῦ δυτικοῦ φασισμοῦ στόν χῶρο τοῦ Τρίτου Κόσμου.

Ὁλοκληρωτισμός=Ἰδεολογικό κράτος. Σύστημα διακυβερνήσεως πού χρησιμοποιεῖται ἀπό δύο ἐκ τῶν τριῶν πολιτικῶν ἰδεολογιῶν: τόν κομμουνισμό καί τόν φασισμό. Ἡ μοναδική ἰδεολογία εἶναι πανταχοῦ παροῦσα καί καθορίζει τήν δράση τοῦ πολίτη 24 ὧρες τό εἰκοσιτετράωρο. Καί οἱ δύο αὐτές ἰδεολογίες εἶναι ἐπαναστατικές.

Δικτατορία: σύστημα *προσωρινῆς* διακυβερνήσεως, πού δέν ἔχει σχέση μέ τήν οὐσία τῆς ἰδεολογίας. Μπορεῖ νά χρησιμοποιηθεῖ καί ἀπό τίς τρεῖς ἰδεολογίες, ἀλλά μέχρι στιγμῆς, χρήση τῆς δικτατορίας ἔχει κάνει ἰδίως ἡ φιλελεύθερη (καπιταλιστική) ἰδεολογία. Ὁ σκοπός εἶναι ἡ ὑπεράσπιστη τοῦ ἐσωτερικοῦ ἤ ἐξωτερικοῦ status quo τοῦ καθεστῶτος, πού ἐνδέχεται νά ἀπειλεῖται ἀπό μιά κοινωνική ἐπανάσταση στό ἐσωτερικό ἤ τήν ξένη εἰσβολή. Ἐνῶ ὁ ὁλοκληρωτισμός εἶναι ἐπαναστατικός, ἡ δικτατορία εἶναι συντηρητική, ἀφοῦ προσπαθεῖ νά συντηρήσει μιά ἀπειλούμενη κατάσταση. Ὁ Ροβεσπιέρρος, ὁ Χίτλερ, ὁ Στάλιν, ὁ Μάο, μέ αὐτόν τόν ὁρισμό, δέν ὑπῆρξαν δικτάτορες. Ὑπῆρξαν ὅμως ἡγέτες ὁλοκληρωτικῶν καθεστώτων. Ἀντιθέτως δικτάτορες ἦσαν ὁ ὑποστηρικτής τοῦ φιλελευθερισμοῦ (καπιταλισμοῦ) στρατηγός Πινοσέτ τῆς Χιλῆς καί ὁ ὑποστηρικτής τοῦ κομμουνισμοῦ, στρατηγός Γιαρουζέλσκι τῆς Πολωνίας. Καί οἱ δύο τελικά παρέδωσαν τήν ἐξουσία, ἐνῶ ὁ Χίτλερ εἶχε κάνει τήν ἐπανάσταση "γιά χίλια χρόνια". (Βλ. τό βιβλίο τοῦ C.W. Cassinelli, *Total Revolution*, πού ἀναλύει τούς κομμουνιστικούς ὅπως καί τούς φασιστικούς ὁλοκληρωτισμούς ὡς ἀπόλυτες ἐπαναστάσεις. Βλ. καί Carl J. Friedrich and Zbigniew K. Brzezinski, *Totalitarian Dictatorship and Autocracy*, New York, Frederick Praeger, 1956 καί 1965, οἱ ὁποῖοι παρατηροῦν πώς ὁ Φράνκο δέν θέλησε νά ἀκουλουθήσει τήν φασιστική Φάλαγγα καί νά ἱδρύσει ἕνα ὁλοκληρωτικό καθεστώς. Ἀντιθέτως καθιέρωσε πρός χάριν τοῦ φιλελευθερισμοῦ μιά δικτατορία χωρίς ἰδεολογία).

Δικτατορία τοῦ προλεταριάτου-Δικτατορία τοῦ λαοῦ: ὁρολογία πού χρησιμοποιεῖται, ἡ πρώτη ἀπό τούς κομμουνιστές, ἡ δεύτερη ἀπό τούς φασιστές γιά νά ἐκφράσουν τήν ἰδέα τῆς κατάληψης τῆς πολιτικῆς ἐξουσίας ἀπό μιά κοινωνική ὁμάδα, ἡ ὁποία, θεωρητικά τουλάχιστον, ὑποτίθεται πώς εἶναι πλειοψηφία.

Σχηματική ἀναπαράσταση τῆς φιλελεύθερης κοινωνίας:

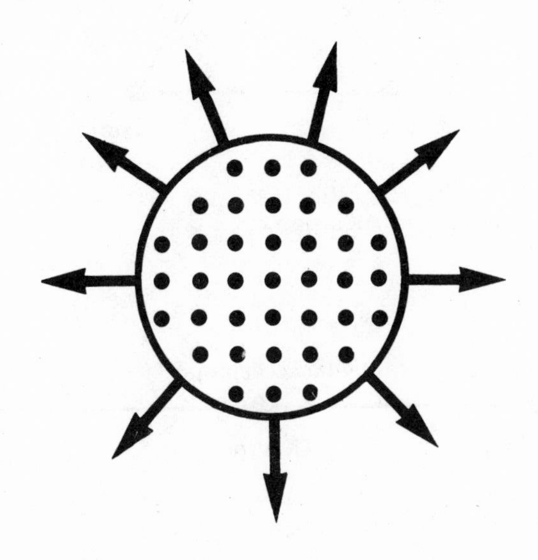

Ἡ φιλελεύθερη κοινωνία σχηματίζεται ἀπό τό ἄθροισμα τῶν ἀτόμων πού τήν συγκροτοῦν (ποσοτική ἔννοια). Ἔτσι ἡ κοινωνία αὐξάνει τήν μορφή της μέ τήν αὔξηση τοῦ πληθυσμοῦ. Μποροῦμε νά μιλήσουμε γιά κοινωνία 10 ἑκατομμυρίων ἀτόμων διαφορετική ἀπό μιά κοινωνία 20 ἑκατομμυρίων. Στό σχῆμα οἱ κουκκίδες δείχνουν τά ἄτομα καί τά βέλη τήν ποσοτική ἐξάπλωση τῆς φιλελεύθερης κοινωνίας. Ἀντιθέτως ἡ ὁλοκληρωτική κοινωνία εἶναι μιά ἑνότητα διαφορετική καί ἄσχετη ἀπό τόν ἀριθμό τῶν ἀτόμων πού τήν συγκροτοῦν (ποιοτική ἔννοια).

Θέση τῶν τριῶν ἰδεολογιῶν σέ σχέση ἡ μία μέ τήν ἄλλη:

α) Σωστή τοποθέτηση:

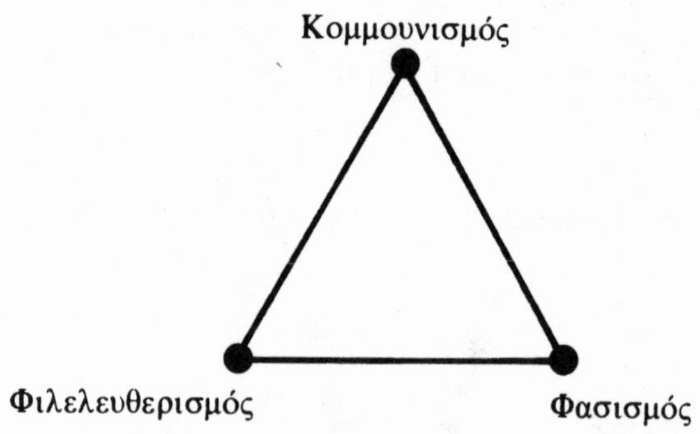

β) Λανθασμένη τοποθέτηση:

Κομμουνισμός — Φιλελευθερισμός — Φασισμός

(Ἀριστερά) — (Κέντρο) — (Δεξιά)

Ἡ τριγωνική τοποθέτηση τῶν ἰδεολογιῶν εἶναι σωστή, ἐπειδή δείχνει πώς οἱ τρεῖς ἰδεολογίες βρίσκονται σέ ἴση ἀπόσταση ἡ μία ἀπό τήν ἄλλη καί, *στήν καθαρή τους μορφή*, δέν εἶναι δυνατόν νά ἀναμιχθοῦν, ὅπως δέν ἀναμιγνύεται τό λάδι μέ τό νερό, ἀσχέτως ἄν ἡ προπαγάνδα τῆς κάθε μιᾶς κατηγορεῖ τίς δυό ἄλλες ὅτι εἶναι δίδυμες ἀδελφές. Αὐτό ἰσχύει μόνον γιά τά μοντέλα. Στήν πράξη ἡ κάθε ἰδεολογία ξεβάφει πάνω στήν ἄλλη. Ἡ γραμμική τοποθέτηση τῶν ἰδεολογιῶν πού ἔγινε ἀποδεκτή ἀπό τό εὐρύ κοινό, εἶναι τελείως λανθασμένη διότι χρησιμοποιεῖ ἔννοιες περί ἀριστερᾶς, κέντρου καί δεξιᾶς πού διαψεύδονται ἀπό τήν ἐπιστημονική ἀνάλυση.

Ἡ φασιστική ἄμεση δημοκρατία: Ο ΛΑΟΣ - ΗΓΕΜΩΝ

(Στίγμα:) Ὁ ἀπόλυτος ἡγέτης, εἰκόνα τοῦ λαοῦ μέσα στόν καθρέπτη. Ἁπλή ἀντανάκλαση.

●

(Γραμμή:) Ὁ λαός, ἡ μόνη πραγματικότης.

Ἀναπαράσταση τῆς ἔννοιας τοῦ μή διαχωρισμοῦ τῶν ἐξουσιῶν (ἐκτελεστικῆς, νομοθετικῆς, δικαστικῆς) πού ἐξασκοῦνται ἀπό ἕνα καί μοναδικό πρόσωπο (ἡ γραμμή=ὁ λαός), τό ὁποῖο κοιτάζεται μέσα στόν καθρέπτη καί βλέπει τόν ἑαυτό του ὑπό μορφήν στίγματος (ὁ ἀπόλυτος ἡγέτης). Ἔννοια τοῦ "λαοῦ-ἡγεμόνος" (peuple-roi). Ἔννοια τῆς ἀπόλυτης ἰσότητας διά τῆς ἀπολύτου ὑποταγῆς στήν "γενική θέληση" (volonté générale) τοῦ Ρουσώ, πού δέν ἔχει τίποτα τό κοινό μέ τήν ἔννοια τῆς κοινοβουλευτικῆς πλειοψηφίας. Γενική θέληση=ἀντανάκλαση τοῦ λαοῦ=ἀπόλυτος ἡγέτης. Πρόκειται περί τῆς ἀρχῆς τοῦ Führersprinzip, δηλαδή τῆς ἀρχῆς τοῦ ἀπόλυτου ἡγέτη: "Ὁ Χίτλερ *εἶναι* ἡ Γερμανία".

Ἡ φασιστική ἄμεση δημοκρατία: κοινωνική ἰσότητα πολιτικά ἱεραρχημένη σέ μορφή πυραμίδας:
Ἡ καντάφική πυραμίδα. (Σωματειακό σύστημα)

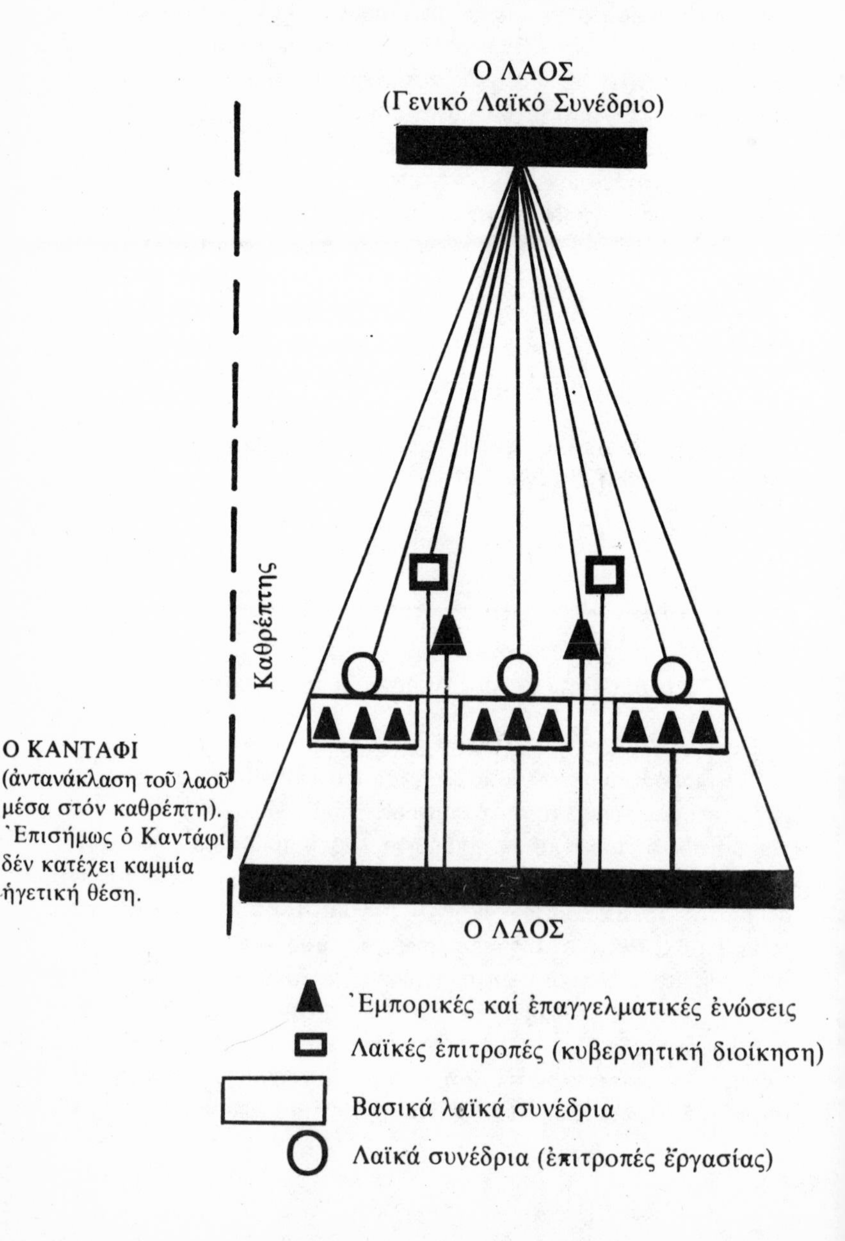

Τό φασιστικό μοντέλο

Ποιά εἶναι ἡ θέση τοῦ μοντέλου ὅσον ἀφορᾶ:

1-*Τήν ἔννοια τῆς τάξεως καί τήν σημασία τῆς ἀγροτιᾶς.*

Ἀπάντηση: Ἀναγνώριση τῆς ὑπάρξεως κοινωνικῶν τάξεων χωρίς αὐτές νά ὁρίζονται μέ ἀκρίβεια. Ὑπέρ τῆς συνεργασίας τῶν τάξεων πού σχηματίζουν τόν λεγόμενο "λαό". Αὐτή ἡ συνεργασία τῶν "λαϊκῶν" τάξεων ὀνομάζεται ἀλληλεγγυϊσμός (solidarisme) ἤ λαϊκισμός (populisme). Ἡ τελευταία αὐτή λέξη χρησιμοποιεῖται καί ὡς ὀνομασία τῆς ὅλης φασιστικῆς ἰδεολογίας. Λαός σημαίνει ὁλόκληρος ὁ πληθυσμός μέ ἐξαίρεση μιά ἀπροσδιόριστα ἐλάχιστη "πλουτοκρατική ὀλιγαρχία", πού κατά κανόνα εἶναι ξενοκίνητη, γι' αὐτό ἄλλωστε καί δέν ἀνήκει στόν "λαό". Λαός=Γερμανική ἔννοια τοῦ Volk= τό ἔθνος. Νοσταλγία τοῦ ἀγροτικοῦ παρελθόντος: ἡ ὕπαιθρος εἶναι ἠθικά ἀνώτερη ἀπό τήν πόλη καί ἡ ἀγροτιά εἶναι ὁ θεματοφύλακας τῶν ἀξιῶν τοῦ ἔθνους.

Συγκριτικά στοιχεῖα:

Κομμουνισμός (Μέ κομμουνισμό ἐννοοῦμε τόν μαρξισμό-λενινισμό τοῦ ὑπαρκτοῦ σοσιαλισμοῦ τῆς Σοβετικῆς Ἑνώσεως μέχρι τήν γκορμπατσωβική διάλυση. Ὁ μή λενινιστικός καθαρόαιμος μαρξισμός δέν ἔχει μέχρι στιγμῆς πουθενά ἐφαρμοσθεῖ. Τό γκορμπατσωβικό πείραμα -ἀσχέτως τοῦ προσώπου τοῦ Γκορμπατσώβ- εἶναι πολύ πρόσφατο γιά νά ἀποφανθεῖ κανείς ἐάν πρόκειται γιά μαρξισμό χωρίς Λένιν): Οἱ τάξεις ἀναγνωρίζονται καί ὁρίζονται μέ "ἐπιστημονικό" τρόπο. Προτεραιότητα δίδεται στήν ἐργατική τάξη. Ὑπέρ τῆς πάλης τῶν τάξεων, πού ἀποτελεῖ καί τόν ἀκρογωνιαῖο λίθο τῆς ἰδεολογίας αὐτῆς. Ἡ ἀγροτιά χρειάζεται ὡς σύμμαχος τῆς ἐργατικῆς τάξεως στήν πάλη γιά τήν ἐξουσία, ἀλλά τά συμφέροντα τῶν ἀγροτῶν πρέπει νά ὑποτάσσονται στά συμφέροντα τῆς ἐργατικῆς τάξεως, ἐφ' ὅσον ἡ ἀγροτιά εἶναι καταδικασμένη "ἀπό τήν ἱστορία" νά ἐξαφανισθεῖ. Οἱ ἀγρότες δέν εἶναι σέ θέση νά αὐτοκυβερνηθοῦν. Ἡ ἀνθρώπινη κοινωνία πρέπει νά ἀπαλλαγεῖ ἀπό τήν "ἀποβλάκωση τῆς ἀγροτικῆς ζωῆς" (Κ. Μάρξ). Ἡ μικροαστική τάξη περιφρονεῖται ἐξ ἴσου, ἄν καί αὐτή χρειάζεται σέ μιά διευρυνομένη συμμαχία κατά τοῦ καπιταλισμοῦ. Ἀξιοσέβαστος ἀντίπαλος εἶναι μόνον ἡ ἀστική τάξη.

Φιλελευθερισμός (καί σοσιαλδημοκρατία ὡς ἀριστερός φιλελευθερισμός): Ἡ ταξική διαίρεση τῆς κοινωνίας δέν ἀναγνωρίζεται. Ἡ σοσιαλδημοκρατία τήν ἀναγνωρίζει, ἀλλά μέ πολύ χαλαρά κριτήρια καί περιορίζει τήν πάλη τῶν τάξεων στόν συνδικαλιστικό ἀγῶνα γιά αὔξηση μισθῶν καί καλυτέρευση τῶν συνθηκῶν ὑλικῆς διαβιώσεως (welfare state, κράτος-πρόνοια).

2- *Τήν ἀτομική ἰδιοκτησία, τήν κυκλοφορία τοῦ χρήματος, τόν οἰκονομικό ἔλεγχο τοῦ κράτους καί τήν ἔννοια τῆς ἐθνικῆς ἀστικῆς τάξεως καί τῆς οἰκονομικῆς αὐτάρκειας.*

Ἀπάντηση: Κατά τῆς μεγάλης καί ὑπέρ τῆς οἰκογενειακῆς μικροϊδιοκτησίας, μή ἐκμεταλλευτικῆς. Τό χρῆμα εἶναι ἠθικά "βρώμικο". Ἀναγκαῖο κακό. Προσπάθειες, κατά καιρούς, καταργήσεως τῆς κυκλοφορίας τοῦ χρήματος. Κρατικός ἔλεγχος τῆς ἀτομικῆς ἰδιοκτησίας χωρίς γενικευμένες ἐθνικοποιήσεις (κρατισμός). Κατά τῶν πολυεθνικῶν. Ὑπέρ μιᾶς ἐθνικῆς ἀστικῆς τάξεως χωρίς δεσμούς μέ ξένα κέντρα, δηλαδή πού νά μήν εἶναι κομπραδόρικη. Κατοχύρωση τῆς ἀνεξαρτησίας μέ οἰκονομική αὐτάρκεια.

Κομμουνισμός: Κατά τῆς ἰδιωτικῆς ἰδιοκτησίας, ἀκόμη καί τῆς μικρῆς. Σέ μεταβατική περίοδο τό καθεστώς θά *ἀνεχθεῖ* τήν μικρή μή ἐκμεταλλευτική ἀτομική ἰδιοκτησία. Κατά τήν διάρκεια τῆς μεταβατικῆς αὐτῆς περιόδου, οἱ "ἐθνικοί καπιταλιστές" μπορεῖ νά ὑποστηριχθοῦν. Ἡ ἐργατική τάξη πού συγκροτεῖται προσωρινά σέ κράτος, παίρνει στά χέρια της τό σύνολο τῆς οἰκονομίας τῆς χώρας, ὡς ἰδιοκτήτρια ὅλων τῶν μέσων παραγωγῆς καί καταναλώσεως. Κατά τῆς ἐθνικῆς ἀλλά ὑπέρ τῆς σοσιαλιστικῆς αὐτάρκειας ἑνός ἀλληλοεξαρτόμενου κομμουνιστικοῦ στρατοπέδου. Ἡ κατάργηση τοῦ χρήματος καί ὁ ἰσοτισμός (ἐγκαλιταρισμός) στήν σοσιαλιστική κοινωνία, πρίν ἀπό τήν ἐγκαθίδρυση τῆς ἀταξικῆς καί χωρίς κράτος κομμουνιστικῆς κοινωνίας τοῦ μέλλοντος, καταδικάζονται ὡς μικροαστικές παρεκτροπές.

Φιλελευθερισμός: Ὑπέρ τῆς ἀτομικῆς ἰδιοκτησίας ὡς ἱερῆς, μεγάλης καί μικρῆς (ἄρθρο 17 τῆς γαλλικῆς διακηρύξεως τῶν δικαιωμάτων τοῦ ἀνθρώπου τοῦ 1789). Ὁ κρατικός παρεμβατισμός στήν οἰκονομία καταδικάζεται, ἄν καί στήν πράξη, μετά τό 1914, ἔγινε ἀνεκτός λόγω τῆς διοργανώσεως τοῦ πρώτου παγκοσμίου πολέμου –καί γιά νά ἀποφευχθεῖ ἡ οἰκονομική ἀναρχία– μέ τήν χρησιμοποίηση οἰκονομικοῦ σχεδιασμοῦ, ἰδίως ἀπό τήν σοσιαλδημοκρατία. Ἀλλά τό ἰδανικό (ὅση λιγότερη παρέμβαση τοῦ κράτους τόσο τό καλύτερο) παραμένει.

3- *Τό ἔθνος καί τήν ἐννοιολογική διαφορά μεταξύ ἔθνους καί κράτους.*

Ἀπάντηση: Τό ἔθνος εἶναι ἡ ὑπέρτατη ἀντικειμενική καί αἰώνια πραγματικότητα, δηλαδή ὑπάρχει ἄσχετα ἀπό τήν συνείδηση τῆς ὑπάρξεώς του καί εἶναι ποιοτικά διαφορετικό ἀπό τό ἄθροισμα τῶν κατοίκων του. Μέ ἄλλα λόγια, δέν εἶναι οἱ ἐθνικιστές πού ἐφεῦραν τό ἔθνος ὅπως δέν εἶναι ὁ Μάρξ πού ἐφεῦρε τίς κοινωνικές τάξεις. Τό ἔθνος προϋπῆρχε τῶν ἐθνικιστῶν. Τό κράτος εἶναι ἡ πολιτική ὀργάνωση τοῦ ἔθνους καί συνεπῶς μπορεῖ νά ὑπάρξει ἔθνος χωρίς κράτος, ἐκτός γιά τόν μουσολινικό φασισμό ὁ ὁποῖος δηλώνει: "χωρίς κράτος δέν ὑπάρχει ἔθνος". Στόν Τρίτο Κόσμο, ρουσωικός ἰσότιμος ἐθνικισμός, ὁ ὁποῖος μετατρέπεται σέ σωβινιστικός χιτλερικοῦ τύπου, κάθε φορά πού ἐπιτυγχάνει τούς στόχους του, μέ ξενοφοβία καί ἐνίοτε φυλετισμό. Ἡ πεμπτουσία τοῦ φασισμοῦ εἶναι ὁ ἐθνικισμός.

Κομμουνισμός: Τό ἔθνος εἶναι μιά ἀντικειμενική πραγματικότητα ἀλλά ὄχι αἰώνια. Γιά κάθε ἔθνος ὑπάρχει γέννηση, ὡρίμανση καί θάνατος. Πρόκειται γιά μιά ἱστορική ἔννοια πού ὡριμάζει στόν 18ο αἰῶνα τοῦ δυτικοῦ καπιταλισμοῦ, ἀντίθετα ἀπό τήν φυλή πού εἶναι μιά ἀνθρωπολογική ἔννοια. Ἔτσι τό ἔθνος σχετίζεται μέ μιά συγκεκριμένη τάξη, τήν ἀστική. Στήν μεταβατική περίοδο πρός τήν κομμουνιστική κοινωνία, τό ἔθνος θά ἐπιβιώσει ὑπό τήν καθοδήγηση τῆς ἐργατικῆς τάξεως μέχρι τῆς τελικῆς ἐξαφανίσεώς του. Κατά τοῦ ἐθνικισμοῦ πού θεωρεῖται μικροαστική πάθηση, συμπεριλαμβανομένου καί τοῦ σιωνισμοῦ (ἰσραηλινός ἐθνικισμός), τῆς ξενοφοβίας καί τοῦ φυλετισμοῦ. Τό κράτος εἶναι μιά ταξική ἔννοια. Εἶναι τό ὄργανο τῆς ταξικῆς δικτατορίας διότι τό ἀστικό ὅπως καί τό προλεταριακό κράτος εἶναι ταξικές δικτατορίες. Ἡ ἐργατική τάξη θά ἐνισχύσει προσωρινά τό κράτος (δικτατορία τοῦ προλεταριάτου) γιά νά καταστρέψει τήν οἰκονομική ἰσχύ τῆς μπουρζουαζίας καί μετά θά τό ἐξασθενίσει σταδιακά μέχρι τήν πλήρη κατάργησή του. Τό κράτος-ἔθνος στήν οἰκογένεια τῶν χωρῶν τοῦ ὑπαρκτοῦ σοσιαλισμοῦ, ἀπό τόν Λένιν μέχρι τόν Μπρέζνιεβ, ἔχει "περιορισμένη κυριαρχία" (ἵδρυση τῆς Σοβιετικῆς Ἑνώσεως, σοβιετική ἐπέμβαση στήν Τσεχοσλοβακία τό 1968), διότι ἡ κυριαρχία αὐτή περιορίζεται ἀπό τά παγκόσμια συμφέροντα τῆς ἐργατικῆς τάξεως. Ὑπέρ τοῦ διεθνισμοῦ τῆς παγκόσμιας ἐργατιᾶς.

Φιλελευθερισμός: Τό ἔθνος εἶναι μιά ὑποκειμενική πραγματικότητα πού ἐξαρτᾶται ἀπό τήν θέληση τῶν κατοίκων νά ἀνήκουν ἤ ὄχι στό συγκεκριμένο ἔθνος. Ὁ φιλελεύθερος ἐθνικισμός εἶναι περιστασιακός. Ὑπόκειται στίς ἀνάγκες τῆς ἀγορᾶς. Ὁ ἐθνικισμός τῆς Γαλλικῆς Ἐπαναστάσεως τοῦ 1789, ἐβασίζετο στήν ἐπιθυμία νά σπάσουν οἱ τελωνειακοί φραγμοί τῶν γαλλικῶν ἐπαρχιῶν καί νά δημιουργήσουν ἕναν διευρυμένο χῶρο γιά τήν ἐλεύθερη ἀγορά στά πλαίσια ἑνός γαλλικοῦ ἔθνους χωρίς ἐσωτερικά τελωνεῖα. Ἡ χρησιμοποίηση ἀπό τήν ἀστική τάξη, μετά τό 1870, τοῦ σωβινιστικοῦ ἐθνικισμοῦ, εἶχε τήν ἔννοια περαιτέρω διευρύνσεως τῆς καπιταλιστικῆς ἀγορᾶς στά σύνορα τῶν ἀποικιῶν. Ὁ ἀστικός διεθνισμός τῶν σημερινῶν πολυεθνικῶν, πού ἐπαναφέρει τόν εὐρωπαϊκό κοσμοπολιτισμό τοῦ Βολταίρου στόν 18ο αἰῶνα, διευρύνει ἀκόμη περισσότερο τήν καπιταλιστική ἀγορά μέχρι τά σύνορα τοῦ πλανήτη. Κράτος=ἔθνος, διότι τό ἔθνος (ὅπως καί ἡ κοινωνία) εἶναι τό μαθητικό ἄθροισμα τῶν ἀτόμων πού κατοικοῦν ἐντός τῶν συνόρων ἑνός κράτους. Συνεπῶς, ὅταν διευρύνονται τά σύνορα τοῦ κράτους, αὐξάνεται αὐτομάτως τό ἔθνος.

Ἀπό τίς τρεῖς ἰδεολογίες μόνον ὁ φασισμός εἶναι ἄρρηκτα δεμένος μέ τόν ἐθνικισμό. Γιά τόν κομμουνισμό πρόκειται γιά παρεκτροπή, ἐνῶ γιά τόν φιλελευθερισμό πρόκειται γιά περιστασιακή ὑποστήριξη πού ἐξαρτᾶται ἀπό τά συμφέροντα τῆς καπιταλιστικῆς ἀγορᾶς. Κομμουνισμός καί φιλελευθερισμός βασίζονται οὐσιαστικά στόν ταξικό διεθνισμό (ἐργατικό ἤ ἀστικό).

4- *Τήν δημοκρατία καί τά κόμματα.*

Ἀπάντηση: Κατά τοῦ διαχωρισμοῦ τῶν τριῶν ἐξουσιῶν (ἐκτελεστικῆς, νομοθετικῆς, δικαστικῆς). Ἄμεση (συμμετοχική) δημοκρατία. Ἰδεολογικό κράτος (ὁλοκληρωτισμός). Μονοκομματισμός ἤ μή κομματισμός. (Κόμματα μπορεῖ νά μήν ὑπάρχουν ὅπως στήν Λιβύη τοῦ Καντάφι). Προτίμηση στό *κίνημα*, πού εἶναι μιά πιό εὐρεῖα ἔννοια ἀπό τό κόμμα, καί πού σκοπό ἔχει νά συμπεριλάβει ὅλες τίς συνεργαζόμενες τάξεις, δηλαδή ὁλόκληρο τόν λαό.

Κομμουνισμός: Κατά τοῦ διαχωρισμοῦ τῶν τριῶν ἐξουσιῶν. Ἄμεση συμμετοχική δημοκρατία. Ἰδεολογικό (ὁλοκληρωτικό) κράτος. Μονοκομματισμός (ταξική ἔννοια). Ὑπέρ τῆς προσωρινῆς ταξικῆς (προλεταριακῆς) δικτατορίας. Κατά τῆς δικτατορίας τοῦ ἑνός.

Φιλελευθερισμός: Ὑπέρ τοῦ διαχωρισμοῦ τῶν τριῶν ἐξουσιῶν. Ἀντιπροσωπευτική δημοκρατία (κοινοβουλευτισμός). Συνύπαρξη πολλῶν ἰδεολογιῶν καί θρησκειῶν. Πολυκομματισμός. Ἀρχικά χωρίς κόμματα λόγω τοῦ ἄκρατου ἀτομισμοῦ.

5- *Τήν σημασία τοῦ πολιτικοῦ ἥρωος, δηλαδή τοῦ χαρισματικοῦ ἡγέτη.*

Ἀπάντηση: Ὑπέρ. Ὁ ἥρωας εἶναι ὁ καθρέπτης τοῦ λαοῦ.

Κομμουνισμός: Κατά τῆς προσωπολατρείας (ἀσχέτως ἄν στήν πράξη ὅλα τά κομμουνιστικά καθεστῶτα τήν ἔχουν κατά καιρούς ἐφαρμόσει). Οἱ λαοί κάνουν τήν ἱστορία, ὄχι τό ἄτομο. Ὁ πολιτικός ἡγέτης εἶναι ἁπλῶς ὁ γραμματέας τοῦ κόμματος. Τό κόμμα εἶναι ἡ πρωτοπορία τῆς ἐργατικῆς τάξεως.

Φιλελευθερισμός: Κατά. Τό κάθε ἄτομο κάνει τήν ἱστορία καί ἡ ἐλευθερία τοῦ ἀτόμου δέν ὑποτάσσεται σέ χαρισματικό ἡγέτη.

6- *Τήν παράδοση.*

Ἀπάντηση: Ὑπέρ ἀλλά συνδυασμένη μέ τήν σύγχρονη τεχνολογία. Οἱ φασιστές εἶναι "παραδοσιακοί μοντερνιστές". Λατρεύουν τά νειάτα καί τίς ἐπιτεύξεις τῆς νεολαίας.

Κομμουνισμός: Προσήλωση πρός τήν δυτική ἐπιστήμη. Κατά τῆς νοσταλγίας καί τῆς ἐθνικῆς παραδόσεως. Ταξική ἔννοια τῆς παραδόσεως: κάθε τάξη ἔχει τήν δική της παράδοση. Ἡ ἀστική τάξη κατέστρεψε ὁλοσχερῶς τήν παράδοση γιά νά τήν ἀντικαταστήσει μέ τίς δικές της ἀξίες. Ἡ ἐργατική τάξη θά κάνει τό ἴδιο. Ἀλλά ὅσο ἡ συμμαχία μέ τήν ἀγροτιά συνεχίζεται, ἡ ἐργατική τάξη θά ὑποστηρίζει τήν ἀγροτική παράδοση πού ἐπονομάζεται λαϊκή (χοροί, τραγούδια, ἤθη καί ἔθιμα τοῦ χωριοῦ κ.λπ.).

Φιλελευθερισμός: ὁ μεγαλύτερος ἐχθρός τῆς παραδόσεως. Μανία τῆς συνεχοῦς ἀλλαγῆς πού ἐξομοιώνει τό νέο μέ τό προοδευτικό καί τό καλό. Ἡ φιλελεύθερη κοινωνία διακατέχεται ἀπό τό ἄγχος τῆς μόδας, ἀπαραίτητο στοιχεῖο γιά τήν συνεχῆ αὔξηση τῆς παραγωγῆς. Ὁ φόβος τοῦ κάθε πολίτη εἶναι μήν κατηγορηθεῖ γιά παλαιομοδίτης, πού σημαίνει "ρομαντικός", "ἀφελής", "ἀντιεπιστημονικός" καί "ὀπισθοδρομικός". Κάθε τεχνολογική ἀλλαγή χαρακτηρίζεται πομποδῶς "ἐπανάσταση". Οἱ λεγόμενες "ἀστικές ἀξίες" πού συγκεντρώνονται γύρω ἀπό τήν παραδοσιακή ὀργάνωση τῆς οἰκογενείας, στήν πραγματικότητα εἶναι μικροαστικές καί ὄχι τῶν πολυεθνικῶν καί τῆς μεγαλοαστικῆς τάξεως, πού ἀντιθέτως κατέστρεψε συστηματικά τά τελευταῖα διακόσια χρόνια κάθε οἰκογενειακή ἀξία. Ἡ περιφρόνηση τῶν καλλιτεχνῶν για τόν ἀστικό τρόπο ζωῆς, εἶναι στήν οὐσία περιφρόνηση τοῦ μικροαστισμοῦ, σέ πλήρη ἀντίθεση μέ τόν ἑαυτό τους, ἀφοῦ ἡ μεγάλη πλειοψηφία τῶν καλλιτεχνῶν εἶναι καί αὐτοί μικροαστοί.

7- *Τό ἄτομο καί τήν κοινωνία.*

Ἀπάντηση: Ἀντιατομισμός. Ἡ κοινωνία ἔχει μεγαλύτερη σημασία ἀπό τό ἄτομο. Περσοναλισμός (προσωπισμός): τό πρόσωπο εἶναι τό ἄτομο πού ὁλοκληρώνεται μέσω τῆς κοινωνικοποιήσεώς του. Γέννηση τοῦ "φασιστικοῦ ἀνθρώπου" ὡς προτύπου συνθέσεως καί ἁρμονίας μεταξύ τῶν κοινωνικῶν καί τῶν ἀτομικῶν ἀξιῶν. Ἡ κοινωνία εἶναι ποιοτικά διαφορετική ἀπό τό ἄθροισμα τῶν ἀτόμων πού τήν συγκροτοῦν.

Κομμουνισμός: Ἀντιατομισμός. Περσοναλισμός. Ἡ κοινωνία ἔχει μεγαλύτερη σημασία ἀπό τό ἄτομο. Γέννηση τοῦ "κομμουνιστικοῦ ἀνθρώπου" ὡς προτύπου συνθέσεως καί ἁρμονίας μεταξύ τῶν κοινώνικῶν καί ἀτομικῶν ἀξιῶν. Ἡ κοινωνία εἶναι ποιοτικά διαφορετική ἀπό τό ἄθροισμα τῶν ἀτόμων πού τήν συγκροτοῦν. Τό ἄτομο ὁρίζεται σέ σχέση μέ τήν κοινωνική τάξη στήν ὁποία ἀνήκει.

Φιλελευθερισμός: Ἀτομισμός. Ἡ κοινωνία εἶναι τό ποσοτικό σύνολο τῶν ἀτόμων καί συνεπῶς τό κοινωνικό σύνολο δέν ἔχει καμμία σημασία χωρίς τό ἄτομο πού εἶναι ἡ ὑπερτάτη ἀξία. Αὐτός ὁ ἀτομισμός ὀνομάζεται ἀναγεννησιακός οὐμανισμός, πού δέν ἔχει σχέση μέ τόν ἑλληνικό, ὀρθόδοξο καί γενικά θρησκευτικό ἀνθρωπισμό, ὅπου ὁ ἄνθρωπος ὁρίζεται σέ σχέση μέ τήν κοινωνία, τό σύμπαν καί τόν Θεό.

8- *Τήν ἰσότητα καί τήν ἱεραρχία.*

Ἀπάντηση: Κοινωνική ἰσότητα, ἀλλά ἡ κοινωνία εἶναι πολιτικά ὀργανωμένη ὑπό μορφή πυραμίδος. Στόν χιτλερισμό ἀναγνωρίζεται μέν ἡ κοινωνική ἰσότητα, ἀλλά συνάμα καί μιά τριπλή *φυσική* ἀνισότητα: πνευματική, φυλετική, ἐθνική, πού ἐκφράζεται μέ νομική ἀνισότητα. Ὅλες οἱ μορφές τῆς τρίτης ἰδεολογίας, ἀκόμη καί ὅταν δέν ἐπιβάλουν νομική διαφοροποίηση, ἔχουν τήν τάση νά ἀναγνωρίζουν τήν τριπλή αὐτή φυσική ἀνισότητα: Ὁ ἀνώτερος νοῦς σέ σχέση μέ τήν μᾶζα, ἡ ξενοφοβία πού τείνει πρός τόν φυλετισμό, ὁ ἐθνικισμός πού τείνει πρός τόν σωβινισμό.

Κομμουνισμός: Προσωρινή ταξική ἱεραρχία πού τοποθετεῖ πρώτη τήν ἐργατική τάξη ὑπό τήν ἡγεσία τοῦ κόμματός της. Ἀλλά σκοπός τῆς δικτατορίας τοῦ προλεταριάτου εἶναι ἡ δημιουργία κοινωνικῆς ἰσότητος χρησιμοποιώντας νομική ἀνισότητα κατά τῆς ἀστικῆς τάξεως. (Ἕνα παιδί πρώην ἀστοῦ δέν θά μπορέσει νά μπεῖ εὔκολα στό πανεπιστήμιο οὔτε νά βρεῖ ἐργασία ἀντίστοιχη τῶν ἱκανοτήτων του). Νόμοι θεσπίζονται πρός ἐξυπηρέτηση τῆς ἐργατικῆς τάξεως καί πρός ἐξαφάνιση τῆς ἀστικῆς τάξεως. Κατά τοῦ ἰσοτισμοῦ (ἐγκαλιταρισμοῦ) πού θεωρεῖται μικροαστική παρεκτροπή. Στήν μεταβατική περίοδο τῆς δικτατορίας τοῦ προλεταριάτου, πού εἰκάζετο πώς θά ἦταν μικρᾶς διαρκείας, ἡ πολιτική ἱεραρχία παραμένει. (Ἡ κοινωνική ἰσότητα ἀφορᾶ τά δικαιώματα τοῦ προσώπου μέσα στήν κοινωνία, ἐνῶ ἡ πολιτική καί στρατιωτική ἱεραρχία ἀφορᾶ τήν ἐξάσκηση τῆς ἐξουσίας). Δύο διαδοχικές ἱστορικές φάσεις: σοσιαλισμός, καί μετά κομμουνισμός.

Φιλελευθερισμός: Νομική ἰσότητα (ἰσότητα ἐνώπιον τοῦ νόμου) καί κοινωνική ἀνισότητα βασισμένη στό χρῆμα.

9 - *Τίς γυναῖκες.*

Ἀπάντηση: Κατά τοῦ φεμινισμοῦ πού εἶναι ἔννοια καθαρῶς φιλελεύθερη (ἡ γυναίκα-ἄτομο πού εἶναι ἴση μέ τόν ἄνδρα- ἄτομο). Ἡ γυναίκα εἶναι ἀνώτερη τοῦ ἀνδρός ὡς παρέχουσα ζωή στόν πλανήτη (μέσω τῆς διαλεκτικῆς συνθέσεως ἀνδρός-γυναικός), ὡς βάση τῆς οἰκογενείας πού εἶναι τό ἀναντικατάστατο κύτταρο τῆς κοινωνίας καί ὡς ἐκπαιδεύτρια ὅλων τῶν ἀνθρώπων τῆς γῆς στήν νηπιακή, παιδική καί ἐφηβική τους ἡλικία. Γιά τόν λόγο αὐτό ἡ γυναίκα ἐπιβάλλεται νά εἶναι πολύ μορφωμένη, περισσότερο καί ἀπό τόν ἄνδρα, ἀπό θρησκευτικῆς ἀλλά καί γενικῆς ἐπιστημονικῆς ἀπόψεως (νά ἔχει τελειώσει εἰ δυνατόν καί τό Πανεπιστήμιο). Χωρίς ὑγιεῖς γυναῖκες δέν ὑπάρχει ὑγιής κοινωνία. Συνεπῶς ἡ γυναίκα πρέπει νά ἐκπληρώνει τήν κοινωνική της ἀποστολή στό σπίτι καί νά μήν ἐργάζεται ἐπαγγελματικά ἔξω. Γιά τήν ἐξάσκηση ἐπαγγέλματος χρειάζονται πιό τεχνικές καί περιορισμένες γνώσεις, πού ἀφήνονται στούς ἄνδρες. Ἀλλά ἡ κοινωνική ἰσότητα τῆς γυναίκας ἀναγνωρίζεται. (Π.χ. ἐάν ἐργάζεται ἐπαγγελματικά, θά λάβει ἴσο μισθό). Ἐκφράσεις μισογυνίας, ὅπως στήν περίπτωση τοῦ Ρουσώ ἤ τῶν ξερριζωμένων ἀνδρῶν τῶν Freikorps, θεωροῦνται ἀνωμαλίες καί δέν ἀντιπροσωπεύουν τήν τρίτη ἰδεολογία. Ὁ Χίτλερ δέν ἦταν μισογύνης καί ἀντιθέτως ἐθαύμαζε τήν γυναίκα.

Κομμουνισμός: Κατά τοῦ φεμινισμοῦ ἀκριβῶς διότι αὐτός εἶναι μία μετατόπιση τῆς πάλης τῶν τάξεων στόν χῶρο τῶν φύλων. Ὁ ὑπάρχων φεμινιστικός μαρξισμός εἶναι αἱρετικός. Ὑπέρ τῆς ἀπόλυτης κοινωνικῆς καί νομικῆς ἰσότητας ἀνδρός καί γυναικός, ἀλλά μόνον μέσα στό πλαίσιο τῆς ἰδίας τάξεως. Ἔτσι δέν νοεῖται φεμινιστικό κίνημα μέσα στό ὁποῖο θά συνεργάζονται μία μεγαλοαστή μέ μία ἐργάτρια γιά ἀνύπαρκτα κοινά γυναικεῖα συμφέροντα, εἰς βάρος ταξικῶν συμφερόντων.

Φιλελευθερισμός: Σταθερός στόχος τοῦ καπιταλισμοῦ, ἰδεολογία τοῦ ὁποίου ὑπῆρξε πάντα ὁ φιλελευθερισμός (καί παρά τίς προσπάθειες πολλῶν νά μᾶς πείσουν πώς ἡ ἰδεολογία του ἔχει ριζικά ἀλλάξει μέσα σέ 200 χρόνια καί πώς ὁ "καπιταλισμός" ἔπαψε νά ὑφίσταται), εἶναι ἡ μετατροπή ὅλων τῶν ζώντων –ἀνθρώπων καί ζώων– σέ παραγωγούς καί καταναλωτές. Στό πρῶτο ἥμισυ τοῦ 19ου αἰῶνος, ὅπως καί σήμερα, ὁ καπιταλισμός βάζει ἀκόμα καί τά παιδιά νά ἐργάζονται (στά ἐργοστάσια τότε, νά πουλοῦν ἐφημερίδες στήν 'Αμερική σήμερα), ὄχι τόσο ἐπειδή χρειάζεται χέρια ἤ γιά νά καταβάλει μικρότερους μισθούς, ὅσο γιά νά ἔχουν καί τά παιδιά δικό τους χρῆμα καί νά καταναλώνουν, ἀνεξάρτητα ἀπό τούς γονεῖς τους. (Σέ ἀκραία περίπτωση μπορεῖ νά δίδεται χρῆμα χωρίς ἐργασία, διότι σήμερα ἡ μηχανή ἐπωμίζεται ὅλο καί μεγαλύτερο μέρος τῆς παραγωγῆς, ἐνῶ ἡ κατανάλωση χρειάζεται πάντα τούς ἀνθρώπους). Μία παραδοσιακή οἰκογένεια καταναλώνει πολύ λιγώτερο ἀπό μία διαλυμένη καί ἐξατομικευμένη. Ἡ διαφήμιση στήν τηλεόραση ἀπευθύνεται ὄχι μόνον στούς μεγάλους ἀλλά καί στά παιδιά, ἀκόμη εἰ δυνατόν καί...στά σκυλιά καί τά γατιά, τῶν ὁποίων ἡ τυποποιημένη τροφή καταλαμβάνει τεράστιους χώρους στά πολυκαταστήματα τῶν δυτικῶν πόλεων. Ὁ φεμινισμός λοιπόν, ἐξυπηρετεῖ πρωτίστως τίς ἀνάγκες τῆς καπιταλιστικῆς ἀγορᾶς. 'Ενῶ π.χ. στόν Καναδᾶ καί τίς ΗΠΑ, οἱ κυβερνήσεις ἀρνοῦνται νά παράσχουν ὁποιαδήποτε οὐσιαστική βοήθεια στήν γυναίκα πού μένει σπίτι γιά νά ἀναθρέψει τά παιδιά της, μιά συστηματική προπαγάνδα καί ὑλικά κίνητρα σπρώχνουν ὅλες τίς γυναῖκες στήν καθολική καί πλήρη ἐπαγγελματική ἀπασχόληση, δίνοντάς τους αἰσθήματα ἐνοχῆς ἐάν δέν τό πράξουν. Τά παιδιά ἐπίσης ἀπό τήν βρεφική τους ἡλικία "ἐκδιώκονται" ἀπό τό σπίτι καί μέ κρατική συνδρομή τοποθετοῦνται σέ σταθμούς, ἐνῶ τά ἴδια χρήματα θά μποροῦσαν νά εἶχαν δοθεῖ στίς μητέρες γιά νά ἀναθρέψουν τά παιδιά τους στό σπίτι μέχρι τήν σχολική ἡλικία. 'Επί πλέον ἀναπτύσσεται ραγδαῖα ἕνας "παιδισμός" (κατά τό "φεμινισμός"), πού στό ὄνομα τῶν δικαιωμάτων τοῦ παιδιοῦ πασχίζει νά ἀνεξαρτητοποίησει τό παιδί ἀπό τήν οἰκογένειά του. Πρός τό παρόν μόνον τό ἔμβρυο γλιτώνει ἀπό αὐτήν τήν "ἀνεξαρτητοποίηση" διότι δέν δύναται νά καταναλώνει αὐτόνομα. 'Αλλά προβλέπεται πώς οἱ πρόοδοι τῆς ἐπιστήμης θά ἐπιτρέψουν στό μέλλον, ὄχι μόνον τήν σύλληψη ἀλλά καί τήν πλήρη ἐννιάμηνη ἀνάπτυξη τῶν ἐμβρύων ἐκτός τῆς κοιλιᾶς τῆς μάνας τους γιά νά μπορέσει ἔτσι καί αὐτό νά συμμετέχει ἄμεσα καί αὐτόνομα στήν κατανάλωση. Βλέπουμε πώς συμφέρον τοῦ καπιταλισμοῦ εἶναι ἡ πλήρης διάλυση τῆς οἰκογενείας καί ἡ ἔκλειψη τοῦ θεσμοῦ τοῦ γάμου ὡς παλαιομοδίτικου. Φυσικά ἡ ἀρνητική πλευρά τῆς προσπάθειας τοῦ φεμινισμοῦ καί τῶν παρεμφερῶν κινημάτων, εἶναι ἡ δημιουργία μιᾶς ἀνισόρροπης ἀνθρωπότητος-τέρας, πού κινδυνεύει νά καταστρέψει κάποτε ὁλοσχερῶς τόν πλανήτη. Συνεπῶς, ἄν καί ὁ φεμινισμός παρουσιάζεται ὡς μιά πρόσφατη θέση τοῦ φιλελευθερισμοῦ, ἡ ὁποία δέν ὑπῆρχε στόν 19ο αἰῶνα, στήν πραγματικότητα ἐντάσσεται στήν ἀνέκαθεν λογική τῆς ἰδεολογίας αὐτῆς.

10 - *Τήν θρησκεία.*

Ἀπάντηση: Καταδίκη τοῦ ὑλισμοῦ. Πνεῦμα οὐσιαστικά θρησκευτικό, μυστικιστικό. Δημιουργεῖ τίς δικές του θρησκευτικές ἰδέες πού χρησιμοποιεῖ στά πλαίσια τῆς πολιτικῆς του ἰδεολογίας. Στόν Τρίτο Κόσμο, χρησιμοποίηση τῶν παραδοσιακῶν θρησκειῶν ὡς πολιτικές ἰδεολογίες. Παρά ταῦτα, ὁ ἐθνικισμός ἔρχεται πάντα πρῶτος, πρίν ἀπό τήν θρησκεία.

Κομμουνισμός: Στρατευόμενος ἀθεϊσμός. Ὑλισμός. Καταδίκη ὁποιασδήποτε μορφῆς μυστικισμοῦ. Ὁ χριστιανικός, μουσουλμανικός ἤ βουδδιστικός μαρξισμός εἶναι αἱρέσεις. Παρά ταῦτα στήν μεταβατική περίοδο ἡ θρησκεία ἐπιτρέπεται, ὥς πού οἱ ἄνθρωποι νά συνειδητοποιήσουν τό λάθος τῶν θρησκευτικῶν δοξασιῶν.

Φιλελευθερισμός: Κατά τοῦ μυστικισμοῦ. Θρησκευτική ἀδιαφορία (ἀγνωστικισμός). Πνεῦμα τῶν λιμπερτίνων τοῦ 18ου αἰώνα. Ὅπως μέ τόν ἐθνικισμό, ἡ θρησκεία χρησιμοποιήθηκε σέ συγκεκριμένες περιόδους ὡς "ὄπιο τοῦ λαοῦ".

11 - *Τόν ρατσιοναλισμό καί τόν μή ρατσιοναλισμό.* (Ἔννοιες φιλοσοφικές).

Ἀπάντηση: Μή ρατσιοναλισμός. Ἐγκώμιο τοῦ ρομαντισμοῦ, τοῦ θεληματισμοῦ (βολονταρισμοῦ), τῆς ζωικῆς ὁρμῆς (élan vital), τοῦ ζωϊκοῦ ἐνστίκτου καί τῆς ἔμφυτης ὁρμῆς, τῆς διαίσθησης-ἐνόρασης τοῦ κόσμου, τοῦ αἰσθήματος, τοῦ ὑποσυνειδήτου, δηλαδή τῆς πρωτόγονης πλευρᾶς τοῦ ἀνθρώπου.

Κομμουνισμός: Κατά τοῦ μεταφυσικοῦ μηχανιστικοῦ ρατσιοναλισμοῦ, δηλαδή κατά τοῦ θετικισμοῦ καί τοῦ καρτεσιανισμοῦ. Ὑπέρ ἑνός ἀναθεωρημένου ρατσιοναλισμοῦ, βασισμένου στήν ἐπαναφορά τῶν δημιουργικῶν δυνατοτήτων τῆς ἀντιφάσεως, δηλαδή τῆς διαλεκτικῆς σκέψεως. Κατά τῆς χρησιμοποιήσεως τῆς διαίσθησης ἤ τοῦ θεληματισμοῦ, δηλαδή καταδικάζεται ὁ μή ρατσιοναλισμός. Θεωρεῖ λάθος νά μήν περάσει ἡ κοινωνία ἀπό τό στάδιο τοῦ καπιταλισμοῦ, προτοῦ εἰσέλθει στό ἑπόμενο, σοσιαλιστικό στάδιο, δηλαδή καταδικάζει τό πήδημα τῶν διαφόρων φάσεων τῆς κοινωνικῆς ἐξελίξεως. Μεγάλο δέ λάθος τό διαζύγιο τῆς θεωρίας καί τῆς πράξεως: οὔτε πράξη χωρίς θεωρία, οὔτε θεωρία χωρίς πράξη.

Φιλελευθερισμός: Ὑπέρ τοῦ ρατσιοναλισμοῦ τῆς δυτικῆς Ἀναγεννήσεως, μέ τήν **Raison** νά λατρεύεται ὡς ὑπερτάτη ἀξία. Θετικισμός (**positivisme** τοῦ Αὐγούστου Κόντ). Μηχανιστική, μή διαλεκτική σκέψη. Καταδίκη τοῦ μή ρατσιοναλισμοῦ.

12 - *Τόν διανοουμενισμό καί τόν ἐλιτισμό:*

Ἀπάντηση: Ἀντιδιανοουμενισμός ἀλλά ὑπέρ τῆς καθολικῆς παιδείας τοῦ λαοῦ (ἄλλο διανοουμενισμός καί ἄλλο μόρφωση). Διαλεκτική σχέση ἀντιελιτισμοῦ-ἐλιτισμοῦ: Ἀπό τήν μία πλευρά ὁ ἀντιελιτισμός τῆς τρίτης ἰδεολογίας ἐξαγγέλλει πώς ὁ λαός εἶναι ἡ μόνη πηγή τῆς ἐξουσίας καί δέν ἀντιπροσωπεύεται. Ὁ ἀρχηγός, ὡς ἁπλή ἀντανάκλαση τοῦ λαοῦ, πρέπει νά φορᾶ μία ἀπέριττη στολή χωρίς παράσημα, ὡς βασιλέας-καλόγηρος γιά τήν προαναγεννησιακή περίοδο, ὡς ἐργάτης, ἀγρότης, ἤ ἁπλός στρατιώτης στήν σημερινή ὁλοκληρωτική κοινωνία. Ὁ Χίτλερ φοροῦσε ἕνα ἁπλό πουκάμισο στρατιώτη μέ μόνο σημάδι τόν ἀγκυλωτό σταυρό καί τόν σταυρό τῆς Μάλτας. Δέν ὑπῆρξε ποτέ στρατάρχης, ἀλλά ἁπλῶς "ὁδηγός". Ἀπό τήν ἄλλη πλευρά ὅμως, στόν πνευματικό τομέα ὑπάρχουν οἱ γνωρίζοντες καί οἱ μή γνωρίζοντες, οἱ λίγοι μύστες καί οἱ ὑπόλοιποι. Αὐτοί πού κατηχήθηκαν στά μυστήρια, θεωρητικά δέν ἔχουν κανένα δικαίωμα ἀλλά μόνον ὑποχρεώσεις πρός τόν λαό πού ὑπηρετοῦν. Τά SS ἦταν μία μυστικιστική ἐλίτ στρατιωτικῶν καλογήρων. Ὁ ἀντιελιτισμός εἶναι κοινό γνώρισμα τῆς φασιστικῆς ἰδεολογίας καί ἡ μυστικιστική ἐλίτ συχνά δέν ὑπάρχει καί περιορίζεται στό πρόσωπο τοῦ χαρισματικοῦ ἡγέτη.

Κομμουνισμός: Ταξικός διανοουμενισμός. Ὁ διανοούμενος τῆς ἐργατικῆς τάξεως πρέπει νά ἐξισορροπεῖ θεωρία καί πράξη. Τά μοντέλα τοῦ ταξικοῦ διανοούμενου εἶναι οἱ ἴδιοι οἱ Μάρξ καί Λένιν. Μεγάλος σεβασμός πρός τούς διανοούμενους. Κομματικός ἐλιτισμός. Το κόμμα εἶναι ἡ ἐλίτ (ἡ πρωτοπορία) τῆς ἐργατικῆς τάξεως. Εἶναι μεγάλη τιμή νά γίνει κανείς μέλος τοῦ κόμματος. Οἱ ὑπόλοιποι, πού δέν ἀνήκουν στήν ἐλίτ, ὀνομάζονται οἱ χωρίς-κόμμα καί εἶναι δευτέρας τάξεως πολίτες.

Φιλελευθερισμός: Οἱ διανοούμενοι εἶναι ἀναγκαῖο κακό. Γίνονται συμπαθεῖς ὅταν παίρνουν μέρος στό καπιταλιστικό κέρδος, ἀσχέτως ἄν ὑποστηρίζουν ἤ ὄχι τό σύστημα. Ἡ ζωγραφική παραγωγή ἑνός "περιθωριακοῦ" ἤ κομμουνιστῆ καλλιτέχνη σάν τόν Πικασσό, μπορεῖ νά γίνει πηγή τεραστίων κερδῶν, ἀκόμη καί ἡ ἰδεολογική κομμουνιστική ζωγραφική: "Ἡ κόκκινη [σοβιετική] τέχνη μέ ἔχει κάνει πλούσιο, δηλώνει μέ ἀφοπλιστική εἰλικρίνεια ὁ Ρόι Μάιλς...ἰδιοκτήτης μιᾶς κομψῆς γκαλερί στήν ὁδό Μπροῦτον τοῦ Λονδίνου". (*Ἡ Καθημερινή*, 16 Μαρτίου 1990). Συνεπῶς ὑπέρ τοῦ ἐμπορεύσιμου διανοουμενισμοῦ. Ἀντιελιτισμός. Ἱεραρχία βασισμένη στό χρῆμα. Ὅλοι μποροῦν νά συμβάλουν στό κέρδος ἄν εἶναι σωστά ἐκπαιδευμένοι. Γιά νά ἀνήκει κανείς στή λεγόμενη "ἐλίτ τοῦ χρήματος", τό κριτήριο δέν εἶναι ὁ ἄνθρωπος (ἡ γέννησή του, ἡ κοινωνική θέση τῆς οἰκογενείας, ἡ ἔνταξή του σέ μία κοινωνική ἤ ἐπαγγελματική ὁμάδα, ἡ πνευματική του ἀνωτερότητα) ἀλλά μόνον τό χρῆμα.

13 - *Τόν Τρίτο Κόσμο*

Ἀπάντηση: Ἄν καί ὁ Χίτλερ διεκήρυττε πώς ἦταν ὁ ἑνοποιός τῆς Εὐρώπης, μισοῦσε τήν Δύση τοῦ "ἀγγλογαλλικοῦ φιλελεύθερου, πλουτοκρατικοῦ, ἑβραϊκοῦ, παρηκμασμένου καπιταλισμοῦ". Τήν Γερμανία, ὁ Χίτλερ τήν τοποθετοῦσε ὄχι στήν Δύση, ἀλλά στόν Βορρᾶ (ἡ *Ὑπερβόρειος* χώρα, κατά τούς Ἕλληνες, ἡ τόσο ἀγαπητή στόν Ἀπόλλωνα), καί στήν Ἀνατολή (ἡ Βόρειος Ἰνδία τῶν Ἀρίων). Ὁ μυστικισμός του ἔχει ἰνδουιστικές βάσεις. Ἀντιθέτως ὁ Μουσολίνι εἶναι ὁ δυτικός Ρωμαῖος πού ἐπιζητᾶ ἀποικίες. Ὁ Χίτλερ δέν ἐνδιεφέρετο γιά ὑπερπόντιες ἀποικίες, ἀλλά μόνον γιά ἐδαφική ἐξάπλωση τοῦ γερμανικοῦ κράτους στήν Εὐρώπη.

Ἐπί πλέον ἡ ἰδέα τῆς πάλης μεταξύ ἀστικῶν λαῶν καί προλεταριακῶν λαῶν, μεταξύ πλουσίων καί φτωχῶν λαῶν, μεταξύ παλαιῶν καί νέων λαῶν, πού ὁ Μάο χρησιμοποίησε γιά νά μετατρέψει τήν ταξική πάλη σέ πάλη τοῦ Τρίτου Κόσμου κατά τῆς Δύσεως, ὑπάρχει ἤδη λανθάνουσα στόν χιτλερισμό. Ἕνα ναζιστικό κείμενο ἔλεγε: "Ὅ,τι δέν ἀντελήφθησαν οἱ λαοί τῶν πλουτοκρατιῶν καί τῶν δυτικῶν Δημοκρατιῶν, εἶναι κατά κύριον λόγον ἡ ἔννοια τοῦ εἰκοστοῦ αἰῶνος: τό δικαίωμα δηλαδή κάθε ἀνθρώπου πρός ἐργασίαν καί ἡ δυνατότης νά καταλάβη μίαν θέσιν ἀνάμεσα εἰς τόν λαόν πού ζῆ, ἀναλόγως τῆς προσωπικῆς συμβολῆς του. Αὐτός εἶναι ὁ σοσιαλισμός...πρόβλημα πού ἔχει τεθῆ ἐπί τάπητος δι' ὅλους τούς νέους λαούς. Ἀκριβῶς δέ διά νά ἐπιτύχωμεν αὐτό, δηλαδή τήν ὑφ' ὅλων τῶν νέων λαῶν συγκρότησιν μιᾶς νέας κοινωνικῆς τάξεως, διεξάγομεν τόν δεύτερον αὐτόν παγκόσμιον πόλεμον". (Dr. Ulrich Gmelin, "Φοιτητής καί ἐργάτης εἰς τήν Νέαν Εὐρώπην", *Νέα Εὐρώπη*, Βερολῖνο, τεῦχος 1, 1943, σ. 19).

Ὁ Τρίτος Κόσμος θεωρεῖ τόν ἑαυτό του πηγή ἀλήθειας, σάν Μεσσίας πού θα σώσει τόν πλανήτη μας ἀπό τήν παρηκμασμένη Δύση. Συνεπῶς ὁ ὁρισμός πού δίδεται τοῦ Τρίτου Κόσμου ἀπό τόν τριτοκοσμισμό δέν εἶναι, ὅπως στήν Δύση, οἰκονομικός ἀλλά πολιτικός καί πολιτιστικός: Ἡ ὑπανάπτυξη ἐδημιουργήθη ἀπό τήν Δύση, ἀλλά ὁ Τρίτος Κόσμος θά συνεχίσει νά ὑπάρχει στό μέλλον ἔστω καί ἄν γίνει πολύ ἀνεπτυγμένος. Διότι ὁ Τρίτος Κόσμος εἶναι, πολιτισμικά, ἡ ἀντι-Δύση. Ἐξ οὗ καί ἡ ὑπερηφάνεια νά ἀνήκει κανείς στόν Τρίτο Κόσμο.

Κομμουνισμός: α) Δυτική σχολή (τοῦ Μάρξ): Ἀναγνωρίζει τήν ὕπαρξη ἑνός προκαπιταλιστικοῦ Τρίτου Κόσμου ὑπό τό πέλμα τῆς ἀποικιακῆς ἤ τῆς ἡμιαποικιακῆς κυριαρχίας τῆς καπιταλιστικῆς καί ἰμπεριαλιστικῆς Δύσεως. Αὐτός ὁ Τρίτος Κόσμος αὐτομάτως θά ἀπελευθερωθεῖ, ὅταν ἡ βιομηχανική Δύση θά περάσει στά χέρια τοῦ προλεταριάτου. Δηλαδή ὁ Μάρξ δέν δίνει καμμία πρωτοβουλία στόν Τρίτο Κόσμο (παθητική στάση).

β) *Ἀνατολική σχολή* (τοῦ Λένιν): Τό προλεταριᾶτο στήν παγκόσμια πάλη του γιά ἐξουσία, πρέπει νά συμμαχήσει μέ τά κινήματα ἐθνικῆς ἀπελευθερώσεως (δυναμική στάση). Αὐτή ἡ πάλη τοῦ Τρίτου Κόσμου εἶναι μιά σημαντική συμβολή στήν προλεταριακή ἐπανάσταση. Ὁ Τρίτος Κόσμος παίζει τόν ἴδιο ρόλο μέ τήν ἀγροτιά στήν συμμαχία της μέ τήν ἐργατική τάξη.

Φιλελευθερισμός: Ἀναγνωρίζει τήν ὕπαρξη ἑνός πολιτισμικοῦ καί οἰκονομικοῦ Τρίτου Κόσμου, ἀλλά ἀπορρίπτει τήν ὀρθότητα πολιτικοῦ ὁρισμοῦ (ὁ τρίτος δρόμος). Ὁ φιλελευθερισμός πασχίζει νά ἀφομοιώσει τόν Τρίτο Κόσμο διά τῆς πλήρους δυτικοποιήσεως, μέ τήν εἰσαγωγή τοῦ δυτικοῦ πολιτισμοῦ καί τήν οἰκονομική ἀνάπτυξή του κατά τά δυτικά πρότυπα.

Γιά τον καθορισμό τοῦ ἰδεολογικοῦ καθεστῶτος μιᾶς χώρας, χρησιμοποιεῖται ἕνα ποσοστό συμμμορφώσεως πρός τό μοντέλο, βάσει τοῦ παρακάτω πίνακα. Ἄς πάρουμε ἕνα παράδειγμα: Κατά πόσον ἔχουν δίκαιο αὐτοί πού ἰσχυρίζονται πώς τό "Κομμουνιστικό Κόμμα τοῦ Περού, Φωτεινό Μονοπάτι" *(Sendero Luminoso)* εἶναι φασιστικό καί ὄχι κομμουνιστικό:

Πίνακας συμμορφώσεως πρός τό φασιστικό μοντέλο

Σημεῖα	Πλήρως (100%)	Μερικῶς (50%)	Δέν συμμορφοῦται (0%)
1	X		
2	X		
3	X		
4	X		
5	X		
6	X		
7		X	
8	X		
9			X
10	X		
11		X	
12		X	
13	X		

Ἀποτέλεσμα: Ἀπόλυτη συμμόρφωση: 9 σημεῖα (9 πόντοι).
Μερική συμμόρφωση: 3 σημεῖα (1 1/2 πόντοι)
Μή συμμόρφωση: 1 σημεῖο (0 πόντοι).
Σύνολο: 10 1/2 πόντοι στούς 13.
Τελικό ποσοστό φασιστικοποιήσεων: 81%

Ἀπάντηση: Τό *Φωτεινό Μονοπάτι* ἀνήκει στήν τριτοκοσμική φασιστική ἰδεολογία.

ΚΕΦΑΛΑΙΟ ΕΒΔΟΜΟ

Η ΤΡΙΤΗ ΙΔΕΟΛΟΓΙΑ ΣΤΗΝ ΕΛΛΑΔΑ ΚΑΙ Η ΟΡΘΟΔΟΞΙΑ

Ἡ ἱστορία τῆς φασιστικῆς ἰδεολογίας στήν Ἑλλάδα, στό σύνολό της, δέν ἔχει ποτέ γραφεῖ, καί αὐτά πού φέρουν τίτλους πού σχετίζονται μέ τό θέμα, ἔχουν σκοπό νά προδιαθέσουν ἀρνητικά τόν ἀναγνώστη καί νά τόν φοβίσουν γιά τόν πάντα ὑπαρκτό "κίνδυνο φασισμοῦ" στήν Ἑλλάδα. Ὅσο γιά μένα, ἔχω γράψει τμηματικά γιά τόν Ἴωνα Δραγούμη, τόν Περικλῆ Γιαννόπουλο,τόν Ἀθανάσιο Σουλιώτη-Νικολαΐδη, τόν Γεώργιο Κονδύλη, τούς ἀδελφούς Γεώργιο καί Σταμάτη Μερκούρη, τόν Κωνσταντῖνο Ζαβιτσιάνο, τόν Ἰωάννη Μεταξᾶ, τόν Δημήτρη Τσάκωνα, τόν ἑλληνικό μαοϊσμό, τό ἑλληνικό τρομοκρατικό κίνημα, τόν Γεώργιο Γεωργαλᾶ, τόν Ἀνδρέα Δενδρινό, τίς ἰδεολογικές τάσεις τῆς 21ης Ἀπριλίου. Φυσικά ὁ ἑλληνικός φασισμός σχετίζεται μέ τήν διαμόρφωση τοῦ ἐθνικισμοῦ στήν Ἑλλάδα. Ὄχι βέβαια μέ τήν χρησιμοποίηση τοῦ ἐθνικισμοῦ ἀπό τήν φιλελεύθερη ἰδεολογία καί τήν λατινογενῆ Μεγάλη Ἰδέα, ὅπως ἀπό τούς Ἰωάννη Κωλέττη καί Ἐλευθέριο Βενιζέλο. Ἀντιθέτως θά ἦταν ἄκρως ἐνδιαφέρον, οἱ μελέτες νά συγκεντρώνονταν σέ ὀπαδούς τῆς ἀνατολικῆς παρατάξεως κατά τήν περίοδο πρό τοῦ Ἴωνος Δραγούμη καί τοῦ Περικλῆ Γιαννόπουλου, πού θεωροῦνται οἱ πατέρες τῆς ἐθνικιστικῆς ἰδεολογίας. Πρός τόν σκοπό αὐτό χρήσιμο θά μποροῦσε νά φανεῖ τό ἄρθρο μου, "Ἡ ἀνατολική παράταξη στήν Ἑλλάδα" (*Τότε*, Ἀθήνα, τ. 27, Αὔγουστος 1985) ἀπό τήν ἐποχή τοῦ Καποδίστρια. Διότι ἡ ἱστορία τῆς ἑλληνικῆς τρίτης ἰδεολογίας εἶναι συνδεδεμένη μέ τόν ἀντιδυτικισμό καί τήν ἀνατολική παράταξη.

Ἕνας ἀπό τούς στυλοβάτες τοῦ βενιζελισμοῦ, ὁ Ἀλέξανδρος Διομήδης, ἔγραφε τό 1942 γιά τήν βυζαντινή προέλευση τῆς ἀνατολικῆς αὐτῆς παρατάξεως: "Ὁ μοναχισμός καί ἰδίως ὁ μοναστικός Ἄθως, προπύργιον τῆς ἄκρας Ὀρθοδοξίας...ἐδέσποζεν ἀπολύτως τοῦ παράγοντος πού σήμερον ὀνομάζομεν κοινήν γνώμην" (Ἀλ. Ν. Διομήδη, *Βυζαντιναί Μελέται*, Ἀθήνα, Παπαζήσης, 1942, σ. 235). Καί πιό πέρα: "Ἡ ἀδιάλλακτος βυζαντινή ἀντίληψις, ὡς ἰδίως ἐξεπροσώπουν ταύτην οἱ διαδοχικῶς ἡγηθέντες τοῦ ἀντιδραστικοῦ κόμματος Βρυέννιος, Μάρκος Εὐγενικός καί Γεννάδιος, μέ τήν ἐξανατολισμένην ψυχοσύνθεσιν καί τήν φανατικήν των ἀντιπάθειαν κατά πάσης ἑλληνικῆς [κλασσικῆς] παιδείας, ἦτο συγγενεστέρα πρός τήν ἀντίληψιν τῶν ἀνατολιτῶν Τούρκων, παρά πρός τήν ὑπό τήν πνοήν τῆς κλασσικῆς ἀρχαιότητος διαμορφουμένην σκέψιν εἰς τήν Δύσιν. Ὁ βυζαντινός καί ὁ μουσουλμανικός κόσμος εἶχον μέ τόν χρόνον καί τήν μακράν ἐπαφήν ἀποκτήσει κοινάς τινας ἰδιότητας... Ἀμφότεροι ἀντιπροοδευτικοί καί μοιρολάτραι" (σσ.371-372). Καί ὁ δυτικιστής φιλελεύθερος Διομήδης ὑπέγραφε στά γαλλικά, ὡς ὑπουργός Ἐξωτερικῶν, Diomède.

Μέ τήν ἵδρυση τοῦ νεοελληνικοῦ κράτους καί μετά τήν δολοφονία τοῦ ἀνατολιστῆ Ἰωάννη Καποδίστρια, ἡ Ἑλλάδα περιέπεσε μονίμως στά χέρια τῶν δυτικιστῶν, πού τήν ὁδήγησαν τό 1981 στήν ἐνσωμάτωσή της, καί τυπικά πλέον, στήν Δύση μέ τήν ἔνταξή της στήν Εὐρωπαϊκή Κοινότητα. Ἡ ἀνατολική παράταξη, κατά τά ἐλάχιστα διαστήματα πού εὑρέθη στήν ἀρχή, προσπάθησε ἀνεπιτυχῶς νά ἀνακόψει τήν ἀπομάκρυνση τῆς Ρωμηοσύνης ἀπό τήν παράδοσή της. Ἕνας ἀπό τούς ἡγέτες της ἦταν καί ὁ Ἰωάννης Μεταξᾶς· εἶναι δέ χαρακτηριστικό πώς ἐνῶ ξηλώθηκαν οἱ ἀνδριάντες του, στήθηκαν στήν Ἀθήνα ἀγάλματα τοῦ ἀντιπάλου του Βενιζέλου καί μάλιστα τό 1989 μπροστά στήν Βουλή, καί σύσσωμος σχεδόν ὁ πολιτικός κόσμος τοῦ 1990 ἀνεφέρετο στόν Βενιζέλο σάν κοινό παρονομαστή. Ἐκ πρώτης ὄψεως λοιπόν ἡ χιλιετής πάλη τῶν δύο παρατάξεων ἀπέβη ἀνεπιστρεπτί πρός ὄφελος τῆς Δυτικῆς, ἀφοῦ ὅλα τά κόμματα στήν Βουλή εἶναι δυτικιστικά. Οὔτε τό ΠΑΣΟΚ, οὔτε τό ΚΚΕ δέν εἶναι πλέον πολέμιοι τῆς ΕΟΚ. Μέ ἄλλα λόγια, ὁ Βενιζέλος ἔγινε γιά τήν Ἑλλάδα αὐτό πού ὁ Ἀτατούρκ εἶναι γιά τήν Τουρκία. Ποιός μπορεῖ νά φαντασθεῖ μιά μή κεμαλική Τουρκία; Καί ὅμως, τό τέλος τοῦ κεμαλισμοῦ καί ἡ ἀπόλυτη ἀνατροπή τῶν δυτικιστικῶν ἀξιῶν στήν Τουρκία διαφαίνονται καθαρά πλέον στόν ὁρίζοντα. Τό τέλος τοῦ βενιζελισμοῦ καί τοῦ ἑλληνικοῦ δυτικισμοῦ ἴσως νά μήν εἶναι καί αὐτά τόσο μακρυά.

Ὁ Ἰωάννης Μεταξᾶς ὑπῆρξε ὡς ἕνα βαθμό ὀπαδός τῆς τρίτης ἰδεολογίας (βλ. Γιῶργος Κόκκινος, *Ἡ φασίζουσα ἰδεολογία στήν Ἑλλάδα. Ἡ περίπτωση τοῦ περιοδικοῦ "Νέον Κράτος", 1937-1941*, Ἀθήνα, Παπαζήσης, 1988). Ἀλλά δέν ἦταν σάν τόν Μουσολίνι ἤ τόν Χίτλερ προϊόν τῶν μαζῶν πού συνωστίζονται στίς μεγάλες βιομηχανικές πόλεις. Ἦταν ἐξωαστικῆς προελεύσεως, δηλαδή γιός ἑνός ξεπεσμένου ἀριστοκράτη τῶν Ἰονίων νήσων καί μιᾶς χωρικῆς. Φτωχός ἀλλά φέρνοντας τόν τίτλο τοῦ κόμητος, ἀντιπροσώπευε στήν Ἑλλάδα τόν γερμανικό ρομαντισμό τοῦ 19ου αἰῶνος τοῦ τύπου τοῦ Adam Müller πού ἀναλύσαμε σέ προηγούμενο κεφάλαιο. Ἦταν δηλαδή πολέμιος τῆς Γαλλικῆς Ἐπαναστάσεως καί ἐκπρόσωπος τοῦ ἀριστοκρατικοῦ σοσιαλισμοῦ. Ὁ θαυμαστής τῆς σκέψεώς του πρέσβης Βασίλειος Παπαδάκης, εἶχε γράψει χαρακτηριστικά: "Ἀριστοκράτης γνήσιος ὁ Μεταξᾶς, καί δι' αὐτό γνήσιος δημοκράτης, γνήσιος φίλος τοῦ λαοῦ, ἀπεχθάνεται βαθέως τούς πλουτοκράτας". (Β. Π. Παπαδάκης, *Ἡ χθεσινή καί ἡ αὐριανή Ἑλλάς. Μιά γενική βάσις πολιτικῆς σκέψεως καί πράξεως*, Κάϊρο,

Ἐκδοτική Ἑταιρία "Νέα", 1946, σ. 43).

Γερμανοτραφής, παιδί τοῦ γερμανικοῦ ρομαντισμοῦ, ὁ Μεταξᾶς εἶδε τόν πρῶτο παγκόσμιο πόλεμο ὡς ἰδεολογικό πόλεμο μεταξύ τῆς ἀριστοκρατικῆς Γερμανίας καί τῆς ἀστικῆς κοινωνίας τῆς Δύσεως, πού προῆλθε ἀπό τήν Γαλλική Ἐπανάσταση καί πού ἐβασίζετο στόν μῦθο τῆς ἰσότητος. Στίς 22 Ἰουλίου 1918 ἐσημείωνε στό ἡμερολόγιό του: "Ἡ μεταξύ ἀνθρώπων ἀνισότης εἶναι ἡ φυσική κατάστασις τῆς κοινωνίας. Πᾶν μέτρον ἀντιτιθέμενον εἰς τόν φυσικόν τοῦτον καί στοιχειώδην νόμον, κατ' ἀνάγκην θά ἔχῃ θλιβεράς, ἴσως δέ καί ὀλεθρίας συνεπείας". (Ἰ. Μεταξᾶς, *Τό προσωπικό του ἡμερολόγιο*, τόμος 2ος, Ἀθήνα, Ἑστία, 1952, σ. 461). Στίς 22 Ἰανουαρίου 1940, στήν ἀρχή τοῦ δευτέρου παγκοσμίου πολέμου, ἔγραφε στό "Τετράδιο τῶν Σκέψεών" του: "Ἡ δημοκρατία εἶναι τό παιδί τοῦ καπιταλισμοῦ. Εἶναι τό ὄργανο μέ τό ὁποῖο ὁ καπιταλισμός κυριαρχεῖ ἐπάνω στήν λαϊκή μᾶζα. Εἶναι τό ὄργανο μέ τό ὁποῖο κατορθώνει ὁ καπιταλισμός νά παριστάνῃ τή θέλησί του ὡς τή λαϊκή θέλησι. Αὐτό τό εἶδος τῆς Δημοκρατίας χρειάζεται ἐκλογές καθολικῆς μυστικῆς ψηφοφορίας, ἄρα ὠργανωμένα κόμματα καί συνεπῶς μεγάλα κεφάλαια. Χρειάζεται γιά τόν ἴδιο λόγο ἐφημερίδες, ἄρα μεγάλα κεφάλαια. Χρειάζεται ἐκλογική ὀργάνωσι, κάθε φορά καί ἐκλογικούς ἀγῶνες, ἄρα χρήματα. Καί τόσα ἄλλα πού ἀπαιτοῦν κεφάλαια... Ἀπό τήν ἄλλη μεριά ὁ καπιταλισμός, γιά νά συσσωρεύσῃ τά κεφάλαια στά χέρια ἐκείνων πού τόν ἐκπροσωποῦν καί νά κάμῃ ὅλον τόν ἄλλο κόσμο σκλάβους του –μά σκλάβους πού νά νομίζουν πώς εἶναι ἐλεύθεροι– ἔχει ἀνάγκη τῆς ἐλευθέρας οἰκονομίας... Κράτη πού ἐπικρατεῖ ἡ διευθυνόμενη οἰκονομία, ὅσον καί ἄν εἶναι δημοκρατικά –καί ἐννοοῦμε τέτοια πού ἀποσκοποῦν τό γενικόν συμφέρον τοῦ λαοῦ– δέν συμφέρουν στόν καπιταλισμό. Γιατί μέσα σέ τέτοια κράτη δέν εἶναι δυνατή ἡ ἐκμετάλλευσι τοῦ συνόλου τοῦ λαοῦ ἀπό τούς ἐκπροσώπους τοῦ καπιταλισμοῦ... Ἀλλά ὁ καπιταλισμός τά ὀνομάζει τυρρανίες –φασιστικές, χιτλερικές κ.λ.π. ... Ὥστε δέν πρόκειται γιά ἰδανικά... Πρόκειται ἁπλούστατα γιά τά ἑξῆς: ἐπικράτησις τοῦ καπιταλισμοῦ... ἤ ἐπικράτησις τοῦ ὁλοκληρωτικοῦ κράτους... Ἀπό τή μιά μεριά Ἀγγλία, Γαλλία, Ἀμερική. Ἀπό τήν ἄλλη Γερμανία, Ρωσία, Ἰταλία". (Ἰ. Μεταξᾶς,

Τό προσωπικό του ἡμερολόγιο, τόμος 4ος, Ἀθήνα, Ἴκαρος, 1960, σσ. 446-448).

Στό ἰδεολογικό πιστεύω τοῦ Μεταξᾶ βρίσκουμε, πρῶτα ἀπ' ὅλα, τήν ἀπέχθεια γιά τό χρῆμα πού εἶναι πάντα βρώμικο καί γιά τήν τάξη τοῦ χρήματος, τόν καπιταλισμό. Δέν δέχεται τήν ἰσοπέδωση ὅλων τῶν ἀξιῶν ἀπό τό χρῆμα καί μέ τήν ἔννοια αὐτή καταδικάζει τήν ἰσότητα. Ἐκφράζεται δέ σαφῶς κατά τῆς ἐλεύθερης οἰκονομίας καί ὑπέρ τοῦ ὁλοκληρωτικοῦ κράτους. Ἀλλά ὅπως καί ὁ Μουσολίνι, δέν εἶναι ἀντισημίτης καί ἐπί πλέον δέν ὑπέκυψε ποτέ, ὅπως συνέβει μέ τόν Ντοῦτσε, στίς πιέσεις τῶν ἀντισημιτῶν. "Τά Ἑβραϊκά Χρονικά" τοῦ Λονδίνου *(Jewish Chronicle)*, πού δέν εἶχαν παύσει νά κατηγοροῦν τόν βενιζελισμό γιά ἀντισημιτισμό, εἶχαν ἐνθουσιασθεῖ ἀπό τήν ἄνοδο στήν ἀρχή τοῦ Μεταξᾶ, τόν ὁποῖο ἐθεώρησαν μέχρι τέλους ὡς μέγα φίλο τῶν ἑβραίων.

Ὁ ἀντιπρόεδρος τῆς κυβερνήσεως Μεταξᾶ καί ὑπουργός του τῶν Οἰκονομικῶν, Ἑπτανήσιος καί αὐτός, γεννημένος στήν Κέρκυρα τό 1879, πρώην φιλελεύθερος καί βενιζελικός, ὁ Κωνσταντῖνος Ζαβιτζιάνος, ἐνεφανίζετο ὡς θεωρητικός τοῦ σωματειακοῦ (συντεχνιακοῦ) κράτους. Ὁ Μεταξᾶς εἶχε ὑποχρεωθεῖ στίς 22 Ἰανουαρίου 1937, ὑπό ἀγγλική πίεση, νά ἀποχωρισθεῖ τοῦ Ζαβιτζιάνου καί νά τόν ἀπομακρύνει ἀπό τήν κυβέρνηση, ἐπειδή κατηγορεῖτο πώς προσέδενε τήν Ἑλλάδα στήν γερμανική πολιτική. Προηγουμένως εἶχε γίνει συζήτηση καί γιά δημιουργία "συντεχνιακοῦ κοινοβουλίου", ὅπως τό εἶχε προτείνει ὁ Ζαβιτζιάνος, ἀλλά μετά τήν ἐκδίωξή του ἀπό τόν βασιλέα, ἡ ἰδέα ἐγκατελείφθη.

Ἡ συμβολή τῶν Ζαβιτζιάνων στήν τρίτη ἰδεολογία κατ' ἀρχήν ξενίζει, ἐπειδή ἡ οἰκογένεια αὐτή ὑπῆρξε ἀπό τούς ἱδρυτές τοῦ τεκτονισμοῦ στόν ἑλληνικό χῶρο καί γνωρίζουμε πώς μασονία καί τρίτη ἰδεολογία δύσκολα συμβιβάζονται. Τό ἴδιο πρόβλημα ὑπάρχει μέ τόν Μεταξᾶ, ὁ ὁποῖος ὑπῆρξε καί αὐτός μασόνος. Συγκεκριμένα ὁ Μεταξᾶς εἶχε μυηθεῖ τό 1917 στήν στοά "Ἡσίοδος" καί εἶχε ὑπηρετήσει τό 1921-1923 ὡς Α΄ ἐπόπτης τῆς στοᾶς του (Β. Α. Λαμπρόπουλος, *Ντοκουμέντα τῆς ἑλληνικῆς μασονίας*, Ἀθήνα, 1977, σ. 319). Ἡ κόρη του, Λουκία Μεταξᾶ (πρώην Γ. Μαντζούφα) πού ὑπῆρξε ἀρχηγός τοῦ γυναικείου τμήματος τῆς ΕΟΝ καί πού μετά τό διαζύγιό της τό 1942 προσηλώθηκε στήν χωρίς νεωτερισμούς 'Ορθοδοξία, ἔγραψε σχετικά: "Ὁ 'Ιωάννης Μεταξᾶς ὑπῆρξε πράγματι μασόνος πρό τοῦ 1922... Πάντως ἀποφασίζει ἀρχές τοῦ 1922 νά φύγη ἀπό τήν μασονία... 'Από τίς 25.10.1922 καί πέρα καί μέχρι τίς 29.1.1941 πού πέθανε, δέν ξαναπάτησε σέ στοά. Στό διάστημα αὐτῶν τῶν 19 ἐτῶν, ἀντιθέτως δέ προφανῶς τήν πολέμησε, διαλύοντας συστηματικά τά σωματεῖα τά σχετικά της, διότι ἦσαν καί ἐξαρτημένα ἀπό τήν μασονία τοῦ ἐξωτερικοῦ, ὅπως ἡ ΧΑΝ, ΧΕΝ, πρόσκοποι καί δδηγίνες κ.λ.π., κατά τήν τετραετῆ του διακυβέρνηση τῆς Ἑλλάδας. Στόν στρατό ἐπίσης ἀπαγόρεψε μεταξύ 1936-1941, νά ἐγγράφωνται οἱ ἀξιωματικοί στήν μασονία". ('Επιστολή Λουκίας Μεταξᾶ πρός τόν *'Ορθόδοξο Τύπο*, 'Αθήνα, 17 'Ιουλίου 1981). Σέ ἄλλη ἐπιστολή πρός τήν ἴδια ἐφημερίδα, εἶχε γράψει στίς 14 'Ιανουαρίου 1970: "Οἱ μασόνοι τόν θεωροῦν "ἐν ὕπνω ἀδελφόν" ἀφ' ὅτου παραιτήθηκε, μέχρι καί σήμερον ὑποθέτω, μιά πού τοῦ ἔκαναν μετά τό 1950 καί μνημόσυνα". ('Ι. Μεταξᾶ. *Εἰς τό προσωπικό του ἡμερολόγιο: ἐπίμετρο, σχόλια, ντοκουμέντα καί 'Αμβροσίου Τζίφου ἀνέκδοτο ἡμερολόγιο*, 'Αθήνα, Γκοβόστης, Β΄ ἔκδοση, 1977, σ. 43). Ὁ δέ ὑφυπουργός του 'Εμπορικῆς Ναυτιλίας ἀπό 12 Δεκεμβρίου 1938 μέχρι 20 'Απριλίου 1941, 'Αμβρόσιος Τζῖφος, ἔγραψε στό ἡμερολόγιό του: "Ἴσως ὁ τεκτονισμός –διότι κατεῖχε μεγάλο βαθμό ὡς τέκτων– νά τόν ἐπηρέασε στήν προσήλωσί του στόν Πλάτωνα καί στούς Πυθαγορείους" (σ. 427).

'Επειδή ὁ τεκτονισμός ἦταν καθαρῶς δυτικό φαινόμενο, τόν πρωτοβρίσκουμε στήν 'Οθωμανική Αὐτοκρατορία ὡς εἰσαγόμενο, τελείως ξένο πρός τήν ντόπια νοοτροπία. Στό ἑλληνικό βασίλειο εἰσήχθη ἀπό τά γαλλοκρατούμενα καί κατόπιν ἀγγλοκρατούμενα Ἑπτάνησα, εἰδικά ἀπό τήν Κέρκυρα καί τήν Ζάκυνθο. Δηλαδή οἱ πρῶτοι διδάξαντες τούς Ἑπτανησίους ὑπῆρξαν οἱ Γάλλοι καί Ἄγγλοι μασόνοι.

Ἕνας ἀπό τούς Ζαβιτζιάνους, ὁ Γεώργιος, γεννημένος στήν Κέρκυρα τό 1845 ἀπό μητέρα ὀνόματι Ὁνωρίνα Κρούμ, πού εἶχε ἐκδόσει τό ἔργο του *Καταδίωξις Ἑβραίων ἐν τῇ Ἱστορίᾳ* στά ἑλληνικά καί τά ἰταλικά, χρημάτισε σεβάσμιος τῆς γαλλικῆς μασονικῆς στοᾶς Κερκύρας γιά πολλά χρόνια. Ἀκόμη σήμερα γόνος τῆς οἰκογενείας πού ἔχει μεταναστεύσει στόν Καναδᾶ, εἶναι σημαντικό μέλος μασονικῆς στοᾶς στό Τορόντο. Πρόκειται γιά τόν μηχανικό Δημήτρη Ζαβιτζιάνο, ἀνηψιό τοῦ Κωνσταντίνου τοῦ πολιτικοῦ. Ὁ ἀδελφός τοῦ Δημήτρη, ὁ Σπυρίδων, συμβολαιογράφος, ὑπῆρξε δραστήριος μεταξικός καί συγγραφέας μιᾶς μελέτης, τό 1937, περί σωματειακοῦ κράτους. Ἔγραφε στήν μελέτη αὐτή: "Ἡ μέλλουσα οἰκονομία εἶναι ἡ ὑπό ἔλεγχον. Κατά ταύτην ἡ συστηματοποίησις τῆς παραγωγῆς θα περιέλθη εἰς ἐκείνους ἐξ ὧν αὕτη προέρχεται, δηλαδή εἰς τούς παραγωγούς, καταλλήλως ὀργανούμενους εἰς ἐπαγγελματικούς ὀργανισμούς ὑπό τόν ἔλεγχον τοῦ Κράτους. Ἡ κατεύθυνσις πρός σύμπηξιν τοῦ Σωματειακοῦ Κράτους εἶναι καταφανής. Μετά τήν παταγώδη χρεωκοπίαν τήν ὁποίαν ἐσημείωσαν καί ὁ σοσιαλισμός ἀλλά καί ὁ καπιταλισμός, ἡ ὁδός πρός τό Σωματειακόν Κράτος δέν ἀποτελεῖ ἁπλῶς λύσιν ἐπιβεβλημένην, ἀλλά καί τήν μόνην ἀπομένουσαν. Διά τοῦ Σωματειακοῦ Κράτους δέν πρόκειται νά μεταβληθῆ ἡ σύνθεσις τῆς ἰδιωτικῆς οἰκονομίας. Τό Σωματειακόν Κράτος κληρονομεῖ καί ἀπό τά δύο ἐκεῖνα συστήματα πᾶν ὅ,τι ζωτικόν εἰς αὐτά ὑπῆρχεν. Ἀπό τό πρῶτο σύστημα παίρνει τήν ὑποχρεωτικήν συνδικαλιστικήν ὀργάνωσιν, τήν ἀρχήν τῆς αὐτοπειθαρχείας τῶν ἐργαζομένων πολιτῶν κατά τήν ὀργάνωσιν καί τήν συστηματοποίησιν τῆς παραγωγῆς, ἀλλά καί τόν ἁπλοῦν ἔλεγχον πού εἶναι ἄγνωστος εἰς τό κεφαλαιοκρατικόν σύστημα. Ἀλλά καί ἀπό τόν κεφαλαιοκρατισμόν θά σεβασθῆ τήν ἐλευθερίαν τῶν ἐργαζομένων πολιτῶν, τήν ἀρχήν τῆς ἰδιωτικῆς πρωτοβουλίας, ἀλλά καί τήν ἀρχήν τῆς ἀτομικῆς ἰδιοκτησίας, ἀκριβῶς διότι τό Σωματειακόν Κράτος δέχεται ὅτι αὕτη συμπληρώνει τήν ἀνθρωπίνην προσωπικότητα... Πρός μίαν τοιαύτην οἰκονομίαν βαδίζει μοιραίως καί ἡ Ἑλλάς. Ἡ ὀργάνωσις τῆς ὑπό ἔλεγχον οἰκονομίας θα γίνη... ἐπί τῆ βάσει τῆς ἑλληνικῆς πραγματικότητος". (Σπυρίδωνος Ζαβιτζιάνου, "Διευθυνομένη οἰκονομία ἤ οἰκονομία ὑπό ἔλεγχον;", *Ἐργασία*, Ἀθήνα, 7 καί 14 Φεβρουαρίου 1937, ἀνάτυπο, σσ. 22-23).

Οἱ σχέσεις τοῦ Κωνσταντίνου Ζαβιτζιάνου μέ τόν Μεταξᾶ ἦταν

στενές. Ὁ ἀνηψιός του ὁ Σπυρίδων Ζαβιτζιάνος, ἐδήλωσε σέ ἕνα ἀνέκδοτο χειρόγραφό του πού μοῦ ἐνεχείρισε: "Ὁ Μεταξᾶς τήν νύχτα τῆς 3ης Αὐγούστου ἔμεινε ὅλη νύχτα σπίτι, προσπαθώντας νά τόν πείση [τόν Κώστα Ζαβιτζιάνο] νά συμμετάσχη στήν κυβέρνησι καί ὑποσχόμενος ὅτι θά ἐνεργήση εἰς τό ὑπουργεῖον του ὅ,τι θέλει χωρίς κανένα περιορισμό καί ὅτι θά ἐφρόντιζαν γιά τήν ψήφισιν νέου Συντάγματος".

Τό ὅτι ὁ Μεταξᾶς ἔκανε δεξί του χέρι, ἔστω καί γιά ἕξι μῆνες, ἕναν παλαιό φιλελεύθερο δυτικιστή μασόνο, ὁ ὁποῖος ὑπῆρξε πάντα στήν οὐσία ὁ ἄνθρωπος τῶν συμβιβασμῶν καί τῶν μεταπτώσεων, συντεχνιακός τό 1936 καί φιλελεύθερος καί πάλι τό 1947, ἀποδεικνύει πώς ἡ ἀνατολική παράταξη στήν Ἑλλάδα ὑπό τήν συνεχῆ πίεση τῆς Δύσεως, μετά τήν δολοφονία τοῦ Καποδίστρια, ποτέ δέν μπόρεσε νά ἀποδώσει καρπούς, οὔτε ἐπί Μεταξᾶ καί ἀκόμη λιγώτερο μετά τό 1967, ἐπί Γεωργίου Παπαδοπούλου. Πράγματι ὁ Κων. Ζαβιτζιάνος ξεχνώντας τά ὅσα ὑποστήριζε τό 1936, ἐδήλωνε στίς 30 Δεκεμβρίου 1947: "Τό Σωματειακόν Σύστημα πού εἶναι τό σύστημα τῆς αὐτοδιοικουμένης οἰκονομίας καί τό ὁποῖον ἐκτός τῶν συνόρων μας μετρᾶ πολλούς ὀπαδούς, ἐτέθη δέ εἰς ἐφαρμογήν εἰς τήν Αὐστρίαν τοῦ Ντόλφους καί τοῦ Σούσνιγκ, εἰς τήν 'Ιταλίαν τοῦ Μουσολίνι, ἐφαρμόζεται δέ καί σήμερον εἰς τήν Πορτογαλίαν τοῦ Σαλαζάρ. Τό σύστημα τοῦτο ἔχει τρία μειονεκτήματα: α) Ἡ ἐφαρμογή του προϋποθέτει πολιτικήν δικτατορίαν, μέ τήν ὁποίαν πρέπει να συμμαχήση τό σωματειακόν σύστημα διά νά ἀποφύγη τήν ἀναρχίαν... 'Αποτελεῖ ὀργανικόν τοῦ συστήματος ἐλάττωμα. β) 'Αλλ' ὑπάρχει καί ἄλλο ἐλάττωμα τοῦ σωματειακοῦ συστήματος, διότι τοῦτο ὁδηγεῖ εἰς τήν οἰκονομικήν αὐτάρκειαν πού εἶναι πάντοτε οἰκονομικῶς ὀλεθρία... Ὁ Λαντίνι, ὑπουργός τότε τῶν ἰταλικῶν συντεχνιῶν, εἰς δηλώσεις πού ἔκαμε κατά τήν 23ην Σεπτεμβρίου 1936, εἶπε κατά λέξιν: "Ἡ θεμελιώδης βάσις τῶν Συντεχνιῶν εἶναι ἡ οἰκονομική αὐτάρκεια τοῦ Ἔθνους"... γ) 'Αλλά τό σωματειακόν σύστημα εἶχε καί ἕνα τρίτον ἐλάττωμα... [ὅτι] περιῆλθε στά χέρια τοῦ Μουσολίνι καί ἑπομένως ἐστηρίχθη ἐπί τῆς βίας. Ἡ τελευταία αὕτη περιπέτεια ἐπεβράδυνε, διέφθειρε καί ἐλέρωσε τό σύστημα". (Κωνσταντίνου Γ. Ζαβιτζιάνου, *Ἡ χρεωκοπία τοῦ κεφαλαιοκρατισμοῦ καί τοῦ σοσιαλισμοῦ καί τό νεοφιλελεύθερον οἰκονομικόν σύστημα*, 'Αθήνα, 1948, σσ. 68-69).

'Αλλά καί ὁ ἴδιος ὁ Μεταξᾶς, ὀπαδός τοῦ "φεουδαλικοῦ σοσιαλισμοῦ", ἀνατολιστής μέν, ἀλλά πού ἀρέσκετο στόν ξενικό τίτλο εὐγενείας τοῦ κόμητος, ἐμποτισμένος περισσότερο ἀπό τό γερμανικό ἀριστοκρατικό πνεῦμα παρά ἀπό τό βυζαντινό, δέν μπορεῖ νά ὀνομασθεῖ πραγματικός φασιστής. Σέ προηγούμενο βιβλίο μου τόν εἶχα χαρακτηρίσει ὡς ἑξῆς: "'Ο Μεταξᾶς δέν εἶναι πρώην σοσιαλιστής. Εἶναι ἕνας ἀριστοκράτης παρωχημένης ἐποχῆς, ὁ ὁποῖος εὑρέθη ἄθελά του εἰς τόν αἰῶνα τῶν μαζῶν... Εἰς ὅλην του τήν ζωήν ἔθεσε τό ξίφος του εἰς τήν ὑπηρεσίαν τοῦ βασιλέως του. Θέλει νά εἶναι ὑπηρέτης ἑνός ἀπολύτου μονάρχου". (Δ. Κιτσίκης, *'Η 'Ελλάς τῆς 4ης Αὐγούστου καί αἱ μεγάλαι δυνάμεις*, 'Αθήνα, Ἴκαρος, 1974, σ. 35).

Πρός ἐπιβεβαίωση τῶν ἀνωτέρω ἔχουμε στήν διάθεσή μας ἕνα σχέδιο συντάγματος πού ὁ Μεταξᾶς ὑπαγόρευσε στίς 19 Δεκεμβρίου 1940, λίγο πρίν πεθάνει, στόν γαμπρό του καθηγητή Γεώργιο Α. Μαντζούφα. Στό κείμενο αὐτό εἶναι ἔντονη ἡ ἐπιθυμία νά ἱκανοποιήσει τόν πραγματικό ἡγέτη τοῦ καθεστῶτος τῆς 4ης Αὐγούστου, τόν ἀγγλόπληκτο βασιλέα Γεώργιο Β΄, ὁ ὁποῖος εἶχε στόχο ὄχι νά προωθήσει μιά φασιστική λαϊκή ἐπανάσταση, ἀλλά νά χρησιμοποιήσει προσωρινά τό μέσον διακυβερνήσεως τῆς δικτατορίας γιά νά σώσει τό ἑλληνικό φιλελεύθερο ἀστικό σύστημα ἀπό τόν ἐσωτερικό κομμουνιστικό κίνδυνο καί τόν ἐξωτερικό κίνδυνο τῆς ἐξαπλώσεως τῶν δυνάμεων τοῦ Ἄξονος. Γι' αὐτό καί ὁ Μεταξᾶς μέσα ἀπό αὐτό τό σχέδιο συντάγματος ἐμφανίζεται ὡς ἕνα κρᾶμα Φράνκο τῆς Ἱσπανίας (δικτάτωρ πού στόχο εἶχε τήν θωράκιση τοῦ ἀπειλουμένου κοινωνικοῦ καθεστῶτος τῶν μεγαλογαιοκτημόνων καί τῆς καθολικῆς ἐκκλησίας) καί Χίτλερ τῆς Γερμανίας (ὁλοκληρωτικός ἡγέτης πού στόχο εἶχε τήν ἐγκαθίδρυση κοινωνικῆς φασιστικῆς ἐπαναστάσεως "γιά χίλια χρόνια", πού γιά τόν Μεταξᾶ ἐκφραζόταν μέ τήν ἰδέα τῆς ἱδρύσεως τοῦ "τρίτου ἑλληνικοῦ πολιτισμοῦ"). Ἔτσι ἔχουμε καί τήν ἑξῆς περίεργη καί ἀντιφατική φράση: "'Ο ἀρχηγός τῆς κυβερνήσεως ἐκλέγεται ὑπό τοῦ λαοῦ δι' ἀμέσου ἐκλογῆς, διορίζεται δέ ὑπό τοῦ βασιλέως μεταξύ τῶν λαβόντων τά δύο τρίτα τῶν ψήφων. Δύναται ὅμως ὁ βασιλεύς νά διορήση ἀρχηγόν τῆς κυβερνήσεως καί τόν μή τυχόντα τῶν 2/3 τῶν ψήφων ἤ καί τόν μή τυχόντα πλειοψηφίας, ἀκόμη δέ καί μή ὑποψήφιον". ('Ι. Μεταξᾶ, *Τό πολίτευμα τοῦ 'Ιωάννου Μεταξᾶ*. Ἐκ τοῦ προσωπικοῦ του ἀρχείου. 'Επιμέλεια Λουκίας Μεταξᾶ. 'Αθήνα, 1945, σ. 19). Κατά τά ἄλλα, τό σχέδιο συντάγματος σημειώνει πώς: "Τό συμφέρον τοῦ συνόλου προηγεῖται τοῦ ἀτομικοῦ... Ἡ θρησκεία, ἡ οἰκογένεια, ἡ ἐργασία καί ἡ ἰδιοκτησία, ἀποτελοῦν τά βασικά στοιχεῖα τῆς συγκροτήσεως τῆς ἑλληνικῆς κοινωνίας... Τό κράτος ἔχει τό δικαίωμα, ὅταν τό ἄτομο δέν διαχειρίζεται τήν ἰδιοκτησία ἐπ' ὠφελεία τοῦ συνόλου, νά ἐπιλαμβάνεται ταύτης... Εἰς οὐδένα Ἕλληνα ἐπιτρέπεται ἡ ἀεργία. Πᾶς ἄεργος καί ζῶν ἐκ τῶν εἰσοδημάτων του, στερεῖται τῶν πολιτικῶν του δικαιωμάτων καί τίθεται, ἀπό ἀπόψεως ἀστικῆς, ὑπό τήν κηδεμονίαν τοῦ κράτους... Ὁ τύπος ἀποτελεῖ κρατικήν λειτουργίαν. Οἱ δημοσιογράφοι εἶναι δημόσιοι λειτουργοί...Ἡ συμμετοχή τοῦ λαοῦ διά τῆς ἐκφράσεως τῶν ἐπιθυμιῶν καί τῆς θελήσεώς του, εἶναι συμβουλευτική... Πολιτικά κόμματα δέν ἀναγνωρίζονται" (σσ. 17-19). "Οἱ βουλευταί τῶν τριῶν [συμβουλευτικῶν] σωμάτων δέν λαμβάνουν μισθόν. 'Εφ' ὅσον ὅμως ἔχουν μόνιμον διαμονήν εἰς ἐπαρχίαν, λαμβάνουν τά ἔξοδα τῆς διαμονῆς των ἐν 'Αθήναις κατά τό διάστημα τῆς συνόδου" (σ. 11). "Ἡ σύστασις κόμματος ἀπαγορεύεται" (σ. 15).

Ὁ Γεώργιος Παπαδόπουλος κατά τήν ἐποχή τῆς διακυβερνήσεώς του, τό 1967-1973, ἐπανέλαβε τό ἐγχείρημα τοῦ Μεταξᾶ, ἀλλά δίνοντας ἀκόμη περισσότερη ἔμφαση στήν δικτατορία παρά στόν ὁλοκληρωτισμό. Ἔτσι ἐνῶ ὁ Μεταξᾶς εἶχε προσπαθήσει νά οἰκοδομήσει ἕνα ἰδεολογικό κράτος ἱδρύοντας τήν 'Εθνική 'Οργάνωση Νεολαίας (ΕΟΝ), ὁ Παπαδόπουλος ἀρνήθηκε νά τό ἐπαναλάβει. Σέ βιβλίο μου εἶχα γράψει σχετικά: "Ὁ Ἕλληνας ἡγέτης... πάντοτε εἶχε ἀρνηθεῖ νά ὀργανώσει τό κράτος ἐπί τῇ βάσει ἐπίσημης ἰδεολογίας, μέ συστηματική προπαγάνδα καί μαζικές ὀργανώσεις, σάν νά πίστευε πώς πολλοί ἐνθουσιώδεις ὀπαδοί θά τόν εἶχαν δυσκολέψει στό ἔργο του. 'Ιδιαίτερα, εἶχε ἀρνηθεῖ νά ἐπιτρέψει τήν ἀνάπτυξη νεολαίας τοῦ καθεστῶτος τοῦ τύπου τῆς ΕΟΝ τοῦ Μεταξᾶ. Τέλος, εἶχε παραμερίσει τούς ριζοσπαστικούς πού ζητοῦσαν τήν συγκρότηση ἰδεολογικοῦ κράτους". (Δ. Κιτσίκη, *Ἱστορία τοῦ ἑλληνοτουρκικοῦ χώρου ἀπό τόν 'Ε. Βενιζέλο στόν Γ. Παπαδόπουλο, 1928-1973*, 'Αθήνα, Ἑστία, 1981, σσ. 302-303).

Τρανό παράδειγμα τοῦ γενικοῦ παραμερισμοῦ τῶν ἰδεολόγων τοῦ φασισμοῦ ἀπό τόν Παπαδόπουλο, ὑπῆρξε ἡ περίπτωση τοῦ καθηγητῆ Δημήτρη Βεζανῆ (1904-1968), ὁ ὁποῖος "μία ὥρα πρίν ἀπό τήν ὁρκομωσία του ὡς ὑπουργοῦ 'Εργασίας στήν κυβέρνηση τῆς δικτατορίας, ἐπληροφορεῖτο... ὅτι εἶχε χαρακτηριστεῖ σάν ἀριστερός". (Δημήτρης Τσάκωνας, *'Ιδεαλισμός καί μαρξισμός στήν 'Ελλάδα*, 'Αθήνα, Κάκτος, 1988, σ. 374). Τελικά ἡ 21η 'Απριλίου δέν τόν ἔκανε ποτέ ὑπουργό καί πέθανε στίς 18 Μαρτίου 1968.

Ὁ Βεζανῆς ὑπῆρξε ἀπό τούς λίγους θεωρητικούς ἑνός καθαρά ἑλληνικοῦ φασισμοῦ. Θαυμαστής τοῦ Περικλῆ Γιαννόπουλου, ἐξέφραζε τόν ἐθνικισμό του μέ τήν ἁγνότητα μικροῦ παιδιοῦ. Ρομαντικός, διεπνέετο ἀπό τήν νοσταλγία ἑνός πρωτόγονου ἑλληνικοῦ παραδείσου, πρίν ἀπό τήν ἐμφάνιση τοῦ δυτικοποιημένου "ἐθνικόφρονα Ἕλληνα". Ὁ ἐθνικιστής Βεζανῆς ἀπεχθάνετο τόν ἐθνικόφρονα Ἕλληνα καί χρησιμοποιοῦσε ἐκφράσεις κατά τοῦ Νεοέλληνα πού θά μποροῦσαν ἀπό τούς ἐθνοκαπήλους νά θεωρηθοῦν ἀνθελληνικές. Μετά τό 1821 στήν Ἑλλάδα, ἔλεγε ὁ Βεζανῆς, ὅλοι οἱ Ἕλληνες, ὅλα τά κόμματα ἐδήλωναν ἐθνικιστές, δηλαδή ἐμπορευόντουσαν τόν ἐθνικισμό. Ἔτσι στήν οὐσία κανείς Ἕλληνας δέν ἦταν ἐθνικιστής, κανείς δέν θά θυσίαζε τήν καρριέρα του γιά τήν ὑπερτάτη ἀξία τοῦ ἐθνικισμοῦ. Ἔτσι δέν ὑπῆρχε βασική διαφορά μεταξύ τῶν δύο μεγάλων ἀντιμαχομένων κομμάτων. Ὁ Βεζανῆς γελοιοποιοῦσε τό περίφημο ἑλληνικό φιλότιμο: "Τό ἑλληνικό φιλότιμο... εἶναι ἡ τάση νά ἐκτιμοῦμε περισσότερο ἀπό κάθε τι ἄλλο τόν ἑαυτό μας... Καμιά κανενός εἴδους ὑπεροχή δέν μᾶς εἶναι ἀνεχτή. Κάθε ὑπεροχή μᾶς προσβάλλει προσωπικά. Δέν τήν συγχωροῦμε ποτέ. Ἡ μοχθηρία καί ἡ σοφιστεία μπαίνουν στήν ὑπηρεσία τοῦ φιλοτίμου μας γιά νά κατεβάσουμε κάθε ὑπεροχή... Καταπληκτική [εἶναι ἡ] ἐπικράτηση τῆς ψευτιᾶς παντοῦ. Ὅ,τι ἀκούομε τό ὑποπτευόμαστε. Εἴμαστε a priori ἕτοιμοι νά θελήσουμε γιά ψεύτικο τό κάθε τι. Εἰλικρίνεια καί τιμιότητα δέν ἀναγνωρίζομε στόν ἀντικρινό μας. Οὔτε ἁγνά ἐλατήρια στίς ἠθικές πράξεις του. Ὅποιος πιστεύει θεωρεῖται ἐλαττωματικός ἄνθρωπος, εὐκολόπιστος, κουτός... Γιατί αὐτό;

Γιατί κρίνουμε πάντα ἀπό τόν ἑαυτό μας...Ἡ στρατοκρατία ἀκόμη διέπεται ἀπό ἕναν ἐπαγγελματικό (προσωπικοῦ ἐνδιαφέροντος τῶν ἀξιωματικῶν) ἐθνικισμό... Ἔχουμε ἀπελπιστική ὁμοιομορφία... Μόνη ἐξαίρεση ἀπό τήν ὁμοιομορφία αὐτή ἀποτελεῖ τό κομμουνιστικό κόμμα πού... θέλει νά ἀντικαταστήσει... τό ψευτοφιλότιμο, μέ νέες ἀξίες πού ἔχουν περιεχόμενο κοινωνικό. Οἱ ἀξίες ὅμως τοῦ κομμουνισμοῦ εἶναι γιά τήν ἑλληνική ψυχολογία πολύ περισσότερο ξένες καί καταπληκτικές παρά γιά κάθε ἄλλη ἴσως ψυχολογία εὐρωπαϊκοῦ λαοῦ". (Κεφάλαιο "Δ. Βεζανῆς" στό: Δημ. Τσάκωνας, *Ἰδεαλισμός καί μαρξισμός στήν Ἑλλάδα*, ἔνθ' ἀνωτ., σσ. 369-372).

Ἡ ἀπομυθοποίηση ἀπό τόν Βεζανῆ τοῦ περίφημου ἑλληνικοῦ φιλότιμου, βρίσκεται σέ πλήρη ἀντίθεση μέ τίς περισπούδαστες μελέτες τῶν Ἀγγλοσαξώνων ἐθνολόγων πού ὕμνησαν τό ἑλληνικό φιλότιμο σάν τό σπάνιο χάρισμα μιᾶς πρωτόγονης καί μή μολυσμένης ἀπό τόν τεχνικό πολιτισμό φυλῆς, τῆς φυλῆς τῶν Ἑλλήνων, σάν νά ἐπρόκειτο περί φυλῆς τῆς Ἀφρικῆς.

Ἕνας ἄλλος γνήσιος ἐκφραστής τῆς μή κομφορμιστικῆς τρίτης ἰδεολογίας στήν Ἑλλάδα, εἶναι ὁ ἀναρχικός Ρένος Ἀποστολίδης, πού γεννήθηκε στήν Ἀθήνα τό 1924. Ὁ Ρένος θεωρεῖ τόν ἑαυτό του ἄθεο ἀπό παιδί: "Σ' αὐτή τήν ἐκκλησία πρωτοβαρέθηκα φριχτά ν' ἀκούω λόγια πού διόλου δέν καταλάβαινα κ' ἔβλεπα σταυροκοπήματα πού ποτέ δέν ἔπιανα τό ρυθμό τους –πότε κάνουν τοῦτο, πότε κεῖνο, πότε τό πατερημῶν πότε τό κυριελέησον, πότε τελειώνουν πότε ἀρχίζουν, πότε θα βγῆ τό πρόσφορο, πότε ἡ κοινωνία. ἕνα λειτουργικό πού ποτέ δέν τόπιασα. Εἶπα τῆς μάνας μου δέν ξαναπάω... Τοῦ πατέρα... τοῦ 'πα μόνο ξερά, ὕστερα ἀπό καιρό: Θεός δέν ὑπάρχει, κι' ὅλα αὐτά εἶναι τρίχες. Ὅποιος πιστεύει –σ' ὁτιδήποτε, στό Θεό, ἤ στό Βούδδα ἤ στό Χίτλερ ἤ στό Στάλιν– εἶναι γιά μένα παρανοϊκός. Δέν καταλαβαίνω τί θά πῆ πιστεύω. Εἶναι ἀρρώστεια. Οἱ ἄνθρωποι πρέπει νά θεραπεύονται ὅταν εἶναι πιστοί". (Ρένος Ἡρ. Ἀποστολίδης, *Κατηγορῶ*, Ἀθήνα, Ἔκδοση Ἀδελφῶν Γ. Βλάσση, 1965, σ. 187, 192).

Σάν τόν Νίτσε, ὁ Ρένος δηλώνει ἀντιεθνικιστής: "Διαφώνησα μέ κάποιους τό 42-43, γιά τό φαρισαϊκώτατο πρῶτο συνθετικό τοῦ

ΕΑΜ, "Ἐθνικό". Γιατί "ἐθνικό" ξανά; Δέν ἡσυχάσαμε ἀπό τούς βρωμερούς ἐθνικισμούς;" (σ. 58), ἀλλά συνάμα καί λάτρης τῆς ἀρχαιοελληνικῆς μυθολογίας καί ἀντιεβραῖος: "Δέν κατάλαβα, ὁμολογῶ, ποτέ μου, γιατί, ἕλληνας [τό Ἕλληνας μέ μικρό ἔψιλον] ἐγώ, ἔπρεπε νά μαθητεύω καί νά καταβάλω φόρο ἱεροῦ θαυμασμοῦ στήν ἑβραϊκή παιδεία, δηλαδή σέ μιά ξένη ἐθνική παιδεία, νά μοῦ καθυβρίζουν δέ, νά μοῦ διασύρουν, νά μοῦ σερβίρουν παραχαραγμένη τή δικιά μου παιδεία, τήν ἑλληνική. Γιατί ἔπρεπε νά σέβωμαι τόν Ἀβραάμ, πού ἀνθρωποθυσίαζε τόν γιό του στόν ἀόριστο κι ἀφανέρωτο κι ἀφηρημένο –μά καί φανατικό διεκπεραιωτῆ ἐξ οὐρανοῦ ὅλων τῶν ἐθνικῶν ἑβραϊκῶν ὑποθέσεων– Σαββαώθ; Καί νά βδελύσσωμαι, λέει, σάν εἰδωλολάτρη, τόν ὡραῖο καί τραγικό μου Ἀγαμέμνονα... Τί ἀπαίσια πράγματα, τί βάρβαρα κι ἀνθελληνικά... Τί μέ νοιάζει ἐμένα, τόν ἕλληνα ἐπιτέλους, ἡ ἐθνική ἱστορία κι ἡ ἐθνική ἐκδικητικότης τῶν ἑβραίων;" (σσ. 206-207). Ὁ Ρένος ἀπό παιδί περνοῦσε τήν ὥρα του "καταβροχθίζοντας γιά τετάρτη φορά, τό *Τάδε ἔφη Ζαρατούστρας*... Ξέρετε τί ὡραῖο... νά σοῦ χαιρετάη τόν ἥλιο ὁ ἐξαίσιος Νίτσε;... Καί ἀφιερώνω μά τό Διάβολο τίς... μνῆμες μου αὐτές... στούς τρισηλίθιους κουκουέδες μας, πού τούς ἔμαθαν οἱ ἀγράμματοι διαφωτιστές τους νά λένε... πώς ὁ Νίτσε, λέει, ἔφερε τή δαιμονιοπληξία τοῦ χιτλερισμοῦ" (σ. 210). Ἐπανειλημμένως καί μέ παιδιάστικη προκλητικότητα κατά τῶν κατεστημένων, χρησιμοποιεῖ τήν ἔκφραση "Μά τό Διάβολο" ἀντί τό "Μά τό Θεό", ἀκόμη καί τό "Μά τόν Πᾶνα" (σ. 212).

Ὁ ἐγωκεντρισμός τοῦ Ρένου εἶναι ἀπόλυτος καί τό μῖσος του κατά ὁποιουδήποτε φραγμοῦ στήν ἔκφραση τῆς ἐλευθερίας του, προβάλλεται ἀκατάπαυστα. Ἀπεχθάνεται τόν κοινοβουλευτισμό, τήν πολιτική καί τά κόμματα. Εἶναι ὑπερήφανος πού εἰσέβαλε δυναμικά ὡς ἀναρχικός στό ἑλληνικό κοινοβούλιο καί δέν μετανοιώνει πού ὑπῆρξε συνάμα καί ὑποψήφιος βουλευτής τοῦ κόμματος τῶν Προοδευτικῶν τοῦ Μαρκεζίνη. Γράφει σχετικά: "Εἰσβολή στό κοινοβούλιο πού ἐκ τῶν ἐνόντων ἀποφάσισα, ὠργάνωσα, κατηύθυνα καί ὡδήγησα ὁ ἴδιος, μέ ὅποια πλήθη βρῆκα μπρός μου ὠργισμένα, γιά ὁποιοδήποτε λόγο, κατά τῆς ψευτοδημοκρατίας, τήν νύχτα τῆς 3ης Ἰουλίου 1964.

Καταδικάστηκα σάν ἡγέτης τῆς εἰσβολῆς... Ἔμεινα στίς φυλακές Καλλιθέας ἑκατόν ἐννιά ἡμέρες, τίς ὁποῖες ὅλοι οἱ ἀδικήσαντες θά μοῦ πληρώσουν... Ἔκανε τήν εἰσβολή... ὁ πράγματι πιό ἀσυμβίβαστος πνευματικός ἄνθρωπος τῆς χώρας [ὁ Ρένος γιά τόν ἑαυτό του μιλάει]... Δέ δίστασε ἀκόμα καί τήν ἐπαίσχυντη ἰδιότητα τοῦ ὑποψήφιου βουλευτῆ [τό 1963] ἑνός ἀπ' ὅλα μας τά χιλιοκριματισμένα καί ξοφλημένα κόμματα [τοῦ Μαρκεζίνη] ν' ἀποδεχτῆ, μόνο καί μόνο γιά νά μιλήση [πάντα γιά τόν ἑαυτό του γράφει] στούς συμπατριῶτες του, γιά νά συμβάλη καί προσωπικά... στό γκρέμισμά της [τῆς 'Οκταετίας τοῦ Καραμανλῆ, 1955-1963]... Ὅσοι δέν κατάλαβαν τί πράξη αὐτοθυσίας ἦταν αὐτή, [ἐγώ] ἀνθρώπου πνευματικοῦ καί μισοῦντος, ἀπό κυττάρου, κάθε μορφή πολιτικῆς... ἔ, ἄς μήν τό καταλάβουν!" (σσ. θ΄-ι΄).

Πρόσθετο παράδειγμα διανοούμενου ἐκφραστῆ τῆς τρίτης ἰδεολογίας πού ἀντίθετα ἀπό τόν Βεζανῆ καί τόν Ρένο 'Αποστολίδη, χρησιμοποιήθηκε ὡς ὑφυπουργός ἀπό τόν Παπαδόπουλο, ἀλλά μέ πολλούς ἐνδοιασμούς καί χωρίς νά τόν ἀξιολογήσει πλήρως, εἶναι ὁ πρώην κομμουνιστής Γεώργιος Γεωργαλᾶς, γεννημένος στό Κάϊρο τό 1928, παρά τό γεγονός ὅτι γνωριζόντουσαν μέ τόν Παπαδόπουλο ἀπό τό 1958. (Βλ. Δ. Κιτσίκη, *Ἱστορία τοῦ ἑλληνοτουρκικοῦ χώρου*, ἐνθ' ἀνωτ., σ. 298, 309). Ὁ Γεωργαλᾶς εἶναι μυστικιστής χωρίς νά πιστεύει στόν χριστιανισμό καί γενικά στήν θρησκεία. Πιστεύει στόν Θεό ὑπό τήν φιλοσοφική πλατωνική ἔννοια καί στήν ἄμεση γνώση μέσω τῆς ἐνοράσεως: "Πέρα ἀπό τή νόησι καί τοῦ ἀνωτέρου ἀνθρώπου, ὑπάρχει ἡ ἐνόρασις. Εἶναι ἡ ἀπ' εὐθείας, ἡ ἄμεσος γνώσις χωρίς τήν μεσολάβησι τῆς νοήσεως... Παραδεχόμεθα, μέ ἄλλα λόγια, ὅτι ὑπάρχει καί ἡ ἐξ ἀποκαλύψεως ἀλήθεια. Φυσικά μέ τήν ἰδιότητα αὐτή εἶναι προικισμένοι ἐλάχιστοι ἄνθρωποι". (Γ. Γεωργαλᾶ, *Προβληματισμοί*, 'Αθήνα, Νέοι Ὁρίζοντες, ἄνευ ἡμερ., σ. 184). 'Από τόν χριστιανισμό κρατάει τήν μή ἑβραϊκή του πλευρά, τήν ἑλληνοχριστιανική του σύνθεση (βλ. Γ. Γεωργαλᾶ, *Ἡ 'Ιδεολογία τῆς 'Επαναστάσεως*, 'Αθήνα, ἄνευ ἡμερ., σσ. 25-29). 'Αλλά καί πάλι βλέπει τήν θρησκεία ἁπλῶς ὡς κοινωνική ἀναγκαιότητα, διότι ὁ Θεός εἶναι "πέραν τῶν θρησκειῶν". Ἡ κοινωνική αὐτή ἀναγκαιότητα τόν ὠθεῖ νά ὑποστηρίζει τήν ἐξουσία τοῦ πάπα, ἀκόμη καί τό ἀλάθητο τοῦ πάπα. Ἐπίσης τήν ἀγαμία τοῦ κλήρου στήν Καθολική Ἐκκλησία. Τήν Ὀρθοδοξία τήν θεωρεῖ ἀπαραίτητη γιά τήν ἑλληνική παράδοση, καί ἰδίως τήν ἄρνησή της ὅλων τῶν ἀξιῶν τοῦ ἀστισμοῦ, λόγω τῆς ἀπέχθειας πού τρέφει ὁ Γεωργαλᾶς γιά τούς ἀστούς: "Ὁ ἀστός εἶναι ὑλιστής, ἐγωιστικά ἀτομικιστής, ἀνενδοίαστος, σκληρός, ἐκμεταλλευτικός. Πῶς μπορεῖ λοιπόν, νά συμβιώσει μέ ἕναν μεταφυσικό Θεό, πού κηρύσσει τήν ἀνιδιοτελῆ ἀλληλεγγύη, τήν ἠθικότητα καί τήν ἀγάπη; Ταυτόχρονα ὅμως ἡ θρησκεία ἀποτελεῖ μιά πραγματικότητα, τήν ὁποία ὁ ἀστός δέν μπορεῖ νά ἀγνοήσει. Ἔτσι τή δέχθηκε. Καί προσπάθησε νά τή διαμορφώσει ἔτσι, ὥστε νά τόν ἐξυπηρετεῖ. Ἀπ' αὐτήν τήν προσπάθεια γεννήθηκαν δύο καθαρά ἀστικές θρησκεῖες: ὁ προτεσταντισμός καί ὁ μαρξισμός. Ἡ πρώτη εἶναι ἡ θρησκεία τῶν πιό ἀναπτυγμένων ἀπό ἀστική ἄποψη κοινωνιῶν. Ἡ δεύτερη, εἶναι ἡ θρησκεία τῶν κοινωνιῶν ὅπου ὁ ἀστός ἀναγκάσθηκε ἀπό τίς συνθῆκες... νά υἱοθετήσει συλλογική μορφή δραστηριότητας καί νά ἐπιβάλει ἄμεσα τήν πολιτική ἐξουσία του προσδίδοντάς της τή μορφή τοῦ ὁλοκληρωτισμοῦ... Καί οἱ δύο ἔχουν τίς ρίζες τους στόν ἰουδαϊσμό, τή μόνη θρησκεία τοῦ ὑλισμοῦ καί τῆς σκληρότητας πού γνώρισε ἡ προχριστιανική ἐποχή". (Γ. Κ. Γεωργαλᾶ, *Ἄνοδος καί πτώση τῶν ἀστῶν*, Ἀθήνα, Σμυρνιωτάκης, 1988, σσ. 71-72).

Ὁ ἀντιεβραϊσμός τοῦ Γεωργαλᾶ ἐκφράζεται ὡς ἑξῆς: "Ὁ ἰουδαϊσμός διαφέρει ἀπό ὅλες τίς ἄλλες θρησκεῖες. Διότι εἶναι δόγμα ὑλιστικό, ἐπίγειο, πραγματιστικό, ἀντι-μεταφυσικό. Ἀποτέλεσε ἔκφραση τῆς βιοθεωρίας τοῦ Ἑβραίου, πού ἦταν ὑλιστική εὐδαιμονιστική-πραγματιστική...Ὅποιος προσπαθεῖ νά πλουτίσει, ἐκτελεῖ πράξη εὐσεβείας... Αὐτά ἀκριβῶς ὑποστηρίζει ὁ προτεσταντισμός, πού στήν ἀμερικανική ἰδίως ἔκδοσή του, δέν εἶναι παρά νεο-ἰουδαϊσμός" (σ. 72, 74). Ὅπως καί ὁ Ρόζενμπεργκ, ἀπορρίπτει τήν Παλαιά Διαθήκη: "Ἡ Παλαιά Διαθήκη εἶναι γεμάτη ἀπό ἐνθουσιώδεις σαδιστικές θά ἔλεγα, περιγραφές σφαγῶν, λεηλασιῶν, καταστροφῶν καί γενοκτονιῶν, πού διέπραξαν οἱ "ἐκλεκτοί τοῦ Κυρίου" σέ βάρος τῶν γηγενῶν τῆς Παλαιστίνης" (σ. 75). Ἀλλά ἀντίθετα μέ τόν Γερμανό, δέν τήν ἀπορρίπτει ὁλόκληρη: "Μέσα στόν ἰουδαϊσμό ἐκδηλώθηκε καί ἡ ἀντίθετη τάση, πού τήν ἐκφράζουν οἱ Προφῆτες καί οἱ Ψαλμοί. Αὐτήν υἱοθέτησε καί συνέχισε ὁ 'Ιησοῦς. Καί αὐτήν ἐνστερνίσθηκε ὁ ἀρχέγονος χριστιανισμός. Εἶναι ἡ τάση γιά δικαιοσύνη, ἀγάπη, ἀλληλεγγύη, ἡ ὁποία ὅμως ὑπῆρξε ἕνα εἶδος αἱρέσεως μέσα στόν ἐπίσημο ἰουδαϊσμό... Ὁ ἀστός (=ὁ πλούσιος, ὁ κατέχων, ὁ ἐκμεταλλευτής) δέν ἔχει τήν παραμικρή συναίσθηση δικαίου καί δικαιοσύνης. Κάτι παραπάνω: εἶναι ὁ κατεξοχήν ἄδικος. 'Ακριβῶς ἔτσι εἶδαν τόν πλούσιο οἱ μεγάλοι προφῆτες 'Ησαΐας, 'Ιερεμίας, 'Εζεκιήλ, κ.ἄ. Γι' αὐτούς ὁ πλούσιος ἦταν τό ἐμπόδιο στήν πραγμάτωση τῆς θείας δικαιοσύνης. Οἱ περισσότεροι ἀπό τούς Ψαλμούς (589-167 π.Χ.) εἶναι βίαιες ἐπιθέσεις κατά τῶν πλουσίων ὡς ἐνσαρκωτῶν τῆς ἀδικίας" (σσ. 77-78).

Ὁ Γεωργαλᾶς ἀπορρίπτει τήν χριστιανική ἐκκλησία ἐνῶ συνάμα, ὡς πολιτικός, θά ἐκκλησιαζόταν τακτικά, γιά νά ὑπογραμμίσει τήν ἀναγκαιότητά της στήν διατήρηση τῆς κοινωνικῆς συνοχῆς: "Ἡ ἐγκόσμια ἐκκλησία πλαστογράφησε τό λόγο τοῦ 'Ιησοῦ καί ἔγινε ὄργανο γιά τή στήριξη τῶν κυριάρχων τάξεων... Τό κακό ἄρχισε μέ τόν Κωνσταντῖνο, πού ἡ δῆθεν ἀδέκαστη ἱστορία ἀποκάλεσε μέγα καί ἡ ἐκκλησία ἀνακήρυξε ἅγιο, ἐνῶ ὑπῆρξε αὐτουργός πάμπολλων ἀνοσιουργημάτων... Ὁ Κωνσταντῖνος ἔκανε τό χριστιανισμό ἐργαλεῖο γιά νά ἁρπάξει τόν αὐτοκρατορικό θρόνο καί νά στερεωθεῖ σ' αὐτόν." (σσ. 80-81).

'Απ' ὅλους τούς Ἕλληνες διανοούμενους τῆς τρίτης ἰδεολογίας, ὁ Γεωργαλᾶς εἶναι αὐτός πού παρουσίασε μέ τόν πιό μεθοδικό τρόπο, κάνοντάς το τό κεντρικό σημεῖο τῶν στοχασμῶν του, τό κατηγορητήριο κατά τῶν ἀστῶν –πού ὁ Μάρξ, ὅπως δείξαμε, οὐσιαστικά ἐθαύμαζε– καί κατά τῆς αἰχμῆς τοῦ δόρατος τοῦ ἀστισμοῦ, τόν ἀγγλοσαξωνικό κόσμο. Τό ὅτι συνεργάστηκε μέ ἀμερικανικές ὑπηρεσίες καταπολεμήσεως τοῦ κομμουνισμοῦ δέν ἀφαιρεῖ τίποτα ἀπό τόν ἰδεολογικό ἀντιαμερικανισμό του, διότι ἡ συνεργασία του μέ τούς 'Αμερικανούς εἶχε στόχο ὄχι τήν προώθηση τῶν ἀμερικανικῶν ἀξιῶν ἀλλά τήν συμμαχία κατά ἑνός κοινοῦ ἐχθροῦ: τοῦ κομμουνισμοῦ. Τό ἴδιο φαινόμενο παρατηρήθηκε μέ τόν Σολζενίτσιν. Χαρακτηριστικό παράδειγμα τοῦ ἀντιαμερικανισμοῦ του εἶναι καί οἱ ἑξῆς παρατηρήσεις: "Γιατί ὅμως [οἱ 'Αμερικανοί] ἀφάνησαν τούς 'Ερυθρόδερμους;

Ἁπλούστατα ἐπειδή γιά τόν ἀστό ὅ,τι δέν ἀποφέρει ὑλικό κέρδος δέν ἔχει λόγον ὑπάρξεως. Καί οἱ Ἐρυθρόδερμοι, πού ἀντιθέτως πρός τούς Νέγρους δέν δέχονταν νά ἐργάζονται σάν δοῦλοι, δέν ἀπέφεραν. Ἄρα ἔπρεπε νά ἐξοντωθοῦν, ὥστε νά μείνει ὁ χῶρος ἐλεύθερος γιά τήν ἄντληση κέρδους. Ἀφοῦ ἐξολόθρευσαν τούς γηγενεῖς, οἱ θεοσεβεῖς ἄποικοι κουβάλησαν νέγρους δούλους ἀπό τήν Ἀφρική. Καί σ' αὐτό ἐμπνέονταν ἀπό τήν Π. Διαθήκη, ἀφοῦ αὐτή ὄχι μόνο ἀναγνώριζε τή δουλεία, ἀλλά καί ἔβαζε τόν ἴδιο τό Θεό νά ορίζει ὅτι ἡ μαύρη φυλή θά ἦταν δούλη τοῦ ἐκλεγμένου λαοῦ! Μετά, ἐκτελώντας τό θέλημα τοῦ Κυρίου, ἐπιτέθηκαν ἐναντίον τῶν Φιλισταίων: Ἱσπανῶν, Γάλλων, Καναδῶν, Μεξικανῶν, ἁρπάζοντας τά ἐδάφη τους. Κατόπιν, σάν γιάνγκηδες πλέον, εἰσέβαλαν στίς νότιες Πολιτεῖες, πού ἤθελαν νά ἀποσχισθοῦν καί τίς πέρασαν διά πυρός καί σιδήρου, στό ὄνομα τώρα τῆς ἀπελευθερώσεως τῶν νέγρων! Τέλος, σάν ἐκλεκτοί τοῦ Κυρίου ἀποφάσισαν νά ἐπιβάλουν τή (θεία) τάξη σ' ὁλόκληρο τόν κόσμο! "Ἡ ἠθική ὑποχρέωση νά συνάπτονται ἐμπορικές ἀνταλλαγές ἀνάμεσα στά ἔθνη, στηρίζεται ὁλοκληρωτικά, ἀποκλειστικά, στή χριστιανική διδασκαλία, πού μᾶς ζητᾶ ν' ἀγαποῦμε τόν πλησίον μας ὅπως τόν ἑαυτό μας. Ἀλλά στήν Κίνα, ἐπειδή δέν εἶναι χριστιανικό ἔθνος, οἱ κάτοικοί της δέν αἰσθάνονται δεμένοι μέ τήν χριστιανική διδασκαλία... Ἡ βασική ἀρχή τῆς κινέζικης αὐτοκρατορίας εἶναι ἀντιεμπορική. Δέν ἀναγνωρίζει τήν ὑποχρέωση νά κάμει ἐμπορικές ἀνταλλαγές μέ ἄλλες χῶρες. Εἶναι καιρός νά μπεῖ τέρμα σ' αὐτήν τήν πελώρια προσβολή στά δικαιώματα τῆς ἀνθρώπινης φύσης καί στήν πρώτη ἀρχή τοῦ διεθνοῦς δικαίου". Αὐτά τά ἀπίστευτα εἶπε ὁ Τζών Κουΐνσυ Ἄνταμς (1767-1848), πρόεδρος τῶν ΗΠΑ, τό 1842, γιά νά δικαιολογήσει μέ χριστιανική ἐπιχειρηματολογία τόν πόλεμο τοῦ ὀπίου... Μετά ἀπ' ὅλα αὐτά, δίχως καμιά διάθεση αὐτοσαρκασμοῦ, ἔβαλαν στό δολλάριο τήν ἐπιγραφή, "Ἐμπιστευόμαστε στό Θεό". Εἶναι ἀποκαλυπτικό γιά τήν οὐσιαστική ἀθρησκεία τῶν ΗΠΑ, τό γεγονός ὅτι σ' αὐτή τή χώρα προσεγγίζουν τίς ἑκατό οἱ θρησκεῖες πού ἀριθμοῦν πάνω ἀπό 50.000 πιστούς. Ἄν κατεβοῦμε κάτω ἀπ' αὐτό τό ὅριο, τότε οἱ θρησκεῖες ἀνέρχονται σέ χιλιάδες... Ἡ ἀθρησκεία αὐτή ἐμφανίζεται σάν τάχα θρησκευτική ἐλευθερία" (σσ. 84-86).

Τό μῖσος κατά τοῦ ἀστοῦ εἶναι συνυφασμένο μέ τήν καταδίκη τοῦ πολιτικοῦ, κοινωνικοῦ, οἰκονομικοῦ, πολιτισμικοῦ συστήματος πού τό ἀνθρώπινο αὐτό ἔκτρωμα ὀργάνωσε ἐπί τῆς γῆς. Ἔτσι δέν εἶναι δυνατόν νά εἶσαι ὑπέρ τῆς "δημοκρατίας" καί νά καταδικάζεις τόν ἀστό, ἀφοῦ ἡ λεγόμενη δημοκρατία εἶναι τό πολιτικό σύστημα τοῦ ἀστισμοῦ: "Εἶναι φυσικό ὅτι σέ μιά τέτοια κοινωνία ἀνθίζουν ἀπεριόριστα ὅλα τά θεμελιώδη ψεύδη τῆς "δημοκρατίας" " (σ. 93).

Ὁ Γεωργαλᾶς δηλώνει ὅτι σέ ἕνα βασικό σημεῖο διαφωνεῖ μέ τήν τρίτη ἰδεολογία, τόν φασιστικό ὁλοκληρωτισμό πού ὀνομάζει λαϊκισμό, δηλαδή τήν ἐξιδανίκευση τοῦ λαοῦ. Συγκεκριμένα γράφει: "Πρέπει νά ὑπογραμμίσω ὅτι ἔχω οὐσιώδεις διαφωνίες πρός τίς θέσεις τῆς γαλλικῆς Νέας Δεξιᾶς... [ἐπειδή] αὐτή ἐξιδανικεύει τό λαό. Ἐγώ ὄχι. Εἶναι ὑπέρ τοῦ ὁλισμοῦ, πού τόν ἀπορρίπτω διότι εἶναι τό θεμέλιο τοῦ ὁλοκληρωτισμοῦ. Ἔχει γιά ὅραμα τήν "ὀργανική δημοκρατία" πού, κατά τή γνώμη μου εἶναι ἕνας λαϊκίστικος ὁλοκληρωτισμός. Ἐγώ ὑποστηρίζω ἕνα τελείως διαφορετικό σύστημα: τή Δημοκρατία τῶν Ἀρίστων" (σ. 122).

Παρά τήν φαινομενική αὐτή "οὐσιαστική" διαφωνία, στήν πραγματικότητα, ὅπως δείξαμε προηγουμένως καί στό σημεῖο 12 τοῦ μοντέλου, ὑπάρχει στήν τρίτη ἰδεολογία διαλεκτική σχέση ἐλιτισμοῦ-ἀντιελιτισμοῦ. Ἡ ἔντονη πλατωνική τάση τῶν ἰδεῶν τοῦ Γεωργαλᾶ ὑπάρχει στήν ἴδια τήν βάση τοῦ φασισμοῦ, ὅπως τό εἴδαμε καί μέ τόν Ρουσώ. (Τίς ὁμοιότητες ἀλλά καί τίς διαφορές του μέ τόν Πλάτωνα ἐξηγεῖ ὁ Γεωργαλᾶς στίς σελίδες 286-293 τοῦ βιβλίου του, *Ἡ δημοκρατία τῶν ἀρίστων*, Ἀθήνα, Σμυρνιωτάκης, 1988).

Κοινό γνώρισμα ὅλων τῶν τάσεων τῆς τρίτης ἰδεολογίας εἶναι ἡ περιφρόνηση τοῦ ἀστοῦ, ὡς ὑλιστῆ, ὡς μετρίου, ὡς τό ἀντίθετο τοῦ ἥρωος. Αὐτό ἀκριβῶς ἐκθέτει ὁ Γεωργαλᾶς: Διακηρύσσει πώς "κάθε μέτριος δέν εἶναι καί ἀστός. Ὅμως κάθε ἀστός εἶναι καί μέτριος... Γιά νά ἐπιτύχεις, μέ τήν ἀστική ἔννοια τοῦ ὅρου, πρέπει νά διαθέτεις ὁρισμένες ἱκανότητες καί ἐπιτηδειότητες, πρακτικῆς κυρίως φύσεως, ἀλλά καί νά στερεῖσαι ἀνώτερων ἰδιοτήτων (εὐφυΐα, ἦθος, ταλέντο, μόρφωση) καί ἐνδιαφερόντων (πνευματικῶν, καλλιτεχνικῶν, ἐπιστημονικῶν). Ἄρα δέν μπορεῖ νά εἶσαι οὔτε βλάκας οὔτε τεμπέλης, οὔτε ἀνίκανος, ἀλλά δέν ἀνήκεις καί στούς ἀνώτερους ἀνθρώπους. Δέν εἶσαι μηδέν. Δέν εἶσαι ὅμως καί ἄριστος. Εἶσαι μέτριος. Ὁ ἀστός θέλει παντοῦ τούς μέτριους. Αὐτούς προωθεῖ καί ἐπιβάλλει σέ ὅλους τούς τομεῖς. Στήν πολιτική διακρίνονται καί ἐπιτυγχάνουν ὄχι οἱ ἄριστοι, ἀλλά οἱ μέτριοι... Στίς ἀκαδημίες δέν μπαίνουν τά ἀνώτατα μυαλά... Στόν καλλιτεχνικό τομέα οἱ μεγάλοι ἀγνοοῦνται... Τά βραβεῖα κάθε εἴδους ἀπονέμονται στούς μέτριους" (σσ. 149-150).

Ὁ ἐθνικόφρων Ἕλληνας ὅπως τόν εἶχε παρουσιάσει ὁ Βεζανῆς, ἦταν ὁ ἀστικοποιημένος ἐθνικιστής. Ὁ Ἕλληνας, στό σύνολό του, κατάντησε ἀστός γι' αὐτό καί εἶναι μέτριος. Ἡ τυπολογία τοῦ μετρίου κατά τόν Γεωργαλᾶ εἶναι: "συμβατικότητα, τυπολατρεία, νωχέλεια διανοητική, νεοφοβία, ἀντιπνευματικότητα, κακογουστιά, ἀτομικισμός, συμφεροντολογία, ἡμιμάθεια, ἐπιτηδειότητα, δουλικότητα πρός τά ἐπάνω, αὐθαιρεσία πρός τά κάτω. Ὁ μέτριος ἔχει γιά ὄνειρο τή σταδιοδρομία, ἰδεῶδες τήν ἀσφάλεια, πάθος τό χρῆμα, κίνητρο τό φθόνο γιά τούς καλύτερους, σκοπό ζωῆς τό βόλεμα" (σσ. 151-152). Δηλαδή ἐδῶ ἔχουμε τό πορτραῖτο ρομπότ τοῦ μεσοέλληνα. Γιά τόν Γεωργαλᾶ, ὄχι μόνον ἡ δημοκρατία ἀλλά καί ὁ ὁλοκληρωτισμός, βασισμένος στόν μονοκομματισμό, εἶναι "συστήματα φτιαγμένα στά μέτρα τῶν μετρίων". Καί ἐδῶ ἀναφέρεται στόν *Γοργία* τοῦ Πλάτωνος καί στά ὅσα ἔλεγε ὁ Καλλικλῆς, ὁ ὁποῖος "εἶναι καί ὁ πρῶτος θεωρητικός τοῦ ὑπερανθρώπου" (σ. 153).

Ὁ Γεωργαλᾶς στρέφεται σαφῶς κατά τοῦ δυτικοευρωπαϊκοῦ πολιτισμοῦ καί ὑποστηρίζει τόν Τρίτο Κόσμο: "Οἱ Εὐρωπαῖοι, ὁμοιομορφοποιώντας τόν κόσμο, ἀνέκοψαν καί τήν πορεία τῶν πολιτισμῶν στήν 'Αφρική, ἡ ὁποία εἶχε τότε μπεῖ στήν ἐποχή τοῦ σιδήρου καί ὅπου ἐδημιουργοῦντο μεγάλα κράτη. Ἡ Δυτική 'Αφρική ἀποδεκατίσθηκε μέ τό ἐμπόριο τῶν δούλων. Καταστράφηκαν ἡ χιλιόχρονη αὐτοκρατορία τῆς Γκάνα (3ος-12ος αἰώνας) καί τά κράτη Κάνεμ, Μαλί, Γκάο, τῶν Γορούμπα, τοῦ Ὄγιο, τῆς 'Ακουαμοῦ. Στήν 'Ανατολική 'Αφρική οἱ Εὐρωπαῖοι ἀστοί διέκοψαν βιαίως τό ἀκμαῖο ἐμπόριό της μέ τήν 'Ινδία, λεηλάτησαν καί κατάστρεψαν τίς ἀνθηρές πόλεις-λιμάνια της καί ἀπωθώντας διάφορες φυλές πρός τό ἐσωτερικό, προκάλεσαν τήν πτώση τῆς Ζιμπάμπουε. Μετά κατασκεύασαν τό μῦθο τοῦ "ἀφρικανικοῦ κενοῦ" (σ. 164). 'Επίσης, ὡς ἕνα σημεῖο, ὑποστηρίζει τόν μαοϊσμό (σσ. 135-136).

Τά ὅσα λέει ὁ Γεωργαλᾶς γιά τήν μετριότητα καί τήν μονομορφοποίηση τῆς κοινωνίας μας ἀποδεικνύονται καί ἀπό τό γεγονός ὅτι ἕνας μεγάλος καί σοβαρός ἐκδοτικός ἀθηναϊκός οἶκος, γνωστός γιά τήν μή κομματικοποίησή του, ἀρνήθηκε τό 1990 νά δημοσιεύσει βιβλία τοῦ Γεωργαλᾶ, ἐνῶ ἀναγνωρίζει τήν ἀξία τους, μόνο καί μόνο ἐπειδή ὑπῆρξε "γνωστός χουντικός"! Νά προσθέσουμε πώς οἱ βιβλιοπαρουσιαστές ὁλοκλήρου τοῦ ἑλληνικοῦ τύπου ἀγνοοῦν τελείως τά βιβλία του, ἐνῶ δέν χάνουν καμμία εὐκαιρία νά διακηρύξουν τήν προσήλωσή τους στήν ἱερή ἀποστολή ἀντικειμενικῆς ἐνημερώσεως τοῦ κοινοῦ.

'Ο Γεωργαλᾶς ἐλπίζει στήν βίαιη καί ὁλοσχερῆ καταστροφή τοῦ δυτικοῦ πολιτισμοῦ: "'Η ἀφύπνιση αὐτή, σάν τόν μυθικό κατακλυσμό, θά καταστρέψει τόν "πολιτισμό" τῶν μετρίων καί θά ὀρθώσει τόν πολιτισμό τῶν ἀρίστων" (σ. 292). Αὐτό θά γίνει χάρη στήν ἐπικράτηση τῆς οὐτοπίας: "'Όσο ζεῖ τό ὄνειρο, ὑπάρχει ἐλπίδα". (Γ. Γεωργαλᾶ, *'Η δημοκρατία τῶν ἀρίστων*, 'Αθήνα, Σμυρνιωτάκης, 1988, σ. 22). Διότι: "Τό βασικό εἶναι ἡ ἀνθρώπινη θέληση. Ἄν τό θελήσεις ἀρκετά, μπορεῖς νά κάνεις αὐτό πού σήμερα φαίνεται ἀνέφικτο: νά οἰκοδομήσεις ἕναν κόσμο πού δέ θά βασίζεται στό χρῆμα" (σ. 338).

Γιά τρίτη φορά, τά τελευταῖα πενήντα χρόνια, ἡ ἰδεολογία τοῦ φασισμοῦ συνεργάστηκε μέ καθεστῶτα πού χωρίς νά εἶναι τά ἴδια ἀκραιφνῶς φασιστικά, συνέβαλαν στήν παρουσία της στόν χῶρο τῆς ἐξουσίας: Μετά τόν Μεταξᾶ (1936-1941) καί τούς Γ. Παπαδόπουλο - Δ. 'Ιωαννίδη (1967-1974), εἴχαμε τόν 'Ανδρέα Παπανδρέου (1981-1989). 'Από τόν Μεταξᾶ στόν Παπανδρέου βλέπουμε μιά βαθμιαία ἐξασθένιση τῆς ἀντικομμουνιστικῆς διάστασης τοῦ ἑλληνικοῦ φασισμοῦ. Ἔτσι τό καθεστώς τοῦ Παπαδόπουλου ἦταν λιγότερο ἀντικομμουνιστικό ἀπό αὐτό τοῦ Μεταξᾶ καί τό καθεστώς τοῦ 'Ανδρέα πολύ λιγότερο ἀπό αὐτό τοῦ Παπαδόπουλου. (Βλ. Dimitri Kitsikis, "Populism, Eurocommunism and the KKE", in M. Waller and M. Fennema, *Communist Parties in Western Europe*, Oxford, Basil Blackwell, 1988, pp. 96-113).

Τήν ἰδεολογική συγγένεια Παπανδρέου - Παπαδοπούλου εἶχα παρουσιάσει ἐπανειλημμένως στίς μελέτες μου ἀπό τό 1971 καί εἰδικά στό βιβλίο μου *Ἱστορία τοῦ ἑλληνοτουρκικοῦ χώρου, 1928-1973*, πού εἶχε κυκλοφορήσει τό 1981 πρίν ἀπό τήν ἄνοδο στήν ἐξουσία τοῦ 'Ανδρέα. Οἱ ἰδεολόγοι τοῦ καθεστῶτος Παπαδοπούλου, ὅπως ὁ καθηγητής Δημήτρης Τσάκωνας καί ὁ Γεώργιος Γεωργαλᾶς, εἶχαν ἐπισημάνει αὐτήν τήν συγγένεια ἤδη ἀπό τά πρῶτα χρόνια τῆς 21ης 'Απριλίου. Ὁ τελευταῖος, σέ μιά σημαντική του συνέντευξη στήν ἀγγλική ἐφημερίδα *The Guardian*, στίς 12 Σεπτεμβρίου 1974, δήλωνε πώς "ὑπάρχουν μόνον δύο δυνάμεις σέ θέση νά φέρουν μεταρρυθμίσεις στήν Ἑλλάδα, ὁ 'Ανδρέας Παπανδρέου μέ τήν 'Αριστερά ἀπό τήν μιά, καί ὁ Στρατός ἀπό τήν ἄλλη". Στήν πολιτική του δράση μετά τό 1974, ὁ Γεωργαλᾶς εἶχε τό ἄγχος μήπως τοῦ "φάει" τό πρόγραμμά του ὁ 'Ανδρέας, ὅπως καί ἔγινε. Τό πρόγραμμα τοῦ πρώτου καταγράφηκε στό παρακάτω βιβλίο: Γ. Γεωργαλᾶ, *Ἑλληνικό Μανιφέστο*, τό 1979. Μιά σημαντική πάντως διαφορά μεταξύ τῶν δύο προγραμμάτων ἦταν ἡ θέση ἀπέναντι στήν Τουρκία. Ὁ 'Ανδρέας παρέμεινε, τουλάχιστον μέχρι τό Νταβός τοῦ 1988, ἀνένδοτα ἀντιτοῦρκος ἐθνικιστής. 'Αντιθέτως ὁ Γεωργαλᾶς ἔγραφε: "Πιστεύουμε μέ ἀπόλυτη εἰλικρίνεια στήν ἀναγκαιότητα τῆς ἑλληνοτουρκικῆς συνεργασίας... Ἡ συνεργασία ἀνάμεσα στίς δύο χῶρες... θά μποροῦσε νά ἀναπτυχθῆ σταθερά πρός ἀμοιβαῖον ὄφελος καί νά ὁδηγήση σταδιακά σέ ἕνα εἶδος Κοινῆς 'Αγορᾶς ἀνάμεσά τους, μέ ἀπώτερο σκοπό τήν κατά στάδια ἵδρυσι μιᾶς Ἑλληνοτουρκικῆς Συνομοσπονδίας... Αὐτή ἡ πολιτική δέν εἶναι ρομαντική, ἐκτός τόπου καί χρόνου ὀνειροπόλησις, ἀλλά θαρραλέα ἀντιμετώπισις τῆς πραγματικότητας καί ἀληθινός ρεαλισμός". (Γ. Γεωργαλᾶ, *Ἑλληνικό Μανιφέστο*, 'Αθήνα, 'Ελεύθερη Σκέψις, 1979, σσ. 60-61). Αὐτά εἶχαν ἀποφασισθεῖ ἀπό τήν ὁμάδα ἐργασίας πού συνεδρίαζε τό 1975-1976 ὑπό τήν προεδρία τοῦ Γεωργαλᾶ, δηλαδή τήν ἐποχή τοῦ "βυθίσατε τό Χόρα", ὅταν οἱ δύο χῶρες βρισκόντουσαν στά πρόθυρα πολέμου καί ὁ 'Ανδρέας ἐξεφράζετο μέ ἐμπρηστικές δηλώσεις κατά τῆς Τουρκίας.

Ἡ φασιστική ἀπόχρωση τοῦ ΠΑΣΟΚ εἶχε ἐπιμελῶς ἀποκρυβεῖ ἀπό τήν κοινή γνώμη, παρά τό γεγονός ὅτι σημαντικό μέρος τῆς ἰδεολογικῆς πελατείας τοῦ παπαδοπουλισμοῦ εἶχε μεταπηδήσει στίς τάξεις τοῦ "πράσινου ἥλιου", ὄχι μόνο ὡς ἐκλογική δύναμη, ἀλλά καί στήν ἴδια τήν δομή τῆς κρατικῆς πασοκικῆς ἐξουσίας. Ἰδιαίτερα οἱ Ἕλληνες διανοούμενοι, προσκολλημένοι στήν ἀριστερή φρασεολογία, δέν μποροῦσαν νά διανοηθοῦν πώς ἕνα κόμμα πού παρουσιαζόταν σάν συνεχιστής τοῦ ἀντιστασιακοῦ ΕΑΜ καί τοῦ ἀνένδοτου ἀντιχουντισμοῦ, πού στά πρῶτα χρόνια τουλάχιστον δέν χρησιμοποιοῦσε ἀντικομμουνισμό καί ἀντιθέτως μάλιστα ἄφηνε νά νοηθεῖ πώς οἱ βασικοί του στόχοι ἦταν ὅμοιοι μέ τούς στόχους τῶν κομμουνιστῶν (ἁπλῶς δέν θά ἐπαναλάμβαναν τά "λάθη" τοῦ ΚΚΕ), πώς αὐτό τό κόμμα ἦταν βασικά ἕνα φασιστικό κίνημα προσαρμοσμένο στήν νέα πολιτική πραγματικότητα ἀπό ἕναν χαμαιλέοντα τῆς πολιτικῆς, τόν Ἀνδρέα Παπανδρέου. Μόνον τό 1988, δηλαδή στό τέλος τῆς διακυβερνήσεως τοῦ ΠΑΣΟΚ, ἄρχισαν νά δημοσιεύονται ἀπό τόν χῶρο αὐτό ἀπόψεις περί τῶν φασιστικῶν τάσεων τοῦ ΠΑΣΟΚ, πού τιτλοφορήθηκαν "αὐριανισμός", λόγω τοῦ ὅτι ἡ φασιστική ἰδεολογία τοῦ Κινήματος εἶχε φωλιάσει στό δημοσιογραφικό συγκρότημα τῆς ἐφημερίδος *Αὐριανή*.

Ὁ αὐριανισμός καταγγέλθηκε ἀπό τόν γιό τοῦ Ἀνδρέα, τόν πρώην ὑπουργό τοῦ ΠΑΣΟΚ, Γιῶργο Παπανδρέου, βουλευτή καί μέλος τῆς κεντρικῆς ἐπιτροπῆς τοῦ Κινήματος, στίς 16 Νοεμβρίου 1989, ὁ ὁποῖος εἶπε πώς ἦταν ἐπιβεβλημένη "ἡ ἀμείλικτη καταδίκη τοῦ αὐριανισμοῦ, αὐτοῦ πού ἀποκλήθηκε "ἕρπων φασίζων λαϊκισμός" (*Ἐλευθεροτυπία*, Ἀθήνα, 17 Νοεμβρίου 1989). Σέ ραδιοφωνική συνέντευξη εἶχε προσθέσει πώς ὁ αὐριανισμός ἦταν "ἕνας ἰδιόρρυθμος φασισμός" (*Ἐλευθεροτυπία*, 20 Νοεμβρίου 1989). Ὁ βουλευτής τοῦ ΠΑΣΟΚ, Στέφανος Τζουμάκας, μέλος τῆς κεντρικῆς ἐπιτροπῆς τοῦ Κινήματος, πρώην ὑπουργός, δήλωσε στό ραδιόφωνο στίς 18 Νοεμβρίου 1989: "Στήν *Αὐριανή* λειτουργεῖ μιά ὁμάδα δημοσιογράφων πού προέρχονται κατ' εὐθείαν ἀπό τήν χούντα καί ἔχει ὑμνήσει τήν χούντα". (*Ἡ Αὐγή*, Ἀθήνα, 19 Νοεμβρίου 1989.). Ἡ ἡγεσία ὅμως τοῦ ΠΑΣΟΚ καί ὁ Ἀνδρέας Παπανδρέου συνέχισαν, ὅπως εἶχαν πάντα κάνει, νά ὑποστηρίζουν τήν ὁμάδα τῆς *Αὐριανῆς* καί στίς ἐκλογές τῆς 8ης Ἀπριλίου 1990, ὑπῆρχαν πάλι ὑποψήφιοι βουλευτές τοῦ αὐριανισμοῦ, ὅπως ὁ

Μάκης (Γεράσιμος) Κουρῆς, ἀδελφός τοῦ ἐκδότη τῆς *Αὐριανῆς* Γιώργου Κουρῆ, καί ὁ Μιχ. Γαργαλάκος.

Ὅταν δημοσιεύθηκε τό 1981, ἀπό τό Βιβλιοπωλεῖο τῆς Ἑστίας, ἡ *Ἱστορία τοῦ ἑλληνοτουρκικοῦ χώρου*, ὁ καθηγητής Βάν (Βαγγέλης) Κουφουδάκης τοῦ Πανεπιστημίου τῆς Ἰντιάνα καί ἐπίτιμος πρόξενος τῆς Κύπρου, ἐντεταγμένος καί αὐτός, ὅπως τόσοι ἄλλοι Ἕλληνες καθηγητές στήν Βόρειο Ἀμερική, στήν ὑπεράσπιση τῆς "ἐθνικῆς πολιτικῆς" μας, ἔγραψε στήν ἀγγλική παρουσίαση τοῦ βιβλίου μου αὐτοῦ: "Ὁ Κιτσίκης φθάνει στό καταπληκτικό συμπέρασμα πώς ἡ διαφορά μεταξύ τοῦ Ἀνδρέα καί τοῦ Παπαδόπουλου δέν ἦταν ἐπί τῆς οὐσίας τοῦ πραξικοπήματος τῆς 21ης Ἀπριλίου 1967, ἀλλά ἐπί τῶν μεθόδων πού ἐπέλεξε ὁ Στρατός" (*Balkan Studies*, vol. 24, no 1, Θεσσαλονίκη, 1983, σ. 300), καί φυσικά ἀδυνατεῖ νά πιστέψει στήν ὀρθότητα μιᾶς τέτοιας ἐκδοχῆς. Ἐπίσης σέ μιά ἀγγλική μελέτη μου πού ἔγραψα τό 1987: "Ἡ ἐπιστροφή στήν Ἑλλάδα τοῦ Ἀνδρέα Παπανδρέου ἐκείνη τήν χρονιά [1974] καί ἡ ἵδρυση τοῦ κόμματός του, τοῦ ΠΑΣΟΚ, εἶχε ὡς ἀποτέλεσμα νά ἀναβιώσει καί πάλι ὁ τριτοκοσμικός λαϊκισμός, ὁ ὁποῖος εἶχε μόλις ἡττηθεῖ μέ τήν πτώση τῆς χούντας. Παρά τήν ριζική ἀντίθεση τοῦ Παπανδρέου στό καθεστώς τῶν συνταγματαρχῶν γιά λόγους πολύ περισσότερο κυβερνητικοῦ στύλ παρά βασικῶν ἀρχῶν, ἡ συνέχεια τοῦ λαϊκισμοῦ καί στά δύο καθεστῶτα, μετά τήν ἐνδιάμεση περίοδο ἀνόδου στήν ἐξουσία τό 1974-1981 τῶν Δεξιῶν φιλελευθέρων, μποροῦσε ἰδίως νά διαπιστωθεῖ στό γεγονός ὅτι ἕνα μεγάλο μέρος χουντικῶν ἔγιναν ὀπαδοί τοῦ ΠΑΣΟΚ. Ἐπί πλέον, ἡ ἄκρως λαϊκιστική κυβερνητική *Αὐριανή*, ἡ ὁποία ἐπιδίδεται σέ προσωπολατρεία ὑπέρ τοῦ Παπανδρέου, ἔχει χουντικούς στό συντακτικό της προσωπικό. Ὅσο γιά τό κόμμα τῆς Ἄκρας Δεξιᾶς, τήν *Ἐθνική Παράταξη* (ΕΠ καί ἀργότερα ΕΠΕΝ) πού ὑπεράσπιζε τούς ἔγκλειστους χουντικούς, διόλου δέν ἀντιπροσώπευε τόν λαϊκισμό τῆς 21ης Ἀπριλίου. Ἀτροφικό καί γεμᾶτο ἀπό συνταξιούχους, ἡ ἐπιρροή του ὑπῆρξε πάρα πολύ περιορισμένη". (D. Kitsikis, "Populism, Eurocommunism and the KKE", ἔνθ' ἀνωτ., σσ. 104-105). Ἀκόμη καί στήν ἐποχή τῆς χούντας, τό 1971, παρατηροῦσα: "Δέν ὑπάρχει βασική διαφορά μεταξύ τῶν οἰκονομικῶν καί κοινωνικῶν ἰδεῶν τοῦ 'Ανδρέα Παπανδρέου καί τοῦ σημερινοῦ καθεστῶτος [τοῦ Παπαδόπουλου]". (D. Kitsikis, "The Nationalism of the Present Greek Regime and its Impact on its Foreing Relations", *'Επιθεώρησις Κοινωνικῶν 'Ερευνῶν*, 'Αθήνα, ἀρ. 7-8, 'Ιανουάριος-'Ιούνιος 1971, σ. 41).

Ἄν καί πολύ ἀργά, στόν πολιτικό στίβο αὐτοί πού πρῶτοι κατηγόρησαν τόν "ἀνδρεοπαπανδρεϊσμό" γιά φασισμό, ὑπό τήν ἐπιστημονική ἔννοια τοῦ ὅρου καί ὄχι ὡς ἁπλῶς ὑβριστική ἔκφραση, ὑπῆρξαν οἱ κομμουνιστές τοῦ ΚΚΕ τό 1989.

Ἡ γενικῶς ἀποδεκτή πλέον φασιστική χροιά τοῦ ΠΑΣΟΚ ἀπό μεγάλη μερίδα τῆς ἑλληνικῆς κοινῆς γνώμης, πού τό παρομοίαζε μέ παραλλαγή τοῦ ἀργεντινοῦ περονισμοῦ, καί ἡ αἰφνίδια κατεδάφιση τοῦ ὁλοκληρωτισμοῦ στήν 'Ανατολική Εὐρώπη τό 1989, ὑποχρέωσε τόν πάντα χαμαιλέοντα 'Ανδρέα, νά παίξει ἀκόμα πιό ἔντονα ἕνα χαρτί πού ἐξ ἀρχῆς χρησιμοποιοῦσε στίς σχέσεις του μέ τήν Δυτική Εὐρώπη γιά νά τήν ἀποπροσανατολίσει, δηλαδή τό χαρτί τῆς σοσιαλδημοκρατίας καί τῆς Σοσιαλιστικῆς Διεθνοῦς. Ἔτσι ἐκείνη τήν χρονιά ξέχασε τελείως τήν τριτοκοσμική διάσταση τῆς πολιτικῆς του.

Στό παρελθόν, ἡ ὑποστήριξη ἀπό τόν 'Ανδρέα μερικῶν δυτικῶν ἀξιῶν, ὅπως ἦταν ὁ φεμινισμός του, προερχόταν ἀπό τήν ἐπιρροή τῆς πρώην συζύγου του, τῆς Μάργκαρετ, ἡ ὁποία εἶχε παραμείνει στήν νοοτροπία της, 'Αμερικανίδα. ('Ακόμη καί σήμερα μιλάει σπασμένα ἑλληνικά). Παρά ταῦτα, καί τότε εἶχε ἀντιδράσει, μέ ἐξάρσεις κατά τοῦ σιωνισμοῦ καί μέ τήν δήλωση πού εἶχε κάνει τό 1982 ὅτι τό Βυζαντινό κράτος περιεῖχε "τά πρῶτα στοιχεῖα ἑνός πολιτικοῦ συστήματος πού σήμερα ἀποκαλοῦμε σοσιαλισμό". (Κ. Κόλμερ, "Τό ΠΑΣΟΚ καί τό Βυζάντιο", *'Επίκεντρα*, 'Αθήνα, ἀρ. 27, 'Ιούλιος-Αὔγουστος 1982, σσ. 19-21). 'Αλλά τό διαζύγιό του τό 1989 καί ἡ ἐπιρροή τῆς νέας του συζύγου, παραδοσιακῆς Ἑλληνίδας καί λαϊκίστριας Δήμητρας Λιάνη πού μοιάζει μέ μή ἀξιοποιημένη 'Εβίτα Περόν, ἐπανέφερε τόν 'Ανδρέα Παπανδρέου στήν λαϊκιστική παράδοση. Παρά ταῦτα παρέμενε ἄθεος. Ἡ παρουσία ὅμως στούς κόλπους τοῦ ΠΑΣΟΚ παραδοσιακῶν 'Ορθοδόξων πιστῶν, ὅπως ὁ Στέλιος (Στυλιανός) Παπαθεμελῆς, πρώην ὑπουργός καί παλαιό στέλεχος τῆς "Χριστιανικῆς

Δημοκρατίας", ἤ ὁ βουλευτής Θεμιστοκλῆς Λούλης, καί συνεργαζομένων ὅπως ὁ πρώην πρόεδρος τῆς "Χριστιανικῆς Δημοκρατίας" Νῖκος Ψαρουδάκης, ἔδινε στό Κίνημα τήν ἀπαραίτητη διάσταση γιά κάθε φασιστική ἐξουσία, ἑνός ἐλάχιστου ἔστω μυστικισμοῦ. (Στόν τομέα αὐτό, ἡ ἀπόλυτη ἀντιθρησκευτικότητα του κεμαλισμοῦ, ὑπῆρξε ἐξαίρεση στήν Ἱστορία τῆς φασιστικῆς ἰδεολογίας). Ὡς τόν Ἰούνιο τοῦ 1985, ὑφυπουργός Παιδείας καί Θρησκευμάτων ἦταν ὁ Παπαθεμελῆς. Τό ὑπουργεῖο εἶχε λάβει μέτρα γιά νά ἀντικατασταθεῖ στίς δημόσιες ὑπηρεσίες ἡ δυτικοφερμένη εἰκόνα τοῦ Χριστοῦ μέ βυζαντινή εἰκόνα, μέ τό ἐπιχείρημα ὅτι θά συνέβαλε ἔτσι στόν ἀγῶνα κατά τοῦ παρηκμασμένου καί διεφθαρμένου πολιτιστικοῦ προτύπου τῆς Δύσεως. (*Ὀρθόδοξος Τύπος*, Ἀθήνα, 7 Ἰουνίου 1985, σ. 4).

Ἡ ἀρχαιοελληνική διάσταση τοῦ μυστικισμοῦ ἦταν καί αὐτή παροῦσα στούς κόλπους τοῦ ΠΑΣΟΚ, μέ τήν ὑπουργό Πολιτισμοῦ Μελίνα Μερκούρη πού μέ τήν εὐκαιρία τῆς ἀνακηρύξεως τῆς Ἀθήνας ὡς πολιτιστικῆς πρωτεύουσας τῆς Εὐρώπης, εἶχε ὀργανώσει στήν Ἀκρόπολη στίς 21 Ἰουνίου 1985, στήν δύση τοῦ ἡλίου εἰδωλολατρικές τελετουργίες πρός τιμήν τοῦ θερινοῦ ἡλιοστασίου. Ἡ πράξις αὐτή εἶχε πολύ ἐνοχλήσει τούς ὀρθόδοξους κύκλους. Ἄλλωστε, ἡ οἰκογένεια Μερκούρη εἶχε φασιστική παράδοση: ὁ πατέρας τῆς Μελίνας, ὁ Σταμάτης Μερκούρης, δεξί χέρι τοῦ Γεωργίου Κονδύλη ἦταν, ὅπως καί ὁ ἀρχηγός του, ὀπαδός τοῦ μουσολινισμοῦ, ἐνῶ ὁ ἀδελφός τοῦ Σταμάτη καί θεῖος τῆς Μελίνας, ὁ Γεώργιος Μερκούρης, πρώην ὑπουργός πού πέθανε τό 1943 ὡς συνεργάτης τῶν Γερμανῶν, Διοικητής τῆς Ἐθνικῆς Τραπέζης ἐπί κατοχῆς, εἶχε ὀργανώσει στόν μεσοπόλεμο ἕνα ναζιστικό κόμμα πού εἶχε γιά ἔμβλημα τόν ἀγκυλωτό σταυρό μ' ἕνα στέμμα στήν μέση. Ὁ παππούς τῆς Μελίνας, ὁ Σπῦρος Μερκούρης ἀντιβενιζελικός καί βασιλικός, εἶχε χρηματίσει τέσσερις φορές δήμαρχος Ἀθηναίων καί στό τέλος τοῦ πρώτου παγκοσμίου πολέμου εἶχε καταδικασθεῖ σέ θάνατο ἀπό τούς βενιζελικούς ὡς ὑπεύθυνος γιά τίς βιαιοπραγίες τοῦ Νοεμβρίου τοῦ 1916 κατά τῶν βενιζελικῶν. (Στό βιβλίο της, *Γεννήθηκα Ἑλληνίδα*, Ἀθήνα, Ζάρβανος, 1983, ἡ Μελίνα Μερκούρη ἀποσιωπᾶ φυσικά πολλά γιά τήν οἰκογένειά της).

Ὁ ἀντιεβραϊσμός εἶναι ἐπίσης παρών στόν αὐριανισμό. Παράδειγμα ἡ ἑξῆς βιβλιοπαρουσίαση πού δημοσιεύθηκε στήν

Αὐριανή τῆς 16ης Δεκεμβρίου 1989: "Κυκλοφόρησε ἀπό τίς ἐκδόσεις Τάλως, τό καινούργιο βιβλίο τοῦ Γιάννη Φουράκη, μέ τίτλο *Τά (προ)μηνύματα τῶν Δελφῶν καί ὁ σιωνιστικός πύθων: Ὁ τελικός πόλεμος Ἑλλήνων-σιωνιστῶν*. Μέ τό νέο του βιβλίο, πού δέν μοιάζει μέ τά προηγούμενα τοῦ πολυδιαβασμένου συγγραφέα, ὁ Φουράκης ἀποκαλύπτει τά τεκτενόμενα, σέ βάρος τῶν Ἑλλήνων καί τοῦ Ἑλληνισμοῦ, ἀπό τά σκοτεινά κέντρα τοῦ διεθνοῦς σιωνισμοῦ. Μεταξύ τῶν ἄλλων ἐντυπωσιακῶν προβλέψεων πού κάνει ὁ Φουράκης, εἶναι ὅτι πρίν ἤ λίγο μετά τό μοιραῖο ἔτος 1992, στόν περίβολο τῆς Βουλῆς καί στήν πλατεῖα Συντάγματος θά κρεμαστοῦν οἱ προδότες τῆς Ἑλλάδας. Ἐπίσης ἀποκαλύπτει τούς πραγματικούς λόγους γιά τούς ὁποίους ἐγκαταστάθηκαν στόν τόπο μας οἱ ἀμερικανικές βάσεις καί εἰδικότερα τῆς Νέας Μάκρης καί τῶν Γουρνῶν Κρήτης, ὅπως καί τό γιατί δέν πρόκειται νά φύγουν. Στίς 392 σελίδες τοῦ βιβλίου αὐτοῦ, περιλαμβάνονται καί ἄλλα πολλά ἐνδιαφέροντα πού ἀξίζει νά διαβαστοῦν ἀπό τούς Ἕλληνες καί τίς Ἑλληνίδες, ἄν καί ὁ συγγραφέας ἔχει γράψει τό ὄντως ἐντυπωσιακό βιβλίο του σέ ἄπταιστη καθαρεύουσα. Σχετικά μέ τό θέμα τῆς γλώσσας, ἡ ἐπιμελήτρια τῆς ἔκδοσης, Ἄννα Καζούρη, γράφει σχετικά μεταξύ ἄλλων: "Ὁ τρόπος ἐκφορᾶς τοῦ λόγου εἰς τό παρόν σύγγραμα, ἐκρίθη σκόπιμον νά εἶναι μία ἔκφρασις κατά τό δυνατόν ἀπηχοῦσα τό πνεῦμα καί τό ὕφος τῆς καθαρευούσης, δεδομένου τοῦ ὁλονέν ἐπιταχυντικοῦ ρυθμοῦ ἀπομακρύνσεως ἀπό τήν γλῶσσαν τῶν Ἑλλήνων καί τῆς ἀγωνιακῆς προσπαθείας διά τήν ὁλοσχερῆ καταστροφήν της"".

Θά μποροῦσε κανείς νά ἀντιτείνει πώς εἶναι πρός τιμήν τῆς ἐφημερίδος πού παρουσιάζει βιβλία μέ τά ὁποῖα μπορεῖ νά μήν συμφωνεῖ ἡ διεύθυνση. Ἀλλά τό κείμενο αὐτό δέν εἶναι ἁπλῶς παρουσίαση: Εἶναι ἐπικρότηση τῶν θέσεων τοῦ βιβλίου. Καί κάτι ἀκόμα πιό περίεργο. Διαβάζουμε στήν φωτογραφία τοῦ ἐξωφύλλου πού δημοσιεύει στό φύλλο αὐτό ἡ *Αὐριανή*, μία φωτογραφία ἀρκετά μεγάλη γιά νά μπορεῖ ὁ αὐριανιστής ἀναγνώστης νά διαβάσει ὅλο τό κείμενό της, τά ἑξῆς καταπληκτικά: "Ἡ προδοσία τοῦ Ἀνδρέα Παπανδρέου. Ὁ Ἀνδρέας Παπανδρέου ἀπεστάλη εἰς τήν Ἑλλάδα διά νά προστατεύση τάς σιωνιστικάς βάσεις".

Μποροῦμε λοιπόν νά βγάλουμε τά ἑξῆς συμπεράσματα: Οἱ σχέσεις αὐριανιστῶν μέ τόν 'Ανδρέα Παπανδρέου μοιάζουν μέ τίς σχέσεις "κανταφικῶν" μέ τόν Γεώργιο Παπαδόπουλο, οἱ ὁποῖοι τόν ἀνέτρεψαν στίς 25 Νοεμβρίου 1973 (βλ. τά ὅσα λέω στό βιβλίο μου *Ἱστορία τοῦ ἑλληνοτουρκικοῦ χώρου*, ἔνθ' ἀνωτ., σσ. 296-303 καί 312). Οἱ "κανταφικοί" κατηγοροῦσαν τόν Παπαδόπουλο ὅτι εἶχε προδώσει, εἶχε διαφθαρεῖ καί τά εἶχε φτειάξει μέ τούς μεγαλοεπιχειρηματίες καί τούς 'Αμερικανούς. "Ὁ Παπαδόπουλος γνώριζε ὅτι ἦταν καταδικασμένος πλέον καί ὅτι θά ἀνατρεπόταν ἀπό τούς ριζοσπαστικούς ἀξιωματικούς, τούς λεγόμενους "κανταφικούς", μέ κίνδυνο μάλιστα νά ἐκτελεστεῖ γιά προδοσία τῆς ἐπαναστάσεως, γι' αὐτό καί ἄφησε τόν ἔμπιστό του 'Ιωαννίδη νά τεθεῖ ἐπικεφαλῆς τῶν κανταφικῶν καί νά τόν ἀνατρέψει. Ἔτσι οὔτε ἐκτελέστηκε οὔτε κἄν φυλακίστηκε ἀπό τό νέο καθεστώς" (*ἔνθ' ἀνωτ.*, σ. 312).

Ὁ 'Ανδρέας τό 1989 εἶχε τήν ἴδια αἴσθηση μέ τόν Παπαδόπουλο τό 1973, ὅτι δέν ἤλεγχε πλέον τούς ὀπαδούς του. Ἤδη ἀπό τό 1975, διατείνονταν οἱ ριζοσπαστικοί τοῦ ΠΑΣΟΚ, ὁ 'Ανδρέας εἶχε φτειάξει μιά κλίκα γύρω του καί εἶχε ἀπομονωθεῖ ἀπό τόν λαό. Τό Κίνημα, λέγανε, εἶναι ἰδεολογικά πολύ δυνατό καί μπορεῖ νά ἐπιβιώσει χωρίς αὐτόν. Τό ἴδιο ἔλεγε καί ὁ Δημ. Τσάκωνας γιά τόν Παπαδόπουλο: "Ὁ Παπαδόπουλος συνθηκολόγησε πλήρως ὑπό τήν πίεση τῶν συντηρητικῶν. Ἡ συνεργασία του μέ τόν βασιλέα ἀπό τόν 'Απρίλιο μέχρι τόν Δεκέμβριο τοῦ 1967, ὑπῆρξε καταστρεπτική γιά τό κοινωνικό προοδευτικό πνεῦμα τῆς ἐπαναστάσεως: ἡ 21η 'Απριλίου γλίστρησε ἀνεπανόρθωτα πρός τά δεξιά" (*ἔνθ' ἀνωτ.*, σ. 297).

Ὁ Παπανδρέου τό μόνο πού ἐσκέφτετο ἦταν νά σωθεῖ προσωπικά καί νά μήν καταδικαστεῖ. Γι' αὐτό καί δέν κατηγόρησε τούς "κανταφικούς" του, οὔτε τόν πρώην διοικητή τοῦ ΟΤΕ, Θεοφάνη Τόμπρα, οὔτε τήν *Αὐριανή*. Ἔψαχνε χωρίς ἀποτέλεσμα γιά ἕναν ἔμπιστό του, σάν τόν Κώστα Λαλιώτη, νά παίξει τόν ρόλο τοῦ 'Ιωαννίδη, δηλαδή νά τοποθετηθεῖ στήν κρίσιμη στιγμή ἐπικεφαλῆς τῶν τομπριστῶν—αὐριανιστῶν. 'Εν τῷ μεταξύ οἱ αὐριανιστές ἐπωφελούμενοι τῆς ἀτιμωρησίας πού τούς παρεῖχε ὁ φοβισμένος 'Ανδρέας γιά νά προωθήσουν τούς δικούς τους ἀνθρώπους ἐντός καί ἐκτός Βουλῆς, ἐξουδετέρωναν τίς προσπάθειες τοῦ Λαλιώτη. Ἰδού μερικά παραδείγματα: Ὅταν τόν Νοέμβριο τοῦ 1989, ὁ Ἀνδρέας δέχθηκε τήν συγκρότηση τῆς οἰκουμενικῆς κυβερνήσεως, ἡ *Αὐριανή* ἐξηγέρθηκε ἐναντίον του καί ὄχι μόνον ἔμεινε ἀτιμώρητη, ἀλλά οἱ ἄνθρωποί της συνεχίστηκαν νά προωθοῦνται. Στίς 9 Νοεμβρίου 1989, ὁ τίτλος τῆς *Αὐριανῆς* ἦταν: "Μεγάλη παγίδα ἡ οἰκουμενική", ἐνῶ τήν ἴδια μέρα ἡ ἐφημερίδα *Στόχος* τοῦ Γιώργου Καψάλη, πού εἶχε τό ἄλλο του πόδι στήν *Αὐριανή* (ὁ Γ. Καψάλης ὑπῆρξε στήν *Αὐριανή*, ὡς ἀρχισυντάκτης, τό δεξί χέρι τῶν ἀδελφῶν Κουρῆ, τούς ὁποίους συνέχισε νά συμβουλεύει καί μετά τήν ἀποχώρησή του ἀπό τήν ἐφημερίδα τό 1985 γιά νά ἀφοσιωθεῖ στόν ἀνερχόμενο σέ δημοτικότητα *Στόχο*), ἔφερε τίτλο: "Ἐπεμβαίνουν οἱ "λοχαγοί". Τό θεωροῦν σίγουρο ὅλες οἱ ξένες κυβερνήσεις". Καί ἐξηγοῦσε: "Τά ὅσα γίνονται τά τελευταῖα χρόνια μέ ἀποκορύφωμα τήν ἐδῶ καί μῆνες πλήρη ἀκυβερνησία, δείχνουν πώς ἡ μόνη λύση εἶναι ὁ γρήγορος παραμερισμός ὅλων τῶν ἡγητόρων τοῦ πολιτικαντισμοῦ καί ἡ ἀνάγκη [ἀναλήψεως] εὐθυνῶν ἀπό τούς "λοχαγούς". Τήν ἀναγκαιότητά τους τήν ἐπισημάναμε καί τόν Ἰούνιο, μέ πρωτοσέλιδο πού λέγαμε "Ἡ ὥρα τῶν λοχαγῶν", τήν εἶχε δέ ἐπικαλεστεῖ καί φιλοκυβερνητική ἐφημερίδα, ἡ ὁποία καί δημοσίευσε μέ τόν ἴδιο τίτλο σχόλιο πού κατέληγε ὡς ἑξῆς: Χαρακτηριστική εἶναι ἡ ἐκτίμηση πώς "ἔφτασε ἡ ὥρα τῶν λοχαγῶν", ἐννοώντας τά στελέχη διαφόρων κομμάτων. Οἱ ραγδαῖες ἐξελίξεις ἀναμένονται ἀπό ὅλες τίς ξένες κυβερνήσεις. Ὁ *Στόχος* τυπώνεται νωρίς τό μεσημέρι τῆς Τετάρτης [8 Νοεμβρίου] καί δέν μπορεῖ νά παρακολουθήση τίς ἐξελίξεις τῶν πραγμάτων, θλίβεται ὅμως βλέποντας πώς εἶναι πρόθυμοι νά δώσουν τά χέρια, γιά νά μή χάσουν τήν κουτάλα, ἐκεῖνοι πού μέχρι χθές ἀλληλοκατηγοροῦνταν καί μᾶς διαβεβαίωναν πώς δέν πρόκειται ποτέ, οὔτε καλημέρα νά ποῦν μεταξύ τους." (*Στόχος*, Πέμπτη 9 Νοεμβρίου 1989). Δεκαπέντε μέρες ἀργότερα, ἡ *Αὐριανή* καί πάλι εἶχε τίτλο: "Δέν ἔπρεπε τό ΠΑΣΟΚ νά συνεργαστεῖ μέ τή Δεξιά. Τραγικό λάθος ἡ οἰκουμενική. Διχασμένος ὁ κόσμος τοῦ ΠΑΣΟΚ πού διατηρεῖ ὅμως τήν ἐμπιστοσύνη του στόν Ἀνδρέα" (22 Νοεμβρίου 1989). Καί μέσα στό ἄρθρο ὑπῆρχε ἡ φράση: "δυστυχῶς προδοθήκαμε". Σέ ἄλλο ἄρθρο, ὁ Μιχάλης Γαργαλάκος πού τέσσερις μῆνες ἀργότερα ὑποχρεώθηκε ὁ Ἀνδρέας νά τόν περιλάβει στίς λίστες τῶν ὑποψηφίων τοῦ ΠΑΣΟΚ, προειδοποιοῦσε: "Φυσικά, τό μαζικό κίνημα δέν δεσμεύεται ἀπό τίς πολιτικές συμφωνίες τῶν κομματικῶν ἡγεσιῶν". (*Αὐριανή*, 22 Νοεμβρίου 1989, σ. 8).

Τόν Μάρτιο 1990 τό περιοδικό *'Αντί* ἀπεκάλυπτε ἕναν συνωμοτικό ὀργανισμό τοῦ Τόμπρα, πού μποροῦσε ἐνδεχομένως νά εἶχε ὡς στόχο τήν βίαιη κατάληψη τῆς ἀρχῆς. Ἔγραφε: "Μέ τόν *Σύνδεσμο Δημοκρατικῶν 'Αξιωματικῶν* ἀσχοληθήκαμε γιά πρώτη φορά στό τεῦχος 429 τῆς 23.2.1990. Γράψαμε τότε ὅτι ἡ ἵδρυση τοῦ *Συνδέσμου* τήν ἄνοιξη τοῦ 1989 [ἡ εἴδηση εἶχε δημοσιευθεῖ στήν *Αὐριανή* στίς 29.4.1989, ὡς ἑξῆς: "Συστάθηκε σωματεῖο μέ τήν ἐπωνυμία Πανελλήνιος Σύνδεσμος 'Αποστράτων Δημοκρατικῶν 'Αξιωματικῶν"] ἀπό τόν κ. Θεοφάνη Τόμπρα καί ἄλλους ἐπίλεκτους ἀξιωματικούς τοῦ ΑΣΠΙΔΑ ἀποτέλεσε ἕνα εἶδος προσκλητηρίου πρός τούς ἀπόστρατους καί ἐν ἐνεργεία ἀξιωματικούς πού πρόσκεινται στό ΠΑΣΟΚ γιά νά ὀργανωθοῦν στίς γραμμές τῆς 'Αλλαγῆς καί νά προστατεύσουν ἑαυτούς καί τόν 'Ανδρέα Παπανδρέου ἀπό τίς συνέπειες τῆς ἐπερχόμενης τότε ἐκλογικῆς ἥττας... Τό ΠΑΣΟΚ ἔχει ὀργανώσει ἕναν παρακρατικό καί παραστρατιωτικό μηχανισμό, μέ στόχο τήν ὑπονόμευση τῶν θεσμῶν... Οἱ περισσότεροι ἐξάλλου ἀπό τούς ἀξιωματικούς αὐτούς... εἶχαν συμμετάσχει στόν ΑΣΠΙΔΑ [τοῦ 1965]". (Βασίλη Ζήση, "Ὁ κ. Τόμπρας συνωμοτεῖ καί ἀπειλεῖ", *'Αντί*, 'Αθήνα, τεῦχος 432, 23 Μαρτίου 1990, σσ. 14-15).

Τόν 'Οκτώβριο τοῦ 1989 οἱ ἐκδόσεις Θεμέλιο κυκλοφόρησαν ἕνα βιβλίο τοῦ Ἄρη Παπάνθιμου μέ τόν τίτλο: *Αὐριανισμός. Τό σημερινό πρόσωπο τοῦ φασισμοῦ* (150 σελίδες). Ὁ ἴδιος συγγραφέας στίς 19 Νοεμβρίου 1989 δημοσίευσε στόν *Ριζοσπάστη τῆς Κυριακῆς* ἕνα ἄρθρο, πού ἔφερε τόν τίτλο: "Αὐριανισμός": Φασιστική δημοκοπία" (σσ. 24-25).

Ὁ τίτλος τοῦ ἄρθρου ἦταν παραπλανητικός διότι γιά πολλοστή φορά στήν Ἑλλάδα ἐπαναλαμβάνετο ἡ λανθασμένη ἄποψη ὅτι φασισμός=δημαγωγία, ἐνῶ φυσικά ἡ δημαγωγία δέν εἶναι ἰδεολογία: εἶναι μέθοδος πού μπορεῖ νά χρησιμοποιηθεῖ ἀπό ὁποιαδήποτε ἰδεολογία. Ἔτσι π.χ. ἰδιαίτερα προεκλογικά, κάθε κόμμα παραπλανεῖ τόν λαό μέ ὑποσχέσεις, προπαγάνδα, ψεύδη καί ἡμιαλήθειες, φλερτάρει τόν λαό, δηλαδή χρησιμοποιεῖ δημαγωγία, ἄλλο περισσότερο, ἄλλο λιγώτερο. Ἡ ἴδια ἡ ἰδεολογία μπορεῖ νά ἐκφράζει μιά ἰδέα μέ ἀξιοπρέπεια στήν *Ἐξόρμηση*, μέ πολύ λίγη ἀξιοπρέπεια στήν *Αὐριανή* καί ἐντελῶς χυδαῖα στόν *Στόχο*. Ἔτσι γιά τό ἴδιο θέμα, ἡ μέν *Αὐριανή* ἔφερε τίτλο: "Γιά νά ὑποχρεωθεῖ νά κατονομάσει τούς ἀστυνομικούς πού πουλᾶνε ναρκωτικά, στόν εἰσαγγελέα ὁ Τζαννετάκης!" (26 Μαρτίου 1990), ἐνῶ ὁ *Στόχος* εἶχε τόν ἑξῆς τίτλο: "Μιλάει γιά κυκλώματα ἕνας κοινός ἀπατεώνας! Βίος καί πολιτεία τοῦ ὑβριστῆ τῆς Ἀστυνομίας. Ψεύτης, κλέφτης καί Ἰνδουϊστής" (29 Μαρτίου 1990). Καί προσθέτει γιά τόν πρώην πρωθυπουργό Τζαννῆ Τζαννετάκη: "Ἕνας κοινός κλέφτης καί ψεύτης εἶναι ὁ φελλός μέ τό τουρκικό ὄνομα Τζαννήμπεης, πού τόλμησε νά βρίση τήν Ἀστυνομία καί νά φέρη τούς ἀστυνομικούς στό δικό του ἐπίπεδο... ὁ λωποδύτης αὐτός, πού ἴσως ἔκανε ἤ κάνει χρήση ναρκωτικῶν, μιά καί ὁ ἰνδουϊσμός τόν ὁποῖον λατρεύει ἐπιτρέπει κάτι τέτοιο... εἶχε μεταφράσει ἰνδουϊστικά βιβλία".

Τό βιβλίο τοῦ Παπάνθιμου περιέχει ἕνα βασικό λάθος: διατείνεται πώς ὑπάρχει οὐσιαστική διαφορά μεταξύ τοῦ αὐριανισμοῦ καί τοῦ ἀνδρεϊσμοῦ καί ὅτι μόνον ὁ αὐριανισμός εἶναι φασισμός. Τό λάθος αὐτό τό ἔκανε καί τό ΚΚΕ πού συνέχισε νά δέχεται συνεργασία μέ τούς "καλούς" τοῦ ΠΑΣΟΚ, προτρέποντάς τους νά καταδικάσουν τούς "κακούς" τοῦ αὐριανισμοῦ. Αὐτό ἀποδεικνύει τήν ἰδεολογική παρακμή ἑνός κόμματος πού παλαιά εἶχε ἀξιόλογους θεωρητικούς καί μεγάλους ἐπιστήμονες, ὅπως ὁ πατέρας μου, ὁ καθηγητής Νῖκος Κιτσίκης. (Βλ. Ἔλλη Παππᾶ, *Νῖκος Κιτσίκης. Ὁ ἐπιστήμονας, ὁ ἄνθρωπος, ὁ πολιτικός*, Ἀθήνα, Τεχνικό Ἐπιμελητήριο Ἑλλάδος, 1986). Ἐάν χρησιμοποιήσουμε τά 13 σημεῖα τοῦ μοντέλου μου πού παρουσίασα στό προηγούμενο κεφάλαιο καί τό ἐφαρμόσουμε στά κείμενα τοῦ Ἀνδρέα (βλ. π.χ. Ἀνδρέα Γ. Παπανδρέου, *Ἀπό τό ΠΑΚ στό ΠΑΣΟΚ: Λόγοι, ἄρθρα, συνεντεύξεις, δηλώσεις*, Ἀθήνα, Ἐκδόσεις Λαδιᾶ, 1976, 391 σελ.), θά πεισθοῦμε πώς ἡ ἰδεολογία του εἶναι ἡ φασιστική.

Ὁ Παπάνθιμος ἀντανακλώντας τήν πολιτική θέση τοῦ ΚΚΕ ἔναντι τοῦ ΠΑΣΟΚ τό 1989 (πρόκειται γιά δημοσιογράφο, διδάκτορα τῆς δημοσιογραφικῆς σχολῆς τοῦ Πανεπιστημίου Λομονόσοβ τῆς Μόσχας), γράφει: "Ὅλα λοιπόν δείχνουν ὅτι ἡ ὥρα τῆς σύγκρουσης, τοῦ ξεκαθαρίσματος τῶν λογαριασμῶν τοῦ αὐριανισμοῦ μέ τά δημοκρατικά στοιχεῖα τοῦ ΠΑΣΟΚ πλησιάζει" (σ. 140). Φυσικά, ὅπως καί στόν παπαδοπουλισμό, ὑπάρχουν πάμπολλα στοιχεῖα στόν ἀνδρεϊσμό πού ἰδεολογικά δέν εἶναι φασιστές, εἴτε διότι εἶναι ἁπλῶς τεχνοκράτες χωρίς καμιά ἰδεολογία, εἴτε διότι ἀκολουθοῦν τήν φιλελεύθερη ἀστική ἰδεολογία. Ἀλλά δέν εἶναι λόγος γιά νά τούς ἐγκωμιάσει κανείς ὡς "δημοκρατικά στοιχεῖα". Τέτοιος εἶναι π.χ. ὁ πρώην ὑπουργός Κώστας Σημίτης, ὁ ὁποῖος προλόγησε τό 1989 τό ἑξῆς βιβλίο: Ν. Μουζέλης, Θ. Λίποβατς, Μ. Σπουρδαλάκης, *Λαϊκισμός καί πολιτική* (Ἀθήνα, Ἐκδόσεις Γνώση, 1989, 76 σελ.).

Ὁ Σημίτης, στόν πρόλογό του κάνει μιά συγκαλυμμένη κριτική τοῦ ἰδίου τοῦ κόμματός του, τοῦ ΠΑΣΟΚ, ἀπό τήν σκοπιά τοῦ τεχνοκράτη. Πρῶτα παρουσιάζει μιά πολύ πειστική ἀνάλυση τῆς μικροαστικῆς καθυστερημένης ὑφῆς τῆς ἑλληνικῆς κοινωνίας, γιά νά καταλήξει πώς αὐτή "ἡ κοινωνική δομή ὁδήγησε στή δημιουργία ἑνός σχήματος πολιτικῆς, πού χαρακτηρίζεται ἀπό: –τήν ἀποσπασματική ἀντιμετώπιση ἄμεσων αἰτημάτων μέ κριτήριο τό πολιτικό ὄφελος χωρίς νά ἀκολουθεῖται μιά μακρο- ἤ μεσο-πρόθεσμη πολιτική ἐκσυγχρονισμοῦ καί προσαρμογῆς τῶν δομῶν τῆς κοινωνίας στίς συνεχῶς καί ταχύτατα μεταβαλλόμενες ἀνάγκες τῆς οἰκονομικῆς καί διεθνοῦς συγκυρίας. –Μιά ἰδεοληπτική ἀντίληψη ἰσότητας πού ὑποβαθμίζει διάφορες... Ἡ ἀξιοκρατία καί ἡ ἐπίδοση ἔχουν δευτερεύουσα σημασία... –Τό διαχωρισμό τῆς κοινωνίας σέ ἐχθρούς καί φίλους... μέ στόχο τή συσπείρωση ὁμάδων μέ ἀντιτιθέμενα συμφέροντα. Ἔτσι συγκαλύπτονται πραγματικές ἀντιθέσεις καί προβλήματα, ἀποφεύγονται οὐσιαστικές ἀναμετρήσεις καί ἡ πολιτική ἀκολουθεῖ τό κοινό αἴσθημα χωρίς νά καθοδηγεῖ καί νά ἐκπαιδεύει" (*ἐνθ' ἀνωτ.*, σσ. 15-16).

Παρά τήν ἀξιόλογη εἰσαγωγή τοῦ Σημίτη, τό βιβλίο αὐτό ἐλάχιστα βοηθᾶ σέ μιά ἐπιστημονική ἀνάλυση τοῦ λαϊκισμοῦ καί ἰδιαίτερα στήν Ἑλλάδα, ἐφ' ὅσον οἱ συγγραφεῖς του δέν ἔχουν κἄν ξεκαθαρίσει τόν ὅρο πού χρησιμοποιοῦν. Χαρακτηριστική εἶναι ἡ θέση τοῦ Νίκου Μουζέλη πού βασικά θεωρεῖ τόν φασισμό ὡς ἕναν ἀκραῖο λαϊκισμό, πού σημαίνει πώς ὁ φασισμός εἶναι λαϊκισμός, καί ἀμέσως παρακάτω βγάζει τό συμπέρασμα πώς: "δέν βλέπω τό φασισμό ὡς ἕναν τύπο λαϊκισμοῦ" (σ. 44).

Ποιά εἶναι ἡ σχέση τῆς ἑλληνικῆς 'Ορθοδοξίας μέ τήν τρίτη ἰδεολογία καί πρῶτα μέ τά κόμματα; Ὅπως καί οἱ κομματικές ὀργανώσεις ἀποτελοῦν φαινόμενο πού εἰσήχθη στήν Ἑλλάδα ἀπό τήν Δύση, ἔτσι καί ἡ ἰδέα ἑνός χριστιανικοῦ κόμματος εἶναι εἰσαγώμενη καί ἐντελῶς ξένη πρός τήν παράδοση τοῦ ρωμαίικου χώρου. Χαρακτηριστικό εἶναι τό παρακάτω ἄρθρο τοῦ Σπύρου 'Αλεξίου" "Τά χριστιανοδημοκρατικά κόμματα, σήμερα στήν Εὐρώπη, ὅπου δέν εἶναι κυβέρνηση, ἀποτελοῦν τόν πιό σημαντικό παράγοντα πού ἐκφράζει τό δημόσιο αἴσθημα. Ἡ ἱστορία αὐτῶν τῶν κομμάτων ἀρχίζει γύρω στό 1920, ὅταν ὁ καθολικός παπᾶς Λουδοβῖκος Στοῦρτζο, ἵδρυσε στήν 'Ιταλία τό πρῶτο κόμμα μέ βάση τίς χριστιανικές ἀρχές... Σήμερα πολλά κόμματα αὐτῆς τῆς ἰδεολογίας, κυβερνοῦν χῶρες τῆς Εὐρώπης, ἐνῶ ὅλες οἱ χριστιανοδημοκρατικές παρατάξεις ἀποτελοῦν τό Εὐρωπαϊκό Λαϊκό Κόμμα, πού εἶναι ἡ δεύτερη δύναμη στό Εὐρωπαϊκό Κοινοβούλιο καί ἡ πρώτη στίς οἰκονομικές κοινότητες. Σ' αὐτήν τήν πολιτική ὀργάνωση ἀνήκει καί ἡ Νέα Δημοκρατία... Ὁ κ. Μητσοτάκης πῆγε στήν 'Αρχιεπισκοπή καί μίλησε στόν κ. Σεραφείμ [ἀρχιεπίσκοπο 'Αθηνῶν] καί στούς συνοδικούς μητροπολίτες ὡς χριστιανοδημοκράτης ἡγέτης πού ἀνήκει σ' αὐτήν τήν εὐρωπαϊκή οἰκογένεια καί νά δηλώσει πώς ἄν γίνει πρωθυπουργός θά ἐφαρμόσει τό "δόγμα": λιγότερο κράτος στήν ἐκκλησία". (*Ἡ Καθημερινή*, 29 Μαρτίου 1990, στήν στήλη, "'Εκκλησία καί κοινωνία", σ. 24).

Τό ἄρθρο αὐτό ἀποδεικνύει τόν κίνδυνο πού διατρέχει ἡ 'Ορθοδοξία ἀπό τήν εἴσοδο τῆς Ἑλλάδος στήν Κοινή 'Αγορά. Διότι βλέπουμε ὄχι μόνον νά ὑπάρχει θέληση ἑνός ἑλληνικοῦ κόμματος νά μετατραπεῖ σέ καθολικοῦ τύπου χριστιανοδημοκρατικό κόμμα, ἀλλά καί νά ἐνταχθεῖ μέ τά καθολικά κόμματα τῆς Δυτικῆς Εὐρώπης σέ ἕνα κοινό μέτωπο, ἀκολουθώντας τίς καθολικές συνταγές. Φαίνεται δηλαδή σάν νά ξεχνᾶ ὁ Κώστας Μητσοτάκης ὅτι οἱ Ἕλληνες δέν εἶναι ἁπλῶς χριστιανοί: εἶναι ὀρθόδοξοι χριστιανοί καί πώς γιά τήν ὀρθοδοξία ὁ καθολικισμός εἶναι αἵρεση καί ὄχι ἁπλῶς σχίσμα. Μέ τό νά τόν ἀποκαλεῖ ὁ Σπῦρος 'Αλεξίου "χριστιανοδημοκράτη ἡγέτη πού ἀνήκει σ' αὐτήν τήν εὐρωπαϊκή οἰκογένεια", εἶναι σάν νά τόν ἀποκαλεῖ καθολικό.

'Αλλά ἄς δοῦμε ποιά εἶναι ἡ θέση τῆς 'Εκκλησίας τῆς 'Ελλάδος ὡς πρός τήν *ΕΟΚ*. Κατ' ἀρχήν ἡ 'Ορθοδοξία ἀντιτίθεται πρός ὅλες ἀνεξαιρέτως τίς ἰδεολογίες: "Οἱ ἀνθρωποκτόνες ἰδεολογίες τοῦ ἀστισμοῦ [φιλελευθερισμοῦ], τοῦ φασισμοῦ, τοῦ μαρξισμοῦ, τῆς ἀθεΐας, τοῦ ὑλισμοῦ κ.λ.π. εἶναι θλιβερά παράγωγα τῶν μακραίωνων διαδικασιῶν στά σπλάχνα τῆς Δυτικῆς Εὐρώπης... 'Ο ἐκθαμβωτικός γιά πολλούς εὐρωπαϊκός πολιτισμός ἐντοπίζεται στήν τεχνολογία, ἀλλά ἀποδεικνύεται ἀνίκανος νά δημιουργήσει ἀνθρώπινες προσωπικότητες, πού θά τήν χρησιμοποιήσουν γιά τήν σωτηρία τοῦ ἀνθρώπου καί ὄχι γιά τήν καταστροφή ἤ ἐκμετάλλευσή του. 'Ο σημερινός Εὐρωπαῖος, σέ ὅποια ἰδεολογία καί ἄν ἀνήκει, εἴτε θρησκεύει, εἴτε ὄχι, ζεῖ σέ μιά ἑνότητα πολιτιστική, πού ὁριοθετεῖται ἀπό τίς παραπάνω ἰδεολογίες, οἱ ὁποῖες τελικά δέν συνιστοῦν μεταξύ τους ἀγεφύρωτες ἀντιθέσεις, ὅπως ἐσφαλμένα πιστεύεται στήν 'Ελλάδα... 'Ο ὀρθόδοξος πολιτισμός, ἀντίθετα, ἔχει δημιουργήσει στό λαό μας μιά ἐντελῶς διαφορετική συνείδηση". (π. Γεωργίου Δ. Μεταλληνοῦ, *1992: ἀπειλή ἤ ἐλπίδα;*, 'Αθήνα, 'Εκδόσεις 'Αποστολικῆς Διακονίας, 1989, σσ. 25-26).

Συνεπῶς, ἔστω καί ἄν ἡ ἔνταξη τῆς 'Ελλάδος στήν ΕΟΚ συμφέρει οἰκονομικά καί πολιτικά, σίγουρα δέν συμφέρει πολιτιστικά καί θρησκευτικά. Καί ἐπειδή γιά τήν 'Ορθόδοξη 'Εκκλησία αὐτό εἶναι πού ἔχει πρωτίστως σημασία, ἀντιτίθεται ἀπόλυτα στήν ἔνταξη. "Τό πρόβλημα γιά τήν 'Ελλάδα δέν εἶναι πρώτιστα οἰκονομικό ἤ πολιτικό, ὅπως εἶναι γιά τίς δυτικές χῶρες, οἱ ὁποῖες, ὅπως εἰπώθηκε, ἔχουν κοινά πολιτιστικά θεμέλια, κοινή ἱστορική παράδοση. Τό πρόβλημα εἶναι κυρίως πνευματικό καί πολιτιστικό" (σ. 28). Π.χ. αὐτό πού ἀναγγέλλει ὁ Σπῦρος 'Αλεξίου στό προαναφερόμενο ἄρθρο του πώς θά ἐφαρμόσει ὁ Μητσοτάκης: "λιγότερο κράτος στήν ἐκκλησία", εἶναι μέν καθολική θέση ἀλλά δέν εἶναι ὀρθόδοξη: "'Ο ἐπιθυμητός ἀπό πολλές δυνάμεις χωρισμός 'Εκκλησίας καί Κράτους, ὁ ὁποῖος θά πραγματοποιηθεῖ ὁπωσδήποτε προσεχῶς γιά τήν ἐξομοίωσή μας καί στό σημεῖο αὐτό μέ τήν ἄλλη Εὐρώπη, θά ἐνισχύσει σημαντικά τήν ἀπομάκρυνση μεγάλου μέρους τοῦ λαοῦ ἀπό τήν ἐκκλησιαστική παράδοσή του, μέ τήν ἐπιβολή καί καλλιέργεια τῆς ἐκκοσμικευμένης διαφωτιστικῆς νοοτροπίας" (σ. 30).

Ἡ ἔνταξη ὅμως στήν Εὐρώπη εἶναι ἤδη πραγματικότητα ἀπό τό 1981, διότι ἡ ἑλληνική παρακμή, ὅπως στήν ἐποχή τῆς ἁλώσεως τῆς Πόλης στόν 15ο αἰῶνα, ἔχει μετατρέψει τήν μεγάλη πλειοψηφία τῶν Ἑλλήνων ἀπό Ρωμηούς σέ Γραικύλους. Αὐτό κατάλαβε ἄριστα ὁ Κωνσταντῖνος Καραμανλῆς, ὁ ὁποῖος δυσπιστώντας στό ὅτι εἶναι δυνατόν νά ἀναγεννηθεῖ μέ ὁποιοδήποτε τρόπο ὁ Ἕλληνας γραικύλος, ἔδωσε στόν ἑαυτό του τόν ρόλο τοῦ ἡγέτη τῆς ἑλληνικῆς παρακμῆς καί ἐπέτυχε αὐτό πού εἶχαν ἀποτύχει νά ἐπιβάλουν οἱ ἡγέτες τῆς δυτικῆς παρατάξεως τῶν τελευταίων χρόνων τοῦ Βυζαντίου: νά τόν ἐντάξει χειροπόδαρα στό φραγκικό πολιτικό σύνολο. Ἤδη, ὁ διπλωμάτης καί λογοτέχνης Ρόδης Ροῦφος (1924-1972), γιός τοῦ πρώην ὑπουργοῦ 'Εξωτερικῶν Λουκᾶ Ρούφου, esthète καί ἀπολογητής τῆς γραικύλικης παρακμῆς, ὅπως τοῦ ἄρεσε νά παρουσιάζεται στούς φίλους του (στούς ὁποίους ἀνῆκα καί ἐγώ), εἶχε ἐξιστορήσει στό μυθιστόρημά του, *Οἱ Γραικύλοι* ('Αθήνα, Ἴκαρος, 'Απρίλιος 1967, 412 σελ.) πού εἶχε τελειώσει στό Παρίσι τήν ἄνοιξη τοῦ 1964, τήν 'Αθήνα τῆς ἑλληνιστικῆς παρακμῆς τοῦ 88-86 π.Χ. μέ τήν ἑξῆς παρατήρηση: "Ὁ ἀναγνώστης θά κρίνει ἄν ἡ ἐποχή πού δοκίμασα ν' ἀναστήσω ἔχει κανένα δίδαγμα γιά τή δική μας" (σ. 407). Σέ τρία ἄρθρα του, τό 1966, ἔκανε τήν ἀπολογία τῆς παρακμῆς: "'Εκείνη ἡ ἐποχή "παρακμῆς" [ἡ ἑλληνιστική], ἡ ἐποχή τῶν αἰσθησιακῶν ποιητῶν, γνώρισε καί πάθος, καί ἰδέες καί ἀγῶνες πού συγκλόνισαν τίς ψυχές πνευματικῶν ἀνθρώπων". (Ρόδη Ρούφου, "'Απολογία μιᾶς "παρακμῆς"", *'Εποχές*, 'Αθήνα, ἀρ. 42, 43, 44, 'Οκτώβριος, Νοέμβριος, Δεκέμβριος 1966, ἄρθρο τρίτο, σ. 23 τοῦ ἀνατύπου).

Ἡ ἑλληνική ἐκκλησία θεωρώντας ὡς τετελεσμένο γεγονός, αὐτήν τήν συμφορά γιά τό ἑλληνικό ἔθνος πού εἶναι ἡ ἔνταξή του στήν ΕΟΚ, ζητᾶ τήν πνευματική ἅλωση τῆς Κοινῆς 'Αγορᾶς ἐκ τῶν ἔσω: "Εἴτε τό θέλουμε, εἴτε ὄχι, βρισκόμαστε ἤδη μέσα στήν ΕΟΚ... καί αὐτό συντελεῖται μέσα ἀπό ἕνα βιασμό τῆς ἐθνικῆς συνείδησης... Σέ σχέση μάλιστα μέ τήν Δυτική Εὐρώπη, οἱ δυτικίζοντες ἤ φιλοδυτικοί εἶναι τό ἐπί αἰῶνες μόνιμο πρόβλημα στήν παρατεινόμενη συνάντηση τοῦ Ἔθνους μας μαζί της... Στή μετά τό 1992 κοινωνία ἔχει νά παλεύσει ἡ Ἑλληνορθοδοξία (Ρωμηοσύνη) μέ τόν Γραικυλισμό, ἡ δουλοπρέπεια δηλαδή καί ἡττοπάθεια μέ τήν ρωμαίικη ὑπερηφάνεια... Τά μοναστήρια, πού διασώζουν ἀκέραιο τό πρότυπο τῆς ἑλληνορθόδοξης κοινωνίας καί τοῦ ἑλληνορθόδοξου ἀνθρώπου, θά εἶναι καί μετά τό 1992 ἡ κιβωτός τῆς σωτηρίας τῆς Ἑλληνορθοδοξίας... Στό χέρι μας, συνεπῶς, εἶναι νά μεταβάλουμε τήν ἀπόγνωση τοῦ ἐξευρωπαϊσμοῦ μας σέ ἐλπίδα, τόσο γιά μᾶς, ὅσο καί γιά τούς ἄλλους...Ἡ γενιά τοῦ 1992 μπορεῖ νά ἐπαναλάβει τό ἔργο τοῦ ἀποστόλου Παύλου... Ὁ ἀποξενωμένος ἀπό αὐτή τήν παράδοση Γραικύλος δέν ἔχει τίποτε νά δώσει στήν Ἑνωμένη Εὐρώπη, ἀλλά θά θέλει μόνο νά πάρει, ἀρκούμενος στά ψιχία τά πίπτοντα ἀπό τῆς τραπέζης τῶν πλουσίων ἑταίρων μας". (Γ.Δ. Μεταλληνοῦ, *1992: ἀπειλή ἤ ἐλπίδα;*, ἔνθ' ἀνωτ., σσ. 42-52).

Περιέργως ὄχι μόνον ὁ φιλελεύθερος Μητσοτάκης ἀλλά καί ἕνας παραδοσιακός χριστιανορθόδοξος πολιτικός, ὁ Νῖκος Ψαρουδάκης, παρασύρθηκε ἀπό τήν κομματικοποίηση τῆς θρησκείας στήν Δυτική Εὐρώπη γιά νά ὀνομάσει τό κόμμα του *Χριστιανική Δημοκρατία* τό 1956. Καί ὄχι μόνον αὐτό: ὁ Ψαρουδάκης ὑποστηρίζει στά πολλά βιβλία του τόν φασισμό, χωρίς φυσικά ποτέ νά τόν κατονομάσει. Ἔτσι γράφει: "Ὁ ἐρυθρός ἀστήρ, μέ τό σφυροδρέπανο στό κέντρο, σύμβολο τοῦ κομμουνισμοῦ. Εἶναι ἡ ἑβραϊκή πεντάλφα, ὁ μασονικός πεντάκτινος ἀστήρ. Ὅλα αὐτά μαρτυροῦν τήν ἑβραϊκή προέλευσι τοῦ ἀθέου κομμουνισμοῦ... Ὁ Θεός διά τῆς χριστιανικῆς διδασκαλίας ἐδημιούργησε τόν κομμουνισμό τῆς ἀγάπης, τήν παγκόσμιον ἀδελφότητα τῆς πίστεως, τῆς αἰωνιότητος, τοῦ πνεύματος. Ὁ σατανᾶς διά τοῦ ἐκπεσόντος ἰουδαϊκοῦ ἔθνους ἐδημιούργησε, ὡς ἀντίδρασιν, τόν κομμουνισμόν τῆς βίας τῆς ἀθεΐας καί τοῦ ἐγκλήματος". (Νικ. Στ. Ψαρουδάκη, *Σκοτεινές Δυνάμεις καί Χριστιανισμός*, 'Αθήνα, 'Εκδόσεις Χριστιανικῆς

Δημοκρατίας, 1966, σ. 33). Σέ ἄλλο του βιβλίο γράφει: "Ἡ ταύτιση τῶν ἐπιδιώξεων τοῦ σιωνισμοῦ καί ἀντιχρίστου, ἀποδείχνει ὅτι τό κράτος τοῦ Ἰσραήλ, κράτος πού τό ἔφτιαξε ὁ σιωνισμός, εἶναι τό κράτος τοῦ ἀντιχρίστου καί βρίσκεται στήν ὑπηρεσία τοῦ Σατανᾶ. Τό κράτος τοῦ Ἰσραήλ εἶναι τό μόνο κράτος στόν κόσμο πού ἔχει θεμελειακή του ἀρχή ὅτι ὁ Χριστός δέν ἦρθε ἀκόμα, ἀλλά ἀναμένεται. Μέ βεβαιότητα λοιπόν εἶναι τό κράτος τοῦ ἀντιχρίστου". (Νικ. Ψαρουδάκη, *Ἀντίχριστος, 666 καί ΕΚΑΜ* [Ἑνιαῖο Κωδικό Ἀριθμό Μητρώου], Ἀθήνα, Ἐκδόσεις Μήνυμα, 1987, σσ. 111—112). Ἡ τρίτη ἰδεολογία του ὁρίζεται ὡς ἑξῆς: "Ὁ ἀστισμός διέστρεψε τή δημοκρατία κι ὁ κομμουνισμός διέστρεψε τόν σοσιαλισμό. Ἴδιο μικρόβιο, ἴδιο ἀποτέλεσμα. Οἱ καπιταλιστές ὑπερηφανεύονται γιά τόν δυτικό πολιτισμό κι οἱ κομμουνιστές γιά τήν σοσιαλιστική κοινωνία. Στήν πραγματικότητα στή Δύση, ὅσο εἶναι τό πορτοφόλι σου, τόση εἶναι καί ἡ δημοκρατία σου. Καί στήν Ἀνατολή ἀντί νά φτιάξουν μιά καινούργια κοινωνία ἔφτιαξαν ἕνα κράτος πού τάχει ὅλα, ἐκτός τό λαό... Ἡ Εὐρώπη γέννησε καί ἔζησε ἕναν ἄρρωστο πολιτισμό, πού καί αὐτήν κατάστρεψε καί τήν ἀνθρωπότητα ὁλόκληρη ἀπειλεῖ". (Νικ. Ψαρουδάκη, *Ἡ παγίδα τῆς ΕΟΚ καί τῆς Εὐρωπαϊκῆς Ἕνωσης*, Ἀθήνα, Ἐκδόσεις Μήνυμα, 1985, σ. 27).

Ὑπό τήν δυτική ἐπιρροή ἡ πολιτικοποίηση καί κομματικοποίηση τοῦ ὀρθόδοξου κλήρου ἐπεκτάθηκε: ἀπό τόν ἀρχιμανδρίτη Γρηγόριο Δικαῖο, τόν ἐπιλεγόμενο Παπαφλέσσα τῆς Ἑλληνικῆς Ἐπαναστάσεως (1788-1825), στούς παπάδες τοῦ ΕΑΜ τοῦ 1941-1944, μέχρι τῶν παπάδων τοῦ 1990 πού ἀνεμίζουν πλαστικές σημαῖες τῆς Νέας Δημοκρατίας ἤ τοῦ ΠΑΣΟΚ στίς προεκλογικές συγκεντρώσεις. Ἄλλο παράδειγμα, ὁ μητροπολίτης Φλωρίνης Αὐγουστῖνος, ὁ ὁποῖος ἄν καί ἀρνεῖται πώς παίρνει μέρος στήν πολιτική ἐν τούτοις οἱ θέσεις του εἶναι συχνά σαφῶς πολιτικές. Ἰδού μερικές δηλώσεις του περί χριστιανικοῦ σοσιαλισμοῦ: "Ὡς πρός τήν οἰκονομικήν διαρρύθμισην τῆς κοινωνίας, τήν κατανομήν τῆς γῆς καί τῶν ἀγαθῶν, εἶμαι ἀριστερώτερος παντός ἀριστεροῦ. Φρονῶ δέ, ὅτι μόνον διά τοῦ Εὐαγγελίου, δύναται νά δημιουργηθεῖ ὑγιής σοσιαλιστική κοινωνία... Εἰς τήν ἐρώτησιν τί θά ἔπραττεν ἄν εἶχε πολιτικήν ἐξουσίαν, ἀπήντησεν ὅτι δέν θέλει νά γίνη σάν τόν Μακάριον". (*'Ορθόδοξος Τύπος*, 'Αθήνα, 15 Φεβρουαρίου 1977, σ. 4).

Τό περιοδικό *Πρός τήν Νίκην* τῆς 'Αδελφότητος Θεολόγων "Ὁ Σωτήρ", πού διανέμεται στά παιδιά τοῦ κατηχητικοῦ, ἐμπεριέχει πολιτικοποιημένες ἀντικομμουνιστικές θέσεις, ἐθνικισμό καί φυλετισμό, σπείροντας μῖσος στίς καρδιές τῶν παιδιῶν κατά τοῦ "βαρβάρου Τούρκου", ἀντί τῆς χριστιανικῆς ἀγάπης. Π.χ. στό τεῦχος, ἀρ. 456 (ἔτος 30ο) τῆς 11 Μαρτίου 1990, διαβάζουμε τά ἑξῆς: "Ἡ 'Εθνεγερσία ἔφερε καί πάλι τόν πολιτισμό στήν παλιά του κοιτίδα, τήν ὁποία εἶχε βυθίσει στή βαρβαρότητα ὁ 'Ασιάτης ἐπιδρομέας". Πιό πέρα: "Τούς ἐπώνυμους καί ἀνώνυμους ἀγωνιστάς [τοῦ 1821] δέν εἶχε ἐμπνεύσει τό ὑλικόν συμφέρον, ὅπως θέλουν νά λένε ὅσοι ἐξετάζουν τά γεγονότα μέ τούς παραμορφωτικούς φακούς τοῦ ἱστορικοῦ ὑλισμοῦ". Καί πιό κάτω ἀκόμη: "Σεῖς οἱ νέοι ἄνθρωποι κοιτάξτε τό μεγαλεῖο τῆς Ἑλλάδος πού ἀναστήθηκε. Μπορεῖτε νά γίνετε καί σεῖς μεγάλοι ὅπως ἐκεῖνοι οἱ Ἕλληνες τοῦ 1821". (σ. 111). Μέ ἄλλα λόγια συχνά ἡ 'Εκκλησία τῆς Ἑλλάδος ὑποκύπτει, χωρίς νά τό συνειδητοποιεῖ στήν δυτική ἁμαρτία τῆς πολιτικοποιήσεως καί τοῦ ἐθνικισμοῦ. Ὄχι ὅμως πάντα. Π.χ., ἰδού μιά καθόλου φιλοπόλεμη ἑρμηνεία τῆς σταυροφορίας πού μᾶς δίνει ἡ ἀποστολική διακονία: "'Εκεῖνος πού θέλει νά γίνει μαθητής καί φίλος τοῦ 'Ιησοῦ... πρέπει νά γίνει ἕνας σταυροφόρος. Ἕνας σταυρωμένος ἀγωνιστής πού θά ἀντιγράψει στή ζωή του τόν 'Εσταυρωμένο Θεάνθρωπο... Ὁ 'Ιησοῦς Χριστός στό σημερινό εὐαγγελικό ἀνάγνωσμα τονίζει: "Ὅποιος δέν χάσει τήν ψυχή του (ζωή του) γιά μένα καί τό Εὐαγγέλιο, αὐτός δέν θά μπορέσει νά τήν κερδίσει". Τί σημαίνει ὅμως αὐτός ὁ παράξενος λόγος; [Μήπως σημαίνει ὅτι πρέπει νά πεθάνεις μέ τά ὅπλα στό χέρι γιά τήν πίστη, σάν τούς καθολικούς σταυροφόρους τοῦ Μεσαίωνος; Ὄχι]. Ὅταν δέν χάσει ὁ ἄνθρωπος τίς ἀνθρώπινες ἐλπίδες, δέν μπορεῖ νά γεννηθεῖ μέσα του ἡ μεγάλη ἐλπίδα τῆς Βασιλείας τοῦ Θεοῦ. Αὐτό γίνεται, ὅταν ὁ ἄνθρωπος δένεται μέ τά πράγματα καί τίς ἐλπίδες τῆς γῆς". (*Φωνή Κυρίου*, 'Αποστολική Διακονία τῆς 'Εκκλησίας τῆς Ἑλλάδος, ἔτος ΛΗ΄, ἀριθ. 11, 18 Μαρτίου 1990).

Βέβαια αὐτή εἶναι ἡ σωστή ἑρμηνεία. Διότι ἀντίθετα μέ τούς

καθολικούς καί προτεστάντες ἀποικιοκράτες, "ἡ ὀρθόδοξη ἱεραποστολή ἐργαζόταν γιά τήν ἀνάπτυξη, τόν φωτισμό καί τήν πρόοδο τῶν νεοφωτίστων... ἐνῶ οἱ δυτικές ἱεραποστολές ἐργάζονταν ὑπέρ τῆς ἀποικιοκρατίας" (Γ. Δ. Μεταλληνοῦ, *1992: ἀπειλή ἤ ἐλπίδα;* ἔνθ' ἀνωτ., σ. 24).

'Αντίθετα διαβάζουμε συχνά πολιτικολογίες ὅπως ἡ παρακάτω: "Ἡ ἰδική μας νωθρότης καί ἀθεράπευτος ἐμπιστοσύνη εἰς τό πνεῦμα τοῦ Νταβός καί εἰς τά ἄλλα διπλωματικά σοφίσματα τῶν Τούρκων, δέν ὡδήγησαν μόνον εἰς τόν ἐκτραχηλισμόν τῶν μουσουλμάνων τῆς Θράκης, ὅπως ἐγράφαμεν εἰς προηγούμενον σχόλιον. Ὡδήγησαν καί εἰς τήν αὔξησιν τοῦ θράσους τοῦ δικτατορίσκου τῆς Β. Κύπρου Ντενκτάς". (*Ὁ Σωτήρ. 'Ορθόδοξον χριστιανικόν περιοδικόν. Ὄργανον ὁμωνύμου ἀδελφότητος Θεολόγων*, ἔτος Λ΄, ἀριθ. 1333, 'Αθήνα, 28 'Ιουνίου 1989, σ. 392).

Τόν ρόλο πού ἔπαιξε τό σωματεῖο τῆς "'Αδελφότητος Θεολόγων Ζωή" στήν εἰσαγωγή δυτικῶν προτύπων πολιτικῆς δράσεως τῆς 'Ορθοδοξίας, μᾶς ἐξιστορεῖ ὁ καθηγητής Χρῆστος Γιανναρᾶς σέ βιβλιο-μαρτυρία του: "Βέβαια μιλάγαμε καί δουλεύαμε γιά τόν ἐκχριστιανισμό τῆς Ἑλλάδας μέ τήν ἴδια νοοτροπία καί λογική πού εἶχαν ἐπιδιώξει τόν "ἐκχριστιανισμό" τῆς πατρίδας μας καί οἱ προτεστάντες μισσιονάριοι στούς ἀμέσως προηγούμενους αἰῶνες. Οὔτε λέξη δέν ἀκουγόταν γιά 'Εκκλησία, λαϊκή εὐσέβεια καί παράδοση, 'Ορθοδοξία, μοναστήρια, πατερική διδαχή. Ἤμουν ἕντεκα χρονῶν καί εἶχα συνειδητοποιήσει ὅτι ἡ 'Εκκλησία στήν Ἑλλάδα ἦταν μιά χρεωκοπημένη καί ἀσήμαντη ὑπόθεση, ἄσχετη μέ τόν γνήσιο καί ζωντανό χριστιανισμό πού ἐμεῖς ἐκπροσωπούσαμε καί πού μᾶς ἀνάδειχνε ἀπευθείας συνεχιστές τῶν ἀποστόλων καί ἡρωικῶν μαρτύρων τῶν πρώτων αἰώνων". (Χρήστου Γιανναρᾶ, *Καταφύγιο ἰδεῶν: μαρτυρία*, 'Αθήνα, 'Εκδόσεις Δόμος, 1987, σσ. 36-37).

Ἄν ἡ δυτικοποίηση εἶχε φέρει τήν κομματικοποίηση τῆς 'Ορθοδοξίας αὐτό δέν ἐσήμαινε πώς στόν ρωμαίικο χῶρο ἡ 'Εκκλησία πρίν ἀπό τήν ξενική ἐπιρροή εἶχε ἀγνοήσει τήν κοινωνία, δηλαδή τήν πολιτική στήν εὐρεία της ἔννοια. Αὐτήν τήν ἀλήθεια, ὁ Γιανναρᾶς τήν ἀνακάλυψε χάρη στόν ἀρχιτέκτονα Δημήτρη Πικιώνη στίς ἀρχές τῆς δεκαετίας τοῦ 1960: "Ἄρχισα σιγά-σιγά νά βλέπω ἀπό τή διδαχή τοῦ Πικιώνη ὅτι ἡ θεολογία στή δική μας παράδοση δέν περιορίστηκε ποτέ σέ ἰδεολογικές ἀρχές καί ἀφηρημένους ἠθικούς κώδικες. Ἡ θεολογία ἦταν πάντοτε ἡ ἔκφραση ἑνός τρόπου καθημερινῆς ζωῆς, τοῦ τρόπου μέ τόν ὁποῖο οἱ ἄνθρωποι χτίζανε τά σπίτια καί τά γεφύρια τους, ζωγραφίζαν, κεντοῦσαν, φτιάχνανε τίς φορεσιές τους,... Ἄν ἡ θεολογία αὐτονομηθεῖ καί χωριστεῖ ἀπό τήν πραγματικότητα τῆς ζωῆς, ἄν πάψει νά ἐκφράζει... τήν τέχνη, τήν πολιτική, τόν ἔρωτα, τήν κοινωνική δυναμική, γίνεται γράμμα νεκρό, κενή ἰδεολογία" (σ. 296).

Ἀπό τήν μαρτυρία τοῦ Γιανναρᾶ βγαίνει ἡ αἴσθηση μιᾶς φοβερῆς παραμορφωμένης εἰκόνας δυτικοποιημένης Ὀρθοδοξίας, βαθειά ἐπώδυνη στήν καρδιά τοῦ Ρωμηοῦ: "Ποῦ εἶχε ἄραγε τίς ρίζες του, τήν ἀρχή καί τίς πηγές του αὐτό τό τερατῶδες λάθος... Ποιός ἐνέπνευσε στόν Τρεμπέλα νά μεταφράζει τήν προτεσταντική φιλολογία τῶν ἀγγλικῶν ἱεραποστολῶν τοῦ 19ου αἰώνα στήν Ἑλλάδα... Πῶς ἔγινε, νά σφραγιστεῖ ὁλόκληρη ἡ ἐκκλησιαστική ζωή στήν Ἑλλάδα ἀπό τήν δυτικότροπη διαστροφή τῆς "Ζωῆς", δίχως ἀντιστάσεις, δίχως ἀντίλογο... Οἱ ἄνθρωποι νά λένε: χριστιανισμός, καί νά ἐννοοῦν μόνο μιά πρακτική ἠθική" (σ. 304). Συνέπεια ἦταν ἡ ἀπομάκρυνση ἀπό τό Ἅγιον Ὄρος. Λέγανε οἱ ἄνθρωποι τῆς Ζωῆς: "Νά ἀπαγορευτεῖ στούς νεωτέρους νά ἐπισκέπτονται τό Ἅγιον Ὄρος... Τί σχέση μποροῦμε νά ἔχουμε ἐμεῖς μέ τούς βρωμιάρηδες καί ἀγράμματους καλογέρους. Ὁ π. Σεραφείμ ἔλεγε νά πηγαίνουμε στό Ὄρος μόνον γιά νά ἐγγράψουμε συνδρομητάς εἰς τήν Ζωήν" (σ. 306).

Τέλος ὁ Γιανναρᾶς καταφέρεται καί κατά τῆς ἀδελφότητος "Σωτήρ" καί κατά τοῦ μητροπολίτου Φλωρίνης Αὐγουστίνου Καντιώτη καί κατά τῆς ἐφημερίδος *Ὀρθόδοξος Τύπος* καί τούς κατηγορεῖ γιά καμουφλαρισμένους δυτικόπληκτους (ἐξ οὗ καί ἡ κομματικοποίησή τους): "Ὁ *Σωτήρας* ἀποδείχτηκε πιό εὐέλικτος: Ὅταν ἄρχισε νά γίνεται πιά κοινή συνείδηση ἡ αἱρετική ὀρθοδοξία τῶν ὀργανώσεων, ὁ προτεσταντικός-πιεστικός χαρακτήρας τους, ἄλλαξαν καί οἱ γέροντες γραμμή. Ἄρχισαν νά ἐμφανίζονται ἀπό τό περιοδικό τους σάν φανατικοί ὑπέρμαχοι τῆς Ὀρθοδοξίας, ἀμείλικτοι πολέμιοι τοῦ οἰκουμενισμοῦ καί τῶν παραχωρήσεων στούς δυτικούς – ποιοί; οἱ ἄνθρωποι πού ἔφεραν ἀτόφια τή Δύση μέσα στήν 'Ορθόδοξη Ἑλλάδα, οἱ πιό ἀνυποψίαστοι διαστροφεῖς κάθε στοιχείου τῆς ἐκκλησιαστικῆς παράδοσης τοῦ τόπου μας. Καί φιγουράρουν ἀκόμα ὡς τίς μέρες μας σάν συντηρητικοί ὀρθόδοξοι, σπέρνοντας τρομακτική σύγχυση στίς συνειδήσεις. Στόν ἑλιγμό τούς ἀκολούθησε καί ὁ Καντιώτης, ὅπως καί κάποιοι καιροσκόποι συσπειρωμένοι γύρω ἀπό ἕνα φυλλάδιο μέ τόν πιό σκοτεινό ρόλο πού ἔπαιξε ποτέ ἡ δημοσιογραφία στόν ἐκκλησιαστικό μας βίο, τόν *'Ορθόδοξο Τύπο*. Ὅλοι αὐτοί λυμαίνονται ἐπί χρόνια τίς ἐκκλησιαστικές συνειδήσεις στήν Ἑλλάδα, μονοπωλοῦν τήν 'Ορθοδοξία –μιάν 'Ορθοδοξία μετρημένη μέ τή νομικίστικη ἀνσέλμια ἐκδοχή τοῦ γράμματος τῶν ἱερῶν κανόνων, παγιωμένη στή θωμιστική, ὁλότελα ρασιοναλιστική ἀντίληψη τῶν δογμάτων, ἐκκοσμικευμένην στά ἰδεολογικά βατικάνεια σχήματα τῆς ἀναμέτρησης μέ τήν "κοινωνική διαφθορά" καί τόν "πολιτικό φιλελευθερισμό"!" (σσ. 306-307).

Σπουδαῖο ρόλο στήν *Κίνηση* ἔπαιξε μετά τόν δεύτερο παγκόσμιο πόλεμο καί ὁ καθηγητής τῆς Νομικῆς 'Αλέξανδρος Τσιριντάνης (1903-1977). Ἡ *Ζωή* ἦταν μιά ἀδελφότητα λαϊκῶν θεολόγων καί κληρικῶν πού ζοῦσαν μαζί, ἄγαμοι, σέ κοινόβιο στήν 'Αθήνα. Ἡ *Κίνηση* ἦταν μιά ὁμοσπονδία σωματείων στήν 'Αθήνα πού συμπεριλάμβανε ἰδίως τήν *Ζωή* καί τήν ὁμάδα τῆς *Χριστιανικῆς Ἑνώσεως 'Επιστημόνων* τοῦ Τσιριντάνη καί τοῦ Ἱερώνυμου Κοτσώνη, πού ἀργότερα ἔγινε ἀρχιεπίσκοπος 'Αθηνῶν. Ὁ Τσιριντάνης "ἵδρυσε μέ τήν προστασία τῶν 'Ανακτόρων [τοῦ Παύλου] τίς ὀργανώσεις *Ἑλληνικό Φῶς καί Ἑλληνικός Πολιτισμός*. Μ' αὐτές ἐπεζήτησε νά στηρίξει χριστιανικά στόν πνευματικό χῶρο τήν ἀντιμαρξιστική κίνηση τοῦ *'Αρχείου Φιλοσοφίας*... Ὁ Τσιριντάνης συνετέλεσε στό νά δώσει στήν Κεντροδεξιά τό πνευματικό ὑπόβαθρο πού τῆς ἔλειπε, ὥστε νά μπορέσει ἐπιτυχέστερα ν' ἀναμετρηθεῖ μέ τήν Ἄκρα 'Αριστερά, τῆς ὁποίας ἡ ἰδεολογική ἐμβέλεια ἦταν μεγάλη, παρά τή στρατιωτική ἧττα της... Προσπάθησε μέ τή "Διακήρυξη τῶν Χριστιανῶν 'Επιστημόνων" [1946] νά προσδώσει χριστιανική ἐπένδυση στήν ἰδεολογικά ἀσύντακτη Κεντροδεξιά". (Δημ. Τσάκωνα, *'Ιδεαλισμός καί μαρξισμός στήν Ἑλλάδα*, 'Αθήνα, Κάκτος, 1988, σ. 271).

Τό εὗρος τῆς κομματικοποιήσεως τῆς 'Ορθοδοξίας μετά τόν δεύτερο παγκόσμιο πόλεμο ὑπό τήν ἐπιρροή τῶν ζωικῶν καί τῶν δυτικῶν σχημάτων σκέψεως ἐπισημαίνει καί ὁ καθηγητής Εὐτύχης Μπιτσάκης, ὡς μαρξιστής φιλόσοφος: "1946. Τό ἐαμικό κίνημα ἔπρεπε νά ἡττηθεῖ μέ τά ὅπλα τῶν Ἄγγλων. 'Αλλά ἡ 'Αριστερά ἔπρεπε νά ἡττηθεῖ καί στό χῶρο τῶν ἰδεῶν. Ἡ "ἑλληνο-χριστιανική" ἀντικομμουνιστική ἰδεολογία ἄνθισε ἐκείνη τήν ἐποχή τοῦ τρόμου, συμπληρώνοντας στό χῶρο τοῦ "πνεύματος", τό ἔργο τῶν ἐκτελεστικῶν ἀποσπασμάτων καί τῶν παρακρατικῶν συμμοριῶν. Ἡ "Χριστιανική Ἕνωσις 'Επιστημόνων" πρωτοστάτησε χριστιανικώτατα σ' αὐτό τό ἔργο. 'Εδῶ θά ἀναφερθοῦμε στήν περίφημη *Διακήρυξι [τῆς Χριστιανικῆς Ἑνώσεως 'Επιστημόνων]*, πού σχετίζεται ἄμεσα μέ τό βιβλίο τοῦ [Νίκου] Κιτσίκη... Στήν [ἀντίθετη] προσπάθεια γιά ὑλιστική-διαλεκτική ἑρμηνεία τῶν νέων φυσικῶν θεωριῶν, τήν κορυφαία στιγμή [τῆς *Διακηρύξεως*] ἀπετέλεσε ἡ δημοσίευση τοῦ βιβλίου τοῦ Νίκου Κιτσίκη" (Νῖκος Κιτσίκης, *Ἡ Φιλοσοφία τῆς Νεώτερης Φυσικῆς*. Εἰσαγωγή καί σχόλια: Εὐτύχης 'Ι. Μπιτσάκης. 'Αθήνα, Gutenberg, 1989, σσ. 16-18).

Ἡ κομματικοποίηση τῆς 'Ορθοδοξίας στό πλευρό τῆς Δεξιᾶς, τήν ὑποβίβασε στό ἐπίπεδο τοῦ πολιτικοποιημένου καθολικισμοῦ τῆς Δύσεως καί δημιούργησε σέ ἀντιπερισπασμό ἀντιχριστιανική ἀγωνιστική διάθεση μέσα στήν νεολαία. Ὅπως γράφει καί ὁ Μπιτσάκης: "Ἤμουνα πρωτοετής φοιτητής ὅταν κυκλοφόρησε τό βιβλίο τοῦ Κιτσίκη τό 1947. Ζούσαμε τότε μέσα στήν ἔξαρση τοῦ ἡττημένου, ἀλλά ρωμαλέου ἐαμικοῦ κινήματος, καί φανταζόμασταν τήν ἐπιστήμη στήν ὑπηρεσία μιᾶς Ἑλλάδας λαϊκοδημοκρατικῆς. Τό βιβλίο τοῦ Κιτσίκη ἦταν γιά μένα μιά ἀποκάλυψη καί καθόρισε, ἀπό μιά ἄποψη, τόν προσανατολισμό μου πρός τή φιλοσοφία τῶν ἐπιστημῶν" (σ. 11). 'Ορθόδοξοι σάν τόν Γιανναρᾶ, μετά ἀπό πολλά χρόνια, κατάλαβαν τήν ζημιά πού ἐπέφερε μιά τέτοια κομματικοποίηση στήν 'Εκκλησία καί "τόν Φεβρουάριο τοῦ 1962 ἦρθε καί ἡ ἀνοιχτή ρήξη μου μέ τούς τσιριντανικούς". (Χρ. Γιανναρᾶ, *Καταφύγιο ἰδεῶν: μαρτυρία*, ἔνθ' ἀνωτ., σ. 313). Ἔγραψε τότε: "Οἱ θεωρίες γιά τόν "χριστιανικό πολιτισμό" πού ξεσήκωσαν ὁλόκληρο κίνημα λαοῦ στήν Ἑλλάδα, ἔσβησαν σάν πυροτέχνημα βυθίζοντας στήν ἀπογοήτευση καί στήν πικρία τόν ἴδιο τόν ἐκφραστή τους. Κατέληγα, ὅτι τά ἀχυρένια ἰδεολογήματα περί "χριστιανικοῦ πολιτισμοῦ" μᾶς ἦρθαν ἀπό τή Δύση καί δέν ἀρκοῦν γιά νά χορτάσουν τήν πείνα τῶν ἀνθρώπων" (σ. 314). Νά θυμίσουμε πώς καί ἀπό τήν Δύση εἰσήχθη στίς χῶρες τοῦ 'Ισλάμ, ἡ θεωρία περί "ἰσλαμικοῦ πολιτισμοῦ" πού δημιούργησε τήν δυτικοεμπνευσμένη ἰδεολογία τοῦ πανισλαμισμοῦ. Ὁ Γιανναρᾶς ἀποκαλεῖ τόν Νῖκο Ψαρουδάκη, "κωμική ἀπομίμηση τῶν τσιριντανικῶν δραμάτων" (σ. 323).

Πιό συγκεκριμένα ὅμως, ποιά ὑπῆρξε ἡ σχέση τῶν δύο ὀργανώσεων, τῆς Ζωῆς καί τοῦ Σωτῆρος μέ τήν ἰδεολογία τοῦ φασισμοῦ; Σ' αὐτήν τήν ἐρώτηση ὁ Γιανναρᾶς δέν ἀπαντᾶ, ἄμεσα τουλάχιστον. Προσπαθεῖ ὅμως ν' ἀπαντήσει ἕνας ἄλλος θεολόγος, ὁ Γιῶργος Μουστάκης: "Ἡ 'Αδελφότης Θεολόγων ἡ Ζωή εἶναι καρπός νοθείας καί δυτικοποίησης τοῦ λαϊκορθόδοξου βιώματος τῆς χώρας μας. Ὁ χριστιανισμός πού περισσότερο ἀπό μισό αἰῶνα κηρύττει ἡ Ζωή καί ἡ ἀπόφυσή της, ὁ Σωτήρ, ἦταν καί εἶναι σωματειακά κατασκευάσματα τῆς ἀνερχόμενης μπουρζουαζίας στήν "ἑλληνοχριστιανική" μας κοινωνία... Ὁ σωματειακός χριστιανισμός προπαγάνδισε στούς ἀστοχριστιανούς τό Θεό ὡς χωροφύλακα τῆς ἔννομης ἀστικῆς τάξης... Μέσα ἀπό τά κατηχητικά μέ τά ἐμπορεύσιμα εἴδη τους: σηματάκια, κονκάρδες, βιβλία, βιβλιαράκια, εἰκόνες καί φράγκικα εἰκονίδια, τραγουδάκια σέ δίσκους γλυκερά, "Τά χριστιανόπουλα θά πᾶμε μέ χαρά" καί ἄλλα ἠχηρά παρόμοια, ξεγέλασαν τόν ἀστικό καί μικροαστικό κόσμο καί ὁδήγησαν τή νεολαία του βορά τοῦ ἑλληνοχριστιανικοῦ φασισμοῦ. 'Από τό "μιά Ἑλλάδα εὐτυχισμένη στοῦ Χριστοῦ τό φῶς λουσμένη", φτάσαμε στό κατάντημα τοῦ "Ἑλλάς Ἑλλήνων Χριστιανῶν", πού ἰδεολογικά ἐκπορεύθηκε ἀπό τή θυγατρική τῆς Ζωῆς, Χριστιανική Ἕνωση 'Επιστημόνων καί τό περιοδικό *'Ακτίνες*". (Δρα Γιώργου Μουστάκη, *Ἡ γέννηση τοῦ χριστιανοφασισμοῦ στήν Ἑλλάδα*, 'Αθήνα, Κάκτος, 1983, σσ. 7-8).

Ὁ Μουστάκης κατηγορεῖ τούς ζωικούς πώς ὑπῆρξαν συνεργάτες τῶν Γερμανῶν στήν διάρκεια τῆς Κατοχῆς: "Συνάδελφος καταξιωμένος... μοῦ εἶχε διηγηθεῖ τό ἀκόλουθο περιστατικό: Βρισκόμουν στό Μητροπολιτικό Ναό τῶν 'Αθηνῶν. 'Αντί γιά κήρυγμα ἀγάπης ἀνεβαίνει στόν ἄμβωνα ὁ προϊστάμενος τῆς Ζωῆς, Σεραφείμ Παπακώστας καί ἀναγγέλλει στό κατάπληκτο ἐκκλησίασμα: "Ἔπεσε τό Ζιτομίρ καί σώθηκε ἡ Χριστιανοσύνη". Ἐν ἔτει σωτηρίῳ, ὅλα τοῦτα, 1943. Τί ἦταν δέ τό Ζιτομίρ; Τό πρῶτο ὀχυρό τῆς Σοβιετικῆς Ἕνωσης στή Δυτική Οὐκρανία πού κατέλαβαν οἱ χιτλερικοί" (σ. 8).

Στόχος τῶν Ζωικῶν ἦταν ἡ ἵδρυση χριστιανικοῦ κόμματος: "Τονίζεται στά πρακτικά τῆς ΚΓ΄ Συνελεύσεως τῆς Ἀδελφότητος, ὅτι ἀποτελεῖ προσδοκία τοῦ κινήματος ἡ ἵδρυσις ἑνός χριστιανικοῦ κόμματος" (σ. 11).

Δυστυχῶς οἱ ἐπικριτές τῶν χριστιανικῶν σωματείων Ζωή καί Σωτήρ παίρνουν συχνά πολιτικές θέσεις, ἄν καί θεολόγοι, πού δέν ὑστεροῦν καθόλου ὡς πρός τίς θέσεις τῶν σωματείων. Ἔτσι ὁ Γιανναρᾶς ἐπεμβαίνει συχνά ἀπό τά μέσα μαζικῆς ἐνημερώσεως, γιά νά κατακεραυνώσει χουντικούς καί φασίστες, χρησιμοποιώντας γιά νά ὁρίσει αὐτές τίς ἔννοιες, πολιτικό καί ὄχι ἐπιστημονικό λόγο. Φαίνεται πώς τοῦ εἶναι δύσκολο νά ἀποβάλει τήν ζωική του παίδευση καί μέ τά ὅπλα πού τοῦ δώσανε στήν Ἀδελφότητα πέρασε ἁπλῶς στό ἀντίπαλο στρατόπεδο. Διότι ὅπως ὁ ἴδιος ἐξηγεῖ, ζυμώθηκε χρόνια μέσα στήν Ἀδελφότητα: "Ἔφυγα ἀπό τή Ζωή στίς 26 Φεβρουαρίου 1964. Ἤμουν εἰκοσιεννιά χρονῶ, εἶχα ζήσει δέκα χρόνια στρατωνισμένος συνεπέστατα στήν ἰδεολογική μου ἀφιέρωση κι ὄχι ὁποιαδήποτε χρόνια, ἀλλά ἀπό τά δεκαεννιά στά εἰκοσιεννιά, τά δέκα ὀμορφότερα χρόνια τῆς ζωῆς. Δυόμισι χρόνια στόν μεταγωγικό ἐφιάλτη τοῦ οἰκοτροφείου καί ἑφτάμισι χρόνια στά ἄδυτα τῶν "ἐπιλέκτων". (Χρ. Γιανναρᾶ, *Καταφύγιο ἰδεῶν*, ἔνθ' ἀνωτ., σ. 342).

Ὅσο γιά τόν Μουστάκη πού κατηγορεῖ τά χριστιανικά σωματεῖα γιά "δυτικοποίηση τοῦ λαϊκορθόδοξου βιώματος τῆς χώρας μας", αὐτός τά ξεπερνᾶ κατά πολύ στόν δυτικισμό: "Ἡ Ἑλληνική Ἐκκλησία σ' ἔντονη ἀντίθεση μέ τήν θρησκεία τῶν ἀρχαίων Ἑλλήνων πού ἦταν δημοκρατική καί φεμινιστική, εἶναι βαθιά ἀντιφεμινιστική μέ ὑποβαθμισμένη ἀντίληψη γιά τήν προσφορά τῆς γυναίκας... Αὐτό ὀφείλεται σέ ἱστορικοκοινωνικούς λόγους, τούς ὁποίους εὐθύς ἀμέσως ἀναλύουμε: Ἡ Ἑλληνική Ἐκκλησία ἦταν καί εἶναι μεσανατολίτικη στή σκέψη, στήν πράξη καί κυρίως στή νοοτροπία. Αὐτό ὀφείλεται στό ὅτι ποτέ δέν χειραφετήθηκε ἀπό τήν ἑβραϊκή ἐπίδραση καί τά ἤθη καί ἔθιμα τῶν ἰουδαϊκῶν παραδόσεων. Ἔτσι βλέπουμε τά ἴδια καφασωτά διαχωρίσματα πού ἔχουν οἱ ὀρθόδοξες ἰουδαϊκές συναγωγές –γιά νά διαχωρίσουν τούς ἄντρες ἀπό τίς γυναῖκες– νά ἔχουν καί πολλές ἐκκλησίες στά χωριά μας ἀκόμη καί σήμερα. Ἔτσι πολλές γυναῖκες ἀσφυκτιοῦν μέσα στούς γυναικωνῖτες τῶν ναῶν καί παλιότερα θυμᾶμαι μέσα ἀπό τά τετράγωνα καφασωτά ἔβλεπαν τήν ἐκκλησία ἀπό τό ὕψος τοῦ γυναικωνίτη. Σήμερα, ἐνῶ αὐτά στίς πόλεις ἔχουν ὑποχωρήσει καί παραμένουν σέ πολλά χωριά, μένει ἡ ἀντίληψη καί ἡ προκατάληψη ὅτι ἡ λεχώνα γυναίκα εἶναι βρώμικη κι ἔχει ἀνάγκη εἰδικοῦ καθαρμοῦ, σαραντίσματα, γιά νά μπεῖ μέσα στήν ἐκκλησία μετά τήν ἱερατική εὐχή... Καί ἡ ἐμμηνόρροια θεωρεῖται κάτι βρώμικο... Ἔτσι ἀπό τή μιά εὐλογοῦν τό γάμο μέ παχυλές ἀφορολόγητες ἀμοιβές, ἀπό τήν ἄλλη ἀρνοῦνται τό πρῶτο ἀγαθό τῆς συζυγίας, τήν παιδοποιία... 'Αλλά εἴπαμε, ἑβραϊκές προλήψεις καί δεισιδαιμονίες μεταφυτευμένες ἄκριτα στό φιλελεύθερο ἑλληνικό χῶρο. Ποιά ἡ θέση τῆς γυναίκας μέσα στόν ἐκκλησιαστικό ὀργανισμό σήμερα; Ποιά ἄλλη ἀπ' αὐτή τῆς δουλείας. Καί δέν ὑπερβάλλουμε. Τίς γυναῖκες τίς θέλουν οἱ ἐκκλησιαστικοί γιά νά τούς μαζεύουν λεφτά καί νά πλουτίζουν τά κεμέρια τους... πού ὄχι μόνον τήν ἱερωσύνη τούς στεροῦν ἀλλά καί τήν εἴσοδο ἀκόμη καί τῶν θηλυκῶν βρεφῶν καταδικάζουν μέσα στό ἱερό βῆμα καί στά ἄβατα τῶν μοναστηρίων καί ἰδιαίτερα τοῦ Ἁγίου Ὄρους... Τί πρέπει νά γίνει;... Νά ἀπεργήσουν οἱ γυναῖκες καί νά πάψουν κάθε συνεργασία ἄμεση καί ἔμμεση μέ τά παπαδαριά... Ἡ Καθολική 'Εκκλησία μετακινήθηκε λίγο ἄν καί μένει πολύς δρόμος στήν πλήρη ἐξίσωση ἄντρα καί γυναίκας μέσα στήν ἐκκλησία. Πάντως ἡ Β΄Σύνοδος τοῦ Βατικανοῦ (1962-1966) μέ τή φωτισμένη καθοδήγηση τοῦ Πάπα 'Ιωάννη 23ου τοῦ καλοῦ, εἶδε μέ συμπάθεια τά γυναικεῖα αἰτήματα... Συνήθως οἱ φτωχοί... πέφτουν θύματα τῆς προπαγάνδας τῶν μεγαλοαστῶν πού ζητᾶνε νά στρατολογήσουν φτηνά ἐργατικά χέρια. Σ' αὐτήν τήν ἐκμετάλλευση... ἡ ἐκκλησιαστική παράδοση θέσπισε κανόνες γιά τήν ἐπιβολή τῆς πολυτεκνίας". (Γιῶργος Μουστάκης, *Ἑλλάς Ἑλλήνων Δεσποτάδων*, 'Αθήνα, Gutenberg, 1983, σ.σ. 205-208).

'Από τό παραπάνω κείμενο βγαίνουν τά ἑξῆς στοιχεῖα: α) 'Αρχαιολατρεία καί ἀντιεβραϊσμός. Διότι γιατί νά περιορίζει τόν μεσανατολισμό τῆς ἑλληνικῆς ἐκκλησίας στήν ἑβραϊκή ἐπίδραση καί ὄχι στήν ἐπίδραση τοῦ τρόπου ζωῆς 'Αράβων καί Τούρκων; Ὁ Μουστάκης, πού ἀρθρογραφεῖ ἀπό χρόνια στίς ἐφημερίδες ὡς ὀπαδός τοῦ ΠΑΣΟΚ, ὑποστηρίζει τούς Παλαιστινίους καί τούς Ἄραβες γενικῶς κατά τοῦ σιωνισμοῦ καί εἶναι ἀπό τούς ἱδρυτές τοῦ ἑλληνοϊρανικοῦ συνδέσμου. Νά ὑπενθυμίσουμε πώς τό 'Ισλάμ καί εἰδικά αὐτό τοῦ 'Ιράν, εἶναι πολύ περισσότερο "μεσανατολίτικο" ἀπό τόν ἑβραϊσμό τοῦ 'Ισραήλ. β) Ἔντονος δυτικισμός. Ὁ φεμινισμός τοῦ Μουστάκη θυμίζει Μάργκαρετ Παπανδρέου καί εἶναι ἐντελῶς ξένος πρός τήν 'Ορθόδοξη παράδοση. Διότι ὁ φεμινισμός εἶναι κατασκεύασμα τοῦ ἀγγλοσαξωνικοῦ καπιταλισμοῦ τοῦ 20ου αἰῶνος καί δέν ἔχει σχέση μέ τόν σεβασμό πρός τήν γυναίκα καί τά δικαιώματά της μέσα στήν κοινωνία πού πρέπει νά εἶναι "ἴση ἐργασία, ἴσος μισθός" μέ τόν ἄνδρα. γ) Φιλοκαθολικισμός καί φιλοπαπισμός. Ἡ καθολική ἐκκλησία ἐκσυγχρονίζεται καί αὐτό εἶναι καλό, ἐνῶ οἱ 'Ορθόδοξοι ὄχι, οἱ ὁποῖοι θά ἔπρεπε νά ἀκολουθήσουν τήν "φωτισμένη καθοδήγηση" τοῦ Βατικανοῦ. 'Εδῶ ὁ Μουστάκης ἀφήνει νά ἐννοηθεῖ ὅτι θά ἔπρεπε οἱ 'Ορθόδοξοι νά πᾶνε παραπέρα ἀπό τούς Καθολικούς, ἴσως νά φθάσουν τούς Προτεστάντες, πού δέχονται νά χειροτονήσουν γυναῖκες, ἀκόμη καί ὁμοφυλόφιλους. δ) Ὑπέρ τοῦ ἐλέγχου τῶν γεννήσεων καί κατά τῆς πολυτεκνίας, πού εἶναι πάγια θέση τοῦ δυτικοῦ καπιταλισμοῦ ἀπό τήν ἐποχή τοῦ Ἄγγλου οἰκονομολόγου Θωμᾶ Μάλθου (1766-1843) καί εἰδικά σήμερα τῶν πολυεθνικῶν. Ὅτι οἱ μεγαλοαστοί θέλουν πολυτεκνία γιά νά ἔχουν φθηνά ἐργατικά χέρια εἶναι τελείως ἀναληθές καί τό νά σχετίζει τό φανταστικό αὐτό καπιταλιστικό σχέδιο μέ τίς ἀρχές τῆς ὀρθόδοξης ἐκκλησίας εἶναι σκέτο παραμύθι.

Ποιά εἶναι ἡ θέση τῆς 'Ορθοδοξίας στό θέμα τῆς πολιτικῆς ἐξουσίας καί ποιές συγχύσεις μέ τήν τρίτη ἰδεολογία πρέπει ὁ πιστός νά ἀποφεύγει; Πρῶτ' ἀπ' ὅλα, καταδίκη ὁποιασδήποτε ἰδεολογίας: "Ἡ 'Εκκλησία [δέν μπορεῖ] νά στηριχθεῖ σέ καμιά ἰδεολογία, ἔστω λεγομένη χριστιανική... Ἡ 'Εκκλησία εἶναι ὄχι σῶμα χριστιανῶν, ἀλλά σῶμα Χριστοῦ. Ὅλοι οἱ μετέχοντες στό σῶμα τοῦ Χριστοῦ πιστοί, κλῆρος καί λαός, εἶναι μέσα στό σῶμα, ποτέ πάνω ἀπό τό σῶμα. Γι' αὐτό κάθε ἔννοια ὑπερεπισκόπου (πάπα) ἤ ἀκόμη δεσποτισμοῦ, εἶναι ἀδιανόητη στή ζωή τῆς

'Εκκλησίας". (π. Γεωργίου Δ. Μεταλληνοῦ, *Ἡ 'Εκκλησία μέσα στόν κόσμο*, 'Αθήνα, 'Εκδόσεις 'Αποστολικῆς Διακονίας τῆς 'Εκκλησίας τῆς Ἑλλάδος, 1988, σ. 12). 'Εδῶ βλέπουμε πώς μιά σύγχυση μέ τήν βασική ἀρχή τῆς τρίτης ἰδεολογίας εἶναι δυνατή: ὁ λαός-ἡγεμών γιά τήν ἰδεολογία, τό σῶμα τοῦ Χριστοῦ γιά τήν ὀρθοδοξία.

Δεύτερον, "μέσα στό Ἅγιο Ποτήριο, τό ἀτομικό σῶμα τοῦ Χριστοῦ γίνεται ἕνα μέ τό κοινωνικό του σῶμα... Ὄχι μόνο μιά κατακόρυφη κοινωνία κάθε πιστοῦ (ἀτομικά) μέ τόν Θεό ἐν Χριστῷ, ἀλλά καί ἡ ὁριζόντια ἕνωση ὅλων τῶν μελῶν τοῦ σώματος μεταξύ τους. Ἡ 'Εκκλησία-Χριστός, κεφαλή καί σῶμα" (σσ. 12-13). Σύγχυση ἐδῶ μπορεῖ νά γίνει μέ τήν φασιστική ἔννοια τοῦ πολιτικοῦ ἥρωος, τοῦ χαρισματικοῦ ἡγέτη, πού θεωρεῖται ἀντανάκλαση τοῦ λαοῦ μέσα σέ καθρέπτη. 'Επίσης, "κάθε τοπική 'Εκκλησία, ἀφοῦ ἐνσαρκώνει τήν καθολική ἀλήθεια, τήν ὀρθοδοξία, εἶναι ἡ 'Εκκλησία, παρά τήν γεωγραφική διαίρεση, ὅπως ἕνας εἶναι ὁ Χριστός, πού προσφέρεται σέ κάθε Ἁγία Τράπεζα, ὡς τροφή τοῦ σύμπαντος κόσμου... Ἡ θεία εὐχαριστία ἐξασφαλίζει τήν ἑνότητα· τοῦ ἐκκλησιαστικοῦ σώματος" (σσ. 13-14). Ἡ ἄμεση δημοκρατία τοῦ φασισμοῦ πού ἀποκλείει κάθε ἀντιπροσώπευση καί κάθε διαίρεση τοῦ λαοῦ σέ ἐπί μέρους πραγματικότητες, "κοινωνεῖ" μέ τόν 'Αρχηγό σέ μυστικιστικές συναθροίσεις, ὅπως στίς πλατεῖες καί τά στάδια. Πρέπει νά "φθάσουμε σέ σημεῖο νά μή ζοῦμε πιά ἐμεῖς, ἀλλά νά ζῇ ἐν ἡμῖν Χριστός" (σ. 17). Καί ὁ Χίτλερ "εἶναι ἡ Γερμανία" καί μέσα σέ κάθε Γερμανό πρέπει νά ζεῖ ὁ Χίτλερ, ὥστε νά εἶναι κατ' εἰκόνα τοῦ Χίτλερ. 'Εδῶ βλέπουμε καθαρά τήν σατανική βάση τῆς τρίτης ἰδεολογίας ἡ ὁποία ἀντικαθιστᾶ τήν θεία λειτουργία μέ "μαύρη λειτουργία" (black mass).

Τρίτον, "ἡ διαμόρφωση τῆς ἐνοριακῆς-ἐκκλησιαστικῆς ζωῆς, ἤδη κατά τήν ἀποστολική ἐποχή ἔλαβε τόν χαρακτῆρα μιᾶς πλήρους θεοκρατίας... Ὁ θεοκρατικός χαρακτήρας τῆς ἐκκλησιαστικῆς ζωῆς... δέν εἶναι ποτέ κληρικοκρατία καί φεουδαρχική ἀνθρωποκρατία, ἀλλά Χριστοκρατία" (σσ. 17-18). Τό σύστημα τῆς θεοκρατίας διαμορφώνεται γύρω ἀπό δύο ἔννοιες: τήν ἔννοια τῆς ἀπόλυτης μοναρχίας τοῦ Χριστοῦ, ὁ ὁποῖος δέν μπορεῖ νά ἀντιπροσωπευθεῖ μέ κανέναν ἀπολύτως ἱεράρχη, ὅπως αὐτό γίνεται στόν παπισμό, διότι ὁ Χριστός εἶναι πάντα καί παντοῦ παρών. Τήν ἔννοια τῆς ἀπόλυτης ἑνότητος τοῦ λαοῦ τοῦ Θεοῦ, πού δέν μπορεῖ νά διαιρεθεῖ σέ ἄρχοντες καί ἀρχομένους. Οἱ κληρικοί ἔχουν μόνον ὑποχρεώσεις ὑπηρετήσεως τοῦ λαοῦ (διακονία) καί κανένα δικαίωμα. Ἄλλωστε καί ἡ διάκριση μεταξύ κλήρου καί λαϊκῶν στήν Ὀρθοδοξία οὐσιαστικά δέν ὑπάρχει: "Μέσα στήν πατερική παράδοση, δέν γίνεται καμιά ταξική διάκριση κλήρου καί λαϊκῶν, ἀφοῦ ὅλα τά μέλη ἐπιτελοῦν τήν λειτουργία καί διακονία τους μέσα στό σῶμα. Ἄλλωστε καί ὁ ὅρος "λαϊκός" παραγόμενος ἀπό τό "λαός" σημαίνει τόν ἀνήκοντα στόν "λαό τοῦ Θεοῦ", στό ἐκκλησιαστικό σῶμα, καί κατά συνέπεια περιλαμβάνει ὅλα τά μέλη, κληρικούς καί λαϊκούς μαζί, χωρίς διάκριση. Ἡ μόνη ἐπιτρεπτή διάκριση μεταξύ τους εἶναι στήν ἐπιτελούμενη διακονία καί ὄχι στήν ταξική διαφοροποίησή τους" (σ. 23).

Σύγχυση ἑρμηνευτική μπορεῖ νά ὑπάρξει μεταξύ τῆς ὀρθόδοξης θεοκρατίας καί τῆς ἀπόλυτης ἀρχῆς, ὅπως τήν ὅρισε ὁ Ρουσώ. Ὅπως εἴδαμε στό δεύτερο κεφάλαιο, ὁ Ρουσώ τοποθετοῦσε πίσω ἀπό τόν πολιτικό χαρισματικό ἡγέτη, ὡς καθοδηγητή ἕναν σοφό νομοθέτη, ὁ ὁποῖος εἶναι καί ὁ πραγματικός πολιτικός ἥρωας. Ὁ ἡγεμών, ὡς ἀπόλυτος μονάρχης ἁπλῶς ἐφαρμόζει τό σύστημα τοῦ σοφοῦ νομοθέτη (Πλάτωνα ἤ Κονφούκιο). Ὁ σοφός ἀντιστοιχεῖ μέ τόν Χριστό, ἐνῶ ὁ ἡγεμών ἀντιστοιχεῖ μέ τόν ποιμένα ἐπίσκοπο ὁ ὁποῖος διακονεῖ καί μόνον ἐφ' ὅσον ἔναντι τοῦ ποιμνίου του, τοῦ λαοῦ του, ἔχει μόνον ὑποχρεώσεις καί κανένα δικαίωμα (αὐτοκράτωρ τῆς Κίνας ἤ ὁλοκληρωτικός ἡγέτης). Μιά ἄλλη ἀντιστοιχία εἶναι στή σχέση Ἐκκλησίας καί Μεγάλου Κωνσταντίνου. Στήν Κίνα ἔχουμε τήν ἀναγνώριση τοῦ κονφουκιανισμοῦ ἀπό τόν Κινέζο αὐτοκράτορα στόν 2ο αἰῶνα π.Χ ὡς ἐπίσημη φιλοσοφία καί δόγμα τῆς Αὐτοκρατορίας καί αὐτή ἡ συμπόρευση διήρκεσε γιά 22 αἰῶνες, δηλαδή μέχρι καί τόν 20ο αἰῶνα. Ὁ αὐτοκράτωρ ἐθεωρεῖτο σωστός μόνον ἐφ' ὅσον ἀκολουθοῦσε τόν κονφουκιανισμό καί ἀπό τόν κονφουκιανισμό καί μόνον ἀντλοῦσε τήν ἐξουσία του. Ὁ μή σεβασμός τῶν κονφουκιανικῶν ἀρχῶν ἔφερνε αὐτόματα τήν ἀκύρωση τῆς ἐξ οὐρανοῦ ἐντολῆς καί τότε ὁ λαός εἶχε ὑποχρέωση νά τόν ἀνατρέψει γιά νά τόν ἀντικαταστήσει μέ ἕναν καινούργιο αὐτοκράτορα σωστό κονφουκιανιστή. Εἴπαμε πώς στήν ρουσωική φασιστική ὁλοκληρωτική κοινωνία τήν θέση τῆς ἐξ οὐρανοῦ ἐντολῆς παίρνει ἡ γενική θέληση.

Πῶς βλέπει ἡ 'Ορθοδοξία τόν Κωνσταντῖνο: "Δέν εἶχε ἄδικο ἡ 'Εκκλησία, ὅταν διά τῶν 'Αγίων Πατέρων της ὀνόμασε τόν Κωνσταντῖνο Μέγα καί 'Ισαπόστολο καί ἐν βασιλεῦσιν ἀπόστολον, δηλαδή ἐστεμμένον ἱεραπόστολον τῆς 'Ορθοδοξίας. Διότι στό πρόσωπο τοῦ χριστιανοῦ πιά Κωνσταντίνου αὐτοκαταργήθηκε ὁ Κύριος καί Αὐτοκράτορας, δηλαδή ὁ ἀπόλυτος δυνάστης καί δεσπότης τοῦ τότε κόσμου, ὁ Ρωμαῖος αὐτοκράτορας, καί ἔγινε ἀφοσιωμένος θεράπων τοῦ Θεοῦ καί μέ τήν ἔγκριση τῶν ἰδίων τῶν 'Αγίων Πατέρων, ἐπίσκοπος (δηλαδή ἐπόπτης-διάκονος) τῶν ἐκτός, τῶν ἔξω ἀπό τό ἅγιο Βῆμα, τοῦ πολιτικοκοινωνικοῦ χώρου, ἀναλαμβάνοντας τήν διακονία... 'Ο Μ. Κωνσταντῖνος δέν ἦταν πιά ὁ Ρωμαῖος αὐτοκράτορας, ἀλλά ἕνας κατηχούμενος πιστός, καθαριζόμενος δηλαδή κοντά στόν γέροντά του καί πορευόμενος πρός τό φώτισμα, τό ἅγιο Βάπτισμα... 'Επέτρεψε στήν 'Εκκλησία νά λύσει ἡ ἴδια συνοδικά –δηλαδή δημοκρατικά– τά προβλήματά της" (σσ. 54-55). 'Η ἀντίληψη αὐτή τοῦ δημοκράτη, ἀπόλυτου βυζαντινοῦ μονάρχη, μπορεῖ εὔκολα νά μεταφερθεῖ, ἀπό παρερμηνεία, στήν ἄμεση δημοκρατία ἑνός ὁλοκληρωτικοῦ φασιστοῦ ἡγέτη.

'Η πολιτική ἐξουσία πηγάζει τήν ὕπαρξή της ἀπό τήν πτώση ἀπό τόν Παράδεισο: "'Η ὕπαρξη πολιτικῆς ἐξουσίας-διακονίας, εἶναι χριστιανικά ἀναγκαία γιά τήν ἐξασφάλιση τῆς ἁρμονίας τῆς κοινωνίας, πού εἶναι αἰχμαλωτισμένη στό γεγονός τῆς πτώσεως καί ἁμαρτίας" (σ. 56). 'Εν τούτοις, "ἡ ὑποταγή πού ζητεῖ ὁ 'Απ. Παῦλος... δέν σημαίνει ἀπόλυτη καί ἀνεξέλεγκτη συγκατάθεση στήν πολιτική ἐξουσία, ἀλλά τότε μόνον, ὅταν ἡ ἐντολή [βλέπε Ρουσώ καί Κονφούκιο] τῆς πολιτικῆς ἐξουσίας δέν ἀντίκειται στό θέλημα τοῦ Θεοῦ" (σ. 56). 'Η Βυζαντινή Αὐτοκρατορία ὑπῆρξε θεοκρατία καί συνεπῶς πλήρης καί ἀληθής ἄμεση δημοκρατία, στό μέτρο πού ἡ αὐτοκρατορία ἦταν ἐκκλησία. Σ' αὐτό τό σύστημα ὁ διαχωρισμός ἐκκλησίας καί πολιτείας δέν ἔχει νόημα. "Αὐτή ἡ ἑνότητα στό ἕνα σῶμα γινόταν καί παραμένει ὁρατή, ὅταν συνάγεται ὅλο τό ἐκκλησιαστικό σῶμα κάτω ἀπό τόν Παντοκράτορα τοῦ τρούλλου στή λατρεία...Κάθε ἔννοια, συνεπῶς, χωρισμοῦ τῶν δύο διακονιῶν, δηλαδή τελείας διακοπῆς τῶν μεταξύ τους σχέσεων καί συνδιακονίας, εἶναι στήν ὀρθόδοξη παράδοση ἀδιανόητη" (σ. 58, 60). Αὐτή ἡ ἑνότητα ἐξουσίας εἶναι θεοκρατία καί ὄχι καισαροπαπισμός, ὁ ὁποῖος ἐπεβλήθη ἰδίως στήν Δύση. Διότι θεοκρατία εἶναι ἁγιοπνευματική διαλεκτική ὑπέρβαση τῆς ἀντιφάσεως μεταξύ πολιτικῆς ἐξουσίας καί 'Εκκλησίας, ἐνῶ ὁ καισαροπαπισμός ἤ παποκαισαρισμός εἶναι κατάχρηση πρός τό ἕνα ἤ τό ἄλλο σκέλος τοῦ διαλεκτικοῦ αὐτοῦ συνόλου. Γι' αὐτό καί ὁ χωρισμός Κράτους καί 'Εκκλησίας πού προέρχεται ἀπό τήν ἀποτυχία τῆς καταχρήσεως τοῦ καισαροπαπισμοῦ, εἶναι καθαρῶς δυτικό πρότυπο τοῦ ἰδίου περιεχομένου μέ τόν ἀναγεννησιακό διαχωρισμό ἐπιστήμης καί θρησκείας.

Γιά τήν σημερινή 'Ορθοδοξία καί τούς τεράστιους κινδύνους πού ἀντιμετωπίζει ἀπό τήν ἐπιταχυνόμενη δυτικοποίηση τῆς ἑλληνικῆς κοινωνίας καί ἀπό τό σύνολο τῶν 300 βουλευτῶν τῆς γραικύλικης Βουλῆς, τό Ἅγιον Ὄρος ὀρθώνεται ὡς ἡ κιβωτός τοῦ ὀρθοδόξου τρόπου ὑπάρξεως: "Ὁ μοναχισμός, ὡς μυστικός ἔρωτας τοῦ ἀνθρώπου γιά τόν Θεό... εἶναι ἡ ἐκ βαθέων κραυγή τοῦ ἀνθρώπου πρός τό Ἄκτιστο... Σ' αὐτή τή διαδικασία ἀποφασιστική εἶναι ἡ συμβολή τοῦ πνευματικοῦ-γέροντα...Ἤδη στά τέλη τοῦ γ΄ αἰώνα ἐμφανίζονται ὁμαδικές τάσεις φυγῆς ἀπό τόν κόσμο... Ἔτσι ἀρχίζει νά "πολίζεται" ἡ ἔρημος, νά μεταβάλλεται μέ τήν ἀθρόα προσέλευση χριστιανῶν σέ πόλη-ἀντίπολη... Αὐτή ἡ καινή πόλη εἶναι ἡ μονή. Μιά ὁλόκληρη καί καθολική κοινωνία εἶναι τό μοναστήρι... Ὁ μοναχισμός εἶναι ἡ πεμπτουσία τοῦ χριστιανισμοῦ... Ἰδανικό τῆς Ρωμηοσύνης δέν εἶναι ἡ κατά κόσμον σοφία, ἀλλ' ἡ θεία. Ὄχι ὁ κατά κόσμον σοφός ἀλλά ὁ κατά Θεόν σοφός, δηλαδή ὁ ἅγιος... Τό Ἅγιον Ὄρος ἔγινε τό θερμόμετρο τῆς πνευματικότητος τοῦ Γένους μας... Ὁ κοινοβιακός μοναχισμός τοῦ Ἁγίου Ὄρους διέσωσε τό ὑπαρκτικό πλαίσιο καί πρότυπο τῆς ἑλληνορθόδοξης κοινωνίας. Τόπος καταφυγῆς, ἀνανεώσεως καί ἀναγεννήσεως ἀρχόντων καί ἀρχομένων, κληρικῶν καί λαϊκῶν" (σσ. 227-228, 230, 232). Μέχρι τήν ἵδρυση τοῦ ἑλληνικοῦ κρατιδίου τῶν 'Αθηνῶν, τό Ἅγιον Ὄρος ἦταν ἡ πνευματική κινητήριος δύναμη τῶν Ρωμηῶν. Μετά ὅμως ἀπό τό 1821 ἀντικατεστάθηκε μέ τήν Δύση. 'Αλλά ἡ ἑλληνορθόδοξη ἐκκλησία πιστεύει πώς "ἀνάμεσα στούς δύο αὐτούς πολιτισμούς [φραγκικοῦ καί ρωμαίικου] καμιά σύμπτωση δέν εἶναι δυνατή, παρά τίς γνωστές θεωρίες περί μετακενώσεως καί συγγενείας ἑλληνικοῦ καί φράγκικου πολιτισμοῦ" (σ. 235). Ὑπάρχει ἀπόλυτη ἀντίθεση ἐφ' ὅσον ὄχι μόνον ὁ ἑλληνισμός δέν εἶναι Δύση, ἀλλά εἶναι ἡ ἀντι-Δύση.

Ὁ ὀρθόδοξος τρόπος ὑπάρξεως εἶναι ἀπόλυτα ἀντικαπιταλιστικός: "Δέν εἶναι περίεργο, ὅτι μέσα ἀπό θρησκευτικούς κύκλους τῆς Δύσεως ξεπήδηξαν οἱ κορυφαῖοι τοῦ καπιταλισμοῦ... Δέν ὑπάρχει δέ πλοῦτος, μέ τή σημερινή μάλιστα ἔννοιά του, πού νά γίνεται χωρίς ἀδικία... Στόν ὀρθόδοξο μοναχισμό φθάνει ὁ ἄνθρωπος σέ τέτοιο σημεῖο ἐλευθερίας, ὥστε νά μή κρατήσει τίποτε γιά τόν ἑαυτό του... Ὁ Μ. Βασίλειος κατηγορεῖ αὐτούς πού κρατοῦν τό περίσσευμα τοῦ κέρδους τους (ὑπεραξία) σάν κλέφτες γιατί, ὅπως λέγει, "αὐτό πού φυλᾶμε στήν ἀποθήκη μας ἀνήκει σ' αὐτούς πού δέν ἔχουν"... Ἡ 'Ορθοδοξία εἶναι στή φύση της ἐπαναστατική καί ἀσυμβίβαστη μέ τήν ἀδικία καί τήν καταπίεση. Παρουσιάζει μάλιστα, ἕνα τρόπο ζωῆς στούς ἀντίποδες τοῦ ἀστικοῦ-καπιταλιστικοῦ περιβάλλοντος". (π. Γ. Δ. Μεταλληνοῦ, "'Ορθοδοξία καί κοινωνικοπολιτική διακονία", στό *Ἡ ὀρθοδοξία ὡς πολιτική διακονία*, Λευκωσία, Ἱερά Βασιλική καί Σταυροπηγιακή Μονή Ἁγίου Νεοφύτου, Συνάντηση, 1984, σσ. 20-22).

Ὁ ὀρθόδοξος τρόπος ζωῆς εἶναι ἄρρηκτα δεμένος μέ μιά ζωντανή διαχρονική ἑλληνική γλῶσσα, ἡ μία καί μόνη ἀπό τόν Ὅμηρο μέχρι σήμερα. 'Απορρίπτει, ὡς κατασκευάσματα δυτικῆς νοοτροπίας, τίς ἐπίσημες γραφειοκρατικές γλῶσσες καθαρευούσης καί δημοτικῆς. Τό συνεχές ἀνακάτεμα τῆς ἀρχαίας, τῆς ἐκκλησιαστικῆς, τῆς καθαρεύουσας καί τῆς δημοτικῆς –πρός ἀπόγνωσιν τῶν φιλολόγων τοῦ δημοσίου καί τῶν κομμάτων καί τῶν ξένων ἑλληνιστῶν, πού ἀπαιτοῦν νά μπεῖ κάποια τάξη στήν ἑλληνική γλῶσσα– δέν εἶναι ἔνδειξη ἀναρχικοῦ πνεύματος, ἀλλά βαθειά συνείδηση ὅτι καμιά πτυχή της δέν εἶναι νεκρή καί ὅτι κακῶς ἐπιχειρεῖται νά ὀρθωθοῦν τείχη μέ πολλαπλές γραμματικές, σάν νά ἐπρόκειτο γιά διαφορετικές γλῶσσες. Ὁ Παπαδιαμάντης εἶχε πεῖ γιά τόν Ψυχάρη σέ μιά συνέντευξη: "Τόν Ψυχάρη... ὡς γλωσσολόγον καί ἐπιβλητήν τῆς δημώδους γλώσσης [τόν θεωρεῖ] Λεβαντῖνον, ψευδῆ, τεχνητόν. Προσθέτει μάλιστα ὅτι ἡ μονομανία του αὐτή, τοῦ νά ἀποκτήση ὄνομα εἰς τήν Ἑλλάδα, κατέστη δι' αὐτόν ψύχωσις... Ὄχι! αἱ γλῶσσαι δέν ἐπιβάλλονται οὕτω εἰς τά καλά καθούμενα ὑπό τῶν ἀτόμων εἰς τούς λαούς!". (Τήν μεταφέρει ὁ ἀρχιμ. Φιλόθεος Φάρος, "Ἡ πολιτική μέσα ἀπό τό πρῖσμα τῆς ὀρθοδόξου παραδόσεως καί τῆς ψυχολογίας", στό *Ἡ Ὀρθοδοξία ὡς πολιτική διακονία*, Λευκωσία, Ἱερά Βασιλική καί Σταυροπηγιακή Μονή Ἁγίου Νεοφύτου, Συνάντηση, 1984, σ. 80).

Σχετικά μέ τό θέμα, σωστές παρατηρήσεις δημοσίευσε *Ἡ Καθημερινή* στό φύλλο τῆς 3 Μαρτίου 1990 (σ. 6): "Συμβαίνει πολλές φορές μία "λέξις" –ὅπως αὐτή– νά μήν εἶναι λάθος ἀλλά τριτόκλιτη. Μπορεῖ ὁ γράφων νά τήν ἔχει χρησιμοποιήσει γιά λόγους ὕφους ἤ γιατί ἔτσι τοῦ φαίνεται πώς πάει. Συχνότατα θά τήν δεῖ τυπωμένη "λέξη" γιατί ὁ διορθωτής δέν διορθώνει μόνον ὀρθογραφικά λάθη, ἀλλά ἐπιπλέον θεωρεῖ ὑποχρέωσή του νά διορθώσει τή γραμματική τοῦ κειμένου. Σέ τυχόν διαμφισβήτηση... ἡ ἀπάντηση εἶναι ὅτι "πρέπει νά ἔχουμε κανόνες"... Πολλά ὀφείλει ἡ ὑπόθεση τῆς ἑλληνικῆς γλώσσας στούς ψυχίατρους ἀδελφούς Ἀριστοτέλη καί Νῖκο Νικολαΐδη. Παίρνοντας ἔναυσμα ἀπό τίς παρατηρήσεις τους (ὅτι σχεδόν ψυχωτική εἶναι ἡ τάση μερικῶν ἡμετέρων σφαγιαστῶν τῆς ἑλληνικῆς γλώσσας διότι εἶναι ὑποσυνείδητα μητροκτόνοι), σκέπτομαι μέ πραγματικό φόβο μήπως –λέω μήπως– ἐνδεχομένως, ἡ ἀπέχθεια πρός τήν καθαρεύουσα κρύβει μιά λανθάνουσα ἀπέχθεια πρός τά ἑλληνικά... Ὁ Ἀριστ. Νικολαΐδης (*Ὁ τρόπος τῆς γλώσσας καί ἄλλες ἐγγραφές*, Ἑστία, 1987) γράφει, ἀπό προσωπική ἐμπειρία, ὅτι ὁ Βάρναλης εὐκολότερα χρησιμοποιοῦσε ὁποιαδήποτε βαλκανική λέξη παρά μιά καθαρευουσιάνικη". (Ἄρθρο, "Γλωσσοκτόνοι" τοῦ Τηλ. Μαράτου). Ἐπίσης στήν ἴδια ἐφημερίδα τῆς 23ης Φεβρουαρίου 1990, διαβάζουμε: "Ὁρισμένες φορές φέρνουν γέλιο, ἄλλες δυσφορία ἕως καί ἀγανάκτηση, τίς περισσότερες σκεπτικισμό καί ἀνησυχία γιά τήν ἐξέλιξη τῆς γλώσσας. Μιά ἐξέλιξη πού δέν ἀφήνεται στή ροή τοῦ χρόνου, ἀλλά στή βιάση τῆς ἀναγωγῆς τῶν πάντων σέ δῆθεν τύπους καί κανόνες, πράγματι δέ σέ ἀφόρητα καί ἀφόρετα στενόφαρδα καλούπια". (Ἄρθρο, "Ἡ κακοποίηση τῶν ξένων ὀνομάτων στά ἑλληνικά. Ἀπαράδεκτη ἡ τάση ἁπλούστευσης τῆς ὀρθογραφίας τους" τοῦ Κώστα Σακκογιάννη).

ΕΠΙΛΟΓΟΣ

Ὁ μεγαλύτερος κίνδυνος γιά τήν ἐπιβίωση τοῦ ἑλληνισμοῦ παρουσιάσθηκε στήν δεκαετία τοῦ 1980 μέ τήν ἔνταξη τῆς Ἑλλάδος, ὡς πλῆρες μέλος, στήν ΕΟΚ, τό 1981. Ποτισμένοι μέ μπύρα καί οὐίσκι, σάν τούς Ἰνδιάνους τῆς Βορείου Ἀμερικῆς, οἱ ὁποῖοι ἀδυνατοῦν νά ἀντιδράσουν στήν ἐξαφάνιση τοῦ πολιτισμοῦ τους καί κάθονται ὁλημερίς ἄνεργοι μπροστά στίς συσκευές τηλεοράσεως πού κατασκεύασαν οἱ νεκροθάπτες τους, ἐνῶ εἰσπράττουν ὡς ἀπόλυτα παράσιτα πλέον, τό ἐπίδομα ἀνεργίας, ἔτσι καί οἱ Ἕλληνες ἐπικροτοῦν σήμερα τήν ἔνταξή τους στήν λέσχη τῶν Φράγκων τῆς ΕΟΚ. Ἀγρότες καί μικροαστοί, διανοούμενοι και ἐπιχειρηματίες, στά χωριά καί τίς πόλεις, περιμένουν τά ἐπιδόματα ἀπό τίς Βρυξέλλες γιά νά τά χρησιμοποιήσουν στήν ἀγορά εἰσαγομένων καταναλωτικῶν ἀγαθῶν. Ἐκτός τῆς Ἐκκλησίας, κανείς πλέον δέν ἀνθίσταται στήν εἰσβολή, ἀλλά ἀντιθέτως ἐπικροτεῖ. Ὁποιοσδήποτε τολμήσει νά ἐκφράσει τήν ἀποδοκιμασία του γιά μιά ἔνταξη πού ὅλοι θεωροῦν ἐπικερδῆ, θεωρεῖται "φολκλόρ", περιθωριακός, φαιδρός.

Ἡ ἀντίδραση κατά τῆς ἀφομοιωτικῆς μανίας τοῦ παγκόσμιου δυτικοφερμένου καπιταλισμοῦ ἐκφράζεται μέ τήν ραγδαία ἐξάπλωση τῆς τρίτης ἰδεολογίας. Μετά τήν ὁλοσχερῆ ἧττα της στήν Εὐρώπη στό τέλος τοῦ δευτέρου παγκοσμίου πολέμου, ἰδιαίτερα στήν Ἰταλία καί τήν Γερμανία, ἡ ἰδεολογία αὐτή ἀναστήθηκε στίς χῶρες τοῦ Τρίτου Κόσμου, ἀρχίζοντας ἀπό τήν 'Αργεντινή τοῦ Περόν καί τήν Αἴγυπτο τοῦ Νάσερ. Σέ μερικά χρόνια ἔγινε ἡ ἐπικρατοῦσα ἰδεολογία στόν Τρίτο Κόσμο. Μέ τήν πτώση τοῦ κομμουνισμοῦ στήν 'Ανατολική Εὐρώπη, τό 1989, ὁ δρόμος ἄνοιξε πλέον γιά την ἐξάπλωση τοῦ φασισμοῦ καί στήν Εὐρώπη. Διότι πρώην κομμουνιστές μπορεῖ εὔκολα νά μεταπηδήσουν στόν φασισμό, ἀλλά πολύ δύσκολα νά μετατραποῦν σέ φιλελεύθερους. Μέσω τῆς 'Ανατολικῆς Γερμανίας, ἡ τρίτη ἰδεολογία, ἡ ὁποία θά ἔχει ἐν τῶ μεταξύ ἐπικρατήσει στήν 'Ανατολική Εὐρώπη, θά εἰσβάλει καί στήν Δυτική Εὐρώπη, χάρη στήν ἑνοποίηση τῶν δύο Γερμανιῶν, καί θά φιλοδοξήσει νά καταστρέψει ὁλοσχερῶς τήν Δύση ὡς πηγή τοῦ ἀστικοῦ καπιταλιστικοῦ πολιτισμοῦ. Εἶναι ὅμως ἀμφίβολο ἄν τελικά θά μπορέσει νά τό ἐπιτύχει.

Ἴσως ὅμως ὁ καιρός πλησιάζει καί τῆς πολιτικῆς ἀναβιώσεως τῆς ἁπανταχοῦ 'Ορθοδοξίας, στήν Ἑλλάδα καί σέ ὅλη τήν ἔκταση τῆς 'Ενδιάμεσης Περιοχῆς, ὅπου μπορεῖ νά ἐμφανισθεῖ ἕνας Μέγας Κωνσταντῖνος γιά νά ἀναλάβει –καθαριζόμενος κοντά στόν πνευματικό του γέροντα– τήν θεοκρατία τῆς 'Ορθόδοξης Πολιτείας, ὑπό τήν πνευματική καθοδήγηση τοῦ Ἁγίου Ὄρους. Διότι μόνον αὐτή ἡ θεοκρατία θά εἶναι σέ θέση νά καταργήσει τόν δυτικό πολιτισμό. Γιά τοῦτο εἶναι πολύ σημαντικό, ὅλοι οἱ ὀρθόδοξοι νά καταλάβουν τό μάταιο τῶν προσπαθειῶν τῆς τρίτης ἰδεολογίας καί νά οδηγηθοῦν πρός τό νέο τοῦτο πολίτευμα, ἀποκλειστικά καί μόνον ἀπό τήν 'Ορθοδοξία.

Μιά θεοκρατική κυβέρνηση θά ἔχει ὑπουργούς καί πρωθυπουργό οἱ ὁποῖοι θά παίρνουν πολιτικές ἀποφάσεις κατόπιν ἐξαγνισμοῦ μέ προσευχές καί πνευματική καθοδήγηση ἀπό γέροντες μοναχούς τοῦ Ἁγίου Ὄρους. Φυσικά τά μοναστήρια καί οἱ μοναχοί καθόλου δέν θά μετάσχουν στήν πολιτική.

Ἤδη ἡ Δύση ἀνησυχεῖ γιά τήν ἀνένδοτη στάση τοῦ Ἁγίου Ὄρους καί οἱ προσπάθειές της νά τό ἁλώσουν, πού συνεχίζονται ἀπό τόν 19ο αἰῶνα, ἔχουν πληθύνει μετά τό 1981. Τό παρομοιάζει, ὅπως ἡ γαλλική ἐφημερίδα *Libération*, στίς 2 Μαρτίου τοῦ 1990, σέ ἄρθρο τοῦ Jean Palestel, "Les irréductibles du mont Athos" (Οἱ ἀσυμβίβαστοι τοῦ Ἁγίου Ὄρους), μέ τό τελευταῖο κομμάτι τῆς

Γαλατίας τοῦ 'Αστερίξ πού ἀνθίσταται κατά τῶν Ρωμαίων ἐπιδρομέων: "Ὅλη ἡ Γαλατία βρίσκεται ὑπό Ρωμαϊκή κατοχή... Ὅλη; Ὄχι! Ἕνα χωριό [τό Ἅγιον Ὄρος] ἀνυπότακτων Γαλατῶν ἀντιστέκεται ἀκόμη καί θά ἀντιστέκεται γιά πάντα στούς εἰσβολεῖς". ('Από τήν εἰκονογραφημένη γαλλική σειρά *Astérix*).

Ὄχι μόνον οἱ ἐξωτερικοί ἀλλά καί οἱ ἐσωτερικοί ἐχθροί προσπαθοῦν νά ἁλώσουν τό Ἅγιον Ὄρος κατασκευάζοντας διάφορους δούρειους ἵππους: οἱ φεμινίστριες διαμαρτύρονται γιατί δέν τούς ἐπιτρέπεται νά τό ἐπισκεφθοῦν, οἱ κολυμβητές γιατί δέν μποροῦν νά χρησιμοποιήσουν τίς ἀκτές του, οἱ τουρίστες γιατί δέν μποροῦν νά κάτσουν σέ ξενοδοχεῖα. Καί ποιός ξέρει τί σχέδια θά ὀργανώσουν στό τέλος αὐτοί πού θά θελήσουν νά κλέψουν τούς θησαυρούς του καί νά κάψουν τά δάση του.

Ἡ *Libération*, τῆς 26ης 'Ιανουαρίου 1990, δημοσίευσε ἕνα μεγάλο προκλητικό ἄρθρο τοῦ François Féron μέ τίτλο *Le retour des popes* ("Ἡ ἐπιστροφή τῶν ὀρθόδοξων παπάδων"), καί μέ τήν ἑξῆς παρατήρηση: "Οἱ καθολικές καί προτεσταντικές 'Εκκλησίες τῆς Δύσεως ἀνακαλύπτουν πώς θά χρειασθεῖ νά συγκατοικήσουν μέ τό τρίτο σκέλος τῆς Χριστιανοσύνης: τούς 'Ορθοδόξους. Διότι ἡ 'Ανατολή ἀπελευθερώθηκε ἀπό τά μαρξιστικά δεσμά καί τώρα ἡ θρησκεία τήν ἔχει μεθύσει. Μιά ἀφύπνιση πού ὑποδαυλίζει τόν ἐθνικισμό καί μερικές φορές καί τήν ξενοφοβία". Ὁ Γάλλος θεολόγος Olivier Clément, χριστιανός ὀρθόδοξος, ἔγραφε στό τεῦχος 65 τοῦ περιοδικοῦ *L' actualité religieuse dans le monde*, ὅπως τό παραθέτει ἡ Λιμπερασιόν: "Σήμερα στήν Ἑλλάδα νά ἀποκαλέσεις κάποιον οἰκουμενιστή εἶναι ὕβρις, εἶναι σάν νά λές παναιρετικός... Στά λαϊκά στρώματα ὑπάρχει ἕνας λαϊκισμός πού πρέπει νά ὁμολογήσουμε ὅτι εἶναι φασίζων, διότι περιέχει μιά συνεχῆ καταγγελία τῶν ἑβραίων καί τῶν μασόνων...Ἡ σοσιαλιστική πλειοψηφία [τό ΠΑΣΟΚ] ἀπηγόρευσε τήν πρόσληψη μασόνων στό δικαστικό σῶμα, μετά ἀπό μιά λαϊκίστικη καμπάνια στήν ὁποία μέρος τοῦ κλήρου ἔπαιξε σημαντικό ρόλο".

Γενικά τό ἄρθρο τῆς Λιμπερασιόν δείχνει κατακάθαρα πώς οἱ Φράγκοι δέν ἔχουν οὐσιαστικά ἀλλάξει ἀπό τήν ἐποχή τῶν σταυροφοριῶν. Τό μῖσος τους καί ἡ ἔλλειψη κατανοήσεως τῆς 'Ορθοδοξίας ἔμειναν ἀνέπαφα. Ὅσο εἶχαν νά κάνουν μέ μόνον τούς Ἕλληνες ὀλιγοπληθεῖς Γραικύλους πού τούς πιθήκιζαν, δέν χρειαζόταν νά δείξουν τό πραγματικό τους πρόσωπο: ἔκαναν τούς ἀνεξίθρησκους. Ἀλλά τώρα ὀρθώνεται στήν Ἀνατολή τό τεράστιο μπόι τῆς ρωσικῆς ὀρθοδοξίας καί ἀνησυχοῦν. Κατακρίνουν καί πάλι τό ὀρθόδοξο βίωμα, σάν τούς ἐξωγήινους πού μπαίνουν γιά πρώτη φορά σέ ἐκκλησία. Ἀπίθανες βαρβαρότητες. Ἰδού: "Στήν Δύση κανείς δέν τολμᾶ νά τό πεῖ πολύ δυνατά, ἀλλά εἶναι φανερό ὅτι εἶναι ξαφνιασμένοι, ἄν ὄχι ἐνοχλημένοι, ἀπό τήν πορεία τῶν Ὀρθοδόξων Ἐκκλησιῶν. Οἱ ἱερεῖς ἐδῶ ζηλεύουν τούς ὑπερπλήρεις καθεδρικούς ναούς, ὅπου ἐπί τρεῖς ὧρες, ἑκατοντάδες πιστοί, ὄρθιοι, εἰσπνέουν θυμίαμα, γυροδένονται στό χρυσό τῆς φλόγας τῶν κεριῶν καί τῶν εἰκόνων καί ψέλνουν ἀκατάπαυστα. Παράλληλα ὅμως ἀνησυχοῦν γιά τήν εἰδωλολατρεία πού μεταφέρει ἡ λειτουργία –π.χ. ὁ νεκρός θρέφεται μέ γλυκίσματα– καί ἀπό τήν ἔλλειψη κατάρτισης τῶν πιστῶν. "Βαπτίζουν χωρίς οὔτε κἄν νά ἔχουν ἐξασφαλίσει ἕνα ἐλάχιστο ὅριο κατηχήσεως καί λειτουργοῦν στήν σλαβονική, μιά γλῶσσα πού κανείς πλέον δέν καταλαβαίνει", λέει ξαφνιασμένος ἕνας Γάλλος δομινικανός μοναχός" (σ. 22). Ἡ κακοπιστία τοῦ δομινικανοῦ εἶναι ἐδῶ ὁλοφάνερη.

Πράγματι, ὅπως λένε οἱ ὀρθόδοξοι μοναχοί, "μόνον στό Ἅγιον Ὄρος καί στά μοναστήρια μας ὑπάρχει σωτηρία".

ΒΙΒΛΙΟΓΡΑΦΙΑ

AMIN (Samir) - *Classe et nation* - Paris, Les Editions de Minuit et Arguments, 1979.

AMIN (Samir) - *L' avenir du maoïsme* - Paris, Les Editions de Minuit, 1981.

ΑΠΟΣΤΟΛΙΔΗΣ (Ρένος) - *Κατηγορῶ* - 'Αθήνα, Ἔκδοση 'Αδελφῶν Γ. Βλάσση, 1965.

ARON (Raymond) - *Plaidoyer pour une Europe décadente* - Paris, Laffont, 1977.

AULARD (A.) - *Histoire politique de la Révolution Française. Origines et développement de la Démocratie et de la République, 1789-1804* - Paris, Armand Colin, 1926.

BACKE (Herbert), secrétaire d' Etat au ministère du Reich - *La fin du libéralisme* - Paris, Fernan Sorlot, 1942.

BARKAI (Avraham) - *Das Wirtschaftssystem des Nationalsozialismus. Der Historische und Ideologische Hintergrund, 1933-1936* - Köln, Verlag Wissenschaft und Politik, 1977. (Τό οἰκονομικό σύστημα τοῦ ἐθνικοσοσιαλισμοῦ. Τό ἱστορικό καί ἰδεολογικό ὑπόβαθρο, 1933-1936).

BAUDIN (Louis), Professeur à la Faculté de Droit de Paris - *Le corporatisme* (Italie, Portugal, Allemagne, Espagne, France) - Paris, Librairie générale de droit et de jurisprudence, 1942.

BERDIAEV (Nicolas) - *L' idée russe: problèmes essentiels de la pensée russe au XIXe et au début du XXe siècle* - Tours, Mame, 1970.

BERDIAEV (Nicolas) - *Constantin Leontieff* - Paris, χωρίς ἡμερομηνία, γαλλική μετάφραση ἀπό τά ρωσικά.

BERNAL (Martin) - *Black Athena: The Afroasiatic Roots of Classical Civilization.* Vol. I: *The Fabrication of Ancient Greece, 1785-1985* - London, Free Association Books, 1987.

BESANÇON (Alain) - *Etre Russe au XIXe siècle* - Paris, A. Colin, 1974.

ΒΛΑΧΟΣ ('Αρχιμ. Ἱερόθεος Σ.) - *'Ορθόδοξη Ψυχοθεραπεία* - Ἔδεσσα, ἱερά Μονή Τιμίου Σταυροῦ, 1987.

BLOOM (Allan) - *L' âme désarmée. Essai sur le déclin de la culture générale* (The Closing of the American Mind) - Montréal, Guérin, 1987. (Avant - propos de Saul Bellow).

BOSE (Atindranath) - *A History of Anarchism* - Calcutta, The World Press Private Ltd, 1967.

BRETON (André) - *Les manifestes du surréalisme* - Paris, Sagittaire, 1956.

BRINTON (Crane) - *The political Ideas of the English Romanticists* - Ann Arbor, University of Michigan Press, 1966. (First published in 1926).

BRUCKNER (Pascal) - *Le sanglot de l' homme blanc: Tiers Monde, culpabilité, haine de soi* - Paris, Seuil, 1983.

BRUHAT (Jean) - "Lamennais et le mouvement ouvrier français", *Europe*, Paris, février-mars 1954.

BURKE (Edmund) - *Reflections on the Revolution in France* - London, 1790.

CANDELORO (Giorgio) - "La doctrine sociale chrétienne et l' encyclique Rerum Novarum", *Recherches internationales à la lumière du marxisme* - Paris, no. 6, mars-avril 1958.

CARCOPINO (Claude) - *Les doctrines sociales de Lamennais* - Paris, 1942.

CARLYLE (Thomas) - *On Heroes, Hero - Worship and the Heroic in History* - Boston, Ginn & Co., The Athenaeum Press, 1902.

CARLYLE (Thomas) - "Occasional Discourse on the Nigger Question", *Fraser's Magazine*, 1849.

CASSINELLI (C.W.) - *Total Revolution. A Comparative Study of Germany under Hitler, the Soviet Union under Stalin and China under Mao* - Santa Barbara, California, Clio Books, 1970.

CHANG CHUNG-YUAN - *Creativity and Taoism* - New York, Harper, 1970.

CHAPLIN (David) ed. - *Peruvian Nationalism: A Corporatist Revolution* - New Brunswick (N.J.), Transaction Books, 1976.

CHESNEAUX (Jean) - *Histoire de la Chine, 1840-1976* - Paris, Hatier, volume 4.

CHUNG (Hua-min), Miller (Arthur C.) - *Madame Mao: A Profile of Chiang Ching* - Hong Kong, Union Research Institute, 1968.

CLEMENT (Olivier) - *L' esprit de Soljenitsyne* - Paris, Stock, 1974. (Δημοσιεύθηκε σέ ἑλληνική μετάφραση ἀπό τό Βιβλιοπωλεῖο τῆς Ἑστίας, μέ τόν τίτλο *Τό πνεῦμα τοῦ Σολτζενίτσυν*).

COEUROY (André) - *Wagner et l' esprit romantique* - Paris, Gallimard, 1965.

COHEN (Carl) ed. - *Communism, Fascism and Democracy: The Theoretical Foundations* - New York, Random House, 1962.

COSTON (Henry) - *Les financiers qui mènent le monde* - Paris, La Librairie française, 1955.

CRANSTON (Maurice) - "The Sexual Contract: Rousseau's Republicans and Matriarchs", *Encounter*, London, vol. 68, no.2, February 1987.

CUÉNOT (Claude) - *Teilhard de Chardin* - Paris, Seuil, 1962.

ΓΕΩΡΓΑΛΑΣ (Γεώργιος) - *Πίσω ἀπό τό τεῖχος πού φράζει τόν οὐρανό* - Ἀθήνα, Σμυρνιωτάκης, 1988.

ΓΕΩΡΓΑΛΑΣ (Γεώργιος) - *Προβληματισμοί* - Ἀθήνα, Νέοι Ὁρίζοντες, ἄνευ ἡμερ.

ΓΕΩΡΓΑΛΑΣ (Γεώργιος) - *Ἡ ἰδεολογία τῆς Ἐπαναστάσεως* - Ἀθήνα, ἄνευ ἡμερ.

ΓΕΩΡΓΑΛΑΣ (Γεώργιος) - *Ἄνοδος καί πτώση τῶν ἀστῶν* - Ἀθήνα, Σμυρνιωτάκης, 1988.

ΓΕΩΡΓΑΛΑΣ (Γεώργιος) - *Ἡ Δημοκρατία τῶν Ἀρίστων* - Ἀθήνα, Σμυρνιωτάκης, 1988.

ΓΕΩΡΓΑΛΑΣ (Γεώργιος) - *Ἑλληνικό Μανιφέστο* - Ἀθήνα, Ἐλεύθερη Σκέψις, 1979.

ΓΙΑΝΝΑΡΑΣ (Χρῆστος) - *Καταφύγιο ἰδεῶν: μαρτυρία* - Ἀθήνα, Ἐκδόσεις Δόμος, 1987.

ΓΙΑΝΝΑΡΑΣ (Χρῆστος) - *Ἀλήθεια καί ἑνότητα τῆς Ἐκκλησίας* - Ἀθήνα, Ἐκδόσεις Γρηγόρη, 1977.

ΓΚΑΙΜΠΕΛΣ (Ἰωσήφ) [Goebbels, Joseph] - *Μπολσεβικισμός: Θεωρία-Πρᾶξις* - Ἀθήνα, Ἐλεύθερη Σκέψις, 1979.

ΓΚΕΜΕΡΕΫ (Λαυρέντιος) - *Ἡ δύση τῆς Δύσης: ἡ ἀπομυθοποίηση τῆς Εὐρώπης καί ὁ ἑλληνισμός* - Ἀθήνα, Ἐκδόσεις Παπαζήση, 1977.

ΓΚΙΚΑΣ (Ἰ. Ἐ.) - *Ὁ Μουσολίνι καί ἡ Ἑλλάδα* - Ἀθήνα, Ἑστία, 1982.

DANIEL-ROPS - *Le monde sans âme* - Paris, Plon, 1932.

[DÉAT (Marcel) et al.] - *Le corporatisme* - Paris, Recueil Sirey, 1938.

DANIÉLOU (Alain) - *Histoire de l' Inde* - Paris, Fayard, 1983.

ΔΙΟΜΗΔΗΣ ('Αλ. Ν.) - *Βυζαντιναί Μελέται* - 'Αθήνα, Παπαζήσης, 1942.

DOXIADIS (C.A.) - *Architectural Space in Ancient Greece* - Cambridge, The Massachusetts Institute of Technology, 1972.

ΔΡΑΓΟΥΜΗΣ ("Ιων) - *"Οσοι ζωντανοί* - 'Αθήνα, Β΄ ἔκδοση, 1926.

DROZ (Jacques) - *Le romatisme politique en Allemagne* - Paris, Armand Colin, 1963.

DUROSELLE (J.-B.) - *L' idée d' Europe dans l' Histoire* - Paris, Denoël, 1965.

EASTMAN (Lloyd E.) - "Fascism in Kuomintang China: the Blue Shirts", *The China Quarterly*, January-March 1972, no. 49.

'Ελευθερία τῆς τέχνης, ἐλευθερία τῆς ἐπιστήμης καί μαρξισμός, (συλλογικό) - 'Αθήνα, Σιδέρης, 1977.

ELIADE (Mircea) - *Le yoga: immortalité et liberté* - Paris, Payot, 1954.

ELLUL (Jacques) - *Trahison de l' Occident* - Paris, Calmann-Lévy, 1975.

Essai de synthèse pour un néo-fascisme - Paris, numéro spécial de "L' Elite européenne", mai 1972.

ESTEVE (Edmond) - *Byron et le romantisme français. Essai sur la fortune et l' influence de l' oeuvre de Byron en France, de 1812 à 1850.* 2e éd. Paris, Boivin, 1900.

FANON (Frantz) - *Les damnés de la terre* - Paris, Maspero, 1978. Μέ εἰσαγωγή τοῦ Σάρτρ στήν ἔκδοση τοῦ 1961.

FEST (Joachim) - *Hitler* - Paris, Gallimard, 1973, 2 volumes (traduits de l' allemand).

Freund (Julien) - *La fin de la Renaissance* - Paris, Presses Universitaires de France, 1980.

FRIEDRICH (Carl J.), BRZEZINSKI (Zbigniew K.) - *Totalitarian Dictatorship and Autocracy* - New York, Frederick Praeger, 1956 (1965).

[Fu Xi]. Douglas (Alfred) ed. - *The Oracle of Change: How to Consult the I Ching (Yi Qing)* - Harmondsworth (England), Penguin Books, 1972.

GARAUDY (Roger) - *Pour un dialogue des civilisations. L' Occident est un accident* - Paris, Denoël, 1977.

GARAUDY (Roger) - "Pourquoi je suis musulman", *Le Monde*, Paris, 30 Juillet 1983.

GARAUDY (Roger) - "Les mutants portent en eux un monde encore à naître" in *Université des Mutants: guide* (Sénégal), 1978.

GAULLE (Charles de) - *Mémoires de Guerre*, volume III: *Le salut, 1944-1946* - Paris, Plon, 1959.

GMELIN (Ulrich) - "Φοιτητής καί ἐργάτης εἰς τήν Νέαν Εὐρώπην", *Νέα Εὐρώπη*, Βερολῖνο, τεῦχος 1, 1943. (Ἄρθρο στά ἑλληνικά).

GOBINEAU (Arthur de) - *Essai sur l' inégalité des races humaines* - Paris, 4 volumes, 1853-1855.

GOMBIN (Richard) - *Les origines du gauchisme* - Paris, Seuil, 1971.

GUILLEMIN (Henri) - *Robespierre: politique et mystique* - Paris, Seuil, 1987.

GUILLERMAZ (Jacques) - *Le parti communiste chinois au pouvoir, 1949-1979* - Paris, Payot, 2 volumes.

HAIM (Sylvia G.) ed. -*Arab nationalism: An Anthology* - Berkeley (Calif.) University of California Press, 1962.

HARRIS (R.W.) - *Romanticism and the social Order*, 1780-1830, Barnes and Noble, 1969.

HARRISON (J.P.) - *The Long March to Power* - New York, 1972.

HAVENS (G.R.) - "Voltaire's Marginalia on the Pages of Rousseau", *Ohio State University Studies*, vol. 6, 1933.

HAVENS (G.R.) ed. - *Jean-Jacques Rousseau. Discours sur les Sciences et les Arts* - New York, The Modern Language Association of America, 1946.

HELVÉTIUS (Glaude Adrien) - *De l' esprit* - Paris, 1758.

HITCHCOCK (James) - *Catholicism and Modernity: Confrontation or Capitulation?* - Ann Arbor (Michigan), Servant Books, 1979.

HITLER (Adolf) - *Mein Kampf*. Zwei Bände in einem Band. Ungekürzte Ausgabe. Erster Band: *Eine Abrechnung*. Zweiter Band: *Die Nationalsozialistische Bewegung* - München, Zentralverlag der N.S.D.A.P. (National-sozialistische Deutsche Arbeiterpartei), 1936. (Copyright Band 1: 1925, Band 2 : 1927).

HOLBACH (Pierre-Henri Dietrich, baron d') - *Le christianisme dévoilé* - Paris, 1761.

HOLBACH (Pierre-Henri Dietrich, baron d') - *Système de la nature* - Paris, 1770.

HSIAO (Gene T.) - "The Background and Development of the Proletarian Cultural Revolution", *Asian Survey*, VII (6), June 1967.

HUGO (Victor) - *Les feuilles d' automne* - Paris, Librairie Garnier Frères, 1950.

JOES (Anthony James) - *Fascism in the Contemporary World* - Boulder (Colorado), Westview Press, 1978.

JOLY (Pierre) - *La mystique du corporatisme* - Paris, Hachette, 1935.

ΚΑΝΤΑΦΙ (Μουάμαρ ἄλ) - *Τό Πράσινο Βιβλίο.* Μέρος πρῶτο: *Ἡ λύση τοῦ προβλήματος τῆς δημοκρατίας. Ἡ ἐξουσία τοῦ λαοῦ* - Ἀθήνα, 1978.

ΚΑΝΤΑΦΙ (Μουάμαρ ἄλ) - *Τό Πράσινο Βιβλίο.* Μέρος δεύτερο: *Ἡ λύση τοῦ οἰκονομικοῦ προβλήματος* - Ἀθήνα, 1978.

KARNOW (Stanley) - *Mao and China. From Revolution to Revolution* - New York, 1972.

KENNEDY (Paul) - *The Rise and Fall of the Great Powers* - New York, Random House, 1988.

KERRY (Tom) - *The Mao Myth and the Legacy of Stalinism in China* - New York, Pathfinder Press, !977. (A Marxist Studies Book, published by the Socialist Workers Party, USA, member of the Fourth International).

KIRKPATRICK (J.) - *Leader and Vanguard in Mass Society: A Study of Peronist Argentina* - Cambridge (Mass.), MIT, 1971.

ΚΙΤΣΙΚΗ (Μπεάτα) - *Γνώρισα τούς κόκκινους φρουρούς* - Ἀθήνα, Κέδρος, 1982.

ΚΙΤΣΙΚΗΣ (Δημήτρης) - *Ἱστορία τῆς Ὀθωμανικῆς Αὐτοκρατορίας, 1280-1924* - Ἀθήνα, Ἑστία, 1988.

ΚΙΤΣΙΚΗΣ (Δημήτρης) - *Συγκριτική Ἱστορία Ἑλλάδος καί Τουρκίας στόν 20ο αἰῶνα* - Ἀθήνα, Ἑστία, 1978.

ΚΙΤΣΙΚΗΣ (Δημήτρης) - *Ἱστορία τοῦ ἑλληνοτουρκικοῦ χώρου, 1928-1973* - Ἀθήνα, Ἑστία, 1981.

ΚΙΤΣΙΚΗΣ (Δημήτρης) - *Ἡ Ἑλλάς τῆς 4ης Αὐγούστου καί αἱ Μεγάλαι Δυνάμεις* - Ἀθήνα, Ἴκαρος, 1974. (Δεύτερη ἔκδοση: Ἀθήνα, Ἐλεύθερη Σκέψις, 1990).

KITSIKIS (Dimitri) - "Le nationalisme", *Etudes internationales*, Québec, II (3), septembre 1971.

KITSIKIS (Dimitri) - "Populism, Eurocommunism and the KKE", in M. Waller and M. Fennema, eds, *Communist Parties in Western Europe* - Oxford, Basil Blackwell, 1988.

ΚΙΤΣΙΚΗΣ (Δημήτρης) - "Τά μεγάλα ἔργα τῆς Κίνας", *Τεχνικά Χρονικά*, 'Αθήνα, 15 Φεβρουαρίου 1959.

ΚΙΤΣΙΚΗΣ (Δημήτρης) - "Ἡ ἐφευρετικότης τοῦ σημερινοῦ Κινέζου", *Τά Νέα*, 'Αθήνα, 27 καί 28 'Ιανουαρίου 1959.

ΚΙΤΣΙΚΗΣ (Δημήτρης) - " Ἡ ἀνατολική παράταξη στήν Ἑλλάδα", *Τότε*, 'Αθήνα, τεῦχος 27, Αὔγουστος 1985.

KITSIKIS (Dimitri) - The Nationalism of the Present Greek Regime and its Impact on its Foreign Relations", *'Επιθεώρησις Κοινωνικῶν 'Ερευνῶν* , 'Αθήνα, ἀρ. 7-8, 'Ιανουάριος-'Ιούνιος 1971.

ΚΙΤΣΙΚΗΣ (Νῖκος) - *Ἡ φιλοσοφία τῆς Νεώτερης Φυσικῆς*. Εἰσαγωγή καί σχόλια: Εὐτύχης 'Ι. Μπιτσάκης - 'Αθήνα, Gutenberg, 1989.

ΚΟΚΚΙΝΟΣ (Γιῶργος) - *Ἡ φασίζουσα ἰδεολογία στήν Ἑλλάδα. Ἡ περίπτωση τοῦ περιοδικοῦ "Νέον Κράτος", 1937-1941* - 'Αθήνα, Παπαζήσης, 1988.

ΚΟΛΜΕΡ (Κ.) - "Τό ΠΑΣΟΚ καί τό Βυζάντιο", *'Επίκεντρα*, 'Αθήνα, ἀρ. 27, 'Ιούλιος-Αὔγουστος 1982.

Kou Pao-Koh (Ignace) - *Deux sophistes chinois: Houei Che et Kong-Souen Long* - Paris, Imprimerie Nationale, 1953.

LA ROCHEFOUCAULD (François, duc de) - *Réflexions ou Sentences et Maximes morales* - Paris, 1664.

LAMENNAIS (Félicité de) - *Paroles d' un croyant* - Paris, 1834.

LAMENNAIS (Félicité de) - *L' esclavage moderne* - Paris, 1839.

LAMENNAIS (Félicité de) - *Une voix de prison* - Paris, 1841.

[LAMENNAIS] - "Centenaire de la mort de Lamennais", *Europe*, Paris, 32e année, no. 98-99, février-mars 1954.

ΛΑΜΠΡΟΠΟΥΛΟΣ (Β.Α.) - *Ντοκουμέντα τῆς ἑλληνικῆς μασονίας* - 'Αθήνα, 1977.

LANGE (Lynda) - "Women and the General Will" in Trent Rousseau Papers - *Proceedings of the Rousseau Bicentennial Congress* - Trent University, June 1978. Edited by Jim Macadam et al., Ottawa, University of Ottawa Press, 1980.

LAO TZU [LI EUL] ἤ LAO ZI - *Le Tao et la Vertu* (Dao Te Ching). Une nouvelle traduction avec introduction et une étude critique de Joseph L. Liu - Montréal, Parti pris, 1974.

LÉNINE (V.I.) - *L' Etat et la révolution* - Paris, Editions sociales, 1947.

LENORMAND (M.H.) - *Manuel pratique du corporatisme* - Paris, F. Alcan, 1938.

LOI (Michèle) - *Poètes du peuple chinois* - Paris, P.J. Oswald, 1969.

LOWENTHAL (Richard) - "Unreason and Revolution. On the Dissociation of Practice from Theory", *Encounter*, London, vol, 33, no. 5, November 1969.

MAO TSE-TUNG, *Oeuvres choisies* - Pékin, tome I, and *Selected Works*, volume I, Peking, Foreign Languages Press, 1975. Also, volumes II to V, 1975-1977.

MAO ZEDONG [MAO TSE-TUNG] - *Le Grand Bond en Avant: inédits 1958--1959* - Paris, le Sycomore, 1980.

MAO TSE-TUNG - *Le Grand Livre Rouge: écrits, discours et entretiens, 1949-1971.* Traduit de l' allemand - Paris, Flammarion, 1975.

MARCOVICH (M.) - *Heraclitus. Greek Text with a Short Commentary* - Merida (Venezuela), The Los Andes University Press, 1967.

MARCUSE (Herbert) - *Eros et Civilisation. Contribution à Freud* - Paris, Les Editions de Minuit-Arguments, 1963.

MARCUSE (Herbert) - "Socialisme ou barbarie", *Le Nouvel Observateur*, Paris, 8 janvier 1973

MARCUSE (Herbert) - "The Obsolescence of Marxism", in N. Lobkowicz, *Marx and the Western World*, University of Notre Dame Press, USA, 1967.

MARTIN (Laurence W.) ed. - *Neutralism and Nonalignment. The New States in World Affairs* - Westport (Conn.), Greenwood Press, 1962.

MARTIN (Robert) - "Who Suffers Whom? Notes on a Canadian Policy Towards the Third World", *Canadian Forum*, April 1976.

[MARX (Karl)] - *Oeuvres de Karl Marx* -Paris, Gallimard, collection "La Pléiade", tome 2.

MARX (Karl), Engels (Friedrich), *Manifeste du parti communiste* - Paris, Editions sociales, 1947.

MAUROIS (André) - *Don Juan ou la vie de Byron* - Paris, Grasset, 1952.

Μεγάλη (Ἡ) Πορεία ὅπως τήν ἀφηγοῦνται αὐτόπτες μάρτυρες - Ἀθήνα, Γ. Φέξη, 1964.

MELLOR (Anne K.) ed. - *Romanticism and Feminism*- Bloomington, Indiana University Press, 1988.

ΜΕΡΚΟΥΡΗ (Μελίνα) - *Γεννήθηκα Ἑλληνίδα* - Ἀθήνα, Ζάρβανος, 1983, (Μετάφραση ἀπό τά ἀγγλικά, *I was born Greek*, London, Hodder and Stoughton, 1971.

MERLE (Marcel) éd. - *Pacifisme et internationalisme, XVIIe-XXe siècles* - Paris, A. Colin, 1966.

ΜΕΤΑΛΛΗΝΟΣ (π. Γεώργιος Δ.) - *1992: ἀπειλή ἤ ἐλπίδα;* - Ἀθήνα, Ἐκδόσεις Ἀποστολικῆς Διακονίας, 1989.

ΜΕΤΑΛΛΗΝΟΣ (π. Γεώργιος Δ.) - *Ἡ Ἐκκλησία μέσα στόν κόσμο* - Ἀθήνα, Ἐκδόσεις Ἀποστολικῆς Διακονίας τῆς Ἐκκλησίας τῆς Ἑλλάδος, 1988.

ΜΕΤΑΛΛΗΝΟΣ (π. Γεώργιος Δ.) - "Ὀρθοδοξία καί κοινωνικο-πολιτική διακονία", στό *Ἡ Ὀρθοδοξία ὡς πολιτική διακονία* - Λευκωσία, Ἱερά Βασιλική καί Σταυροπηγιακή Μονή Ἁγίου Νεοφύτου, Συνάντηση, 1984.

ΜΕΤΑΞΑΣ (Ἰωάννης) - *Τό προσωπικό του ἡμερολόγιο*, τόμος 2ος - Ἀθήνα, Ἑστία, 1952.

ΜΕΤΑΞΑΣ (Ἰωάννης) - *Τό προσωπικό του ἡμερολόγιο*, τόμος 4ος - Ἀθήνα, Ἴκαρος, 1960.

ΜΕΤΑΞΑΣ (Ἰωάννης) - *Εἰς τό προσωπικό του ἡμερολόγιο: ἐπίμετρο, σχόλια, ντοκουμέντα καί Ἀμβροσίου Τζίφου ἀνέκδοτο ἡμερολόγιο* - Ἀθήνα, Γκοβόστης, Β΄ ἔκδοση, 1977.

ΜΕΤΑΞΑΣ (Ἰωάννης) - *Τό πολίτευμα τοῦ Ἰωάννου Μεταξᾶ*. Ἐκ τοῦ προσωπικοῦ του ἀρχείου. Ἐπιμέλεια Λουκίας Μεταξᾶ - Ἀθήνα, 1945.

MILTON (David) and al. editors - *The China Reader: People's China, 1966-1972* - New York, Vintage Books, 1974.

MOSSE (George L.) ed. - *Nazi Culture: Intellectual, Cultural and Social Life in the Third Reich* - New York, Grosset and Dunlop, The University Library, 1968.

MOSSE (George L.) - *The Crisis of German Ideology: Intellectual Origins of the Third Reich* - New York, Grosset and Dunlop, 1964.

ΜΟΥΖΕΛΗΣ (Ν.), Λίποβατς (Θ.), Σπουρδαλάκης (Μ.) - *Λαϊκισμός καί πολιτική* - Ἀθήνα, Ἐκδόσεὶς Γνώση, 1989.

ΜΟΥΣΤΑΚΗΣ (Γιῶργος) - *Ἡ γέννηση τοῦ χριστιανοφασισμοῦ στήν Ἑλλάδα* - Ἀθήνα, Κάκτος, 1983.

ΜΟΥΣΤΑΚΗΣ (Γιῶργος) - *Ἑλλάς Ἑλλήνων Δεσποτάδων* - Ἀθήνα, Gutenberg, 1983.

MUSSOLINI (Benito) - *L' Etat corporatif. 2e édition* - Florence, Vallechi, 1938.

MUSSOLINI (Benito) - *Edition définitive des oeuvres et discours de Benito Mussolini* [Opera Omnia]. Tome IX: *La doctrine du fascisme. La crise. Reconstruction de l' Europe. L' Etat corporatif* - Paris, Flammarion, 1935.

NAIPAUL (V.S.) - *India: A Wounded Civilization* - New York, Vintage Books, 1977.

NIETZSCHE (Friedrich) - *Grossoktavausgabe* - Stuttgart, Kröner, 19 τόμοι, 1905. [Ἔκδοση Ἀπάντων σέ μεγάλο ὄγδοο σχῆμα]. Τόμοι IX-XVI: *Nachgelassene Werke.*

NISBET (Robert) - "Rousseau and Equality", *Encounter*, London, vol. 43, no. 3, September 1974.

PAGE (Joseph A.) - *Peron. A Biography* - New York, Random House, 1983.

ΠΑΠΑΔΑΚΗΣ (Β.Π.) - *Ἡ χθεσινή καί ἡ αὐριανή Ἑλλάς. Μιά γενική βάσις πολιτικῆς σκέψεως καί πράξεως* - Κάϊρο, Ἐκδοτική Ἑταιρία "Νέα", 1946.

PAPAIOANNOU (Kostas) - *L' ideologie froide. Essai sur le dépérissement du marxisme* - Paris, Jean-Jacques Pauvert, 1967.

PAPAIOANNOU (Kostas) - *Marx et les marxistes* - Paris, Flammarion, 1972.

ΠΑΠΑΝΔΡΕΟΥ (Ἀνδρέας Γ.) - *Ἀπό τό ΠΑΚ στό ΠΑΣΟΚ: Λόγοι, ἄρθρα, συνεντεύξεις, δηλώσεις* - Ἀθήνα, Ἐκδόσεις Λαδιᾶ, 1976.

ΠΑΠΑΝΘΙΜΟΣ (Ἄρης) - *Αὐριανισμός. Τό σημερινό πρόσωπο τοῦ φασισμοῦ* - Ἀθήνα, Θεμέλιο, 1989.

ΠΑΠΑΝΘΙΜΟΣ (Ἄρης) - "Αὐριανισμός: Φασιστική δημοκοπία", *Ριζοσπάστης*, Ἀθήνα, Κυριακή, 19 Νοεμβρίου 1989.

ΠΑΠΠΑ (Έλλη) - *Νίκος Κιτσίκης: Ὁ ἐπιστήμονας, ὁ ἄνθρωπος, ὁ πολιτικός* - Ἀθήνα, Τεχνικό Ἐπιμελητήριο Ἑλλάδος, 1986.

PASCAL (Pierre) - *Civilisation Paysanne en Russie* - Lausanne, 1969.

PELLERIN (Jean) - *La faillite de l' Occident* - Montréal, Les Editions du Jour, 1963.

PERON (Eva) - *La raison de ma vie* - Raoul Solar, 1952.

PEYRE (H.) - "Romantisme", *Encyclopaedia Universalis*, vol. 14 - Paris, 1980.

ΠΙΚΙΩΝΗΣ (Δ.Π.) - "Ἡ θεωρία τοῦ ἀρχιτέκτονος Κ. Α. Δοξιάδη γιά τήν διαμόρφωση τοῦ χώρου εἰς τήν ἀρχαία ἀρχιτεκτονική", Ἀθήνα, Ἔκδοσις "Κύκλου", 1937.

POIS (Robert) ed. - *Race and Race History and other Essays by Alfred Rosenberg* - New York, Harper, 1974.

POMEAU (René) éd. - *Politique de Voltaire* - Paris, A. Colin, 1963.

PROUDHON (Pierre Joseph) - *Solution du problème social* - Paris, 1848.

ROBINSON (John), Bishop of Woolwich - *Honest to God* - London, S.C.M. Press, 1963.

ΡΩΜΑΝΙΔΗΣ (Ἰωάννης) - *Ρωμαῖοι ἤ Ρωμηοί Πατέρες τῆς Ἐκκλησίας* - Θεσσαλονίκη, Πουρναρᾶ, 1984, τόμος 1ος.

ΡΩΜΑΝΙΔΗΣ (Ἰωάννης) - *Ρωμηοσύνη, Ρωμανία, Ρούμελη* - Θεσσαλονίκη, Ἐκδόσεις Πουρναρᾶ, 1975.

ΡΩΜΑΝΙΔΗΣ (Ἰωάννης) - *Τό προπατορικόν ἁμάρτημα* - Ἀθήνα, 2η ἔκδοση, Ἐκδόσεις Δόμος, 1989. (1η ἔκδοση: 1957.).

RONNETT (Alexander E.) - *Romanian Nationalism: The Legionary Movement.* Translated from Romanian - Chicago, Loyola University Press, 1974. (Τό ρουμανικό φασιστικό κίνημα τοῦ Corneliu Zelea Codreanu, στόν μεσοπόλεμο).

ROSENBERG (Alfred) - *Der Mythus des 20. Jahrhunderts* - Berlin, 1938.

ROUSSEAU (Jean-Jacques) - *Les confessions* - Paris, NRF-La Pléiade, 1947.

ROUSSEAU (Jean-Jacques) - *Narcisse* - Paris, 1753.

ROUSSEAU (Jean-Jacques) - *Oeuvres complètes*, tome III - Paris, NRF-La Pléiade, 1964, et tome IV - Paris, NRF-La Pléiade, 1969.

ROUSSEAU (Jean-Jacques) - *Lettre à M. d' Alembert sur les spectacles* - Genève, Librairie Droz, 1948.

ROUSSEAU (Jean-Jacques) - *Discours: Si le rétablissement des Sciences et des Arts a contribué à épurer les moeurs* - Dans les *Oeuvres complètes*, tome III - Paris, NRF - La Pléiade, 1964.

ROUSSEAU (Jean-Jacques) - *Julie ou la Nouvelle Héloïse* - Paris, 1761.

ROUSSEAU (Jean-Jacques) - *Emile ou de l' Education* - Dans les *Oeuvres complètes*, tome IV - Paris, NRF-La Pléiade, 1969.

ROUSSEAU (Jean-Jacques) - *Considérations sur le gouvernement de Pologne* - Dans les *Oeuvres complètes*, tome III - Paris, NRF-la Pléiade, 1964.

ROUSSEAU (Jean-Jacques) - *Discours sur l' origine et les fondements de l' inégalité parmi les hommes* - Dans les *Oeuvres complètes*, tome III - Paris, NRF-La Pléiade, 1964.

ROUSSEAU (Jean-Jacques) - *Du Contrat social, ou essai sur la forme de la République* - Dans les *Oeuvres complètes*, tome III - Paris, NRF-La Pléiade, 1964.

ROUSSEAU (Jean-Jacques) - *Discours sur l' Economie Politique* - Dans les *Oeuvres complètes*, tome III - Paris, NRF-La Pléiade, 1964.

ROUSSEAU (Jean-Jacques) - *Lettre de J.-J. Rousseau à M. de Voltaire: le 18 août 1756* - Dans les *Oeuvres complètes*, tome IV - Paris, NRF-La Pléiade, 1969.

ROUSSEAU (Jean-Jacques) - "La profession de foi du vicaire savoyard", dans le Livre Quatre de l' *Emile ou de l' Education*, pp. 565-635 des *Oeuvres complètes*, tome IV - Paris, NRF-La Pléiade, 1969.

RUSSELL (Bertrand) - *History of Western Philosophy* - London, George Allen and Unwin, 1946 (new edition 1961) -Καί στά γαλλικά: *Histoire de la philosophie occidentale* - Paris, Gallimard, 1968.

ΡΟΥΦΟΣ (Ρόδης) - *Οἱ Γραικύλοι* - Ἀθήνα, Ἴκαρος, 1967.

ΡΟΥΦΟΣ (Ρόδης) - "Ἀπολογία μιᾶς παρακμῆς", *Ἐποχές*, Ἀθήνα, ἀρ. 42, 43, 44, Ὀκτώβριος, Νοέμβριος, Δεκέμβριος, 1966 (τρία ἄρθρα).

SAID (Edward W.) - *L' Orientalisme: l' Orient créé par l' Occident* - Paris, Seuil, 1980.

SAINT-SIMON (Henri de) - *Le nouveau christianisme et les écrits sur la religion* - Paris, Seuil, 1969.

SCHOENBAUM (David) - *Hitler's Social Revolution: Class and Status in Nazi Germany, 1933-1939* - Garden City, N.Y., Doubleday, 1967.

SCHRAM (Stuart) éd. - *Mao Tse-tung*. Textes traduits et présentés - Paris, A. Colin, 1963.

SCHRAM (Stuart) - *Mao Tse-tung* - Harmondsworth (England), Penguin Books (a Pelican original), 1967.

SCHRAM (Stuart) ed. - *Mao Tse-tung Unrehearsed: Talks and Letters, 1956-71* - Harmondsworth (England), Penguin Books (Pelican), 1974.

SCHRAM (Stuart), Carrère d' Encausse (Hélène) eds. - *Le marxisme et l' Asie* - Paris, A. Colin, 1965. Καί στά ἀγγλικά: *Marxism and Asia: an Introduction with Readings* - London, Allen Lane, 1969.

SCHRÖDER - *Pythagoras und die Inder* - Leipzig, 1884.

SCHUBART (Walter) - *L' Europe et l' âme de l' Orient* - Paris, A. Michel, 1949.

SCHURÉ (Edouard) - *Souvenirs sur Richard Wagner* - Paris, 1875.

SCHURÉ (Edouard) - *L' idée mystique dans l' oeuvre de Richard Wagner* - Paris, 1908.

SCHURÉ (Edouard) - *Les grands initiés. Esquisse de l' histoire secrète des religions* - Paris, Perrin, 1889.

SCHWAB (Raymond) - *La Renaissance orientale* - Paris, 1950.

SHAPIRO (Leonard) - "Some afterthoughts on Solzhenitsyn", *The Russian Review*, October 1974.

SLOSMAN (Albert) éd. - *Le Biblion de Pythagore*. Première traduction complète, commentée et présentée - Paris, R. Laffont, 1980.

SNOW (Edgar) - *Red Star over China* - London, Gollancz, 1938.

SOLZHENITSYN (A.) - Lenin in Zurich - New York, Bantam Books, 1976.

SOREL (Georges) - *Réflexions sur la violence* - Paris, 1908.

SPENDER (Harold) - Byron and Greece - London, John Murray, 1924.

SPENGLER (Oswald) - *Le déclin de l' Occident. Esquisse d' une morphologie de l' histoire universelle* - Paris, Gallimard, 1948, 2 volumes.

ΣΠΥΡΟΠΟΥΛΟΣ (Τ.) - "Αἰγυπτιακός ἐποικισμός ἐν Βοιωτία", *Ἀρχαιολογικά Ἀνάλεκτα*, Ἀθήνα, ἀρ. 5, 1972.

STAVRIANOS (L.S.) - *The Promise of the Coming Dark Age* - San Francisco, W.H. Freeman, 1976.

STEPHENS (Evelyne Huber) -*The Politics of Workers' Participation. The Peruvian Approach in Comparative Perspective* - New York, Academic Press, 1980.

STERNHELL (Zeev) - *Ni droite, ni gauche: l' idéologie fasciste en France* - Paris, Seuil, 1983.

TALMON (J.L.) - *The Origins of Totalitarian Democracy* -New York, Frederick Praeger, 1960. Καί στά γαλλικά: *Les origines de la démocratie totalitaire* - Paris, Calmann-Lévy, 1966.

TANG LEANG-LI - *China and Japan: Natural Friends, Unnatural Enemies* - Shanghai, China United Press, 1941.

TASSINARI (Giuseppe) - *L' économie fasciste.* Traduit de l' italien - Rome, "Laboremus", 1937 (XVe année fasciste).

TAUBER (Kurt P.) - *Beyond Eagle and Swastika: German Nationalism since 1945* - Middletown (Conn.), Wesleyan University Press, 1967, 2 volumes.

TAYLOR (J.M.) - *Eva Peron* - University of Chicago Press, 1979.

THEWELEIT (Klaus) - *Männerphantasien* - Verlag Roter Stern, 1977. Καί στά ἀγγλικά: *Male Fantasies.* Volume 1: *Women, Floods, Bodies, History* - Minneapolis, University of Minnesota Press, 1987.

THOMSON (George) - *From Marx to Mao Tse-tung. A Study in Revolutionary Dialectics* - London, China Policy Study Group, 1971.

TOYNBEE (Arnold J.) - *The World and the West* - London, Oxford University Press, 1953. Καί στά γαλλικά: *Le monde et l' Occident* - Genève, Editions Gonthier, 1964.

TOYNBEE (Arnold J.) - "Why I Dislike Western Civilization", in *The McGraw-Hill Reader,* edited by G. H. Muller - New York, McGraw-Hill, 1982.

[TOYNBEE (Arnold J.)] - JERROLD Douglas - *The Lie about the West. A Response to Professor Toynbee's Challenge* - London, J.M. Dent, 1954. ('Απάντηση στό "The World and the West").

ΤΣΑΚΩΝΑΣ (Δημήτρης) - *'Ιδεαλισμός καί μαρξισμός στήν 'Ελλάδα* - 'Αθήνα, Κάκτος, 1988.

VENTURI (Franco) - *Les intellectuels, le peuple et la révolution: Histoire du populisme russe au XIXe siècle* - Paris, Gallimard, 1972, 2 volumes.

WEBER (Max) - *L' éthique protestante et l' esprit du capitalisme* - Paris, Plon, 1964.

WIARDA (Howard J.) - *Corporatism and Development. The Portuguese Experience* - Amherst, The University of Massachusetts Press, 1977.

WITTFOGEL (Karl A.) - *Le despotisme oriental. Etude comparative du pouvoir total* - Paris, Editions de Minuit, 1977.

ΦΑΡΟΣ (ἀρχιμ. Φιλόθεος) - "Ἡ πολιτική μέσα στό πρῖσμα τῆς ὀρθοδόξου παραδόσεως καί τῆς ψυχολογίας", στό *Ἡ 'Ορθοδοξία ὡς πολιτική διακονία* -Λευκωσία, Ἱερά Βασιλική καί Σταυροπηγιακή Μονή Ἁγίου Νεοφύτου, Συνάντηση, 1984.

ΦΑΡΟΣ (ἀρχιμ. Φιλόθεος) - *Ἦθος ἄηθες* - 'Αθήνα, 'Ακρίτας, 1988.

ΦΟΥΡΑΚΗΣ (Γιάννης) - *Τά (προ)μηνύματα τῶν Δελφῶν καί ὁ σιωνιστικός πύθων: Ὁ τελικός πόλεμος Ἑλλήνων-σιωνιστῶν* - 'Αθήνα, Τάλως, 1989.

ΨΑΡΟΥΔΑΚΗΣ (Νῖκος Στ.) - *Σκοτεινές Δυνάμεις καί Χριστιανισμός* - 'Αθήνα, 'Εκδόσεις Χριστιανικῆς Δημοκρατίας, 1966.

ΨΑΡΟΥΔΑΚΗΣ (Νῖκος Στ.) - *'Αντίχριστος, 666 καί ΕΚΑΜ* [Ἑνιαῖο Κωδικό 'Αριθμό Μητρώου] - 'Αθήνα, 'Εκδόσεις Μήνυμα, 1987.

ΨΑΡΟΥΔΑΚΗΣ (Νῖκος Στ.) - *Ἡ παγίδα τῆς ΕΟΚ καί τῆς Εὐρωπαϊκῆς Ἕνωσης* - 'Αθήνα, 'Εκδόσεις Μήνυμα, 1985.

YANOV (Alexander) - *The Russian New Right* - Berkeley, University of California, 1978

ΖΑΒΙΤΖΙΑΝΟΣ (Γεώργιος) - *Καταδίωξις Ἑβραίων ἐν τῇ Ἱστορίᾳ* - Κέρκυρα.

ΖΑΒΙΤΖΙΑΝΟΣ (Σπυρίδων) - "Διευθυνομένη οἰκονομία ἤ οἰκονομία ὑπό ἔλεγχον;", *Ἐργασία*, Ἀθήνα, 7 καί 14 Φεβρουαρίου 1937.

ΖΑΒΙΤΖΙΑΝΟΣ (Κωνσταντῖνος Γ.) - *Ἡ χρεωκοπία τοῦ κεφαλαιοκρατισμοῦ καί τοῦ σοσιαλισμοῦ καί τό νεοφιλελεύθερον οἰκονομικόν σύστημα* - Ἀθήνα, 1948.

ZWEIG (Stefan) - *Nietzsche* - Paris, Stock, 1931.

ΕΥΡΕΤΗΡΙΟ

Ἑλληνικῶν Ὀνομάτων καί Ὅρων

Δ

Z

H

Θ

Ι

Κ

Π

Ρ

Σ

Τ

Υ

Φ

ΕΥΡΕΤΗΡΙΟ
Ξένων Ὀνομάτων καί Ὅρων

S

T

U

V

W

Y

Z